10 0312682 5

KU-529-967

LA COMÉDIE DE PROVERBES

COMITÉ DE PUBLICATION
DES
«TEXTES LITTÉRAIRES FRANÇAIS»

Mme	G. Hasenohr	Paris
MM.	J. Céard	Paris
	F. Deloffre	Paris
	F. Lestringant	Paris
	Ph. Ménard	Paris
	A. Micha	Paris
	G. Roussineau	Paris
	M. Screech	Oxford

TEXTES LITTÉRAIRES FRANÇAIS

LA COMÉDIE DE PROVERBES

Pièce comique

d'après l'édition princeps de 1633

Texte établi et annoté, glossaire,
répertoire phraséologique et notice biographique
par

Michael KRAMER

LIBRAIRIE DROZ S.A.
11, rue Firmin-Massot
GENÈVE
2003

NOTTINGHAM

1003126825

www.droz.org

T

ISBN: 2-600-00809-8
ISSN: 0257-4063

© 2003 by Librairie Droz S.A., 11, rue Firmin-Massot, Genève.
All rights reserved. No part of this book may be reproduced in any form, by print, photoprint, microfilm, microfiche or any other means without written permission.

AVANT-PROPOS

Je tiens à exprimer ma reconnaissance la plus vive et la plus cordiale aux Professeurs Elisabeth Schulze-Busacker (Université de Montréal), John Reighard (Université de Montréal) et Jacqueline Cerquiglini-Toulet (Université de Paris-IV - la Sorbonne) qui m'ont armé de leur soutien et de leurs précieux enseignements, et aux expertise et sagesse desquels j'ai eu recours maintes fois.

Je souhaite remercier M. Max Engammare, directeur des éditions Droz, de sa confiance en mon projet, de ses recommandations bienveillantes et de sa patience.

Je témoigne ma gratitude toute particulière à Mlle Anne-Marie Duffau, conservateur à la bibliothèque de l'Université de Toulouse - Arsenal, qui a eu l'amabilité de me fournir des renseignements précieux ayant trait aux recherches d'Ilia Zdanévitch et à certains aspects de la vie du comte de Carmain.

Je me sens fort obligé par

– le personnel du Service des prêts entre bibliothèques de la Bibliothèque des Lettres et des Sciences Humaines de l'Université de Montréal et, en particulier, M. Vincent Perrault, Mmes Nicole Duchesne, Susanne Rainville et Louise Wolfe

– le personnel du Départment des livres rares de la Bibliothèque des Lettres et des Sciences Humaines de l'Université de Montréal et, en particulier, Mmes Geneviève Bazin et Henriette Couture

– M. Antoine Coron, directeur de la Réserve des livres rares de la Bibliothèque nationale de France;

– Mme Emmanuelle Toulet et à Mlles Marie-Thérèse Tavignot et Bénédicte Saulem de la bibliothèque du Musée Condé à Chantilly;
– M. l'abbé Aïo, responsable intérimaire des archives de l'archevêché d'Auch;
– Mme Magda Combe, présidente de salle aux Archives municipales de Toulouse;

par tous ceux dont l'expertise, la compétence et la bienveillance ont facilité mon parcours.

La partie la plus importante de la recherche historico-biographique pour cet ouvrage a été effectuée en France grâce à la bourse post-doctorale du Fonds pour la Formation de Chercheurs et l'Aide à la Recherche (Québec, Canada). Je remercie cet organisme de son soutien.

Je remercie les bibliothèques suivantes pour les exemplaires des éditions anciennes de la *Comédie de proverbes* ayant servi à l'établissement du texte:

l'édition de 1633	University of Illinois Library, Urbana-Champaign (Illinois, USA),
l'édition de 1640	Bibliothèque nationale de France,
l'édition de 1654	the Folger Shakespeare Library, Washington (District Columbia, USA),
l'édition de 1658	Cleveland Public Library, Cleveland (Ohio, USA),
l'édition de 1665	Robert Manning Strozier Library, Florida State University, Tallahassee (Floride, USA),

ainsi que

– les Archives nationales de France, les Archives départementales de la Haute-Garonne, les Archives départementales du Gers, les Archives municipales de Toulouse;

- la Bibliothèque Mazarine ;
- la Bibliothèque nationale de France ;
- la Bibliothèques des Lettres et des Sciences Humaines de l'Université de Montréal (Québec, Canada) ;
- the McLennan Library, McGill University, Montreal (Québec, Canada).

Je tiens à remercier Mlle Hélène Brisson, pour la lecture du texte, pour ses observations, ainsi que pour son soutien technique et logistique.

INTRODUCTION

S'il fallait décrire en trois mots l'essence de la *Comédie de proverbes*, les mots seraient «jeu», «expérimentation» et «mystère».

La Comédie de proverbes est un jeu parce qu'elle est la suite et la somme de tous les soi-disant *jeux de proverbes*, tant en vogue dans les coteries du XVIIe siècle. Jeu d'érudition, amusant et édifiant à la fois, elle en est aussi un d'adresse, tant pour l'auteur que pour l'acteur.

La *Comédie de proverbes* est une curieuse expérience linguistique. Certes, la tradition de construire à partir de formes fixes des ouvrages littéraires entiers est ancienne. On ne remontera pas aux dialogues de Salomon et Marcoul, mais, pour les deux derniers tiers du XVIe et le premier tiers du XVIIe siècle, on pensera, par exemple, aux *Cartas en refranes* de Blasco de Garay, aux *Dialogos familiares* de Juan de Luna, et, en France, aux *Mimes* de Baïf, ainsi qu'aux *Dialogues fort plaisans* de César Oudin. L'auteur de la *Comédie* élève ce concept à un niveau supérieur, en bâtissant non seulement un texte uni et cohérent, mais une véritable pièce de théâtre.

Enfin, sans égard à son lexique, la *Comédie de proverbes* est aussi une expérience au niveau de l'évolution du théâtre; elle est une des premières comédies à respecter les unités classiques. Outre cela, elle s'éloigne et de la farce, et de la comédie à types, malgré la présence formelle des personnages «masques»: les caractères de ses personnages sortent des cadres rigoureux de leur types respectifs.

La *Comédie* est entourée de mystères. Dans l'univers littéraire français, elle semble surgir du néant, tel un miracle, un objet en soi, résultat spectaculaire d'une création – sans le créateur, et résultat d'une évolution – sans sa source immédiate, un recueil de phraséologismes immense et inconnu. Anonyme, elle ne peut être casée dans un contexte d'évolution d'un auteur particulier, à la différence des œuvres d'un Mairet ou d'un Racine. Même son attribution traditionnelle au comte de « Cramail » ne fait qu'ajouter à l'énigme, car les idées reçues sur l'œuvre littéraire de cet homme de guerre tiennent d'une légende.

Malgré ses nombreuses rééditions, la *Comédie* est à peine remarquée par ses contemporains érudits. Probablement, dans leur esprit, toute la dramaturgie de la pièce n'était qu'un emballage pour le recueil de proverbes sous-jacent, et, sans s'y référer, des auteurs, dont Molière est le plus célèbre, n'hésitèrent pas à y puiser, comme dans un dictionnaire. La citation la plus massive sera trouvée, pourtant, chez Antoine Oudin qui aura emprunté les trois quarts du lexique de la *Comédie* pour ses *Curiositez françoises* (1640).

Après un succès commercial prolongé, du moins en tant que livre, au XVIIe siècle, la *Comédie de proverbes* finit par être reléguée à la « bibliothèque bleue » au siècle des Lumières. Sous le Second Empire, l'intérêt pour le patrimoine national la fit resurgir à deux reprises, mais, vers ce temps-là, l'information concernant ce document devint éparse et peu fiable, venant pour la plupart des ouï-dire.

Tout cela, selon nous, fait en sorte que la *Comédie de proverbes* mérite d'être rouverte, rééditée, relue. Le projet présenté ici se veut surtout philologique. Cela signifie le primat des preuves : attestations, dates, sources, variantes. Le but de la présente édition, outre la présentation du texte, est de réviser toute l'information disponible, afin de dissiper certaines conceptions erronées, de préciser la datation et de discuter, sans trancher, de l'attribution de la *Comédie*, après avoir examiné les informations disponibles sur le comte de Carmain et sur quelques autres auteurs possibles.

Le texte présenté s'appuie sur celui de 1633, le plus ancien et inconnu du public moderne. Le texte établi est muni d'un appareil de variantes venant d'autres éditions anciennes, ce qui n'a pas été fait jusqu'à présent. Il est accompagné d'un appareil lexicographique comprenant avant tout un *Répertoire phraséologique*, soit l'index raisonné des expressions qui forment le texte de la *Comédie*. Le *Répertoire* se base sur le lien entre la *Comédie* et *Les Curiositez françoises* d'A. Oudin. En plus, la présente édition est pourvue d'un *Glossaire*, des index *des noms propres* et *des mots clés*, et des *Commentaires* sur le texte.

Enfin, sans vouloir empiéter sur le terrain de la théorie littéraire, nous ne pouvons nous empêcher de faire part de quelques considérations au sujet des personnages et des particularités littéraires et dramaturgiques les plus saillantes de la *Comédie*.

LES ÉDITIONS ANCIENNES

Aucun manuscrit de la *Comédie de proverbes* n'a jamais été signalé. Le 31 janvier 1633, l'imprimeur François Targa obtint pour elle un privilège de dix ans. La pièce fut achevée d'imprimer en septembre.

Divers dictionnaires, surtout ceux du XIXe et de la première moitié du XXe siècle, affirment que la *Comédie* aurait été représentée pour la première fois longtemps avant sa publication: en 1618[1], en 1616[2], ou encore en 1614[3]. La date «1616» vient de l'*Histoire du théâtre françois* des frères Parfaict, mais nous n'avons pu trouver de justification pour les deux autres.

Dans la théorie, un écart entre la première représentation d'une pièce de théâtre et sa première publication imprimée était non seulement possible, mais inévitable. D'habitude, un auteur, à gages ou membre d'une troupe, écrivait sa pièce pour une troupe spécifique qui en devenait propriétaire nullement intéressée à la voir publiée. Nombre d'ouvrages dramatiques n'ont jamais été imprimés et sont ainsi perdus pour la postérité, comme, par exemple, des centaines de pièces de Hardy.

---

1 *Larousse du XXe s.* (1929), II, p. 557.

2 Viollet le Duc, dans la préface à la pièce qu'il a éditée et publiée dans la collection de l'*Ancien Théâtre François*, IX, p. 8

3 *Dictionnaire des lettres françaises. XVIIe siècle* (1954), p. 316b, et SCHMIDT, p. 567.

Dans la réalité, aucun témoignage de l'époque n'atteste l'existence de la *Comédie de proverbes* avant 1633, et plusieurs chercheurs ont réfuté les dates antérieures. Pour notre part, sans rejeter définitivement la possibilité de l'existence d'une pièce du même type aux environs de 1616, nous considérons ici, en tant que *Comédie de proverbes*, l'ouvrage imprimé pour la première fois en 1633. Une liste, probablement non exhaustive, des éditions anciennes connues[4] est présentée ci-dessous :

Année	Sigle	Lieu	Imprimeur	Remarque
1633	*P33*	*Paris*	*Targa*	
1634	P34	Paris	Targa	
1640	*P40*	*Paris*	*Targa*	« Seconde édition »
1645	R45	Rouen	Cailloué	« pièce comique pour la récréation des mélancoliques »
1649	T49	Troyes	Oudot	
1650	T50	Paris	?	
1654	T54	Troyes	Oudot	« Troisième édition »
1654	L54	Lyon	La Rivière	sans argument ni prologue
1654	*H54*	*La Haye*	*Vlacq*	
1655	H55	La Haye	Vlacq	
1656	R56	Rouen	Cailloué	« Revue et augmentée (*sic!!*) en cette dernière édition »
1658	*T58*	*Troyes*	*Oudot*	« Troisième édition »
1665	PP65	Paris	Pépingué	
1665	*P65*	*Paris*	*Guignard*	
1698	P98 Paris	Évreux-Musier	« 4e édition »	
1715	T715	Troyes	Veuve Oudot	« 5e édition »

4 L'italique marque les éditions utilisées par nous pour l'établissement du texte.

L'édition de Guignard (1665) semble être la première à afficher le titre modifié, *Comédie des proverbes*, sous lequel la pièce est presque toujours cataloguée et mentionnée actuellement. L'édition de 1715, elle aussi, porte le titre modifié.

L'*Enciclopedia dello Spettacolo* parle de traductions nombreuses de la *Comédie*, sans en nommer au moins une[5], ni indiquer une langue d'arrivée. Nous n'avons trouvé aucun signe de l'existence de traductions, et nous sommes sceptique quant à la possibilité même de traduire ce texte complètement idiomatique: autant vaudrait écrire une pièce originale.

LES ÉDITIONS MODERNES

La *Comédie* a subi deux éditions modernes: la première, en 1856, par É.L.N. Viollet Le Duc et A. de Montaiglon dans l'*Ancien Théâtre Français*, la seconde, en 1871, par Éd. Fournier dans *Le Théâtre français au XVI*[e] *et au XVII*[e] *siècle*. Les deux éditions retiennent le titre avec un *des* et se basent, probablement, sur une même source, différente de l'édition de 1633.

Les éditions de 1856 et de 1871 visaient le lecteur général. Aucune d'elles ne contient d'appareil critique. Le t. X de l'*ATF* renferme un glossaire général de toute la collection qui comprend un certain nombre d'expressions de la *Comédie des proverbes*. L'édition de 1871 possède un avantage sur la précédente grâce à des interventions éditoriales et aux commentaires érudits et pleins d'humour d'É. Fournier. Nous retenons certains de ses commentaires, notamment ceux qui concernent les faits et les époques antérieures à la *Comédie*.

5 «numerose furono le tradd[uzioni]» (III, p. 1683-84). Actuellement, nous ne connaissons qu'une traduction partielle allemande, publiée en 1641-49 (v. Worfgang Mieder «*Das Schauspiel Teutscher Sprichwörter* oder Georg Philipp Harsdörffers Einstellung zum Sprichwort», *Daphnis* 3 (1974), 178-195) et retraduite en hongrois par István Ráth-Végh dans son livre *A könyv komédiája* (hongr. «La Comédie du livre», 1937). À son tour, le texte hongrois a été traduit en russe.

La critique des éditions modernes n'est pas notre objectif. Néanmoins, nous avons pris connaissance des solutions proposées par les éditeurs du XIXe siècle pour certains endroits obscurs du texte. Lorsque nous trouvons leur solution préférable ou autrement remarquable, nous en faisons note.

L'AUTEUR

Une tradition fait attribuer la pièce au « comte de Cramail », ce nom étant une altération de « Carmain(g) ». Le nom du comte, lui-même personnage quasi légendaire, n'apparaît dans aucune des éditions de la *Comédie de proverbes*. Toutes les éditions énumérées ci-dessus, y compris celle de 1715, ne portent que le titre, avec, pour sous-titre, *Pièce comique*. Le premier privilège, comme il a été mentionné, fut émis au nom du libraire. L'édition de 1715, dite « cinquième », par la veuve Oudot, arbore un extrait de la permission royale émise en 1714.

La *Comédie de proverbes* n'est précédée d'aucune lettre dédicatoire ni d'un avant-propos. Le texte apparaît donc dénudé de toute information externe. La dédicace étant destinée surtout à attirer certaines faveurs, son absence peut avoir plus d'une explication : l'auteur est mort, ou, s'il est vivant, il ne sait pas que son ouvrage va être publié ; il désire rester inconnu ; il ne cherche pas de protecteur. Toute tentative d'interpréter ces situations pour confirmer ou infirmer le rôle du comte de Carmain ne peut avoir qu'une valeur conjecturale.

L'insistance avec laquelle les dictionnaires bibliographiques et les catalogues de bibliothèque « donnent » la *Comédie de proverbes* au comte de Carmain, en omettant de souligner qu'il s'agit bien d'une hypothèse, fait de l'attribution de cet ouvrage un problème à examiner à part. Nous reviendrons à ce sujet dans les observations qui suivent (p. 76).

LA DATATION

Émile Roy a été le premier à se prononcer fermement contre la date de 1616. Il était d'avis que, si la *Comédie* avait préexisté à l'*Histoire comique de Francion* (1623) et au *Berger extravagant* (1627), Charles Sorel, qui s'intéressait à ce type de littérature, l'aurait mentionnée. Sorel, pourtant,

> ne fait pas la moindre allusion, en 1627, à la comédie du comte de Cramail. Il en résulte que cette comédie n'a été composée que plus tard, vers 1633, date de la 1re édition connue. Suivant Léris, elle aurait été jouée dès 1616; suivant Goizel, dès 1609. Ces dates sont absolument arbitraires et correspondent simplement avec les dates de la publication des *Prologues facétieux*, du comédien Bruscambille (1609 et 1615). Rien ne prouve que ce comédien ait écrit le *Prologue* de la *Comédie des Proverbes*, et en tout cas il écrivait encore des prologues analogues en 1622, comme le remarquent les frères Parfaict[6].

La référence au silence de Sorel n'est pas un argument décisif, car cet auteur ne mentionne la *Comédie* ni dans les éditions de 1626 et 1633 du *Francion*, ni dans le *Berger extravagant*, ni plus tard, dans *La Maison des jeux* (1642), dans la *Bibliothèque françoise* (1664) ou dans *De la Connoissance des bons livres* (1671) – nulle part où une telle mention serait appropriée.

Dans l'introduction à son édition de la comédie *Les Ramonneurs*[7], A. Gill rejette la date de 1616 pour d'autres motifs. Il invoque la présence d'un Philippin et d'une Alizon parmi les personnages pour soutenir que, puisque ce sont des noms de scène de deux comédiens réels des années 20 et 30, la pièce n'aurait pu être écrite pour ces acteurs avant leur temps, et donc, qu'elle aurait été composée vers 1632, quand Philippin fut devenu assez populaire.

C. Scherer s'oppose à cette opinion:

---

6 ROY, p. 253, n. 1. E. Lintilhac se joint à É. Roy: *Hist. gén. du théâtre fr.*, II, p. 404, n. 2.

7 GILL, p. LIV.

> Alizon est un emploi que l'on rencontre dès le XVe siècle dans la farce et on trouve une servante nommée Alizon dans une pièce du XVIe. C'est donc un emploi traditionnel qui n'a pas forcément été écrit pour l'acteur jouant les Alizon. D'autre part, nous possédons des traces de l'acteur de Villiers alias Philippin, qui remontent à l'année 1624[8].

Sans insister d'ailleurs sur la date de 1616, C. Scherer place la création de la *Comédie de proverbes*, à son avis, archaïsante à plusieurs égards, aux environs de 1624, comme celle des *Ramonneurs*.

Il est difficile de trancher définitivement dans une pénurie de renseignements historico-bibliographiques disponibles. Cependant, rien n'empêche de s'adresser pour des éclaircissements au texte même. Celui-ci, quoique composé d'entités lexicales figées – donc, semblerait-il, dépourvues de tout sens littéral – contient au moins sept éléments pouvant servir d'indices chronologiques: 1) Jean Petit, Parisien, 2) Tabarin, 3) les Bohémiens, 4) Notre-Dame-de-Recouvrance, 5) Bouteville, 6) L'Île-Bouchard, 7) la maxime sur les rapports entre le roi et sa mère.

Jean Petit, Parisien

«... il est arrivé depuis peu des Boësmiens qui ne cedent rien à Nostradamus, ny à Jean Petit Parisien en l'art de deviner», dit le capitaine Fierabras au docteur Thesaurus (III.328). Parmi d'innombrables auteurs d'almanachs et de pronostications, publiés et distribués à prix abordables à travers le pays, Me Jean Petit jouit d'une popularité des plus durable. Il était mort vers 1645, mais les éditions de ses divinations s'étalent de 1617 à 1655[9]. Furetière le mentionne encore en 1666[10]; par contre, une comédie écrite vers 1616 ne pourrait invoquer son nom en tant que lieu commun.

---

8 SCHERER, p.185.

9 BESSON, pp. 7, 12, 26.

10 FURETIÈRE, *Roman bourgeois*, p. 230.

Tabarin

À la vue des quatre héros de la pièce, déguisés en Gitans, Macée s'écrie: «Ma mye, les beaux Tabarins!» (III.332). Ici, «Tabarin», malgré la majuscule initiale, est un nom commun qui devait signifier «un jongleur», «un saltimbanque». Avant de devenir nom commun, «Tabarin» avait été un nom de scène, porté par un Antoine Girard qui, avec son frère Philippe, vendait des drogues sur le Pont-Neuf et place Dauphine. Pour attirer les acheteurs, les deux frères jouaient des scènes comiques sous forme de disputes entre le docte maître Montdor (var. Mont-d'Or ou Mondor), représenté par Philippe, et son valet Tabarin. Au duo se seraient joints d'autres acteurs, dont Vittoria, épouse d'Antoine, qui prit le nom scénique de Francisquine.

Les affaires allaient bien, puisqu'elles permirent à A. Girard d'acheter une seigneurie à la campagne et de quitter les tréteaux. Sa carrière artistique dura de 1618 à 1625. Puisque le nom «Tabarin» semble être venu de l'Italie en tant que nom propre peu avant – au début du siècle[11] – et ne put devenir commun que sous l'effet de la popularité du farceur-droguiste, on ne saurait placer la composition de la *Comédie de proverbes* avant 1618.

Les Bohémiens

Les Bohémiens de la *Comédie de proverbes* sont des voleurs en fugue qui, pour semer les poursuivants, dérobent les vêtements des héros de la pièce, pendant que ceux-ci dorment (acte II, scène 4). Le meneur des Bohémiens est présenté comme *coesre* (var. *cœsre*, *coêre*), terme d'argot connu encore au XVIe siècle. En mettant le coesre à la tête des Gitans, l'auteur pèche contre la vérité: le coesre était un hiérarque chez les mercelots, tandis que les Gitans représentaient un groupe visiblement distinct dans l'univers criminel. Ils fonctionnaient par «compagnies», ayant

---

11 V. sur Tabarin: *Les œuvres de Tabarin* (1883), ainsi que, dans A. ADAM *Hist. lit. fr. au XVIIe s.*, I, l'article «Tabarin», p. 179-81.

pour chef leur «capitaine»[12]; leurs femmes et enfants prenaient part aux opérations[13].

Cinq éléments de la *Comédie* prouvent qu'il s'y agit bel et bien de Bohémiens:

1) des quatre Bohémiens, deux sont des femmes, qui jargonnent et dérobent tout autant que les hommes;
2) contraints de prendre les habits laissés par les voleurs, les héros trouvent que Florinde ressemble à une «bourgeoise du Nil ou d'Arger», et Lidias, à un «pelerin de la Mecque». Le nouvel habit d'Alaigre est «riolé piolé comme la chandelle des Rois». Ces descriptions créent l'idée d'une bigarrure quelque peu criarde, évoquant l'Orient;
3) il paraît naturel à tous que Philippin et Florinde, déguisés comme ils sont, aillent dire la bonne aventure (acte III, scène 3), comme s'ils étaient des Bohémiens;
4) selon le Docteur, Florinde est «une Boesmienne de Gonnesse, ou bien elle a baisé le meusnier, car elle est blanche comme farine» (III.366). Une Gitane devait avoir un teint basané;
5) le capitaine Fierabras, voyant Florinde déguisée, la traite de «belle Égyptienne» (III.426).

Depuis leur arrivée en France au milieu du XVe siècle[14], le parcours des Gitans est jalonné de rapports d'officiers de justice

12 On trouve la mention d'un capitaine Hierosme (Jérôme) dans le *Mercure François*, II, Paris: 1627, pp. 315-18; les événements décrits se situent en 1612 et aboutissent à un *Arrest contre les soy disans Egyptiens de sortir hors de France*, sous peine de hart et de galères.

13 PECHON DE RUBY, pp. 37-42.

14 MORÉRI, II, p.331: «BOHÉMIENS, certains gueux errans, vagabonds et libertins, qui vivent de larcins, d'adresse et de filouteries, et qui sur-tout font profession de dire bonne avanture au peuple credule et superstitieux. Ils dansent fort agréablement. Borel dérive ce mot de Boëm, vieux mot françois, et qui signifioit *ensorcelé*. Mais Pasquier, dans ses recherches, en rapporte autrement l'origine. Il dit que le 7. Avril 1427, il vint à Paris douze *Penanciers*, c'est-à-dire, *Penitens*, comme ils disoient, un duc, un comte, et dix hommes à cheval, qui se qualifioient de Chrétiens de la basse Egypte,

et d'ordonnances d'interdiction, jamais exécutées d'ailleurs. La mobilité et la cohésion culturelle de leur groupe pouvait faire en sorte que, à la différence de gueux ou de mercelots, populations hétéroclites et toujours omniprésentes, chaque arrivée des Bohémiens était un événement à l'échelle locale. En 1625-26, ils surgissent près de Paris, et le 12 octobre 1626, Mathieu Molé, premier président du Parlement de Paris, écrit au garde des sceaux Marillac au sujet de

> ... voleurs publics qui courent impunément par toute la France, contre les ordonnances et les arrêts de la Cour; ils se disent bohémiens et sont divisés par compagnies; ils sont maintenant vers Senlis, et je ne vous remarque pas ce lieu sans cause; je ne les ai guère vus s'approcher de si près qu'il n'y ait quelque mouvement préparé[15].

Molé fait une brève rétrospective du problème qui permet d'entendre que la calamité dure depuis au moins un an. Marillac répond, le 18 octobre: «la volonté du Roy est que l'on les extermine de son royaume, que l'on les mette en galères...»[16].

L'introduction des Bohémiens dans la pièce peut signifier, quoique avec certaines réserves, que la *Comédie de proverbes* est contemporaine de la correspondance citée de Molé avec Marillac.

---

chassés par les Sarasins; et qui s'étant adressés au pape pour confesser leurs pechés, avoient reçu pour penitence d'errer sept ans par le monde, sans coucher sur aucun lit. Leur suite était d'environ 120 personnes, tant hommes que femmes et enfans, restantes de douze cens qu'ils étoient à leur départ. On les logea à la Chapelle près de Paris, où on les alloit voir en foule. Ils avoient les oreilles percées, d'où pendoient des boucles d'argent. Leurs cheveux étoient tres-noirs et crêpés, leurs femmes tres-laides, larronesses et diseuses de bonne avanture. L'évêque de Paris les obligea à se retirer, et excommunia ceux qui leur avoient montré leurs mains. Par l'ordonnance des états d'Orléans de l'an 1560 il fut enjoint à tous imposteurs, sous le nom de Bohemiens ou Egyptiens, de vuider le royaume, à peine des galeres.»

15 *Mémoires de Mathieu Molé*, I: 1614-1628, p. 398.

16 *Ibid.*, p. 399.

Notre-Dame-de-Recouvrance

Le docteur Thesaurus, dont la fille a été enlevée, vient de faire un rêve :

> il me sembloit que j'avois trouvé deux enfans pour un. Je m'en vais me recommander à Nostre Dame de recouvrance (III.484).

Ce qui peut paraître une simple épithète de la Vierge parmi tant d'autres est en fait une clé. « Notre-Dame-de-Recouvrance » est le nom d'une rue dans le 2e arrondissement actuel, près de la porte Saint-Denis. Une autre rue, parallèle à celle-ci, porte le nom de Notre-Dame-de-Bonne-Nouvelle, comme l'église qui s'y trouve. Puisque, généralement, les noms de rue de ce genre font référence à une église d'invocation correspondante, on devrait pouvoir repérer celle qui donna son nom à la rue de Notre-Dame-de-Recouvrance. Or, aujourd'hui il n'y a pas d'église de ce nom à Paris. Quant à la rue, elle fut bâtie en 1630, et son histoire contient toutes les réponses :

> On la nomma d'abord Petite-rue-Poissonnière, en raison de la proximité de la rue ainsi désignée. Sa dénomination actuelle lui vient de l'église de Bonne-Nouvelle, qui fut appelée quelque temps Notre-Dame-de-*Recouvrance*[17].

Sur un plan de Paris à vol d'oiseau fait par Mathieu Merian et reproduisant avec soin clochers, ponts, toits, portes, enceintes et moulins, tels que l'auteur les vit vers 1615, le futur quartier de la Bonne-Nouvelle se trouve encore en dehors de l'enceinte. Pour cette raison, les noms des rues ne sont pas spécifiés sur le plan. On voit, par contre, une bourgade délimitée par les deux bras du fossé qui complétait les fortifications de la capitale au niveau de la porte Saint-Denis. Dans la bourgade, on discerne des bâtiments entiers, probablement neufs – dans un coin, et des décombres – dans l'autre. La seule bâtisse dont la forme ressemble à une église est en ruines.

---

17 LAZARE, p. 392.

L'image produite par Merian ne ment pas; d'après plusieurs sources, la population de cette bourgade, appelée Ville-Neuve-aux-Gravois, paroisse St-Laurent, fit construire en 1551 une chapelle sous le vocable de saint Louis et sainte Barbe. Selon Hillairet, en 1563 la chapelle aurait été redédiée à Notre-Dame-de-Bonne-Nouvelle[18]. En 1593, en prévision d'un siège par Henri IV, les ligueurs rasèrent toute la bourgade avec sa chapelle, afin d'améliorer le champ de tir pour l'artillerie des remparts.

Durant les années de paix, on reconstruisit Ville-Neuve assez vite, mais la chapelle demeurait en ruines – l'état attesté par le plan de Merian. À partir de 1624, au coin des rues Notre-Dame-de-Bonne-Nouvelle et Beauregard, une église sous l'invocation de Notre-Dame-de-Bonne-Nouvelle vint remplacer l'ancienne chapelle. La première pierre du bâtiment fut posée le 18 mai 1624 par le duc de La Valette, la première pierre du chœur, par la reine Anne d'Autriche en avril 1628[19]. Bien que, officiellement, l'église fût considérée comme rétablie en 1626, il fut permis d'y célébrer un an plus tôt, soit en 1625[20]. Selon d'autres sources, la première pierre fut posée par Anne d'Autriche en 1628, mais l'église ne fut achevée de bâtir qu'en 1652[21].

Les appellations populaires des églises ne coïncidaient pas toujours avec leurs vocables officiels. Cette situation est reflétée dans la *Comédie de proverbes*: Thesaurus emploie la désignation populaire de l'église à laquelle il n'aurait su aller prier avant qu'elle ne fût inaugurée. Le Docteur se réfère ainsi à un détail toponymique réel confirmant que la *Comédie de proverbes* est *pour le moins* postérieure à 1624.

Bouteville

«Bouteville aura sa revenge», dit le Premier Archer (III.415). L'éditeur de 1856 opta pour l'orthographe *Borteville*,

---

18 HILLAIRET, I, p. 78.

19 LEBEUF, I, p. 305.

20 *Ibid.*

21 HAUTECŒUR, I, pp. 230-31.

conservée par celui de 1871, mais le texte imprimé de 1633 ne permet pas d'être aussi catégorique. Aujourd'hui, des logiciels de reconnaissance de texte se trompent systématiquement, en prenant un *t* pour un *r*. Or, à la différence des polices typographiques d'aujourd'hui, le *t* et le *r* minuscules du XVIIe siècle avaient la même hauteur. La ressemblance de ces lettres dans l'imprimerie des XVIe et XVIIe siècles est notoire. Compte tenu de tout ceci, la forme *Borteuille* peut bien être une corruption de *Botteuille*, qui est justement la forme attestée déjà par l'édition de 1640 (Paris: Targa). On trouve par ailleurs, *Borteville* en 1654 (La Haye), *Boutteville* en 1658 (Troyes) et *Bouteuille* en 1665 (Paris).

Les dictionnaires des noms propres français semblent ignorer *Borteville* aussi bien que *Botteville*. Par contre, l'histoire de François de Bout(h)eville-Montmorency[22] est bien connue. Fameux duelliste, il se battit vingt-deux fois. Après son avant-dernier duel, il se réfugia en Flandres pour échapper à la punition prévue par l'édit de 1626 contre les duels. Il retourna toutefois à Paris pour une revanche. Défiant l'édit, il se battit le 12 mai 1627, place Royale, à trois heures de l'après-midi, deux seconds à ses côtés, contre trois adversaires. Un des combattants ayant été tué sur le champ et un autre blessé, les survivants se dispersèrent, mais, peu de jours après, Bouteville fut arrêté, jugé, condamné. Malgré une campagne de sollicitations et d'intercessions en sa faveur, le roi resta implacable, et le 22 juin 1627 Bouteville et son compagnon, le comte Des Chapelles, furent exécutés.

Il est difficile de voir dans l'expression envisagée une allusion à un autre Bouteville et à une autre revanche. La date de composition de la *Comédie de proverbes* serait donc postérieure à mai-juin 1627.

---

22 V. p. ex. *Mém. de Richelieu*, VII « 1627 », p.63-81.

L'Isle de Bouchard

«Vous soyez le très bien venu, comme en vostre maison de l'isle de Bouchard», dit Macée au docteur Thesaurus, son mari (I.60). Cet énoncé obscur fait assumer que le Docteur possède une maison dans une île de Bouchard – détail inutile pour l'intrigue de la comédie. Rien ne permet de soupçonner un jeu de mots, p.ex. avec *bouche.* Trop longue et riche pour servir de cheville, la phrase de Macée n'a aucun lien avec le contexte et elle ne laisse soupçonner aucune action scénique implicite. Il faut donc chercher sa signification à l'intérieur d'elle-même. Le mot clé de cette recherche est *l'isle de Bouchard.*

Dans la toponymie de la France, il n'y a qu'un nom qui combine les éléments *île* et *Bouchard*: l'Île-Bouchard est une petite ville sur la Vienne, non loin de Chinon. Ancienne place forte, jadis faisant partie du royaume d'Anjou, l'Île-Bouchard se trouve dans la région où la famille du Plessis de Richelieu possédait plusieurs domaines héréditaires. Le 18 décembre 1628, le cardinal acheta cette ville pour 180 mille livres du duc de la Trémoille[23]. Si Macée fait bien allusion aux acquisitions immobilières de Richelieu, la *Comédie de proverbes* n'aurait pu être écrite avant 1629.

La reine et son enfant

Jusqu'ici, les clés intratextuelles ont servi à établir la date approximative *post quam*: la *Comédie de proverbes* a dû être créée au plus tôt en 1629. Mais le potentiel de cette approche n'est peut-être pas épuisé. Heureuse d'avoir retrouvé sa fille, Macée, reconnaissante, dit à Lidias: «vous nous pouvez commander aussi absolument que le Roy à son Sergent, et la Royne à son enfant» (III.510).

Macée se réfère peut-être à une maxime très ancienne et générale, qui peut avoir des significations bien concrètes en

---

23 BERGIN, p. 328.

fonction du contexte politique. À l'époque, la France avait deux reines: la reine régnante Anne d'Autriche et la reine mère Marie de Médicis. Avant 1638, des deux reines, seule Marie de Médicis avait des enfants, dont Louis XIII.

Les rapports entre le roi fils et la reine mère n'étaient pas idylliques. Depuis la mort de Henri IV (1610), la veuve assuma la régence, formellement jusqu'à majorité du dauphin Louis, alors âgé de 9 ans, mais elle ne lâcha prise qu'en 1617, après le coup d'État monté par le jeune roi afin de se débarrasser de Concini et de la tutelle de sa mère. Cette brouille ouverte entre fils et mère fut temporaire; à la suite des traités d'Angoulême (1619) et d'Angers (1620), leurs rapports se normalisèrent graduellement. La rupture définitive survint en novembre 1630, après la Journée des dupes. En juillet 1631, la reine mère partit en exil où elle mourut.

La maxime sur la reine et son fils aurait été acceptable sous la régence et peut-être même, *de facto*, jusqu'au 24 avril 1617. Elle serait vue comme une prise de position en faveur de la reine mère entre 1617 et 1619. À mesure que la raison d'État et l'idée absolutiste l'emportaient, cette phrase devenait de plus en plus déplacée, politiquement incorrecte et tout simplement fausse, même en théorie – il n'y a que Dieu qui peut commander au roi – mais elle pouvait encore être conçue et tolérée dans un contexte de bonne intelligence dans la famille royale. Par contre, après la Journée des dupes, suivie de la fuite de Marie de Médicis aux Pays-Bas espagnols et de représailles contre ses partisans, toute mention de quelque emprise que ce fût d'une reine mère sur un roi fils serait vue comme subversive. Il est donc plausible que, même si la pièce fut imprimée en 1633, son texte devait être achevé avant novembre 1630.

L'enquête intratextuelle de la *Comédie de proverbes* permet d'aboutir aux conclusions suivantes:

– Chacun des éléments présentés ci-dessus fait exclure la possibilité que le texte de la *Comédie de proverbes*, tel qu'il nous est parvenu, ait été écrit en 1616.

– Le cumul de tous les renseignements énumérés permet, à notre avis, d'estimer que la *Comédie* aurait été composée entre le début de 1629 et la fin de 1630, à une époque très différente par rapport au premier quart du siècle.

ÉTABLISSEMENT DU TEXTE

Pour les imprimés du XVIe ou du XVIIe siècle, l'absence d'un original manuscrit n'est pas un cas d'exception. Dès qu'une œuvre était imprimée, le manuscrit n'avait plus aucune valeur, et on le jetait. Dans toute situation où l'auteur est inconnu ou hypothétique, l'absence de l'original manuscrit est regrettable. Tout ce qui reste à faire est de tenter de s'approcher au maximum d'un archétype à l'aide des éditions imprimées.

Comme il ressort de la liste déjà présentée des éditions anciennes, il y a eu quatre centres principaux de dissémination de la *Comédie de proverbes*: Paris, Rouen, Troyes et La Haye. Nous sommes parti de l'hypothèse de quatre branches de variantes correspondant à ces centres. Le choix du texte de Paris 1633 (P33) comme celui de base se présentait comme naturel: l'édition la plus ancienne, parue du vivant de l'auteur présumé, devrait refléter de la meilleure façon les intentions de celui-ci, avant toute intervention subjective d'éditeurs ultérieurs.

À part le texte P33, afin d'établir des tendances d'évolution et de mieux comprendre le cheminement des imprimés, nous avons choisi d'examiner cinq autres textes provenant des quatre « branches » présumées, à savoir les éditions de

Paris: Targa – 1640 (P40),
Rouen: Cailloué – 1645 (R45),
La Haye: Vlacq – 1654 (H54),
Troyes: Oudot – 1658 (T58) et
Paris: Guignard – 1665 (P65).

En même temps, notre désir a été de réduire le nombre d'éditions examinées à un minimum raisonnablement représentatif de toute la gamme des éditions tardives. Ainsi, nous n'avons pas tenu compte de l'édition Paris: Pépingué-1665, croyant que, pour notre tâche d'établissement du texte, une seule édition de 1665 suffirait. Il est devenu clair assez tôt que les éditions de Rouen de 1645 et de 1656 relevaient de P33, et nous les avons écartées.

Le texte P33

Achevé d'imprimer le 12 septembre 1633. In-8, 164 pages, la page 1 étant celle du début du texte proprement dit.

La principale caractéristique de ce texte est son état négligé. Des coquilles sont nombreuses. L'orthographe est hésitante : on y trouve, par exemple, les variantes *Iandre / gendre*, et, dans une même réplique, *pert / perd* (I.76). L'emploi des *u* et *v* n'est pas tout à fait cohérent : *fievre*, *chevre* côtoient *œuure*, mais, à part le groupe *-vr-*, la distribution est traditionnelle. L'uniformité d'emploi des *i* et *j* n'est pas complète non plus : on rencontre *je* et *ie* indifféremment. La cohérence orthographique n'a pas été la première préoccupation de l'éditeur. Sporadiquement, on voit un *é* remplacer la séquence *es-*, mais le *s* étymologique domine.

La ponctuation suit l'ancien usage, selon lequel le deux-points marque la fin d'une proposition sans aucun lien causal avec la proposition qui suit. La distribution des virgules tend à suivre un mode ancien ; il n'est pas rare que les virgules remplacent les points pour délimiter des phrases. Dans d'autres situations, elles sont absentes là où elles s'imposent. La ponctuation forte, soit les points d'exclamation et d'interrogation, est presque absente.

La principale impression qu'on reçoit de la lecture est que ni l'auteur ni l'imprimeur n'ont jamais relu les épreuves, et que la composition s'est effectuée d'après un brouillon contenant beaucoup de fautes, ratures ou endroits obscurs, comme le semblent prouver les exemples suivants :

00	*au cas frere Lucas, que Lunas n'eust qu'un œil*	pour	*au cas que Lucas n'eust qu'un œil*
I.69	*croupises*	pour	*croupieres*
I.84	*qui nous a fait cette escorne-cy. Lidias estoit en cette ville …*	pour	*cette escorne. Si Lidias estoit en cette ville*
II.191	*traffe*	pour	*trousse*
II.257	*Cela fut joué à l'ortie*	pour	*Cela fut joué à Loche*

On note un grand nombre de fautes dues à l'homophonie. Il s'agit non seulement de fautes d'orthographe et de grammaire usuelles :

I.22	se seroit	pour	ce seroit
I.52	airin	pour	airain
II.287	gajure	pour	gageure
III.366	sel ne se ressemble	pour	s'elles ne se ressemblent

mais aussi de segments qui font penser à une mauvaise transcription à l'ouïe. Les exemples ci-dessous démontrent que le scribe, lorsqu'il ne comprenait pas ce qu'il entendait, substituait des homophones ou des quasi-homophones :

00	vos departie sepentere	pour	*vos debetis sapentere*[24]
00	faire le tasset	pour	*faire le tacet*
II.163	ablativaux	pour	*ablativo*
II.175	mon père qui le perdoit	pour	*mon père qui le supportoit*
II.183	beatis coron	pour	*beati quorum*

Nous croyons donc que le compositeur ne peut être blâmé que pour une partie des fautes, trop nombreuses. L'autre partie du blâme revient au manuscrit utilisé qui n'était pas un original d'auteur, mais plutôt une dictée ou encore une transcription à

[24] À notre avis, *sapentere* est un verbe inexistant formé sur l'adjectf *sapiens*, au lieu d'un verbe correct *sapere* ou *scire*, pour montrer que le Docteur ignore son latin. Il s'agit donc d'une erreur intentionnée conçue par l'auteur. Par contre, *departie* au lieu de *debetis* trahit une transcription à l'ouïe par quelqu'un qui n'entendait pas bien ce qui se disait et n'avait pas assez de connaissances pour deviner ce qu'il avait manqué.

l'ouïe d'un spectacle ou d'une lecture à haute voix. Les phrases en langues étrangères sont mutilées justement parce que l'auteur était le seul à les comprendre et qu'il n'assistait plus au traitement ultérieur de son texte.

Au niveau de l'économie de la pièce, la liste des personnages, intitulée *Noms des acteurs*, contient deux disparités par rapport au texte même :

a) « le page du cappitan ». En réalité, le capitaine Fierabras n'a pas de page. En tout cas, aucune réplique ni didascalie n'en font mention ; aucun contexte ne permet d'en soupçonner l'existence ;

b) « un archer ou deux ». D'après le texte, il y a deux archers, dont chacun a ses répliques.

Ces incohérences survivent dans toutes les éditions ultérieures. Probablement, la liste des personnages avait été écrite avant la comédie, et, une fois le texte achevé, personne ne révisa la liste pour l'harmoniser avec la pièce.

Dans le corps de la pièce, certaines fautes témoignent également de l'absence de la lecture d'épreuves et du caractère hâtif de l'impression. Dans l'acte II, la réplique II.165 de Fierabras « L'on verra que devant qu'il soit trois fois les Roys... » est attribuée erronément à Alaigre qui n'est même pas sur la scène. Cette faute passe ensuite dans toutes les éditions postérieures que nous avons vues, et même dans celle de 1856. Seule l'édition de 1871 « rend » la réplique à Fierabras. De même, la réplique I.97 est attribuée à tort à Philippin.

L'ensemble des fautes fait penser à un texte « orphelin » : un auteur aurait été plus soigneux.

Le texte P40 (1640)

« Seconde édition. A Paris, Chez François Targa, au premier pilier de la grand' Salle du Palais, devant la Chapelle, au Soleil d'or. » In-8, 164 pages. Format identique à celui de P33.

Parue sous l'effet du privilège de 1633, cette édition présente une version épurée et plus ordonnée de la première, ce qui ne signifie pas qu'elle soit libre de fautes. La même prédilection, que dans P33, pour le *-v-* dans les mots en *-vre* se maintient. La ponctuation reste sans changements majeurs.

La phrase *au cas frere Lucas* reste défectueuse, seule la forme absurde «Lunas» est corrigée à «Lucas». L'expression *le partage de Montgomery* (III.415) est remplacée par *le partage de Cormery*.

Le texte H54 (1654)

«A La Haye, Chez Adrian Vlacq.» In-12, 168 pages.

L'édition H54 introduit le nouvel usage orthographique, selon lequel les lettres *i* et *u* représentent toujours les voyelles respectives, tandis que le *j* et le *v* sont toujours consonantiques. Les exceptions sont rares: *tousiours*, *DOCTEVR*. Cette innovation, due aux usages typographiques néerlandais, a mis du temps avant d'être adoptée en France: plus tardifs, T58 et P65 restent strictement conservateurs à cet égard.

Le *s* muet étymologique est généralement omis et remplacé par un accent. Par ailleurs, l'orthographe *Boëmien* est une des caractéristiques de ce texte.

H54 représente une reproduction modernisée de P40. Le lien est prouvé par un nombre de leçons caractéristiques communes, mais, surtout et définitivement, par la faute commune à II.185. Dans P40, le mot «Moine» est séparé en fin de ligne, mais l'imprimeur oublie de reprendre les restant du mot à la ligne suivante. Il en résulte «pour vn Moi- | on ne laisse pas...». Dans H54, l'imprimeur hollandais, pour qui le mot ne se trouve pas à la fin de ligne, reprend méticuleusement «Pour un Mojon on ne laisse pas», sans oublier de modifier l'usage des *-i-/-j-* en position intervocalique.

Dans la même situation et à la suite du même procédé, l'orthographe du conditionnel présent avec un *-j-* tenant place d'un *-i-* de la désinence persiste dans cette édition: p.ex., *ferojent* (II.157). De toute évidence, elle résulte du zèle excessif du compositeur néerlandophone faisant remplacer tout *-i-* intervocalique par un *-j-*.

En confirmant davantage sa dépendance par rapport à P40, H54 opte pour la variante *le partage de Cormery*.

Le texte T58 (1658)

« Troisième édition. A Troyes, Chez Nicolas Oudot, demeurant en ruë nostre Dame, au Chappon d'Or Couronné.» In-8, 112 pages.

Édition économique, sans ornements. Le nombre de pages est diminué par rapport aux premières éditions du même format. La densité des lignes est amenée au maximum; l'espace entre mots est souvent absent. L'impression se distingue par un grand nombre de tildes, servant à maximiser l'utilisation de la ligne.

En matière d'orthographe, T58 comporte beaucoup de modifications, pas nécessairement bénéfiques, par rapport aux textes P33/40 et H54.

La distribution des *u/v* et des *i/j* est traditionnelle et plus rigoureuse que celle des P33/P40. La ponctuation suit le système ancien.

Autres particularités orthographiques:

- *Bœsmien*; *Cœsre*
- *ceste* (pour *cette*), ou encore *cét* (pour *cest*), dans l'Argument;
- *besongne*;
- orthographe simplifiée du mot *renard* (*cf. regnard* dans les éditions P33, P40, H54);
- le *-g-* dans les mots de la racine *conn-/cogn-*: *cognoissance*, etc.;
- le *a*, forme du verbe *avoir*, est souvent marqué d'un accent grave, tandis que le *à*-présposition n'a pas d'accent.

On constate que l'éditeur se sent mieux à l'aise en latin qu'en espagnol: les phrases espagnoles du monologue de Fierabras (II.145), déjà en mauvais état chez P33, sont altérées à l'extrême par T58.

La réplique III.337 d'Alaigre « Et bien n'entend-elle pas bien le pair et la praize?» est attribuée à Alizon, qui pourrait bien, logiquement, être sur place, mais qui est absente de la liste des personnages occupés dans cette scène. Cette fausse attribution, propre à cette édition, passera dans P65.

De même, les répliques I.100 et I.130 sont allouées à Alizon au lieu d'Alaigre.

Dans la réplique I.101, seule cette édition a le mot *bastille* au lieu de *hastille* dans toutes les autres et même dans P65.

Enfin, T58 retient la variante *le partage de Cormery* (III.415), à l'instar de P40 et de H54.

En général, T58 a beaucoup d'omissions textuelles.

Le texte P65 (1665)

«À Paris, Chez René Guignard, au premier Pilier de la grande Salle du Palais au Sacrifice d'Abel. Avec privilege du Roy.» In-12, 111 pages.

Version améliorée et modernisée de T58, qui garde pourtant assez de leçons et de fautes communes pour être associée avec ce dernier: *v.* I.49 *du matin*; I.94 *caualde*; II.142 *pour vne bonne nuict beaucoup...*; II.150 *l'honneur d'iceluy*; II.157 *Lyon*; II.164... *bruict,... bien peur*; II.172 *se venir prendre*; II.173... *si n'auez... qui en aura*; II.308 *vermeillent* (au lieu de *fourmillent*), et d'autres. Enfin, la réplique III.337 est donnée à Alizon, tout comme dans T58 (v. ci-dessus). Dans la liste des acteurs, la notice de P33 *le page du cappitan* est modifiée à *le page du capitaine*, dans T58 et P65.

Particularités orthographiques principales:

- le *-s* muet étymologique dans les syllabes initiales est remplacé par un accent aigu: *épouser*, *témoigner*;
- *Bohemien*;
- orthographe simplifiée du groupe *-agn-* au lieu de *-aign-*: *gagner*, *montagne*;

– orthographe simplifiée du mot *renard*.

Comme dans T58, les répliques I.100 et I.130 sont attribuées à Alizon.

Certaines leçons accusent pourtant une affinité avec les premières éditions. Par exemple, contre toute attente, P65 reprend la variante de P33 *le partage de Montgomery*, qui aura également la préférence des éditeurs de 1856 et de 1871.

Certaines manières d'orthographe sont propres à la fois aux textes T58 et P65:

– *attendez*, *nez* (*cf. attendés*, *nés* de P33), *Philippin*, *valet*, *bled*.
– préférence pour l'orthographe *trouv-*.
– application, plus cohérente que dans P33, du code alphabétique ancien relatif à l'utilisation des *u/v*: *resueil*, *lieure*, *fieure* contre *resveil*, *lievre*, *fievre* de P33.

La comparaison des cinq textes sélectionnés résulte en corrélations suivantes. Il apparaît que l'ensemble des éditions examinées se réduit à deux branches, ou familles, au lieu des quatre, présumées au départ: l'«aînée» P33-P40-H54 d'une part et la «cadette» T58-P65 de l'autre.

Il faut souligner que, en dehors des cinq textes d'appui, la branche de Rouen dérive directement du texte P33, plutôt que de sa version corrigée, P40. Ce lien s'établit grâce, entre autres, à la leçon I.114 «... n'allasse estestant», présente dans P33, R45 et R56, mais remplacée par «... n'allasse fleurant» dans P40. En général, les éditions de Rouen présentent des signes de l'«abâtardissement» du texte: prolifération de fautes («malé muger», déjà incorrect dans la fameuse phrase espagnole II.142, devient «malé mugar») et de modifications frivoles («aux autres, ceux-là sont cassez», au lieu de «... cossez»). L'édition de 1656 est même présentée comme «reveue et augmentée», mais tout ce qui a augmenté, suite à cette «révision», est le nombre de fautes.

Le texte de la *Comédie* est foncièrement le même partout. Les distinctions et les leçons caractéristiques font penser que, entre la « seconde » (P40) et la « troisième » (T58) édition, il est intervenu quelque chose qui a contraint le nouvel éditeur à des modifications multiples. Probablement, il s'agit d'une copie manuscrite, avec force d'omissions. Néanmoins, quelques fautes importantes relient toutes les éditions examinées. Dans toutes les éditions, la réplique I.97 est attribuée incorrectement à Philippin. Il semble que l'incompatibilité du style et du contenu du discours avec le personnage n'a été remarquée que par Éd. Fournier. Outre cela, l'identité de la liste des acteurs, contenant *le page* inexistant et *un ou deux archers*, ainsi que l'attribution erronée à Alaigre, par toutes les éditions, d'une même réplique de Fierabras démontrent que toutes les éditions examinées et, partant, la plupart des éditions du XVIIe siècle proviennent d'une même source première, de toute évidence manuscrite et de mauvaise qualité.

L'influence des éditions «cadettes» sur les éditions modernes du XIXe siècle

En revenant à la liste des éditions anciennes, que nous avons constituée d'après plusieurs autres listes et mentions d'éditions individuelles, on verra que sept appartiennent fermement à la famille « aînée », trois sont d'appartenance génétique non déterminée (Paris 1650, Paris-Pépingué 1665 et Évreux-Paris) et six se rapportent fermement à la famille « cadette ». Soulignons qu'il s'agit bien de deux branches : l'« aînée » ne s'est pas transformée en « cadette » en 1649, elle a été poursuivie par les imprimeurs hollandais et rouennais. La famille « cadette », débutant en 1649 (après l'expiration du premier privilège et peu après la mort de l'auteur présumé), a atteint le XVIIIe siècle, tandis que la famille « aînée » s'est arrêtée en 1656.

La liste semble démontrer que, à la longue, la branche « cadette » a prévalu. Cela peut expliquer pourquoi les textes établis par Viollet le Duc / Montaiglon et par Fournier contiennent majoritairement les traits de cette famille-ci ; par ex., dans P33, Lidias dit à Philippin (II.182) : « il fait bon porter le fardeau d'Esope, *on s'en descharge* par les chemins». Dans T58, cette phrase se lit: «il fait bon porter le fardeau d'Esope, *ou sans descharger* par les chemins», et dans P65, chez Montaiglon («856») et chez Fournier («871»): «... ou s'en décharger par les chemins...». La phrase de T58 est énigmatique, celle de P65 l'est autant: pourquoi fait-il si bon porter le fardeau d'Ésope, et quel est ce fardeau? La phrase de P33 est claire, car elle évoque l'anecdote, connue en France dès la fin du XVe siècle grâce aux traductions de *La vie d'Ésope* de Planude. (V. *Comm.*) É. Fournier explique, en note, le sens de cette phrase, mais, même chez lui, la phrase reste incorrecte.

L'édition de 1856 ne permet pas de savoir si le choix des éditeurs était dicté par des variantes réelles préférables ou par leur *divinatio*. Cette édition n'a été utilisée ici qu'aux fins d'information et de comparaison.

L'édition de 1871 semble partir du texte de 1856, en procédant à quelques rectifications et en ajoutant des commentaires en bas de page. Dans une situation particulière, É. Fournier intervient pour apporter une solution au problème posé par les répliques I.96 et I.97, qui ouvrent la scène 7 du Ier acte. Dans le texte P33, on a

> I.96 LIDIAS. Et bien, ma fille, nous leur en avons bien baillé d'une?
> I.97 PHILIPIN. Et moy fin de vous prendre, *puisqu'on ne vouloit pas vous donner.* Au reste, vous ne vous en repentirez ny tost ny tard, je suis de ceux qui bien ayment et tard oublient. Je vous le jure par tous les Dieux ensemble, apres cela il n'y a plus rien, que je vous seray plus fidelle que le bon chien n'est à son maistre, et que je vous cheriray comme mes petits boyaux, et vous conserveray comme la prunelle de mon œil: soyez-en aussi assurez comme il n'y a qu'un soleil au Ciel. Si je me parjure jamais, je veux estre reduit en poudre tout presentement.

Toutes les éditions ultérieures examinées – et même celles de 1856 et 1871 – prolongent la première phrase de I.97 avec les mots «à moy»: «vous donner à moy». Aucun rééditeur ne semble avoir remarqué que Philippin n'a pas «pris» Florinde, que ce n'est pas à Philippin qu'on ne voulait pas la donner. Le fait que la jeune fille vouvoie son valet en répondant à ses serments ne semble étonner personne, et toutes les rééditions reprennent ces absurdités sans objection, sauf Éd. Fournier, qui a inversé les répliques, en donnant la I.96 à Philippin et la I.97 à Lidias. Pourtant, cela ne fait que déplacer l'incohérence. Un valet ne pourrait apostropher sa maîtresse «ma fille». Philippin ne le fait nulle part ailleurs. Nous croyons que les répliques I.96 et 97 appartiennent à Lidias toutes les deux.

Un autre exemple se trouve dans la réplique III.466, «lauriers que l'amour en badinant avoit flestris parmy sa chaleur» (P33), qui devient «...que la boue en badinant avoit fletris par sa chaleur» (T58) et résulte en «... que la boue en badinant avoit fletris parmi sa chaleur» (856). Nous sommes d'avis que l'éditeur de 856 n'aurait pas choisi la variante absurde de T58, s'il avait eu devant lui un texte de la branche «aînée».

En tout, dans les éditions 856 et 871, nous avons décelé 130 variations litigieuses majeures par rapport aux éditions anciennes. Dans 67 cas, les éditions modernes s'alignent avec la branche «cadette»; dans 37, avec la branche «aînée»; 19 cas sont qualifiés comme indéterminés, la limite entre les branches n'étant pas assez claire, et 7 variantes (probablement, *divinationes*) ne remontent à aucune des éditions anciennes examinées. Les éditeurs du XIXe siècle s'en tiennent donc aux éditions «cadettes» dans la majorité absolue des cas douteux. On peut en inférer que l'éditeur de 856 n'a vu aucun texte «aîné» et qu'il a utilisé une édition X plus récente que P65, qui donne «flétry par sa chaleur». Cette édition X avait probablement combiné certains traits des deux branches.

Le fait même que la famille «cadette» T58-P65 omet des phrases entières justifie le choix que nous avons fait de nous appuyer sur le texte, présumé *princeps*, de 1633, quitte à y introduire des modifications raisonnables provenant en premier lieu du texte de 1640 du même éditeur, ou de la branche «cadette», en second lieu.

LA LANGUE DE LA *COMÉDIE DE PROVERBES*

La langue de la *Comédie de proverbes* peut servir à illustrer ce qui est connu au sujet du français du début du XVIIe siècle.

Phonologie

Consonnes

– La longueur n'étant pas un trait distinctif pour les consonnes, les orthographes géminées sont nombreuses et arbitraires: *vallet, volleur, crote, facillement, abbreuvé, chappe chutte* qui côtoient les formes alternatives: *valet, voleur*, etc.
– Le *s* étymologique (*escouter, desgousté*) ne se prononce pas. Dès P33, on voit l'utilisation sporadique des accents pour le remplacer (*j'étois* II.152 et même *m'ésloignois* II.195). Le texte T58, plus conservateur et imprimé dans la province, marque un retour à la tradition, mais P65 élimine systématiquement le *s* muet.
– Dans une des dernières phrases de la *Comédie*, *les valets de la feste vous remercissont*, la forme *remercissont* représente, à notre avis, un exemple du sigma-tacisme.
– Les consonnes finales, d'habitude, ne se prononcent pas. Cela donne lieu à des calembours aujourd'hui impossibles: *grès - grec.*

Voyelles

– Les longueurs permanentes, c'est-à-dire indépendantes du contexte, existent toujours, en confirmant les remarques à ce sujet de plusieurs grammairiens, dont A. Oudin. La longueur du /e/ est respectée lors du choix des rimes: *il est demain feste, les marmousets sont aux fenestres*; *bayés par la fenestre, et vous verrez que c'est le maistre*; *vostre beste, mon maistre.* Il en est de même pour le /o/ long: on a *roolle*, qui se distingue de *parole*, et même *roollet* (T58).

- Les groupes *em/en, am/an* sont décidément neutralisés en /a/ nasal: *jandre, commancer, danné.* Cette neutralisation est démontrée également par la rime *Nostre Dame – femme.* Cela permet à l'imprimeur d'employer indifféremment le tilde au lieu du *m* ou du *n* pour abréger les syllabes nasales.
- La voyelle qui précède le groupe *-gn-* est parfois nasalisée, ce qui explique son orthographe dans *besongne* et le jeux de mots *Lagny – lent,* dans *vous estes de Lagny.*
- L'élision en cas d'hiatus se répand sur les situations *i* + *e*: non seulement dit-on *s'il,* mais aussi *s'elle(s)* au lieu de *si elle(s)* (III.366).
- Les hésitations d'orthographe du type *seur* / *sur, asseurer* / *assurer* reflètent une fluctuation de la prononciation. Florinde dit *pour le sur* (III.483), bien qu'on ne puisse se fier à ce seul exemple, vu la quantité de coquilles typographiques. À titre de comparaison, le texte T58 contient quelques occurrences de *assurer,* mais on y trouve *pour le seur* à III.483. La rime *heur – seur* (I.59) est le seul exemple libre de tout soupçon de contamination typographique, mais il n'est pas impossible qu'on ait prononcé [œ] dans l'expression figée, mais [y] dans l'usage libre.

Indépendamment de la *Comédie de proverbes,* Oudin atteste l'homophonie de *entendu* et *entendeux,* permettant le calembour « vulgaire » *il fait l'entend-trois* opposé à *l'entend-deux* (CuF 187). Dans sa grammaire, Oudin cite comme homophones les mots *sœur, seur* (« sûr », tonique) et *sur* (préposition, atone), ainsi que *vœu* et *veu* (p. p. de *voir*). Du moins, telle était la situation à Paris[25], où les voyelles [œ], [ø] et [y] se neutralisaient en [y]. D'ailleurs, il est difficile de voir comment *sur*-préposition et *entendu* pourraient se prononcer avec une voyelle autre que le [y]. Par contre, si la neutralisation des trois voyelles mentionnées se réalisait toujours vers

---

25 F. BRUNOT *H.L.F.*, IV, 1re partie; pp. 173-4.

le [y] en syllabe ouverte, on ne pourrait distinguer entre *vainqueur* et *vaincu*, *batteur* et *battu*, etc. Ce dernier inconvénient dut conduire à une solution double : prononciation du *r* final et gradation distinctive de l'ouverture des voyelles labiales.

- L'opposition *trouv-/treuv-* présente une autre alternance litigieuse, lexicalisée par ailleurs dans les couples *prouver – preuve*, *nouvelle – neuve*, *moulin – meule*, mais qui prend pour le verbe *trouver* un caractère de variation libre, indifférente à l'accent, au contexte morphologique et à la sémantique. P33 compte sept attestations de la variante *treuv-*, dont cinq dans l'*Argument*, et 27 attestations de la racine *trouv-*, dont aucune dans l'*Argument*. La variante *treuv-* ne se rencontre que dans les éditions «aînées», et on la voit en abondance chez Oudin. Puisque, selon 1.2.5, *treuver* se lisait probablement [tryve], l'écart par rapport à *trouver* est moins grand qu'il ne serait selon la lecture moderne.
- La graphie *-oi-* se lit /we/, permettant la rime *boire – compère* et le calembour *d'angoisse – dangouesse*.
- Le mot *royne* reflète la même réalité phonétique, peut-être perçue de plus en plus comme conservatrice, car P65 atteste *reine*.
- La labialisation du /*l*/ final en /*u*/ après un /*o*/ n'est pas reflétée à l'écrit. Les formes en *-ol* prévalent dans P33 :

  fol I.37, I.90 (*fols*), I.101, II,264, II.287. III.390, III.524 – contre *fou* 00, I.34 (*fous*) ;
  col I.69, II.261 ;
  sol I.135 (*sols*), III.466 (*sols*).

Il s'agit de toute évidence d'un conflit de deux prononciations diastratiques. *Cf.* chez Oudin :

> un enfant sans Soucy *un bon compagnon. Le vulgaire renverse ce quolibet, et dit*, un enfant sans six sols, *qu'il prononce,* sisou : *qui n'a point d'argent.* CuF 512

Le calembour entre *souci* et *six sous* n'est donc possible que dans la prononciation dite vulgaire, reflétée par l'orthographe, pas fréquente, *fou* ou *sou*. Le bon usage impose donc les variantes en *-ol*, même à l'oral. Par contre, Furetière (vers 1690) emploie la forme *sou* dans le discours libre, *sol* étant réservé aux locutions figées.

Morphologie

Le verbe

– Choix des auxiliaires.

À une occasion l'auxiliaire *avoir* est employé au lieu de *être*: «N'*avez* vous point *monté* sur l'ours?» (II.176). Il est difficile de juger s'il s'agit d'un usage traditionnellement hésitant, comme c'est le cas encore aujourd'hui, ou bien d'un moyen régulier d'exprimer une nuance sémantique:

> *être monté sur l'ours* peut signifier 'avoir grimpé sur l'ours et y rester au moment de la parole'
> *avoir monté* peut signifier soit 'avoir déjà, autrefois, grimpé sur l'ours', soit 'être monté et descendu'

– Conjugaison «vulgaire»

Pour caractériser son personnage comme mal instruit, l'auteur utilise la forme de la première personne du pluriel avec le pronom *je*:

Macée:	J'avons ce que j'avons	
	J'avons la teste plus grosse que le poing…	I.67
Macée:	J'en sommes bien atournée	I.72
Alizon:	Je sçavons bien…	I.87

– Subjonctif présent archaïque

La forme archaïque *doint* du verbe *donner* coexiste avec la forme moderne à I.95. Il est vrai que la forme archaïque est employée dans la formule fixe: «Dieu vous doint bonne encontre».

– Opposition passé simple – passé composé

Dans les dialogues, où le plan du présent prévaut naturellement, on trouve des exemples du passé composé, mais non du passé simple. Dans les narrations, les deux formes sont en concurrence, sans qu'on puisse dégager un principe régissant le choix. Ce critère de choix n'est pas la règle de 24 heures, car la plupart des narratifs décrivent les événements des dernières 24 heures, ni la règle de « nuit entre les deux », car Alaigre emploie le passé simple mêlé au passé composé en parlant de sa récente rencontre avec Fierabras. Florinde fait de même : « Philippe a eschappé belle... il eut de bons chinfreneaux » (III.487), et Philippin aussi : « Ils ont couppé la main à nostre cochon... ils nous delivrerent... » (III.488).

– Il faut tenir compte du fait que le paradigme du présent de l'indicatif des verbes du Ier groupe, à l'oral, ne se composait pas de trois formes, comme c'est le cas aujourd'hui (*parle*, *parles* et *parlent* étant homophones), mais bien de quatre : le -*t* final de la 3e personne du pluriel se prononçait.

Le participe passé

L'accord du participe passé avec le complément se pratique, mais sans rigueur, ce qui peut prêter à la confusion : ainsi, l'on ne sait pas de qui Thesaurus parle dans la question adressée à Florinde : « qui vous avoit si bien troussez en malle ? ».

Syntaxe

Omission du pronom sujet

Les usages archaïsants dans les paradigmes verbaux trouvent leur pendant dans des modèles syntaxiques également archaïques : « me recommande, seigneur Capitaine » (III.413), « en un mot, sont ceux qui... » (III.546). Un autre exemple est une phrase incomplète où l'attribut occupe la place du sujet grammatical : « amis sont, ouvrez seulement » (III.444). Aucun des trois énoncés ne vient d'un même personnage. Le choix des formes archaïsantes n'est donc pas appelé à caractériser un individu particulier.

Présentatif

La réalisation du tour présentatif avec un complément d'objet indirect est typique pour le premier XVIIe siècle :

Philippin :	C'est bien à toy à qui j'en voudroye rendre compte	I.114
Fierabras :	C'est ici où il faut triompher	III.419
Florinde :	C'est à luy à qui vous devez sçavoir gré	III.487

L'application de cette règle n'est pas universelle :

Philippin :	C'est à Florinde qu'on addresse l'esteuf	III.427

Traitement des particules pronominales et des pronoms personnels clitiques

L'usage n'est pas fixé tant au niveau de la distribution qu'au niveau de l'emplacement des clitiques.

- Les particules pronominales connaissent un traitement qui ne les distingue pas des pronoms compléments : « ils peuvent leur asseurer » I.94. Le texte suit un usage cohérent soumis à la loi d'analogie, sinon à une certaine logique grammaticale.
- Dans la situation où le complément d'objet du verbe 1 est l'infinitif d'un verbe 2, le pronom complément du verbe 2 se place devant le verbe 1 : «je *me* veux *esbauldir* (III.414), «je *la veux honnorer* d'une serenade » (III.414), « en qui je ne songeois non plus qu'à *m'aller noyer*» (III.449), «il *les faut consulter*» (III.328).

Cet usage s'inscrit dans un modèle général impliquant les formes temporelles composées, qui fonctionne encore aujourd'hui : *je l'ai honorée; il s'est noyé, nous les avons consultés.*

Le pronom complément d'objet direct peut précéder le verbe à l'impératif: « me traicte en amy » (III.395), « vous retirez » (III.433).

Il ne s'agit pas d'une règle, car les contre-exemples prévalent: *baize-moy, aime-moy, laissez-moy, retire-toy*. L'emploi selon le modèle $\text{PRONOM}_{\text{clitique}}$-$\text{VERBE}_{\text{impératif}}$ devait comporter une nuance stylistique; il était probablement archaïsant, mais pas incorrect.

Les pronoms compléments peuvent causer des difficultés dans des situations compliquées où quelques verbes et quelques pronoms s'enchaînent, comme au causatif impératif: «*Laissez luy moy* jouer cette fourbe» (II.287). Il est difficile de décider s'il s'agit ici d'une faute ou d'un procédé comique.

Lexique

Deux niveaux lexicaux

Dans le cas de la *Comédie de proverbes*, on doit parler de deux niveaux de lexique. Le niveau *micro* comprend des mots individuels du vocabulaire général; le niveau *macro* englobe des centaines de clichés, phraséologismes et proverbes – groupes syntaxiques lexicalisés servant à construire le texte. À la différence de la majorité des textes littéraires, la *Comédie* est dominée par le lexique *macro*.

Niveau lexical *micro*

Les particularités du lexique *micro* se résument en certains emplois sémantiquement insolites des mots ordinaires et en recours aux mots emphatiques.

– Le verbe *faire* joue le rôle de substitut verbal universel: «Florinde... nous guette à cette heure, comme le chat fait la souris» (I.2); «Attendez-moy..., mais non pas comme les moines font l'Abbé» (I.19). Cet emploi permet d'éviter la répétition d'un même verbe.
– Le lexique emphatique

Les unités lexicales servant à produire des effets emphatiques peuvent être classées le long de trois axes: diatopique (régionalismes), diastratique (termes professionnels ou unités lexicales typiques pour des couches sociales déterminées) et diachronique (mots vieillis).

- Axe diatopique. Quelques unités lexicales proviennent des provinces méridionales : *adieu sias* (III.413), *bandoulier* (III.433), *aze* (I.137). Par contre, la forme *cuiller*, d'après Malherbe, appartient nettement au domaine d'oïl. La présence de quelques mots venant de la région natale du comte de Carmain ne dit rien sur les origines de l'auteur : de nombreux mots et groupes de mots méridionaux les plus usités étaient bien connus des Parisiens.
- Axe diastratique. À ce groupe appartiennent les termes de droit (*procedure, procès-verbal*), de guerre (*batterie, mine, contremine, contrescarpe*), de commerce (*barguigner, compromis, arrhes*).

Des argotismes constituent une inclusion bien distincte : ils sont presque tous concentrés dans l'acte II, sc. 4 (l'apparition des Bohémiens) et dans l'acte III, sc. 1 (les fugitifs, déguisés en Bohémiens, rafraîchissent leur connaissance de l'argot). Presque toutes les expressions argotiques utilisées dans la *Comédie* se retrouvent chez Pechon de Ruby (1595), qui est probablement leur source.

- Axe diachronique. Les mots *atourner, desconvenue, eboby, embler, escorne, escogriffe, tollir, vercoquin* sont présentés comme « vieux » par Furetière, par l'Académie ou par Richelet. Le témoignage des lexicographes du dernier quart du siècle n'a qu'une valeur relative pour la *Comédie de proverbes*. À l'époque de celle-ci, ces mots pouvaient être usuels ou juste démodés.

Quelques mots sont employés dans les significations que leur attribue l'usage populaire : p.ex., *despendre* « dépenser », *recouvrir* « recouvrer ».

Les verbes *bailler* et *donner* ne sont pas des synonymes absolus. Selon J. Nicot, *donner* se traduit en latin comme « dare, donare» (p. 211), et *bailler* comme «attribuere, conferre, erogare, proebere,» etc. (p. 64). La distinction formulée par Nicot pouvait être plus mince aux années 1620, où *bailler* se présente surtout comme un substitut stylistiquement marqué de *donner.* Une telle redistribution sémantique s'accompagne d'un rétrécissement de l'aire d'emploi de *bailler.*

Dans la *Comédie*, *bailler* est utilisé neuf fois, tandis que *donner* apparaît deux fois dans l'*Argument*, quatre fois dans le *Prologue* et 55, dans le corps de la pièce. Puisque le verbe *bailler* est présent surtout à l'intérieur de phraséologismes, son usage devient consacré par l'ancienneté de ses locutions.

Le même jugement pourrait valoir pour le substantif *huis.* Déjà moins présent dans P33 que son synonyme partiel *porte*, il s'efface davantage dans P65 dont l'éditeur va jusqu'à «moderniser» l'expression *rompeur d'huis ouverts* en y introduisant le mot *portes* (II.159).

Dans leur ensemble, les traits langagiers du texte de la *Comédie de proverbes* ne sont pas suffisamment marquants à eux seuls pour permettre de caractériser l'auteur.

Niveau lexical *macro*

Tout locuteur se sert quotidiennement de phrasèmes tous faits dans les situations les plus banales et, partant, les plus fréquentes. Par conséquent, le rôle que des listes de telles séquences à reproduire jouent dans l'ensemble de la compétence linguistique d'un individu prévaut sur la connaissance des règles de la production grammaticale. Ces listes constituent un lexique *macro*, et aucune grammaire ne rapproche un locuteur de son auditeur ou un étranger d'un natif autant que la bonne connaissance de ce lexique.

Le lexique *macro* de la *Comédie* est souple et évasif. Nous y avons déniché 1684 phraséologismes et proverbes, dont beaucoup se répètent, fusionnent ou se recombinent en absorbant d'autres éléments. Même pour une culture encore largement orale, où l'enseignement se basait sur une mémorisation mécanique et où, par conséquent, beaucoup de gens gardaient dans leur mémoire de nombreuses formules fixes de discours pour toute occasion, l'auteur présumé devait posséder une mémoire extraordinaire. Raisonnablement, force est d'assumer qu'il avait en sa possession une mémoire, pour ainsi dire, amortie, couchée sur papier.

Presque chaque personne lettrée et, à plus juste titre, une personne de lettres, tenait son propre recueil de lieux communs, en partie par amour de *curiosités*, en partie par ce souci humaniste et même médiéval de se référer à une autorité ancienne, si une occasion d'argumenter se présentait. Mais ce n'est pas tout que d'avoir un recueil opulent, parce que, en constituant le texte, on devrait avoir les expressions appropirées *sous la main* au bon moment. Ainsi, la série suivante

I.56	MACEE.	Vous vous levez bien matin de peur des crottes.
I.57	ALIZON.	Qui a bon voisin a bon matin.
I.58	THESAURUS.	Il a beau se lever tard qui a le bruit de se lever matin.
I.59	ALIZON.	Se lever matin n'est pas heur, mais desjeuner est le plus seur.

fait penser à une liste thématique *Matin - réveil*. Le grand recueil prototype parémio- et phraséologique devait donc être réparti en modules thématiques. On peut deviner des thèmes impliqués :

temps, climat, phénomènes naturels ;
querelle entre hommes ; entre homme et femme ; entre époux ;
bonne chère ;
hyperboles, bravade guerrière ;
école, pédanterie ;
compliments et autres civilités ;
marché et négociation commerciale ;
galanteries et répliques à des importunités ;
propos et propositions obscènes ;
l'argot et le jargon de Bohémiens ;

aveux et serments d'amour;
éléments du jargon de chicane judiciaire, et d'autres.

La *Comédie* comprend quelques chansons, composées, semble-t-il, spécialement pour la pièce. On y trouve également plusieurs références à des chansons ou à des textes poétiques préexistants: *la Perronnelle*; *Clopin tu n'y saurais aller*; *Sus compagnons*, sans oublier de mentionner les références à deux chansons ou poésies d'enfants: *quand les canes vont aux champs* et *ne pleurez pas, vous l'aurez*, que l'on trouve encore de nos jours dans des recueils de comptines. Pour ajouter de la couleur au discours de ses personnages, l'auteur y introduit des expressions fixes latines, espagnoles et italiennes. Somme toute, il avait dû se prémunir d'un bon nombre de sources et, probablement, de collaborateurs.

Malgré le titre de la *Comédie*, les proverbes proprement dits sont relativement peu nombreux. Nous n'en avons compté «que» cent cinquante, sentences et phrases proverbiales incluses – moins d'un dixième du macro-lexique total. Il est vrai pourtant que la valeur sémantique du mot *proverbe* était bien large. Sorel avait beau définir un proverbe comme un précepte ancien d'ordre moral – dans l'usage courant de ses contemporains, les *proverbes* étaient des «*façons de parler triviales et communes qui sont en la bouche de toutes sortes de personnes*» (FUR).

Une grande partie du lexique *macro* remonte à la Renaissance, au Moyen âge, à l'Antiquité ou à la Bible. Toutefois, on ne confondra pas la préexistence d'un lexique avec l'existence de sources immédiates et récentes. Nous ignorons ces dernières. Il s'agirait sans doute d'au moins un recueil dans lequel les expressions anciennes sont transposées en français moderne et complétées de quolibets des temps nouveaux.

On est habitué à la continuité diachronique et spatiale des proverbes. Il n'en est pas de même avec les calembours et les clichés d'un quotidien spécifique. Les jeux de mots ne peuvent être les mêmes en latin, en ancien français et en français moderne. La modernité du recueil prototype et de la *Comédie de proverbes* est un élément important.

Même au XVIIe siècle, lorsqu'il était difficile d'épater quelqu'un en citant un «proverbe», l'ensemble de la *Comédie de proverbes* devait impressionner. Composée de clichés idiomatiques, la *Comédie* est un texte idiomatique à cent pour cent, national par excellence, qui risque d'être hermétique pour un Français d'aujourd'hui, pas beaucoup moins qu'il ne l'était pour un Allemand francisant du XVIIe siècle.

Popularité implique imitation. Les emprunteurs devaient être nombreux: Molière en fut un, selon H.C. Lancaster[26]. Toutefois, un des premiers emprunts massifs, sinon le seul, se place dans le domaine de la lexicographie.

LA *COMÉDIE DE PROVERBES*, UNE SOURCE DES *CURIOSITEZ FRANÇOISES*

Paru en 1640, le recueil d'Oudin contient 8377 entrées: mots, clichés discursifs, phraséologismes et proverbes de l'époque. Les sources concrètes d'Oudin, jusqu'au dernier temps, sont demeurées largement inconnues. L'idée de comparer ce recueil avec la *Comédie de proverbes* nous est venue lors de notre enquête sur les origines d'une expression à référence biblique, *les armes de Caïn* «des mâchoires», dont la *Comédie* et les *Curiositez* semblaient être les seules sources indépendantes.

L'arme du premier meurtre, non spécifiée dans la Bible, est un élément iconographique qui varie d'une zone culturelle à l'autre. La mâchoire d'âne en tant qu'arme de Caïn n'est pas une notion française (v. *Comm.* II.159), mais elle donne lieu à une expression française dont toutes les attestations se limitaient au XVIIe siècle et aux deux corpus nommés. Au cours de la

---

26 H.C. LANCASTER (1918).

recherche, nous avons trouvé deux autres attestations de la locution: dans *L'Orphelin infortuné* (1660), roman de Préfontaine[27], et dans le *Dictionnaire universel* de Furetière (1690), qui pouvaient ne pas être indépendantes. Compte tenu du caractère marginal de la locution et de sa diffusion, une confrontation des *Curiositez* et de la *Comédie* s'imposait[28].

En dépouillant le texte de la *Comédie*, nous en avons obtenu 1288 segments (sans compter des répétitions) ayant des correspondances plus ou moins proches dans le recueil d'Oudin. Bien évidemment, la valeur des correspondances n'est pas la même dans tous les cas. Les expressions peuvent être citées en entier ou partiellement; un ou plusieurs mots y peuvent être remplacés. Enfin, deux expressions peuvent ne garder en commun que le sens, ou encore, quelques expressions peuvent fusionner pour n'en former qu'une seule. Il ne suffisait donc pas de connaître la quantité des correspondances entre les deux corpus; il fallait en évaluer la qualité.

Face à la complexité et à l'hétérogénéité de grands corpus phraséo-parémiologiques, les chercheurs sont portés à développer des systèmes taxinomiques appropriés aux buts visés. S. Schmarje (1973) a élaboré un tel système qu'elle a appliqué à l'étude de la matière proverbiale des *Essais* de Montaigne. Un classement complexe, avec des implications théoriques importantes, a été mis au point par E. Schulze-Busacker (1985) pour rendre compte de tous les modes d'intégration de proverbes et d'expressions proverbiales dans des texte littéraires.

---

27 César-François Oudin, sieur de Préfontaine, probablement frère cadet d'Antoine Oudin.

28 À la toute fin de nos travaux sur le projet de cette édition, nous avons trouvé une nouvelle évocation de ce concept iconographique (mais non pas de la locution), venant cette fois du prologue *Des Chastrez* (1615) de Bruscambille (v. nos *Commentaires*, II.159). Cette trouvaille ne fait que renforcer le rapprochement avec la *Comédie* qui s'impose trop souvent lorsqu'on lit cet auteur. Nous reparlerons de lui en discutant du problème d'auteur.

En créant notre mode de classement, nous cherchions à obtenir un mécanisme permettant de comparer deux corpus bien déterminés et d'obtenir rapidement des données numériques représentatives aux fins de comparaison. Les paires de correspondances entre les deux corpus ont été réparties en cinq classes, en fonction de leur affinité formelle et sémantique. Aux extrêmes de cette taxinomie, la classe 1 regroupait des paires d'expressions assez éloignées l'une de l'autre, partageant un mot ou une notion, et la classe 5, les paires d'expressions complètement identiques. Les cooccurrences de la classe 4 ne se distinguaient que par une forme grammaticale (personne, nombre ou genre) ; nous avons traité de telles variations comme mineures, ou inflexionnelles. Les paires d'expressions de la classe 3 pouvaient comporter une ou plusieurs substitutions synonymiques ou encore voir leur syntaxe légèrement transformée (p.ex., par inversion). Bien que de telles variations soient considérées comme majeures, ou dérivationnelles, la classe 3 est vue comme corollaire des classes 4 et 5. Dans la classe 2, plusieurs distinctions n'empêchaient pas de reconnaître le même archétype, mais les expressions de cette classe n'ont pas été considérées comme empruntées d'un corpus à l'autre[29].

Dans un tel système, malgré un certain délavement des frontières entre les classes 3 et 2, une erreur particulière de classement n'affecte pas les grands nombres. Le résultat du classement est déterminé par le poids spécifique des classes 5 et 4 dans le calcul total. D'après les calculs réalisés,

la *Comédie* (CPR) contient au total 1684 expressions phraséologiques de tous genres, sans compter les répétitions ;

les *Curiositez* (CuF) contiennent au total 8377 entrées lexicales ;

396 expressions de CPR n'ont pas de correspondance dans CuF ;

29 Pour d'autres détails sur cette recherche, v. M. KRAMER « La *Comédie de proverbes* du comte de Cramail et les *Curiositez françoises* d'A. Oudin : un lien privilégié » (2000).

à 1288 expressions de CPR correspondent plus ou moins 1598 entrées de CuF, ce qui produit 1598 couples de cooccurrences;

– des 1598 couples, 1385, soit plus de 86,7 %, sont d'une parenté aisément perceptible (classes 3 à 5), dont 1057, soit plus de 66 %, représentent des expressions identiques, complètement ou à une variation inflexionnelle près (classes 4 et 5).

Les correspondances identiques (classes 4 et 5) constituent 12,6 % (1057 sur 8377) du corpus des *Curiositez françoises*. La proportion augmente à 16,5 %, lorsqu'on tient compte des variantes dérivationnelles (classe 3).

Pour nous assurer du degré d'affinité entre les *Curiositez* et la *Comédie*, nous avons confronté les deux corpus à ceux de J. Nicot (*Thresor de la langue françoyse*, 1606)[30] et de R. Cotgrave (*A Dictionarie of French and English Tongues*, 1611, ici: CTG). Les deux tests ont permis deux conclusions:

1) il n'existe pas de lien particulièrement marqué entre CTG et CuF ni entre CTG et CPR; CTG, d'une part, et CPR et CuF, de l'autre, appartiennent à deux «familles» lexicographiques différentes. De plus, le dictionnaire de Cotgrave était destiné au public anglais; on pourrait se demander s'il était assez connu ou disponible en France au XVIIe siècle pour influencer Oudin;

2) le *Thresor* de Nicot n'a pas eu d'influence directe sur CuF. Même dans les cas où les corpus des «Sentences morales» de Nicot, de CuF et de CPR se recoupent, la ressemblance entre les deux derniers reste nette et frappante, comme dans ces exemples:

---

30 Nous avons utilisé l'annexe «Sentences morales» du *Thresor*, dont le contenu ressemble le plus à ceux de CuF et de CPR.

Nicot 1606	CuF 1640	CPR 1633
Il ne craint ni les rez ni les tondus 19a	il ne se soucie ny des Raiz ny des tondus 468	je ne me souciois ny des rez ni des tondus I.123
Battre le fer quand il est chaud 20a	battre le Fer tandis qu'il est chaud 217	Il faut battre le fer tandis qu'il est chaud I.93
Qui parle du loup en void la queue 22b	quand on parle du Loup on en voit la queue 310	Quand on parle du loup on en voit la queue II.186

Dans la comparaison binaire entre CuF et CPR, les affinités apparaissent avec encore plus de clarté grâce à la longueur (7 mots et plus) des cooccurrences de la classe 5 :

CPR	CuF
I.22 Ce seroit dommage qu'il mourust un vendredy; il y auroit bien des tripes perdues.	ce serait dommage qu'il mourust le vendredy... *Nostre vulgaire adjouste,* il y auroit bien des trippes perdues. 362
II.199 Tu t'y prends d'une belle degaine !	Tu t'y prens d'une belle desguaine 156
III.369 Vous pouuez bien manger vostre potage à l'huile : il n'y a point de chair pour vous.	vous pouvez manger vostre potage à l'huile, il n'y a point de chair pour vous 445
III.359 Dix escus et luy ne passèrent jamais par une porte.	dix escus et luy ne passerent jamais par une porte 439
II.198 Voilà Monsieur venu, trempez-luy sa soupe !	voila Monsieur venu trempez luy sa soupe 514

Dans de nombreux cas, les expressions de CuF conservent exactement la même forme grammaticale, même si, normalement, un lexicographe devrait préférer une forme générique, l'infinitif pour le verbe, le masculin pour les pronoms et les adjectifs :

CPR	CuF
II.243 Il chante comme une sereine du Pré aux Clercs	il chante comme une Sereine du pré aux Clercs 504
III.455 Je l'ay veu aux prunelles	je l'ay veû aux Prunelles 459
III.574 Tu viens de Vaugirard, ta gibecière sent le lard	tu viens de Vaugirard ta gibeciere sent le lard[31] 561
Je jettay mon bonnet par-dessus les moulins III.492	je jettay mon Bonnet per dessus les moulins 49
Si vous estes seul, attendez compagnie I.53	si vous estes Seul attendez compagnie 506
J'ayme mieux le croire que d'y aller voir III.413	j'aime mieux le Croire que d'y aller voir 138
Il y va de cul et de teste, comme	il y va de Cul et de teste, comme
une corneille qui abat les noix II.159	une corneille qui abbat des noix 143
La douce chose ! Accolez ce poteau III.451	Douce chose accollez ce poteau 172
Il entend cela, son père en vendoit III.305	il entend cela son pere en Vendoit 563

D'autres cas d'affinité qualitative attirent également l'attention :

– des formes contaminées ou autrement incorrectes, mélangeant deux expressions différentes :

> corriger le *Magnificat* à matines (CPR 00)
> corriger Magnificat à Matines (CuF 336)

Il s'agit d'un hybride de deux expressions : *corriger le magnificat* « essayer de faire quelque chose qui dépasse sa compétence » et *chanter* magnificat *aux matines* « faire quelque chose d'inapproprié ». L'expression-« centaure », absurde à dessein, est reprise telle quelle par Oudin ;

---

31 Oudin ne donne aucune explication et emploie la même personne grammaticale.

– des comparaisons de supériorité qui abondent dans CPR et qui ne devraient pas apparaître dans CuF:

CPR	CuF	
plus droite qu'un jonc III.375	Elle est plus droite qu'un jonc	*de taille fort droitte* 284
plus malicieux qu'un vieux singe II.195	plus malicieux qu'un vieux singe	*tres-malicieux* 507

Un autre trait qui relie CuF à CPR est la présence des expressions scindées. En fait, la «scission» n'apparaît que dans CuF: au lieu d'expliquer une expression, Oudin la coupe en deux et en «explique» la première partie par la seconde, sans quelque analyse que ce soit:

CPR	CuF
vous avez bien fait de venir, car je ne vous eusse pas esté querir 00	*il a bien fait de venir* «je ne le fusse pas aller *(sic)* querir» 563
diront et feront comme Robin fit à la dance, du mieux qu'ils pourront 00	*faire comme Robin fit à la dance* «faire le mieux que l'on peut» 484
Tu n'es pas ladre, tu sens bien quand on te pique I.17	*il n'est pas Ladre* «il sent bien quand on l'offense» 293
Il vaut mieux faire comme on fait à Paris, laisser pleuvoir I.31	*faire comme on fait à Paris* «laisser pleuvoir» 393
pour la santé du corps, la chaleur des pieds I.37	*la Santé du corps* «la chaleur des pieds» 497
Chat eschaudé craint l'eau froide I.91	*chat Eschaudé* «craint l'eau froide» 191

L'examen du phraséologisme *coup de Jarnac* «acte brusque et habile par lequel on décide du sort d'un conflit en prenant l'adversaire au dépourvu» appuie à son tour l'hypothèse de la dépendance des *Curiositez françoises* vis-à-vis de la *Comédie de proverbes*. Oudin définit le mot *jarnac* comme un coutelas (CuF

278). Or, il semble être le seul au XVIIe siècle à attester ce mot que les autres dictionnaires ignorent en-dehors de la locution *coup de Jarnac.*

La locution tire son origine du duel entre Gui de Chabot, sieur de Jarnac, et François de Vivonne, sieur de La Châtaigneraie. Le premier triompha grâce à un coup d'épée violent, inattendu, mais licite.

À notre avis, Oudin s'est mépris au sujet de ce mot à cause du contexte de la locution *coup de Jarnac* et du *i* minuscule du mot *iarnac* dans la *Comédie de proverbes*:

CPR	CuF
En deux coups de iarnac ils nous deliurerent de cette maudite engeance. III.488	vn Iarnac *vn coutelas ou espée large* 278

En effet, la composante *jarnac* occupe la place réservée à un nom d'arme dans le modèle *coup d'épée / de poignard*, et Oudin en aurait inféré que *jarnac* est une arme[32]. Le fait que l'auteur de la *Comédie*, amateur et maître de jeux de mots, parle de « deux coups de jarnac », a pu contribuer à cette erreur: normalement, un seul devrait suffire.

De sa part, Cotgrave traduit *jarnat* (sic !) comme « ruffian »[33].

La parenté de la *Comédie* et des *Curiositez* peut être expliquée grâce aux considérations suivantes. Le titre complet du recueil d'Antoine Oudin, *Curiositez françoises pour servir de supplément aux dictionnaires, ou recueil de plusieurs belles proprietez, avec une infinité de proverbes et quolibets pour l'explication de toutes sortes de livres,* est autant une déclaration d'intention. Le lexicographe souhaitait desservir un domaine lexical qui n'était pas suffisamment

---

32 Suivant la même logique, Cotgrave aurait pu décider que, dans la même locution, *jarnat*, se prononçant d'ailleurs comme *jarnac*, sans la consonne finale, signifiait « ruffien », « voyou », ou « traître ».

33 Pour plus de détails: KRAMER «*Jarnac* et *bilboquet...*» (2002).

couvert par les dictionnaires généraux, afin de faciliter la lecture «de toutes sortes de livres». À qui et de quels livres Antoine Oudin voulait-il faciliter la lecture?

Adressé aux lecteurs étrangers, le recueil d'A. Oudin est dédié au jeune prince Georges-Frédéric de Waldeck. Le souci déclaré d'Oudin est d'encourager les étrangers à lire de bons auteurs, dont il recommande quelques ouvrages. La *Comédie de proverbes* n'est pas mentionnée aux côtés des œuvres de Malherbe, de Guez de Balzac, de Faret et de d'Urfé, mais on n'a pas besoin du lexique d'Oudin pour lire l'*Astrée*. Or, les *Curiositez* paraissent lorsque la *Comédie de proverbes* et d'autres ouvrages contenant le lexique burlesque, dont le *Francion* et le *Berger extravagant* de Ch. Sorel, sont en pleine vogue. Pour lire ce genre de littérature les lecteurs étrangers nécessitent le recueil d'Oudin.

Après avoir effectué sur les deux romans comiques la comparaison semblable à celle entre la *Comédie de proverbes* et les *Curiositez* (cette fois, sans classer les cooccurrences d'après le degré d'affinité), nous avons constaté qu'Oudin ne s'était pas limité à mentionner directement le *Francion* à l'article *Bains de Valentin* (CuF 26), mais qu'au moins 57 entrées des *Curiositez* sont partagées par la *Comédie de proverbes* et par au moins un roman comique de Sorel; 152 ne sont propres qu'à Sorel et Oudin, à l'exclusion de la *Comédie de proverbes*.

On pourrait ajouter à ces nombres les cooccurrences entre les *Curiositez françoises* et la comédie *Les Ramonneurs*. Celle-ci contient, d'après nos calculs, environ 360 expressions idiomatiques ou clichés, dont elle partage environ 70 avec et les *Curiositez* et la *Comédie de proverbes*, et 128 uniquement avec les *Curiositez*.

Une autre pièce, plus ancienne: *Les Desguisez*, d'Odet de Turnèbe (1584), contient quantité de phraséologismes de la même famille, et dans sa réédition par Maupas (1626), sous le titre *Les Contens*, le texte est suivi d'un glossaire phraséologique.

Nous ne croyons pas que toutes ces trouvailles soient des coïncidences. *Les Ramonneurs* furent écrits aux environs de

1622, *L'Histoire comique de Francion* parut en 1623 et en 1626, *Les Contens* en 1626 et le *Berger extravagant* en 1627. En 1633, le *Francion* paraît en troisième édition. Les deux dernières éditions du *Francion* sont imprimées par Pierre Billaine, aussi bien que la première édition de la *Grammaire françoise* d'Oudin (1632). Sorel et Oudin pouvaient bien se connaître, ne serait-ce que par l'entremise du libraire. En 1640, chez A. de Sommaville, Oudin fait imprimer une édition élargie de sa grammaire, cette fois avec un renvoi aux *Curiositez* qui paraissent simultanément. Les deux grammaires, comme les *Curiositez*, sont dédiées à de grands seigneurs étrangers: en 1632, à André et Raphaël Leszczynski, en 1640, à G.-F. de Waldeck. Il est probable que c'est sur leurs demandes qu'Oudin décide de compiler un dictionnaire phraséologique pour que ses patrons étrangers puissent lire Sorel, les *Ramonneurs* et d'autres œuvres burlesques et comiques.

Le moyen le plus direct de ce faire est de dépouiller les ouvrages immédiatement concernés. Les expressions extraites des ouvrages seront ramenées aux formes dites standard (les verbes à l'infinitif, les noms au singulier), ensuite classées par ordre alphabétique des mots clés et munies d'explications. Lorsqu'une expression apparaîtra sur la liste plus d'une fois – soit sous deux mots clés différents, soit sortie de plus d'un texte – elle sera ramenée à une même définition donnée dans son entrée principale, ses autres entrées faisant renvoi à la première.

Or, en 1633, paraît la *Comédie de proverbes*. Pour une raison que nous ignorons, Oudin l'incorpore trop tard dans son recueil, et plus de mille expressions ainsi empruntées seront intégrées dans son corpus sans aucune modification, dont plusieurs plus d'une fois et même avec des définitions différentes. Oudin continuera à ajouter des entrées même au cours de l'impression. Il en résulte un *Appendice* contenant quelques répétitions inutiles: personne n'a relu le recueil pour les éliminer.

Il est possible que, bientôt après 1632, Oudin ait commencé ses travaux préparatoires, qu'il a dû interrompre – on soupçonnerait, faute de moyens. Il a eu pourtant tout le loisir d'organiser son recueil comme un bon dictionnaire. En 1639, il décide de lancer la deuxième édition de sa *Grammaire* et, simultanément, les *Curiositez*, contenant déjà 85% de leur inventaire actuel. À ce moment-là (le privilège est obtenu en juillet 1639), il décide subitement d'étoffer les *Curiositez* à même la *Comédie de proverbes*. Il n'a plus le temps d'harmoniser ses nouvelles entrées et il omet d'inclure dans son inventaire presque 400 expressions de la *Comédie* (un quart environ).

La présente édition de la *Comédie de proverbes* est une occasion d'utiliser les *Curiositez françoises* dans leur fonction primaire, celle de faciliter la lecture de cette pièce. Le recueil d'A. Oudin est la composante essentielle du *Répertoire phraséologique* qui suit.

QUELQUES OBSERVATIONS SUR L'ASPECT DRAMATURGIQUE DE LA *COMÉDIE DE PROVERBES*

S'il est vrai qu'un titre est censé donner un avant-goût du sujet, alors « la Comédie de proverbes » n'est pas un titre, mais plutôt une déclaration de genre, un avertissement au lecteur, auditeur ou spectateur de s'attendre à un jeu d'esprit, à « une expérience de langage »[34]. Plus que dans une œuvre littéraire ordinaire, il est facile, dans la *Comédie de proverbes*, de détacher la forme du contenu, en obtenant un recueil de phraséologismes. Ainsi, H.C. Lancaster, historien du théâtre plutôt que de la langue, a vu dans la *Comédie* surtout une source de proverbes pour Molière[35].

Sans chercher une profondeur ou une complexité méconnues dans cette pièce qui est, en effet, simple, nous tâcherons de présenter ici l'aspect le moins visité de la *Comédie de proverbes*: son côté théâtral. Il ne s'agit pas d'une *re*découverte, parce que, à notre avis, à cause du grand nombre de ses locutions et de la petitesse de son sujet, la pièce n'a pas encore été lue comme elle le

[34] BELLAS, p. 49.

[35] LANCASTER (1918).

mériterait. En la lisant, on aperçoit, au-dessous des quolibets, un texte généralement cohérent et sans superfluités, et, au-dessous de masques, des caractères. Ceux-ci, à leur tour, servent à enrichir l'intrigue qui se joue dans un temps et dans un espace réalistes, avant le mot, tout en respectant les unités dites classiques.

Réalisme scénique et simplicité logistique

Acte I

L'action débute dans une obscurité presque totale. Les trois premières scènes se déroulent dans la rue devant la maison du Docteur. La scène 4 se passe au petit jour. Un rideau peint pourrait représenter un paysage de campagne. Vers la fin de la scène, le rideau levé, Thesaurus et Alizon se trouvent devant leur maison – c'est le retour aux décors des scènes précédentes.

Les scènes 5 et 6 se situent dans les mêmes décors, et la scène 7, les fugitifs étant aux champs, se joue devant le rideau-paysage de la sc. 4. Ainsi, l'acte I peut être réalisé avec un minimum d'effort décoratif.

Acte II

Scène 1. La scène est la même que dans l'acte I, mais tout se passe en plein jour.

Scène 2. Le Docteur reçoit Fierabras dans sa maison. L'intérieur pouvait être esquissé à l'aide de chaises.

Scènes 3, 4 et 4b. Les fugitifs sont aux champs, devant le même rideau « champêtre ».

Scène 5. Le monologue de Fierabras n'a pas de lieu particulier. Il pourrait être prononcé devant un rideau, sur l'avant-scène, pendant qu'on modifie les décors.

Acte III

Scène 1. Les personnages sont d'abord aux champs, déjà déguisés en Bohémiens, et ils se mettent en marche pour arriver à une maison d'apparence assez suspecte, qui leur servira d'abri. Cette maison se trouve peut-être au bout de la scène opposé à la maison du Docteur. La scène a donc deux maisons praticables.

Scène 2. Devant la maison du Docteur, Fierabras lui propose d'écouter la bonne aventure.

Scène 3. La bonne aventure et le duel verbal de Fierabras et Florinde se passent devant la maison du Docteur.

Scène 4. Le soir. Le prévôt et deux sergents attendent la nuit pour donner l'assaut au taudis. Ils quittent la scène, mais ils peuvent aussi rester dans un coin, profitant de l'obscurité qui s'épaissit.

Scène 5. La nuit. Fierabras et ses musiciens donnent la sérénade à Florinde. Dérangé par les archers, il s'enfuit. Le rideau tombe. Le capitaine chante son air *L'ignorance fait les hardis*..., et il sort. Toujours devant le rideau, le prévôt constate sa première victoire. Le rideau se lève. Le prévôt frappe à la porte du taudis.

Scène 6. Le dernier monologue de Fierabras. Le lieu n'est pas important.

Scène 7. La rue entre le taudis des fugitifs et la maison du Docteur.

Les décors pourraient être plus élaborés, mais le régime minimaliste qui vient d'être tracé suffit. Du point de vue logistique, par sa vraisemblance et sa sobriété, la scène de la pièce est prête à recevoir les unités classiques.

Les unités classiques dans la *Comédie de proverbes*

Malgré la simplicité apparente de ses procédés – on présente souvent la *Comédie de proverbes* comme une farce – son organisation de l'espace, du temps et de l'action permettent de discerner la touche d'un maître dramaturge.

La règle des trois unités était loin de dominer le drame des années 20, et surtout pas la comédie. Des tentatives de créer des comédies en règle se faisaient pourtant. La *Comédie de proverbes* respecte-t-elle les trois unités ?

L'unité de l'action est respectée, car la pièce n'a en effet qu'une seule intrigue : les amours de Lidias et Florinde. Rien ne se fait sur la scène qui ne soit lié au prétendu enlèvement. Même le dialogue entre le Docteur et Alizon (acte I, sc. 4) dessert l'action principale en rappelant que le moment pour le rapt-fuite a été choisi pour coïncider avec l'absence du père.

Quant à l'unité du lieu, la régularité paraît moins évidente. L'action semble se dérouler à plusieurs endroits, qui se réduisent, pourtant, à trois ou quatre : a) la maison du Docteur (intérieur et extérieur), b) «les champs», soit tout endroit autre que la ville ; c) la maison-2, qui abrite temporairement les héros (extérieur) ; d) un «non-lieu» où Fierabras prononce ses monologues. Une telle topographie n'a rien de fantaisiste : il n'y a pas de voyages miraculeux et instantanés vers des pays éloignés, et c'était surtout ce type d'extravagance que voulaient proscrire les rationnels promoteurs des trois unités.

L'unité du temps est sans doute la propriété la plus remarquable de l'organisation de la *Comédie*. On y constate une notion du temps concrète et étonnamment précise qui se définit à l'aide des repères suivants.

Acte I. Scènes 1-3.

I.1 Didascalie : «Ils sortent de nuit».
I.2 ALAIGRE. Il eust mieux valu venir entre chien et loup, il fait noir comme dans un four.
L'action commence donc à minuit ou peu après.

Scène 4. Petit matin.

I.50 THESAURUS.… mais quand j'y songe, nous sommes levés de bon matin.
I.51 ALIZON. Nos gens seront étonnés… de nous voir à cette heure qu'on n'entendrait une souris trotter par la rue.
I.56 MACÉE. Vous vous levez bien matin de peur de crottes.

La phrase de Philippin, « quand le soleil est couché, il y a bien des bestes à l'ombre » (I.140), peut signifier que l'action de la scène 7 est simultanée à celle des scènes 4, 5 et 6.

Acte II. La matinée, mais l'heure est avancée.

Alaigre est envoyé faire la reconnaissance : les fugitifs ne se sont donc pas trop éloignés de la ville. La phrase de Lidias, « Il y aura après-demain trois jours qu'il [Alaigre] est parti » (II.177), signifie tout simplement qu'Alaigre est parti « aujourd'hui ». Philippin précise : « Il y a pour le moins trois heures que je mâche à vide » (II.180).

Enfin, le soleil est haut, et, après le repas opulent, Lidias reconnaît : « La chaleur nous convie de mettre casaquin bas » (II.252).

Acte III.

Un nouvel indice temporel vient du Prévôt : « La lune commence à montrer ses cornes » (III.415). C'est le début de la soirée, probablement juste après le coucher, quand le ciel est encore clair, car le Prévôt dit, dans la même réplique : « Il faut que j'attende la nuit pour les surprendre ».

Lorsque Fierabras vient donner la sérénade à Florinde, tout le monde dort :

III.428 ALAIGRE (à Philippin). Retournons dormir.
III.433 LE PRÉVÔT.... vous retirez, il est heure indue.

Dans la dernière scène, le père de Florinde sort de sa maison pour aller à l'église. Cette scène apporte le dénouement, juste avant le nouveau jour : « LIDIAS. Le jour qui commence beau et serein, nous pronostique qu'après la pluie vient le beau temps » (III.470).

La remarque la plus révélatrice à l'égard du temps écoulé est celle de Philippin : « Dame, il arrive à un jour ce qui n'arrive pas en cent » (III.469).

On voit bien que l'unité du temps, si cette unité doit être comprise à l'intérieur de 24 heures, est *grosso modo* respectée dans la *Comédie de proverbes*. Toutefois, la corrélation réaliste entre l'action et le temps devient d'une précision quasi mathématique, si on fragmente davantage le temps de la pièce. On assumera, en tant qu'unité de fragmentation, une parcelle de temps t_n correspondant à une action scénique finie. On regroupera ensuite les actions patentes séparément des latentes (non représentées) ou des parallèles (représentées avec décalage par rapport au temps réel). Le tableau ci-dessous résume cette analyse.

Action patente	*Scène*	*Action latente*[36] *ou parallèle*	*Scène*	t_n
Enlèvement (début)	I-1			t_1
Enlèvement (fin)	I-2			t_1
Les voisins discutent l'enlèvement	I-3			t_2
Thesaurus et Alizon sur la route des champs	I-4			t_3
Thesaurus et Alizon réveillent Macée	I-5			t_3
Dispute autour de l'enlèvement	I-6	Les fugitifs aux champs	I.7	t_4
		[La nouvelle du rapt se répand. Fierabras l'apprend.]		t_{5-6}
Entre Fierabras, déjà informé de l'« enlèvement ». Monologue 1.	II-1			t_7
Altercation entre Fierabras et Alizon ; dialogue chez le Docteur. Départ d'Alizon, qui entretient une liaison avec les fugitifs : « Allez delà, et moi deçà,... »	II-2	[Alizon rencontre l'éclaireur Alaigre à un endroit convenu.]		t_8

36 Entre crochets.

Action patente	*Scène*	*Action latente ou parallèle*	*Scène*	t_n
Lidias, Florinde et Philippin attendent le retour d'Alaigre. Cela fait au moins trois heures que Philippin « mâche à vide », soit depuis I.5/I.7.	II-3	[Alaigre rencontre Fierabras. V. compte rendu à II.195]		t_9
Le repas[37]	II-3			t_{10}
La « raffle » des Bohémiens	II-4	[Le Prévôt cherche les Bohémiens voleurs]		t_{11}
Réveil, la découverte du vol et l'invention d'Alaigre	II-4a	Monologue 2 de Fierabras	II.5	t_{12}
Déguisement des fugitifs en Bohémiens. Leur retour à Paris.	III-1	[Fierabras apprend l'arrivée des Bohémiens]		t_{13}
Fierabras propose à Thesaurus d'écouter des Bohémiens.	III-2			t_{14}
Arrivée des faux Bohémiens. La bonne aventure.	III-3			t_{15}
Fierabras courtise la pseudo-Gitane Florinde. Fuite des « Bohémiens ». Refroidissement entre Fierabras et Thesaurus.	III-3			t_{15}
		[Le temps qu'il a fallu aux « Bohémiens » pour se retirer. Le Prévôt et Fierabras apprennent séparément où les « Bohémiens » s'abritent.]		t_{16-18}
Arrivée du Prévôt	III-4			t_{19}
Sérénade de Fierabras	III-5			t_{20}
Rencontre et reconnaissance de Lidias et du Prévôt. Lidias conte son histoire au Prévôt.	III-5	3e et dernier monologue de Fierabras. Son départ.	III.6	t_{21}

[37] Selon TRUFFIER, pp. 446, 450, le repas se déroule au clair de la lune.

Action patente	*Scène*	*Action latente ou parallèle*	*Scène*	t_n
Les fugitifs et le Prévôt décident d'aller voir le Docteur. Ils se mettent en route.	III-7			t_{22}
Fugitifs en route	III-7			t_{23}
Arrivée chez le Docteur, retrouvailles, pardon.	III-7			t_{24}
Solution du triangle passionnel des valets.	III-7			t_{24}

Non seulement l'action de la *Comédie de proverbes* s'inscrit-elle entièrement dans une période de 24 heures[38], mais elle se répartit, en plus, sur 24 parcelles de temps, dont chacune pourrait raisonnablement représenter à peu près une heure en temps réel.

Le nouveau théâtre de la *Comédie de proverbes*

Comme ses prédécesseurs *Les Ramonneurs* et *Les Desguisez*, la *Comédie de proverbes* représente une étape intermédiaire entre, d'une part, la farce traditionnelle française et le théâtre *dell'arte* italien et, d'autre part, la nouvelle comédie française. On pourrait se demander si l'auteur innovait à bon escient. Inévitablement, lorsque la durée du spectacle et le nombre d'acteurs impliqués augmentent, lorsque la fable se complique d'une intrigue, même très naïve, l'auteur, pour éviter l'écroulement de l'ensemble et pour retenir l'attention du spectateur, se voit lié par des contraintes que la farce ignorait. La réponse la plus immédiate aux nouvelles exigences consiste dans la cohérence intrinsèque de la fable, dont la vraisemblance de l'action doit entraîner celle des caractères.

Vraisemblance de l'intrigue. Dans la *Comédie de proverbes*, l'amoureux exaspéré simule l'enlèvement de sa bien-aimée. La

[38] *Cf.* : l'estimation du temps de la *Comédie de proverbes* par G. Dotoli *Il cerchio aperto*, p. 51 : « dodici ore, sorgere – tramonto del sole ».

jeune fille consent à cette supercherie comme à l'unique moyen de se faire entendre par ses parents. Les amoureux planifient de se marier secrètement et de mettre les parents de la demoiselle devant le fait accompli. L'aventure est risquée, le rapt étant un crime capital. Pourtant, faute d'effectifs pour appliquer la loi, la sévérité de la justice restait souvent théorique. La faille judiciaire encourageait des aventuriers, et les enlèvements, simulés ou vrais, n'étaient pas rares. À cet égard, la fable n'est pas invraisemblable.

Plusieurs circonstances non moins vraisemblables se heurtent dans la *Comédie*, en créant une toile de péripéties fictives, qui n'ont pourtant rien de fantastique. Ainsi, le dessein vraisemblable du Docteur de marier sa fille à un homme d'épée est mis en échec par le dessein des jeunes amoureux. Ceux-ci, à leur tour, se heurtent à deux obstacles vraisemblables : les Gitans et les sergents.

Les voleurs laissent leurs habits bigarrés à leurs victimes, non par pitié, mais pour envoyer le prévôt sur une fausse piste. Pourtant, grâce aux costumes tsiganes, les quatre héros trouvent une issue de leur situation, car le projet initial de conclure un mariage secret et d'attendre venir les autorités n'était pas particulièrement heureux.

Le truc de la bonne aventure réussit, non point parce que le Docteur est assez dupe pour croire les devins, comme le voudrait une farce, mais parce qu'il reconnaît sa fille sous le déguisement et qu'il fait le crédule. Tout ce qu'il veut est le retour de sa fille saine et sauve et son mariage avec un noble, et Lidias en est un. Ce dernier fait preuve de son amour pour Florinde – après tout, il risque sa vie. Le capitaine Fierabras, au contraire, est sans solution dans une situation de crise et, en plus, insolvable. Pour rendre les choses pires, il ne reconnaît pas sa propre fiancée sous le naïf déguisement et s'éprend de la pseudo-Bohémienne. Il se met à lui faire des avances de plus en plus osées en présence de son futur beau-père.

La méprise du capitaine est explicable : à vrai dire, plus que déguisée, Florinde est transformée. Dans une parure plus naturelle et libre, parlant avec feu et inspiration, elle paraît bien plus séduisante que la fille du Docteur que Fierabras à connue : constamment surveillée, contrariée, malheureuse.

L'aventure ne finit pas là, car le prévôt, qui cherche les voleurs dont les fugitifs portent les vêtements, peut mettre la main au collet de Lidias. Ce qui suit est un vrai coup de théâtre : il se trouve que Lidias et le prévôt sont des frères. À ceux qui souriront avec défiance, on expliquera que Lidias était parti pour quelque temps sans donner de ses nouvelles et qu'il est revenu incognito. Après tout, il s'agit d'une comédie. Pour en faire une tragédie, il suffirait que le prévôt n'ait aucun lien de parenté avec Lidias ou qu'il soit incorruptible, mettant le devoir au-dessus de la parenté.

Après ces heureuses retrouvailles, les fugitifs, leurs valets et les policiers vont trouver les parents de Florinde, qui ne sont qu'heureux de voir tout s'arranger si habilement et en si peu de temps : en vingt-quatre heures, pour être précis. Même pour Fierabras on trouve une issue réaliste : il retourne à la vie guerrière.

Vraisemblance topographique. Les événements décrits, en plus d'être vraisemblables, se déroulent dans un espace reconnaissable pour un Parisien. L'enlèvement se passe pendant que le Docteur visite sa maison de campagne, à quelques lieues de Paris. La distance est quand même trop longue pour qu'on fasse un aller et un retour à pied en une journée. Après avoir passé la nuit à Saint-Denis, avant le jour, le Docteur et Alizon reprennent la route. Le dialogue entre le Docteur et Alizon est plutôt cinématographique que théâtral : ils se parlent en marchant, pendant que le paysage change autour d'eux, la campagne faisant place à une rue endormie.

Une fois l'enlèvement accompli, Lidias dit aux assistants de l'attendre à la porte de la ville. Si le Docteur tient une maison champêtre aux alentours de Saint-Denis, il est très probable qu'à Paris il habite un quartier tourné vers Saint-Denis. Dans ce cas, pour disparaître vite après avoir attaqué sa maison, il faut emprunter la porte la plus proche, celle de Saint-Denis ou de Saint-Martin.

Plus tard dans la pièce, on invoque des « enfants du Bourg-l'Abbé » (III.295). Ce n'est qu'une autre vieille expression, mais une rue qui porte ce nom se trouve dans le même secteur nord. On pourrait ajouter qu'en 1622 les Comédiens du roi louaient une salle de jeu de paume située dans cette rue[39]. Si les tripots de cette rue hébergent souvent des acteurs, la mention des enfants du Bourg-l'Abbé revêt une signification supplémentaire.

Vers la fin de la pièce, Thesaurus sortira de sa maison pour aller à l'église de Notre-Dame-de-Recouvrance située dans Ville-Neuve-aux-Gravois, bourgade adossée à l'enceinte de Charles V, juste à gauche, en sortant par la porte Saint-Denis.

Enfin, Lidias, Florinde et compagnie passent la nuit dans une maison d'apparence suspecte, là où «le bout de la rue fait le coin» (III.415). Le quartier actuel de Saint-Denis garde à peu près la même réputation, et, comme au XVIIe siècle, on y trouve quelques immeubles au plan triangulaire.

Dans la mesure où la topographie réelle de Paris est reflétée, il reste à constater que tous les points de repère énumérés se situent aux alentours de l'Hôtel de Bourgogne, comme si la maison du Docteur était l'Hôtel même. Cela peut encore être une coïncidence, mais nous n'avons trouvé aucune allusion au quartier du Marais, si ce n'est la locution «(se) sauver par les marais».

Le fait que l'action gravite autour de l'Hôtel de Bourgogne ne semble pas soutenir l'hypothèse d'A. Gill, selon laquelle la *Comédie* avait été écrite pour la troupe du Marais. Cette contradiction s'ajoute à celle déjà constatée dans le *Prologue*, où le Docteur peste contre des concurrents, « docteurs de nouvelle impression»: «il est facile de reprendre, mais mal-aisé de faire

39 RIGAL, p. 65. Selon E. Rigal, en 1621 le parlement de Paris interdit à É. Robin, propriétaire d'un jeu de paume rue Bourg-l'Abbé, de louer sa salle aux comédiens. En 1622, les Comédiens du roi louent un tripot, la même rue. Nous ne savons pas si c'était celui de Robin.

mieux», etc. Les contradictions disparaîtraient, si on assumait que la *Comédie* a appartenu à la troupe royale.

Rapport quantitatif vraisemblable entre les monologues et les dialogues. En s'imposant les unités classiques, l'auteur se heurte à la nécessité de rendre compte de certains événements qui se passent loin du lieu de l'action, simultanément avec l'action à un autre endroit ou longtemps avant le jour de l'action. La solution universelle, depuis l'antiquité, consiste à confier la narration de ces événements à un messager. L'inconvénient de ce procédé réside bien évidemment dans l'augmentation du poids spécifique des monologues, aux dépens de l'action et au risque de perdre l'attention des spectateurs.

La *Comédie de proverbes* contient deux monologues de cette sorte: celui de Florinde, qui raconte ce qu'elle a vécu pendant l'absence de Lidias, et celui d'Alaigre contant sa rencontre avec le capitaine. Le monologue de Florinde, plus court que celui d'Alaigre, est entrecoupé de commentaires faits par d'autres personnages. De cette manière, l'auteur pallie la monotonie du récit. Le long monologue d'Alaigre, assez exigeant pour l'acteur, n'est en réalité qu'un dialogue camouflé, se composant de répliques alternantes d'Alaigre et du Capitaine.

Les monologues de Fierabras, tous déclamatoires qu'ils soient, sont les seuls passages de la pièce où un personnage soit montré dans ses réflexions, ses hésitations et son introspection. Tonitruants, garnis d'émotions hyperboliques et de métaphores, ils ne paraissent pas excessivement longs, tout en permettant aux autres acteurs de reprendre leur souffle, de se changer et de réarranger les décors. En général, l'auteur a réussi à équilibrer les deux formes du discours.

Véracité des personnages. La vraisemblance des lieux, du temps et de la parole entraîne celle des caractères, même si, en apparence, la *Comédie* est opérée par des types. Pour pouvoir en parler davantage, il sera utile d'analyser d'abord les rôles dans leur aspect quantitatif. La meilleure façon d'évaluer l'importance d'un rôle dans la *Comédie* consiste à dénombrer les locutions qu'il contient. Le tableau ci-dessous reflète la distribution des locutions parmi les personnages[40].

Personnage	*00*	*I*	*II*	*III*	*Total*	*T.P.%*
Alaigre		53	143	136	**332**	**19.03**
Philippin		79	74	124	**277**	**15.87**
Thesaurus	53	106	28	59	**246**	**14.10**
Fierabras			119	92	**211**	**12.09**
Lidias		81	44	58	183	10.49
Florinde		33	39	62	134	7.68
Alizon		45	33	29	107	6.13
Macée		52		33	85	4.87
Prévôt				51	51	2.92
Voisins		61			61	3.50
Bohémiens			40		40	2.29
Archers				13	13	0.75
Musiciens				3	3	0.17
Assistants		2			2	0.11
Total	53	512	520	660	**1745**	100

Les données présentées suscitent quelques observations.

1. Le poids spécifique de six premiers personnages surpasse nettement celui de tous les autres : ils participent à deux actes au moins et prononcent au-dessus de 70 % du total des locutions. Florinde, si elle n'était pas l'amoureuse, risquerait de se classer parmis les secondaires. Alizon est proche du groupe principal. Probablement, dans le dessein initial, son rôle, en tant que servante-complice, avait dû être plus important. Dans le texte actuel, Alizon s'efface au début du deuxième acte, pour ne réapparaître que dans la dernière scène et au tableau final, purement farcesque, joué entre les valets et sans aucun rapport avec le contenu de la *Comédie*. Macée, présente dans deux actes, et le Prévôt sont des personnages

40 1) Le *Prologue*, bien qu'il n'appartienne pas au corps de la comédie, n'a pas été exclu du calcul, parce que, en l'occurrence, il est présenté par le Docteur. 2) T.P. – taux de participation du personnage, son nombre de locutions rapporté au total de la pièce.

secondaires. Après eux, on ne trouve que des auxiliaires et les musiciens.

2. Quatre acteurs, Alaigre, Philippin, Fierabras et Thesaurus, sont les principaux et les plus occupés, et ce malgré l'absence complète de Fierabras au premier acte. Conjointement, ces personnages sont responsables pour plus de 60 % du texte. Les amoureux sont éclipsés par les comiques.
3. Les deux rôles principaux de la *Comédie* sont ceux d'Alaigre et de Philippin ; c'est à ce dernier que l'auteur confie de clore le spectacle.

Les chiffres démontrent que la pièce se joue entre quatre acteurs : le Pédant, le Capitan, le valet grand (« bon pour tourner quatre broches ») et bilieux, et le valet gros et jovial (« meilleur que le bon pain » et « qui va tout rondement en besogne »).

Le débit phraséologique effréné des deux valets ne leur laisse aucun temps pour sortir de leur canevas traditionnel. Eux et Alizon sont aussi les plus intéressants pour Oudin : il retient 82% des locutions d'Alaigre, 79% de celles de Philippin et 87% du texte d'Alizon. Les trois sont les porteurs et les gardiens du comique par excellence. Par contre, le Docteur et Fierabras donnent des signes de comportements qui les éloignent et de la farce, et de la *commedia dell'arte*. Leurs langages respectifs ne sont pas de la même nature que ceux des valets : indicatif à cet égard, le recueil d'Oudin en emprunte beaucoup moins de locutions qu'il ne fait des personnages précédents.

Thesaurus. La disparité entre le Docteur du Prologue et celui du reste de la *Comédie* est patente. Celui du *Prologue* parle comme un charlatan du Pont-Neuf, comme un maître Aliboron : vantard et écorcheur du latin, il est un véritable comique. Celui de la *Comédie* est un homme lucide, posé, fort de la certitude que *chi va piano va lontano*, quoique un peu vaniteux (il lui arrive une fois de se traiter de « docteur des docteurs »). Un peu dur à desserrer sa bourse, il est pourtant « riche comme un Juif », ce qui est assez loin des souliers percés de son sosie du *Prologue*.

Thesaurus de la *Comédie* n'a rien d'intrinsèquement comique. En philosophe, un peu lassé de la vie, il gère patiemment sa maisonnée féminine, bruyante et imprévisible: Macée, épouse grogneuse, colérique, pas très brillante, mais capable, à un moment d'inspiration, de lancer quelque bon mot latin, écho et parodie de la sapience de son mari; la grossière servante Alizon qui, tout en touchant ses gages, prend les libertés de railler le maître et qui va jusqu'à entrer en collusion avec les jeunes; enfin, Florinde, son «bâton de vieillesse», voulant tout faire à son propre gré.

Bien sûr, le Docteur ne se laisse pas prendre au subterfuge de la «bonne aventure». Homme instruit, qui quelques instants auparavant ne voulait même pas entendre parler de devins, il se ravise aussitôt qu'il voit venir cette «Bohémienne de Gonnesse» qui prend sa main pour en lire les lignes et pour lui conter son passé immédiat. Bien sûr, il reconnaît sa fille et, sagement, il la laisse faire, pour voir où cette feinte mènera. Dans la scène qui se joue entre le Capitaine et Florinde, Thesaurus découvre qu'il se trompait et que Fierabras ne vaut pas sa fille. Les dernières paroles que le Docteur adresse à Florinde («je ne vous promets pas les neiges d'antan» et «je ferai tuer le veau gras») annoncent la réconciliation.

Fierabras. En lui ôtant la bravade hyperbolique imposée par son masque, on découvrira un personnage triste. Son attribut principal dans la *Comédie de proverbes* n'est pas sa vantardise, mais sa solitude. Il est seul littéralement: il n'a même pas de valet, et le page que la liste des acteurs lui promet ne se matérialise jamais. La plus grande partie de son texte est renfermée dans des monologues et tirades résonnant dans un espace abstrait, comme s'il se trouvait entre ciel et terre: un véritable «Seigneur de nul lieu faute de place».

Fierabras devrait, comme son masque l'implique, être Espagnol. Il conserve de son hispanité deux proverbes ibériques, la promesse de veiller «à l'espagnole», l'orgueil folklorique, mais aussi l'exaltation de la gloire et d'un amour chevaleresque, rappelant d'une étrange manière don Quichotte, le chevalier à l'image triste, que les Français connurent en 1614-18 grâce aux traductions de César Oudin et de François de Rosset.

Tous ses exploits sanglants se sont passés si loin que personne ne peut les vérifier. Ses régiments aussi se trouvent loin, en Tartarie ou en Moscovie. Il est fort possible que tous ceux qu'il a jamais tués se portent bien. Est-ce là un vice?

Son langage est assez élevé, romanesque, ses phrases, complexes et arrondies. L'ironie, comme dans le cas de Thesaurus, est près de remplacer la raillerie de foire dans ce caractère, mais le public du premier XVIIe siècle n'est pas encore tout à fait prêt à rire en reconnaissant ses propres vices dans un autre.

Fierabras est-il poltron? Nous ne savons. D'après son emploi, il devrait l'être, mais, dans la *Comédie de proverbes*, son courage n'est mis à l'épreuve qu'une fois, et encore dans les circonstances où plus d'un homme ordinaire et raisonnable fléchirait: la nuit, seul (les musiciens ne comptent pas, et, peut-être, se sont-ils enfuis avant lui) contre trois hommes armés et prêts à agir. Réalité historique: au premier XVIIe siècle, on assassinait dans Paris comme dans un bois. Avoir peur n'est pas la même chose que d'être poltron, comme on n'est pas glouton pour avoir faim. À la différence de son homologue de l'*Illusion comique* de Corneille, qui finit par disparaître au milieu de son humiliation, Fierabras décide à bon escient de retourner à sa vocation militaire: geste d'un homme dégrisé par son échec qui opte pour un monde des solutions simples.

Florinde. Elle est le troisième personnage de la *Comédie de proverbes* qui sort de l'ordinaire. Son rôle s'annonce comme celui d'un objet: on l'emporte de sa maison paternelle, selon les uns, roide comme une barre de l'huis, selon d'autres, comme un trésor, selon elle-même, comme un corps saint. Ironiquement, ces trois comparaisons reflètent les rôles stéréotypés alloués à la femme par la société du temps: elle est un objet, que ce soit d'adoration, de convoitise, de violence ou de raillerie.

Contrairement à ce stéréotype, Florinde devient partie prenante, faisant preuve d'ingéniosité et d'autonomie. En refusant de jargonner comme Philippin et Alaigre, elle se réserve le droit de choisir d'elle-même ses procédés. Elle trouve sa propre manière de dire la bonne aventure, et sa performance lui gagne le consentement de son père à son union avec Lidias. Elle fait même une conquête inopinée en la personne du capitaine, qu'elle réfute fermement. Même en parlant à son élu, quand, d'après son masque, elle devrait être tendre, trépidante et dépendante, cette fille de bonne famille fait sonner le métal d'un lexique mâle: *levée de boucliers*, *contremine*.

Tout ce qui vient d'être dit des personnages est une interprétation rendue possible par le talent et la maîtrise de l'auteur, malgré la banalité de la fable et les apparences habituelles des personnages principaux. Obligé de pourvoir ses personnages d'un texte élaboré, l'auteur, bon gré mal gré, leur confie de divulguer son expérience, ses attitudes, en exprimant partant des vérités et des nuances émotives inattendues.

Certes, l'effacement d'Alizon et l'absence d'un valet auprès de Fierabras font en sorte que la *Comédie* peut sembler quelque peu incomplète: traditionnellement, la fille amoureuse devrait être accompagnée d'une confidente, plutôt que d'un valet mâle (aussi n'est-ce pas un hasard que Philippin passe une partie du spectacle déguisé en femme); le Capitan devrait avoir un serviteur qui assure un contrepoint satirique: Don Quichotte a son Sanche, et Don Juan, son Sganarelle. On peut deviner que la présence de quatre servants comiques coûterait à l'auteur la peine de quelques dialogues en «proverbes» supplémentaires et ferait compliquer la fable, peut-être inutilement.

Nous ne pouvons savoir si l'auteur a retranché à bon escient les rôles en question, ou si la pièce est devenue ce qu'elle est, simplement parce que le libraire a obtenu un manuscrit incomplet. Quoi qu'il en soit, la *Comédie* a probablement gagné à ne pas être trop longue et à pouvoir étaler la solitude de Fierabras et l'autonomie de Florinde.

Il y a eu des jugements opposés quant à la possibilité de réaliser la *Comédie*. À une extrémité, il a été dit qu'elle «n'est pas jouable»[41], à l'autre, on recommandait chaleureusement d'en

41 SCHERER, p. 185.

faire même un opéra comique[42]. En parlant du présent ou de l'avenir, on ne sait s'il reste encore quelque chose de non jouable, après toutes les expérimentations que le théâtre et ses spectateurs ont subies au XXe siècle. En parlant du premier XVIIe siècle, on ne peut rien nier non plus : le lexique et la fable étaient familiers au public, le problème de compréhension langagière ne se posait pas et la logistique était simple. Les nombreuses didascalies que nous ajoutons au texte original démontrent que la pièce fut créée pour la scène. Reste à savoir si elle fut bel et bien représentée.

LE PROBLÈME D'AUTEUR

Toute œuvre, même anonyme, a son auteur. Une tradition associe la *Comédie de proverbes* avec le nom d'Adrian de Monluc[43], comte de Carmain, qu'elle décrit comme un grand seigneur libéral et libertin, homme de guerre et de lettres, esprit vif, léger et généreux, esprit fort en plus, amateur des femmes, muses et intrigues, ami et protecteur de poètes.

L'héritage littéraire du comte de Carmain n'a jamais fait l'objet d'une étude sérieuse, et, en lui attribuant une œuvre parce que, sans beaucoup de certitude, on lui en a attribué d'autres, caractérisées vaguement par un certain coloris qui n'est pas nécessairement ou uniquement le sien, on se trouve bien évidemment face à un problème circulaire.

À la différence du maréchal Blaise de Monluc son grand-père, le comte de Carmain n'a pas laissé de mémoires. Les renseignements sur sa vie, longue de 74 ans, sont fragmentaires et assez superficiels, donnant lieu à des interprétations contradictoires. Seules quelques lettres éparses restent de sa correspon-

---

[42] TRUFFIER, p. 451.

[43] Adrian, comme son grand-père, signait « Monluc ». Il semble que l'étymologie de ce nom n'a rien à voir avec le mot « mont » : *monluc* < *bonluc* < lat. *bonus lucus*. V. p.ex. *Revue de Gascogne*, XIII, pp. 296-97.

dance. La majorité des faits biographiques les plus notoires nous parviennent par le biais des éditeurs de la *Comédie de proverbes* au XIXe siècle, lesquels, à leur tour, les tinrent surtout de Tallemant des Réaux, des mémoires de Richelieu, du *Dictionnaire de la noblesse* d'Aubert de la Chenaye-Desbois et de quelques autres sources, dont aucune ne fait du comte de Carmain l'objet d'une recherche systématique.

Les renseignements bibliographiques, elles, se basent sur des dictionnaires littéraires du XIXe siècle et sur les ouvrages d'histoire théâtrale des frères Parfaict et de Léris, écrits au XVIIIe siècle. Pour la plupart, les analystes littéraires du XIXe et du XXe siècle renchérissent sur le même ensemble de faits très restreint et sur des spéculations anciennes qu'on prend pour des axiomes parce que personne ne se souvient plus de leurs auteurs.

Une fois, pourtant, la vie d'Adrian de Monluc a fait l'objet d'un effort de recherche remarquable et poussé. Cette recherche fut effectuée, de 1941 à 1975, par le poète Ilya (Élie) Zdanévitch, dit Iliazd, ami de Picasso, de Miró et familier de Paul Éluard. Né en Géorgie (alors partie de l'Empire russe), ayant étudié le droit à l'Université de Saint-Pétersbourg, immigré en France en 1921, homme aux talents et intérêts variés et éclectiques, qui l'ont amené, à des époques différentes, à faire du design en couture, à inventer et faire breveter un métier à tisser et à étudier l'architecture des églises byzantines, Iliazd se heurta par hasard, en 1941, à un recueil attribué au comte de Carmain et devint fasciné par ce personnage énigmatique et, somme toute, attirant.

Le poète russe, ayant, au cours de sa vie, essayé le futurisme, le dadaïsme, le toutisme et le transmentalisme, semblait tenir le comte gascon pour son *alter ego*. Il fonda une maison d'édition, Degré-41, faisant sa spécialité de livres de luxe à faible tirage. En 1952, il produisit une édition de la *Maigre*, puis, en 1974, du *Courtisan grotesque*, pièces de prose attribuées au comte de Carmain. Très artistiques et aucunement critiques, visant un lecteur pourchassant l'insolite, ces éditions reprennent l'orthographe ancienne, tandis que les illustrations, respectivement par Picasso et Miró, n'ont rien de baroque.

Décédé en 1975, Iliazd n'a jamais rédigé la biographie d'A. de Monluc. À la demande de sa veuve, M. Antoine Coron a trié et édité les fiches de travail d'Iliazd. Il en a résulté une *Chronologie d'Adrian de Monluc*, parue en 1980 à Toulouse[44]: cinquante-cinq pages de détails biographiques.

Nous n'avons appris l'existence de cet ouvrage que lorsque notre propre étude de la biographie d'Adrian de Monluc tirait à sa fin. En comparant nos renseignements avec ceux recueillis par É. Zdanévitch, nous avons constaté que, dans leur plus grande partie, ces deux ensembles se recoupaient – là, où il suivit les mêmes pistes que nous. Iliazd cite aussi plusieurs faits inconnus pour nous et, malheureusement, impossibles à vérifier, car on en ignore les sources. Selon M. Coron, que nous avons rencontré à Paris en 2002 et qui est actuellement conservateur en chef au département de la réserve des documents rares de la Bibliothèque nationale, Iliazd a crypté ses notes de référence ce qui les rend inutilisables; par conséquent, la recherche sur certains faits ainsi rapportés est à reprendre. Outre cela, nous avons constaté chez Iliazd quelques erreurs dues à l'interprétation erronée des sources.

En présentant ici la biographie du comte de Carmain, nous avons recours à certains des renseignements fournis par Iliazd, avec des réserves bien évidentes pour ses sources non avérées. On comprendra également que, la biographie du comte de Carmain ne faisant l'objet de notre étude actuelle que dans la mesure de sa relation avec la *Comédie de proverbes*, nous nous limitions aux faits les plus pertinents éclairant les aspects principaux de sa vie.

---

44 Dans *La Vie intellectuelle à Toulouse au temps de Godolin* (1980), pp. 95–155.

Essai de portrait : Adrian de Monluc, comte de Carmain

Le maréchal Blaise de Monluc eut quatre fils : Marc-Antoine (1527-57 ; sans postérité), Pierre-Bertrand (1539-66 ; deux fils : Blaise et Charles), Jean (1544-81 ; sans postérité) et François-Fabian[45] (1546-73 ; deux fils et une fille). Suite à la mort au combat de Marc-Antoine, le maréchal lui substitua Pierre-Bertrand et, à la mort de ce dernier, son fils aîné Blaise.

François-Fabian de Monluc épousa Anne, dame de Montesquiou, le 9 avril 1570[46]. Par ce mariage, les Monluc, étant une branche cadette des Montesquiou, se ralliaient à cette grande maison. En vertu du contrat, les enfants mâles porteraient le nom de Monluc-Montesquiou.

Adrian, l'aîné des enfants, naquit probablement en 1571, pas avant la fin février, puisqu'il n'est pas mentionné dans le premier testament de sa mère datant du 25 février 1571[47]. On peut réfuter la date de naissance concurrente de 1568[48], en raison des dates de mariage et de décès de Fabian. Du même mouvement, on écartera 1582[49], 1588[50], 1589[51]. Avant de mourir en 1573[52] d'une blessure reçue à Nogaro (Guyenne), Fabian eut aussi un autre fils, Blaise, et une fille, Jeanne.

---

45 Il faut noter ici que le dernier fils du maréchal fut baptisé François en l'honneur de son parrain François de Vivonne, sieur de La Châtaigneraie, le vaincu du fameux duel de Jarnac en 1547. Le futur maréchal de Monluc avait secondé son ami La Châtaigneraie dans ce combat (V. p. ex. SOURNIA, p. 89).

46 *Dict. nobl.*, VII, p. 240. Les pactes de mariage (avril 1570) se trouvent aux archives du Gers, I Sup. 411 (VUILLIER, p. 98). La date « 1563 », avancée par SOURNIA, n'est pas étayée de documents.

47 Arch. dép. du Gers, I sup. 411. (D'après VUILLIER, p. 102).

48 Évidemment, sous réserve de preuves du contraire.

49 *Dict. let. fr. XVIIe siècle* (1954) ; p. 316. Cette date est d'ailleurs corrigée à « 1571 » dans l'édition de 1996.

50 *Larousse du XXe siècle*, 6 v., II, Paris : Larousse, 1929 ; p. 557/2-3.

51 *La Grande Encyclopédie*, XIII, p. 254. La même date se trouve aujourd'hui dans les catalogues de la Bibliothèque nationale de France.

52 *Dict. nobl.*, VII, p. 240.

En 1575, la mère d'Adrian fit son dernier testament[53], en instituant Adrian son héritier, et mourut peu de temps après. Le maréchal de Monluc ne décéda qu'en juillet 1577, et son frère Jean de Montluc, célèbre prélat et diplomate, en 1579. Les deux aïeux auraient pu influer sur l'éducation initiale des orphelins de Fabian. Jusqu'à 1581, la tutelle des enfants de Fabian incombait à leur oncle Jean, évêque de Condom. Plus tard, les garçons eurent pour tuteurs Pierre et Arnaud Dufaur, respectivement président de la cour et conseiller du Parlement de Toulouse[54]. En 1587, les enfants passèrent sous la curatelle de Jean du Chemin, nouvel évêque de Condom[55], laquelle ne prit fin qu'en 1590, non sans chicane judiciaire entre Adrian et l'évêque[56].

On ignore comment Adrian, Jeanne et Blaise passèrent leur enfance ni quelle instruction ils reçurent. On sait que Jeanne mourut en 1610, sans alliance; elle était probablement religieuse. Il est possible que les garçons aient été pages, comme leur grand-père l'avait été chez les Guises. Compte tenu des liens qui, longtemps après, continuaient à attacher Adrian aux Guises et aux Joyeuse, on pourrait croire que c'était au sein d'une de ces maisons qu'il se fut formé.

Le 22 septembre 1592, il épousa par contrat Jeanne de Foix-Carmain, fille unique d'Odet de Foix, comte de Carmain[57], et de Jeanne d'Orbessan. Le beau-père d'Adrian, Odet de Foix-Carmain, était ligueur. En charge d'une compagnie sous les ordres d'Antoine-Scipion, duc de Joyeuse[58] en 1591, présent aux États de la Ligue à Toulouse[59] en janvier 1592, Odet de

---

53 *Ibid.*

54 Arch. dép. Gers, B19, f. 143. Le président Dufaur (du Faur) était un oncle d'Anne de Montesquiou, donc grand-oncle d'Adrian.

55 Arch. dép. Gers, I-2439, pièce 6/13491.

56 *Ibid.*

57 À ne pas confondre avec Odet de Foix qui commandait les forces françaises dans la campagne italienne de 1522-3 lors de laquelle fut lancée la carrière militaire de Blaise de Monluc.

58 *Hist. gén. Lang.*, XI, pp. 814-15.

59 *Hist. gén. Lang.*, XI, p. 819.

Foix-Carmain décéda en 1593 sans descendant mâle, peu après la mort du duc de Joyeuse au combat de Villemur (fin de 1592)[60].

Le mariage d'Adrian était peu ordinaire. En apparence, c'était une réussite, car Adrian acquérait le titre de comte de Carmain, avec son siège aux États de Languedoc, le château et la baronnie de Saint-Félix et le château de Caraman[61], avec plusieurs autres places et terres de moindre importance. Il commença à porter ses nouveaux titres dès la mort de son beau-père.

En 1596, la mort sans postérité de ses cousins Blaise et Charles fit d'Adrian, à vingt-cinq ans, successeur de tous les biens et titres des Monluc[62], en plus du titre de prince de Chabanais. Il héritait aussi, de son grand-père et de son père, le commandement d'une compagnie des ordonnances du roi.

Cependant, son mariage eut besoin d'une dispense papale qui ne fut obtenue qu'en 1595 (Iliazd) et enregistrée en 1598[63]. La dispense devint nécessaire, «les formalités n'ayant pas été observées»[64]. Selon Iliazd, les mariés manquèrent de publier les bans. Selon certains documents d'archives, des preuves de la consommation[65] auraient été présentées pour l'enregistrement de 1598.

Tallemant des Réaux, consacrant une historiette au comte de Carmain, raconte que Jeanne de Foix-Carmain avait voulu épouser un autre jeune homme. Dépitée par l'alliance qu'on lui imposait, elle refusa pendant douze ans de parler à Monluc et de quitter le lit, et finit par mourir de mélancolie.

On ne sait pas à quel point il faut se fier à Tallemant, qui ne spécifie pas à quel endroit Jeanne de Carmain «boycottait» son

---

60 *Hist. et dict. des guerres de religion*, p. 1002.

61 En Lauragais, Languedoc.

62 *Dict. nobl.*, VII, p. 241. Les deux frères sont tombés au siège d'Ardres.

63 *Dict. nobl.*, VII, p. 241.

64 *Dict. nobl.*, VII, p. 241.

65 Arch. dép. Gers, I sup. 411. D'après M. VUILLIER, p. 116.

mari, mais on sait qu'en 1609 elle tenta de nommer, de sa seule autorité, un conseiller à Saint-Félix-de-Caraman, provoquant une riposte de la part des consuls[66]. La mélancolique taciturne était donc assez active, vivait en suzeraine, mais il ne semble pas qu'elle ait souvent quitté ses domaines ancestraux en Lauragais.

Le comte de Carmain, lui, se faisait voir tantôt à Montesquiou, tantôt à Paris, et aussi, dès 1605, dans son gouvernement de Foix. On constate sa présence à Paris en 1602, 1605, 1607–10, ainsi que son absence des états de Toulouse, où il était représenté par un délégué, en 1606. On a l'impression que le couple ait vécu dans une sorte de séparation, ne faisant front uni que lors de transactions officielles. Il est difficile de situer les douze ans du silence de la comtesse de Carmain (serait-ce de 1592 à 1604?), allégués par Tallemant, puisque des 22 ans de mariage, le comte passa quinze, toujours selon Tallemant, à la cour (1595-1610?).

Jeanne de Foix-Carmain décéda en 1615 et fut enterrée dans l'église de la ville de Saint-Félix[67]. Elle légua tous ses titres et biens à sa fille unique, Jeanne elle aussi, qui épousa en 1612[68] le marquis d'Escoubleau de Sourdis, frère cadet de deux archevêques de Bordeaux consécutifs. Le 29 octobre 1617, le comte se désista en sa faveur de la propriété de Caraman et de Saint-Félix. Il ne garda que l'usufruit et 25000 livres dont il ne pouvait «disposer selon son choix qu'à son décès»[69]. Ainsi, l'anecdote de Tallemant reflète un certain drame familial et ne justifie pas les commentaires joviaux d'É. Fournier et de J. Truffier[70].

Le mariage laissa le comte avec un titre, mais sans héritier mâle. Sa fille, la marquise de Sourdis, mourut en 1657 et fut

---

66 MORÈRE, p. 62.

67 MORÈRE, p. 62-63.

68 *Épitaphier du vieux Paris*, V, fasc. I, nos. 2054-2243; «Égl. St-Germain-l'Auxerrois».

69 *Mémoire pour Monsieur le comte de Monluc, au Parlement suite à l'arrêt du 29 mars 1696*, 1699.

70 FOURNIER, p. 192; TRUFFIER, pp. 444.

enterrée à l'église de Saint-Germain-l'Auxerrois à Paris, dans la chapelle familiale des Escoubleau[71]. La fortune et les titres des Monluc-Montesquiou-Carmain passèrent à la maison des Sourdis.

Ironiquement, Adrian eut quatre fils naturels: Marc-Antoine, avec Françoise de Rioupeyroux, Jean-Jacques, avec Anne la Guette[72], Fabien, avec une demoiselle de Massoulie[73] (Iliazd lit «Maffoulie»), et Blaise, avec Jeanne de Saint-Germain[74]. Les deux premiers furent nés vers 1591, et en 1632 le comte entreprit de les légitimer. Nous admettons que Fabien naquit après 1632 (sinon, le comte l'aurait légitimé en même temps), et Blaise en 1635.

En 1633, non sans difficulté, Monluc réussit à pourvoir Jean-Jacques d'un prieuré près de Montesquiou[75]. Or, dans le testament de 1643, il ne mentionne ni Jean-Jacques ni Blaise et dote Marc-Antoine d'une pension en attendant de jouir du même prieuré de Montesquiou. Fabien aussi reçoit une pension. Aussi faut-il croire que Jean-Jacques et Blaise furent morts vers 1643. Marc-Antoine vivait encore en 1661[76]. La demoiselle de Massoulie est la seule des mères que le testament du comte pourvoit d'une pension à vie.

En dehors de ces faits de fond, la vie personnelle de Monluc échappe à l'observation. Le comte de Carmain mourut à Paris en janvier 1646. Son corps fut transporté à Montesquiou, où il repose dans l'église paroissiale. Une plaque de marbre noir, posée dans le chœur de cette église en 1872, commémore aussi

---

71 *Épitaphier du vieux Paris*, V, fasc. I, nos. 2054-2243; «Égl. St-Germain-l'Auxerrois». On ne trouve aucune trace de ces tombes dans l'église actuelle.

72 *Dict. nobl.*, VII, p. 241.

73 Arch. nat. ET/CVII/172, f. 42v.

74 *Le Gers. Dict. biogr.*, p. 248. Selon, M. Vuillier, et Fabien et Blaise seraient fils de Mlle de Massoulie.

75 Arch. dép. Gers, I-2439, pc. 1-3.

76 *Dict. nobl.*, VII, p. 241.

ses père, mère et sœur qui y sont enterrés. L'emplacement exact des tombeaux est inconnu.

Carrière

On ignore presque tout des débuts adultes d'Adrian, comme de son rôle aux guerres de religion. Iliazd le dit ligueur, ce qui n'est pas impossible, étant donné que son oncle Jean de Monluc-Balagny et son cousin Charles en furent eux aussi, avant de passer au service de Henri IV en 1593. Iliazd a tort d'attribuer à Adrian une participation aux États ligueurs de Languedoc en qualité de baron de Saint-Félix (1592) et des exactions d'un comte de Carmain décrits par l'*Histoire gén. de Languedoc*: on sait que, jusqu'en 1593, c'était Odet de Foix-Carmain qui portait ces titres.

A. de Monluc est dépeint parfois comme un parangon de courtisan. En réalité, son séjour à la cour ne fut durable que sous Henri IV, car pendant l'interrègne de 1589 à 1594, il n'y eut pas de vie de cour. L'image du comte comme d'un des « intrépides »[77] ou « dangereux » de la cour se fonde probablement sur le témoignage de Bassompierre qui se rappelle qu'en 1608 « M. de Vendosme donna aussi un ballet dont le Roi voulut que nous fussions, Carmail, Thermes et moi, qu'on nommoit lors les *dangereux*»[78].

Les termes « intrépide » ou « dangereux » évoquent l'idée du duel, mais il n'existe aucun souvenir à cet effet sur A. de Monluc. En 1608, il avait 37 ans, et il n'aurait peut-être pas vécu jusqu'à 74 en jouant au « dangereux » contre de plus jeunes que lui. Par contre, il y avait un autre domaine où l'on pouvait gagner le même titre avec moins de risque : selon É. Fournier, le comte participa aux aventures galantes du roi. On peut parler avec assurance de trois épisodes. Dans le premier cas, Henri IV décida

---

[77] *Le Cabinet satyrique*, p. 411.

[78] *Nouvelle collection des Mémoires pour servir à l'Histoire de France*, p. p. Michaud et Poujoulat, II sér., 10 v., Paris : 1837 ; VI, p. 51b.

de faire la cour à la jeune veuve de Henri de Bourbon, duc de Montpensier, décédé en février 1608,

> ayant opinion que s'il estoit aymé d'une princesse, cela luy seroit plus avantageux que de se donner à toute heure à des femmes qui n'estoient pas de mesme condition, et qui le trompoient. Il se voulut servir en cette occasion d'un seigneur de la Cour aussi accomply que nul autre de son temps, et dont l'esprit et le courage surpassoit tous ceux de son siècle; son nom estoit le Comte de Cramail[79]. Il découvrit donc son dessein à ce chevalier, qui jugea la chose difficile, et toutefois il promit au Roy de luy en dire des nouvelles. Le voisinage de sa maison près de celle où demeuroit la Duchesse, et son adresse fit que le Roy luy donna cette commission, et il s'y resolut pour s'en prevaloir luy-mesme si la Duchesse vouloit écouter, ce qu'il ne croyoit pas; il fit pourtant si bien que suivant le dessein qu'il avoit fait, il la fit venir à la Cour, où le Roy apprit luy-mesme que cette entreprise n'estoit pas facile, aussi ne la poursuivit-il pas davantage[80].

L'auteur ne ménage pas de superlatifs pour le comte. L'*Alcandre* est attribué à Marguerite de Lorraine, princesse de Conty, la même qui exigea du marquis de Sourdis, après la mort du comte, d'en écrire un mémoire biographique. On en déduira que la princesse était une amie de Monluc. Selon Tallemant, moins bienveillant, «il vint en un temps où il ne falloit pas grand'chose pour passer pour un bel esprit»[81]. L'anecdote citée contient plus d'un indice révélateur des amitiés du comte, de ses lieux de résidence, ainsi que de son caractère. Il en sera question un peu plus tard.

Le rapprochement, voire une complicité entre le roi et Carmain s'opère vers la fin du règne, ce qui est confirmé par le

---

79 Dans la version codée de cette chronique à clef, le comte apparaît sous le nom «Dorclas».

80 *Histoire des amours du grand Alcandre*, p. 90-91.

81 TALLEMANT, I, p. 232.

témoignage du marquis de Sourdis: «Il fut pris en amitié par le Roy Henry IIII un peu auparavant sa mort»[82]. Le 18 mai 1609, à l'occasion du mariage de Charlotte-Marguerite de Montmorency avec le prince de Condé (un mariage que le roi, comme on le sait, s'apprêtait à consommer à la place de son neveu), Henri IV envoie le comte de Carmain avec des messages de félicitations au marié et au connétable[83].

Le dernier exemple de l'implication d'Adrian de Monluc aux aventures du roi est encore lié au mariage de la jeune Montmorency avec Condé: le comte se trouva parmi les proches qui conseillaient et consolaient Henri IV ayant appris la fuite du couple.

Ainsi, on aura du mal à situer les «quinze ans tout entiers» que Monluc aurait passés à Paris «en disant tousjours qu'il s'en alloit»[84], si ce n'est de 1595 à 1610; encore dut-il partir pour Foix en 1605, et il n'eut pas de domicile permanent à Paris (ce qui laissait croire à tout le monde qu'il était prêt à partir en tout temps).

On peut lire aujourd'hui que le comte de Carmain était «one of the most prominent aristocrats at the Parisian court of Marie de Médicis, where his wit and rakishness earned him and his friends, Termes et Bassompierre, the sobriquet of 'Les trois dangereux'»[85]. Un anachronisme mine la crédibilité de cette affirmation: le terme «dangereux» et les noms, empruntés de toute évidence de Bassompierre, remontent à 1608.

Tous les documents du temps de la Régence témoignent de la présence du comte dans le Midi, sans aucun signe de sa présence à Paris. On ne trouve pas son nom parmi ceux des participants du grandiose tournoi donné à Paris en avril 1612 pour

---

82 BNF, m.fr. 23344, f. 242.

83 *Recueil des lettres missives de Henri IV*, VII, p. 710.

84 TALLEMANT, I, p. 232.

85 SCHNEIDER, p. 148.

célébrer le mariage de Louis XIII[86]. En mai 1613, le comte de Carmain est nommé chevalier des Ordres du roi[87], mais l'on ne sait rien sur sa présence à la cérémonie, ni même si la cérémonie eut lieu. Lorsque Bassompierre énumère les chevaliers envisagés par la reine mère pour l'Ordre du saint Esprit, le comte de Carmain n'est pas du nombre[88]. Il n'est pas parmi les chevaliers du Saint-Esprit créés en 1619[89], ni sur la liste des chevaliers de saint Michel depuis 1610 à 1665[90]. Probablement, l'honneur lui fut-il offert pour l'attirer à la cour, mais il manqua de se présenter.

Entre temps, en 1611, il essaya de prélever la gabelle en Andorre. En juin 1613, une de ses lettres de recommandation, adressée au président de Thou, partait de Montesquiou[91]. En janvier 1615, toujours à Montesquiou, il reçut le brevet de maréchal de camp; dans sa lettre de remerciement il parlait de son éloignement de la cour et de son manque d'information[92]. En juin 1615, il écrivit au roi, de Toulouse. Pour 1616, on a de lui des instructions militaires expédiées de Toulouse, visant l'amélioration de fortifications. En décembre 1616, il procéda à la sélection de consuls de la ville de Saint-Félix[93]. Il n'assista ni au conseil de guerre réuni à Paris par la reine mère en 1616, ni à l'arrestation de Condé le 1er septembre 1616.

---

86 ROSSET *Histoire du Palais de la Félicité*, 1616. Tous les chevaliers participants ont emprunté pour l'occasion des noms «à l'antique». Nous voudrions soupçonner la présence du comte de Carmain sous le nom de Cleophon de Colchos, maréchal de camp des tenants – Chevaliers de la Gloire, défenseurs du Palais de la Félicité. Ces cinq chevaliers furent le duc de Guise, le duc de Nevers, le prince de Joinville, le maréchal de Bassompierre et La Châtaigneraie-Vivonne – tous proches du comte de Carmain, et on s'attendrait à ce qu'il se trouve auprès d'eux. Mais F. de Rosset ne dévoile pas le vrai nom de Cleophon.

87 *Dict. nobl.*, p. 241-42.

88 *Nouv. mém. du mar. de Bassompierre*, p. 248.

89 BNF, m.fr. 32862.

90 BNF, m.fr. 32870

91 *Let. inéd. fam. Monluc*, XXII, p. 42.

92 BNF, Clairambault ms. 365

93 MORÈRE, p. 31.

Adrian de Monluc se trouvait en Languedoc en février[94] et en mars 1617[95], et il y resta même après le « coup d'État » de Louis XIII (avril 1617), car la même année il accueillait Vanini à Toulouse. Lorsque, en 1617, la population de l'Andorre s'opposa à son gouvernement, le litige fut jugé à Paris, et au moins une fois, probablement au cours de 1617, le comte manqua de « comparoir »[96].

La confirmation de l'absence du comte à Paris sous la Régence provient du mémoire du marquis de Sourdis : après la mort de Henri IV (mai 1610), le comte « se retira en son gouvernement et dans ses maisons et sa famille, où il demeura pour ne vouloir pas se soumettre aux favoris »[97].

Adrian de Monluc fut-il un des dix-sept seigneurs, comme le prétend Tallemant ? Encore une fois, tout dépend de l'époque. En 1616, « pour l'arrestation du prince de Condé, la reine [mère] fit prêter un serment de fidélité aux Dix-Sept seigneurs »[98], mais Carmain n'y fut pas. Il n'était donc pas des « dix-sept seigneurs » sous la Régence.

Il existe aussi une liste, non pas de dix-sept, mais de quinze seigneurs formant la cour particulière de la régente, avec le privilège de rester à la cour après huit heures du soir : Guise, Joinville, le cardinal de La Rochefoucauld, Bellegarde, Gramont, La Rochefoucauld, Bassompierre, Saint-Luc, Termes, Schomberg, Rambouillet, Ornano et le marquis Henri de Richelieu[99]. Jugeant par la présence de Termes, de Bassompierre et d'Or-

---

94 Rencontre avec La Vallée, rapportée par ce dernier à Pontchartrain. BNF, Clairambault ms. 372, f. 50-52.

95 Lettre de recommandation en faveur du juge mage de Foix. BNF, Clairambault ms. 372, f. 72.

96 *Arrest du conseil d'Estat de Navarre d'entre Monsr le Comte de Carmain et les habitans de la vallee d'Andorre*, Bibl. Mazarine, ms. 2003. Publié dans *Lettres inéd. de quelques membres de la fam. de Monluc*, pp. 48-51.

97 BNF, m.fr. 23344, f. 242.

98 A. Adam *Notes* pour TALLEMANT, I ; p. 897.

99 A. Adam, *Notes* pour TALLEMANT, I ; p. 897, n. 7. Liste tirée des *Mémoires* de Fontenay-Mareuil.

nano, gouverneur de la Guyenne, on s'attendrait à ce que le comte de Carmain soit aux alentours, mais son nom n'est pas sur la liste, et nous savons maintenant pourquoi : il était dans son gouvernement. Par conséquent, si le comte de Carmain fut jamais un des dix-sept, c'était seulement sous Henri IV.

En 1619, en avril au plus tôt, Monluc réapparut dans la capitale ; sa présence se signale par des fréquentations de l'abbé de Croisilles[100]. Le comte resta à Paris pendant la peste en août-septembre 1621[101], malgré l'absence de la cour. Marolles se souvient d'une compagnie qui se réunissait chez le comte de Guiche :

> La conversation douce faisoit bien la partie de leur divertissement, mais enfin le jeu s'y mêla, qui causa des pertes considérables, et qui donna lieu à de petites querelles, dont quelques-unes furent appaisées par le comte de Cramail, et par le marquis de Viéville[102].

Chez Marolles, ce souvenir est marqué « 1620 » en marge : il reste une incertitude à un an près. Entre temps, aux environs de 1621, Charles Sorel devint secrétaire du comte de Carmain. En conclusion, bien qu'on sache que le comte était à Paris en 1619-21, on ignore s'il a rejoint la cour.

Entre 1621 et 1626, Monluc se fait voir principalement en champ de bataille, dans le Midi. Après la paix de La Rochelle (février 1626), il rentre à la cour, où il participe au Grand Bal de la Douarière de Billebahaut, dansé par le roi. À Paris en 1627, Carmain repartira pour se trouver à Montmaur en janvier 1628 et à Montesquiou en automne. Le dernier témoignage de sa pré-

---

100 Marolles le voit durant cette période. (MAROLLES, I, p. 84).

101 « La conversation douce faisoit bien partie de leur divertissement ; mais enfin le jeu s'y mêla, qui causa des pertes considerables, et qui donna lieu à de petites querelles, dont quelques-unes furent appaisées par le Comte de Cramail, et par le marquis de Viéville » (MAROLLES, I, p. 86).

102 MAROLLES, *Mémoires*, I, p. 86.

sence à la cour date de la Journée des dupes (novembre 1630), après laquelle le comte se retire de la cour définitivement.

Ainsi, le comte de Carmain est resté à la cour pendant environ 15 ans sous Henri IV, et il s'en est absenté sous la Régence. En somme, entre 1610 et 1635, il aura passé à la cour seulement trois ou quatre ans, en 1626-27, puis en 1630, et, peut-être, une partie de la période entre 1619 et 1621.

Le comte n'occupait aucun poste à la cour; il était homme de guerre avant tout. Ce volet de la carrière d'Adrian de Monluc, le mieux documenté, est incontournable, même s'il ne comporte pas beaucoup d'intérêt pour cette recherche.

Comme nous l'avons déjà mentionné, de par sa naissance Adrian héritait le commandement d'une compagnie des ordonnances du roi. Sans savoir où Adrian avait appris l'art de guerre, on constatera qu'il s'y connaissait. On peut ajouter que, chaque fois que ses affaires «civiles» s'embrouillaient d'une façon dangereuse, une guerre lui présentait une échappatoire. Ainsi, en 1619-21, après le procès de Vanini, Monluc a un besoin urgent de se montrer loyal et utile. L'occasion se présente, quand le roi relance la guerre contre les huguenots. En 1630, pour des raisons obscures (conjecture: parution de la scandaleuse *Plainte de Tircis à Cloris*), des poursuites judiciaires sont intentées contre le comte, mais il y échappe, en partant à la guerre d'Italie. En 1635, il est rappelé au service actif, ce qui le sort de son semi-exil.

Nonobstant les soupçons de son passé de ligueur, l'histoire, ou plutôt, une des historiettes de Tallemant, attribue à Monluc la phrase suivante:

> Pour accorder les deux religions, il ne faut que mettre vis-à-vis les uns des autres les articles dont nous convenons, et s'en tenir là; et je donneray caution bourgeoise à Paris que quiconque les observera bien sera sauvé[103].

---

103 TALLEMANT, I, p. 232.

Toujours est-il que, malgré la générosité de cette pensée, A. de Monluc passa plusieurs années à combattre et à malmener les huguenots. Le siège de Montauban, en automne 1621, ouvrait un quinquennat de guerres dévastatrices dont le comte de manqua aucune. À Montauban, il fut blessé d'un coup de pique au front[104]. En mi-novembre, il était à Montesquiou pour soigner sa blessure[105], mais, à la fin du même mois, le roi le nomma maréchal de camp de l'armée que le duc de Montmorency mettait sur pied en Languedoc[106].

En été 1622, on le vit s'attaquer au baron de Léran, dans le pays de Foix. Ayant enfermé les forces du baron à Mazères, le comte de Carmain prit, le 5 juin, le château de Mirabel appartenant au baron,

> et après avoir fait passer les habitans par le fil de l'épée, il y mit le feu. [...] Ensuite, ayant augmenté son armée jusqu'à trois mille hommes de pied, cent cinquante maîtres et cent carabins ; et ayant tiré deux canons de Castelnaudary [...], il assiégea le Peyrat, qu'il força et brûla le 26 août, après avoir fait main basse sur la garnison et les habitants. [...] Il prit et brûla, le 28, la petite ville de la Bastide, assiégea le 31 la ville de Limbressac, qu'il prit par assaut le 4 de septembre. Il soumit deux jours après par composition le château de Léran, que l'épouse du baron et un de leurs fils, qui étoient dedans avec une bonne garnison, lui remirent. Enfin le comte de Carmaing, après avoir soumis tous les châteaux, qui appartenoient au baron de Léran, congédia ses troupes et se retira à Foix[107].

Plus tard, il supervisa la démolition des fortifications de Castres (hiver 1622-23) et soumit par composition Pamiers

---

[104] *Vie de Mr le Comte de Carmaing* (mémoire rédigé par le marquis de Sourdis en 1649).

[105] *Hist. gén. Lang.*, XI, p. 954.

[106] *Hist. gén. Lang.*, XI, p. 957.

[107] *Hist. gén. Lang.*, XI, p. 971.

(1623-24)[108]. En juin 1625, le comte de Carmain attendait l'armée du maréchal de Thémines à Toulouse pour y assumer les fonctions de maréchal de camp, tout en commandant une compagnie de cent hommes d'armes. Le 28 juin, cette armée ravagea les environs de Castres et brûla le château de Saint-Germier[109]. En juillet 1625, le comte participa, comme maréchal de camp, à la prise de Pierresegade, où les royaux firent « main basse sur tous ceux qui s'y rencontrent »[110]. En août, on vit le comte de Carmain au siège de Mas-d'Azil qui continuait toujours en septembre[111]. En février 1626, l'accord de La Rochelle fit suspendre les hostilités. Le même mois, le comte participa au Bal de la Douairière de Billebahaut, à Paris.

En janvier de 1628, le comte de Carmain assiégeait Montmaur. Il pactisa avec les défenseurs, au mécontentement du prince de Condé[112]. En février 1628, le comte continua la campagne au pays de Foix. En mars, il était maréchal de camp du prince de Condé arrivé au pays de Foix à la tête d'une armée qui attaqua et prit Pamiers. Les défenseurs furent, les uns, massacrés en tentant de fuir, les autres, exécutés plus tard. La ville « fut mise au pillage, et les troupes royales y exercèrent beaucoup de violences et de cruautés »[113]. Le comportement du comte fut hautement apprécié dans une relation présentée à Richelieu[114].

En mars, mai, juin et juillet 1629, le comte de Carmain était à l'armée (Iliazd). En décembre, le roi décida d'envoyer ses troupes en Savoie, avec Montmorency, Effiat, La Force, Bassompierre et d'autres commandants. L'entière opération fut confiée à Richelieu. En juillet 1630, le comte se distingua aux

---

108 *Hist. gén. Lang.*, XI, p. 971.

109 *Hist. gén. Lang.*, XI, p. 992.

110 *Hist. gén. Lang.*, XI, p. 995.

111 *Hist. gén. Lang.*, XI, p. 997.

112 *Hist. gén. Lang.*, XI, p. 1012 et n. 1.

113 *Hist. gén. Lang.*, XI, p. 1015.

114 *Pap. Richelieu*, III « 1628 », pp. 131-34.

combats de Veillane (Avigliana) et de Saluces. « S'avançant à la teste des Enfans perdus, [il] va se loger avec plus de peril que de perte dans le Faux-bourg de Salusses ; le reste de son Infanterie arrive, sa Cavalerie le soustient, et fait garde au chemin de Sevillan »[115] jusqu'à l'arrivée des forces principales. La bravoure du comte de Carmain lui valut des félicitations de la part du cardinal :

> Moins de lignes que vous n'avez receu de coups vous tesmoigneront la joye que j'ay que les ennemis ayent donné plus de besogne à vostre tailleur que d'employ à vostre chirurgien. Je prie Dieu qu'en pareilles rencontres vous ayez toujours plus à dépendre en estoffes qu'en onguens et que, pour l'avantage du service du roy et la gloire de ceux qui en ont tant acquis en cette occasion, il s'en trouve souvent de pareilles, entre lesquelles j'en souhaite quelqu'une propre à vous tesmoigner que je suis, etc.[116]

Richelieu écrivit également à l'archevêque de Bordeaux, le priant de témoigner ses meilleurs sentiments au comte de Carmain[117]. Entre temps, en août 1630, la cour du parlement de Toulouse eut suspendu pour trois mois une poursuite intentée contre lui, « veu l'actuel service par luy rendu à Sa Magesté en la guerre delà les monts »[118].

Enfin, en 1635, la France déclarait la guerre à l'Espagne, et le comte fut nommé maréchal de camp en juillet 1635. À la fin de la campagne, peu glorieuse au reste, il se trouva à la Bastille.

La carrière administrative d'Adrian de Monluc mérite elle aussi un résumé. En été 1605, il obtint la charge de sénéchal et gouverneur du pays de Foix, rendue vacante « par la pure et simple démission » du maréchal de Roquelaure. En septembre,

---

115 *Mémoires de Henry dernier duc de Mont-morency* (1666), p. 204.

116 *Lettres, instr. dipl. et pap. d'État du card. de Richelieu*, III, p. 757-8.

117 *Lettres, instr. dipl. et pap. d'État du card. de Richelieu*, III, p. 752.

118 Arch. dép. Haute-Garonne, B504, f. 24. Nous ignorons la nature des poursuites.

il fit son entrée solennelle à Mazères (Foix)[119]. Selon la lettre patente, la nomination du comte récompensait ses loyauté, expérience en matière de guerre et de police, diligence et bonne affection au service du roi «auparavant et durant les derniers troubles»[120]. En 1607, Monluc essaya de vendre deux de ses baronnies à Roquelaure[121], probablement en guise de dédommagement.

En août 1618, le conseil d'État de Navarre maintint Adrian de Monluc dans sa fonction de «Sénéchal et Gouverneur pour le Roy en ses Comté de Foix et terres souveraines d'Andorre et Douezain»[122], malgré l'opposition de la population.

Même après la Journée des dupes le comte garda ses postes administratifs. En 1632, tout en esquivant la rancune de Richelieu, il reçut du roi des dons de fonds[123]. Selon l'abbé Morère, après sa libération de la Bastille, le comte reprit sa charge de gouverneur que formellement il eut gardé même dans sa prison[124].

En 1643, la régente ordonna de restituer à Monluc les pensions et gages de conseiller d'État et de lieutenant général de Foix, impayés de 1632 à 1643: 72000 livres, à prélever, faute d'argent dans le trésor, sur les droits dus par les sujets de la haute et basse Auvergne. En attendant que les Auvergnats paient la taille, Anne d'Autriche faisait au comte un don de 30 mille livres.

Certains comportements de Monluc peuvent s'expliquer par son statut d'administrateur. Ainsi, sa magnanimité envers Pamiers en 1623-24 pouvait être due au fait que la ville était une des principales de son gouvernement, et le bien-être écono-

---

119 DOUBLET, p. 458.

120 BNF, Clairambault, ms. 360, fo. 277v.

121 BNF, n.a.f. ms. 23168, ff. 142-43.

122 Ms. 2003 (1547), bibl. Mazarine.

123 Arch. nat. Fr., F. Ancien régime, O/1/6, f. 292 (1632), O/1/5, f. 14v (s.d.)

124 MORÈRE, p. 65.

mique du comte en dépendait. Or, en 1628, la même ville fut prise et saccagée par Condé, qui n'était pas du pays et pour qui cette guerre était une source de butin, aux dépens de Montmorency et de Carmain. Pour sa part, le comte de Carmain n'a pas ménagé les terres du baron de Léran: il n'y avait peut-être rien de sien là-bas.

Il est difficile de tracer une ligne de partage nette entre les carrières de cour, militaire, administrative et politique, ou diplomatique. Ainsi, selon Iliazd, en 1602, le comte de Carmain, à la suite du jeune Charles de Gonzague, duc de Nevers, rendit visite à la reine d'Angleterre. Ce voyage, conçu par le duc Nevers, du moins en apparence, comme une tournée de loisir, se transforma en une ambassade non officielle, très bien reçue par la reine Elizabeth que Henri IV voulait utiliser dans sa politique anti-espagnole. Profitant de ce voyage, le duc, au lieu de retourner à Paris, prit le chemin de Vienne et de Bude, où il se battit contre le Turc et fut blessé. Lors du voyage à Bude, Blaise, sieur de Pompignan, frère cadet d'Adrian de Monluc, mourut de maladie[125]. La tournée du duc de Nevers fut décrite dans quelques documents de l'époque[126] dont aucun ne mentionne le comte de Carmain. Il s'agit d'un de ces cas où la source d'Iliazd est inconnue.

En rapport avec les relations internationales, il est nécessaire d'éclairer un aspect jusqu'à présent méconnu de l'activité d'A. de Monluc. Les archives du Conseil d'État d'Espagne détiennent quelques documents qui présentent le comte de Carmain comme un «ami» de l'Espagne.

Adrian de Monluc n'était pas à la solde des Espagnols. Il coopérait avec eux soit par conviction, soit pour atteindre ses

---

125 *Dict. nobl.*, VII, p. 240.

126 *Panégiric du voyage et retour de M. de Nevers*, Paris, 1603; *Discours du voyage de M. de Nevers, jouxte la copie imprimée à Vienne en Autriche le 27 novembre 1602*, Paris, 1603, *Chronologie septenaire de l'Histoire de la paix*, Paris, 1611; *Correspondance entre Henri IV, Villeroy et l'ambassadeur de Beaumont en Angleterre*, 1602; BNF., m.fr. 15982.

propres objectifs, partie agent d'information, partie agent d'influence. Ainsi, en 1600, le comte avisa les Espagnols des intentions du roi Henri à l'égard de la Savoie[127]. Plus tard, il participa à l'élaboration de stratégies anti-huguenotes, et, ironiquement, sa nomination au gouvernement de Foix lui facilita le contact transpyrénéen. Après l'assassinat de Concini, il essaya de s'assurer, grâce à ses contacts espangols, une place dans l'entourage de la reine Anne. On sait en particulier qu'en mars 1619, il se servait d'un espion espagnol pour envoyer à Paris un message à l'ambassadeur espagnol Monteléon[128].

Les attitudes des individus envers l'Espagne doivent être envisagées dans le contexte dynamique des relations bilatérales et de la situation interne. Ainsi, en 1600, Henri IV ne s'était pas encore attiré tous les ligueurs, et le pays était divisé ; en 1619, Louis XIII était en conflit avec sa mère, et le gouvernement hésitait quant au parti à prendre dans la guerre de Trente ans qui venait de débuter. En 1622, l'évêque de Luçon, devenu cardinal de Richelieu, entra au Conseil du roi, et la France commença à pencher pour une confrontation avec l'Espagne.

En décembre 1624, Richelieu, par son agent Saint-Géry, offrit au comte de Carmain, se trouvant toujours dans le Midi, le poste d'ambassadeur en Espagne. Selon Richelieu, « cest employ, dans lequel il seroit désiré de Sa Majesté, est très important en la conjoncture présente des affaires, et qu'il luy ouvriroit le pas pour entrer en d'autres plus grands et convenables à sa qualité et à la bonne opinion que Sa Majesté a de luy »[129]. On sait que le cardinal cherchait à faire occuper les positions clés par ses personnes de confiance. Pour Richelieu, le comte de Carmain, beau-frère de son ami cardinal d'Escoubleau, pouvait sembler un candidat convenable. On ignore la réponse du comte, mais le poste d'ambassadeur fut confié à du Fargis.

---

127 HUGON, p. 724.

128 HUGON, p. 621.

129 GRILLON, I « 1624-26 »; p. 131.

L'offre de Richelieu de 1624 et le fait qu'en 1635, pour faire condamner Monluc, il ne lui ait pas reproché son rôle d'agent espagnol pouvaient signifier que Richelieu n'en était pas au courant. Certes, le cardinal a indiqué une fois que le rappel de Monluc à la cour en juillet 1635 eut pour but, entre autres, de l'éloigner de la frontière espagnole, mais ces soupçons pouvaient être sans rapport avec le passé.

On ignore l'attitude du comte de Carmain dans l'affaire de Chalais (1626)[130] et dans le conflit relatif au mariage de Gaston d'Orléans. On sait seulement que, par la lettre du 16 décembre 1626, le roi le nomma de nouveau chevalier de ses Ordres, et que, comme en 1613, il n'eut pas le collier.

Selon le marquis de Sourdis, le comte de Carmain fut des cabales et de la reine mère et d'Anne d'Autriche. Pourtant, avant la maladie du roi à Lyon (1630), les deux reines ne s'entendaient pas. Comment le comte réussissait-il à appartenir aux deux cabales? On pourrait s'imaginer que, tout en gardant de bons rapports avec Marie de Médicis, il aurait réussi à gagner une certaine confiance de la reine Anne, grâce en particulier à madame du Fargis.

En février 1627, au cours de l'assemblée des notables de France, la délégation de la noblesse soumit au roi des «requestes et articles pour le rétablissement de la noblesse». L'adresse du projet fut rédigée par le comte de Carmain[131]. Le rôle du comte dans la rédaction de ces requêtes témoigne de son renom particulier d'aristocrate capable de maîtriser la plume aussi bien que l'épée. Mais il y a plus à cela. Pendant les États généraux de 1614-15, Monluc déplorait, dans une lettre adressée à Pontchartrain, la condition de «la noblesse, laquelle, veritablement, est accablée de misere et infiniment ravalée, s'il

---

130 Une des filles du second lit du maréchal Blaise de Montluc avait épousé, en 1587, Daniel de Talleyrand de Grignols, prince de Chalais. Le marquis de Chalais le comploteur, né en 1598, aurait été petit-fils du maréchal.

131 LAVISSE, VI / 2, p. 390, n. 1.

ne plaist à leur majestés leur donner quelque moien de se relever»[132].

L'idéal nobiliaire dut être d'une grande signification pour le comte de Carmain, si bien qu'il s'essaya plus d'une fois en tant que porte-parole de sa classe. Une telle position ne s'accordait pas avec la dominante absolutiste de Louis XIII et de Richelieu. Puisque le comte de Carmain possédait certains principes et que sa carrière ne devait rien à Richelieu, une collision avec ce ministre devenait imminente. À mesure que celui-ci montait les échelons, en éliminant les figures politiques de plus en plus puissantes, Adrian de Monluc devait, tôt ou tard, se trouver devant un choix, et il choisit le camp des reines.

Bien sûr, son arrestation, à l'issue de la campagne de Lorraine de 1635, dut beaucoup aux visées personnelles du cardinal de Richelieu, dont il sera question ci-dessous. Toutefois, les allégations à l'effet que le comte de Carmain aurait tâché de ralentir, par ses conseils au roi, l'offensive française, n'étaient peut-être pas sans fondement. Avec ses sympathies pour la reine mère et pour la maison de Lorraine, ses anciens liens avec l'Espagne, ses rapports personnels avec madame du Fargis, mêlés à son ressentiment envers Richelieu (augmenté, peut-être, par les remarques moqueuses de ce dernier sur les *Jeux de l'Inconnu*), le comte de Carmain devait être bien tiède à l'idée de l'occupation militaire et de l'annexion de la Lorraine. Le comte de Soissons était du même avis, mais Richelieu ne pouvait pas affronter directement ce prince du sang, en plus de priver l'armée de tous ses meilleurs capitaines: aux années 30, le cardinal «débarrassa» l'armée de Marillac, Bassompierre, Montmorency, Vitry et d'autres. Curieusement, le jour de l'arrestation de Carmain, Richelieu libéra le marquis de Tavanes et promit de libérer Bassompierre. Bref, il fallait que les militaires et les princes guerroient sans opiner, ce à quoi ils n'étaient pas habitués.

---

132 BNF, ms. Clairambault 365, f. 12r.

L'arrestation du comte de Carmain ne passa pas inaperçue : le roi crut devoir l'expliquer aux ambassadeurs étrangers. Hugo Grotius, agent des Provinces-Unies, rapportait le 26 octobre cette nouvelle aux Suédois : « Bastilia comitem Cramalium aliosque hospites accepit »[133]. Cette détention signifiait que le parti de la guerre l'emportait.

Adrian de Monluc ne regagna sa liberté que le 13 janvier 1643[134], avec plusieurs autres prisonniers du cardinal disparu le 4 décembre 1642. Louis XIII lui ordonna de retourner à son gouvernement, mais, après la mort du roi, la reine Anne rappela le vieux comte à la cour. Au sacre de Louis XIV, on trouve parmi les assistants les maréchaux de Bassompierre et de Vitry, mais le comte de Carmain n'est pas mentionné.

Grand féodal. Sa fortune

Ses nombreuses terres, ainsi que son gouvernement, devaient fournir à Adrian de Monluc une immense fortune. Les revenus d'Adrian de Monluc provenaient principalement de ses terres en Gascogne, des terres de sa femme dont, dès 1617, il gardait l'usufruit, et de Chabanais. Ces dernières, pourtant, devaient être pour lui une source abstraite d'argent et de litiges, plutôt qu'un pays concret. Ainsi, en juin 1605, le comte engage ses terres de Chabanais en garantie d'un prêt de 3600 livres[135], afin de payer deux lettres de change. Le gouvernement de Foix et d'Andorre était un bon supplément, ainsi que les appointe-

---

133 Lettre no. 2322, à Camerarius, ambassadeur suédois à La Haye. Grotius écrivit également à A. Oxenstierna : « Querelae ubique plurimae, nobilitatis, plebis ; et quidam liberius apud ipsum regem locuti in Bastiliam dati sunt, quorum est comes Cramalius, militiae et aulae vetus » (lettre 2323), mais, dans sa lettre à van Reigersberch, Grotius dit simplement (lettre 2329) que le comte de Cramail est « over oude wrocken gestelt in de Bastille » (mis à la Bastille pour de vieilles rancunes). *Briefwisseling van Hugo Grotius*, uitg. d. B.L. Meulenbroek, VI : « 06.1635-02.1636 », 's-Gravenhage, 1967.

134 CHEVALLIER, p. 635.

135 BNF, n.a.f. ms. 23168, f. 144.

ments de capitaine d'hommes d'armes et de conseiller d'État, mais tout ce qui provenait du trésor était sujet à des délais chroniques, comme on l'a vu.

Les séjours principaux du comte de Carmain se répartissaient entre la Gascogne (Montesquiou), le Languedoc (Toulouse) et Paris. Il ne semble pas qu'il ait jamais mis le pied sur ses terres de Chabanais. En tant que baron de Montesquiou, de Saint-Félix et d'autres lieux, il avait son mot à la nomination des consuls présélectionnés par la population. En 1616, à la suite d'un litige engagé par la reine Marguerite, Monluc réussit à conserver la juridiction de son juge d'appeaux en Lauragais. En 1628, en échange de quelques privilèges garantis aux consuls, Monluc obtint le pouvoir de haute, moyenne et basse justice à Saint-Félix[136].

À Toulouse, Adrian de Monluc possédait deux maisons contiguës[137], héritage de Chabanais. On sait qu'en trois mois du printemps et de l'été de 1616, la liste des résidents de son hôtel comptait 308 gentilshommes, pages et autres personnes[138]. Il possédait aussi un jardin à Toulouse qui apparaît sur les plans de l'époque, *extra muros*, à la limite des paroisses de Saint-Aubin et de Saint-Étienne[139].

Le château de Montesquiou était une demeure féodale de province, où l'on pouvait vivre de peu, mais Paris et Toulouse nécessitaient des dépenses et des dettes. Il faut croire que, de retour dans la province, surtout vers 1615-17, Carmain se rendit compte de la précarité des fortunes féodales, même aussi immenses que la sienne. Cette prise de conscience devait être à la source de ses complaintes au sujet des misères de la noblesse. Le pays était ravagé par les guerres et par les épidémies, et les

---

136 MORÈRE, p. 93.

137 MORÈRE, p. 31, n. 1.

138 SCHNEIDER, p. 148.

139 La rue actuelle de Caraman doit avoir mené autrefois à ce jardin, dont l'emplacement est aujourd'hui soit traversé par le canal du Midi, soit occupé par l'École supérieure d'électrotechnique.

terres féodales ne rapportaient qu'une partie de leur potentiel théorique.

En 1622, son château de Caraman fut rasé par les royaux en représaille d'une révolte protestante. Ni les dédommagements, ni les deux tiers des recettes provenant de la vente des pierres des maisons démolies des huguenots[140] ne pouvaient pallier l'émiettement de ses biens. En 1625-26, Monluc vendit ses maisons toulousaines[141]. En février 1627, il chargea Bernard de Goudelin[142] (Godolin) de percevoir les hommages et redevances dans la principauté de Chabanais, y compris des arrérages de 29 ans. C'est vers ce moment-là qu'il avait formulé les doléances de la noblesse pour l'assemblée des notables.

Le 22 février 1643, apprenant la nouvelle de sa libération, le conseil de la commune de Montesquiou décida, « en recognoissance des bonnes graces et protection dont il nous a fabvorisés et continue à ce faire »[143], d'offrir à Monluc 10 chars de foin, 50 sacs d'avoine, 12 paires de chapons, 8 moutons, etc. et d'acheter quelques livres de poudre pour tirer à son arrivée. Touchant témoignage d'une affection, mais aussi de l'appauvrissement du commun et d'un empressement d'accueillir le protecteur (par exemple, contre les déportements des soldats).

Le 12 janvier 1643, la veille de son élargissement, Montluc fit son testament[144]. Même s'il put laisser une fortune considérable à sa fille, l'état des biens meubles et des effets trouvés dans sa dernière demeure parisienne en 1646 fut fait avec une négligence et une sous-estimation[145] qui font penser à un délaissement et à une défaillance étonnantes pour une personne de son

---

140 de SEAUVE, p. 25.

141 CHALANDE, I, pp. 114 et 222.

142 Arch. nat., ET/CVII/71, pièce 93. Il s'agit, probablement, d'un parent du poète Godolin.

143 Arch. de l'archevêché d'Auch. Coll. *Extraits du registre des délibérations de la jurade de la ville de Montesquiou*, p. 8(1), 22 février 1643.

144 *Dict. nobl.*, VII, p. 241.

145 *Mémoire pour M. le comte de Montluc*, XIII.

rang, à moins que ce ne fût un procédé de sa fille visant à induire en erreur les créanciers et les héritiers concurrents.

Rapports avec Richelieu

Monluc demeura à la Bastille d'octobre 1635 à janvier 1643. La détention fait dépeindre le comte comme ennemi de Richelieu, représentation quelque peu simpliste qu'il est nécessaire de nuancer.

Le comte de Carmain avait marié sa fille au frère cadet du cardinal de Sourdis et de l'archevêque de Bordeaux. Les deux ecclésiastiques furent des amis de Richelieu. Adrian de Monluc se trouvait ainsi, indirectement, lié au cardinal-ministre. Étant donné cette circonstance, Monluc ne devait pas avoir de maille à départir avec Richelieu, et il serait peut-être des derniers à être attaqué par le cardinal. On comprend mieux, sous ce jour, l'offre du poste d'ambassadeur en 1624.

Il se conserve cette lettre que le comte de Carmain écrivit au cardinal le 8 novembre 1628, après la reddition de La Rochelle:

> Monseigneur,
>
> Cependant que toute la France vous bénit et que le reste du monde vous admire, il ne seroit pas raisonnable que je demeurasse muet, encores que je creigne (et vous en demande pardon) de vous importuner, si en ceste commune joye j'ose vous tesmoigner les sentimens et vous suplier très humblement, Monseigneur, me faire l'honneur de croire que [parmi] touts ceus qui vénèrent avec un entier respect vostre sage conduite et tant d'éminentes vertus, qui vous rendent si utile et recomendable au Roy et à l'Estat, il n'y en a point qui soit plus que moy, Monseigneur, Ve très humble et très obéissant serviteur
> Monluc[146]

Remplie de révérences, imposées par l'étiquette, cette lettre ne prouve qu'une chose: Monluc se rendait comte de la puis-

---

146 *Pap. Richelieu*, III «1628», p. 560.

sance toujours croissante du cardinal, et il voulait que le cardinal le sache. De sa part, le cardinal ne donnait pas de preuves d'animosité envers le comte de Carmain. On a vu avec combien de bienveillance le cardinal le saluait à l'occasion de Veillane, en 1630. Qu'elle fût sincère ou affectée, cette sympathie disparut quatre mois plus tard, lorsque, dans les événements de la Journée des dupes, le comte se fut rangé aux côtés de la reine mère.

On croit bien savoir maintenant ce qui s'est passé le 10 et le 11 novembre 1630. Indignée par l'emprise croissante de Richelieu sur le roi, la reine mère décida de congédier le cardinal qui était toujours l'intendant de sa cour, et exhorta Louis XIII de le limoger. Le roi, sans dire non à sa mère, partit pour Versailles, et toute la cour crut à la perte du cardinal.

Cependant, sentant que la victoire de la reine n'était pas complète, le comte de Carmain l'enjoignit de suivre son fils à Versailles «pour y faire un vacarme»[147] afin «que l'esprit du roi ne soit préoccupé»[148]. La reine ne suivit pas ce conseil. Entre temps, le cardinal de La Valette, «aussi ami que son père ennemi»[149] de Richelieu, encouragea ce dernier à aller voir le roi, au lieu de fuir le pays: «Qui quitte la partie la perd». Richelieu rejoignit le roi à Versailles. Après un long entretien tête-à-tête, Louis XIII prit la décision, le 11 novembre, de garder le cardinal, en dépit de la reine mère.

Telle est la version des événements la plus répandue aujourd'hui. Pourtant, les contemporains conclurent que tant l'hésita-

---

147 MONGRÉDIEN, p. 83. Le mot «vacarme», ainsi que la séquence «les conseils les plus violents» employée par Mongrédien pour décrire le comportement de Monluc ce jour-là, sont tirés des *Mémoires* de Richelieu (p. 331), dans lesquels celui-ci justifie l'arrestation du comte. On peut donc douter de l'objectivité de cette présentation.

148 C'est-à-dire, occupé par le premier venu. FOURNIER, «Notice sur Adrien de Montluc» dans *Le Théâtre français au XVIe et au XVIIe siècle*, p. 193.

149 MOUSNIER, *L'Homme rouge*, p. 385. Le père du cardinal de La Valette était le duc d'Épernon.

tion du roi que le désespoir et les larmes de Richelieu le 10 novembre furent feints :

> Mais l'opinion commune étoit que le cardinal s'étoit assuré du Roi dès Lyon, et que tous deux jouoient cette bonne princesse : ce qui a été assez confirmé par la suite que prit cette affaire, le contre-coup en étant tombé aussitôt sur elle[150].

Si cette dernière version est vraie, on comprend pourquoi la Journée des dupes fut ainsi baptisée. Les conséquences pour la reine mère et pour son parti furent catastrophiques. Mise en arrestation, éloignée de la cour, Marie de Médicis quitta le pays définitivement en 1631. Le garde des sceaux Michel de Marillac fut exilé ; son frère Louis, maréchal de France, fut arrêté sous prétexte de malversations et exécuté.

On pourrait se demander pourquoi le comte de Carmain, qui jusqu'alors n'avait pas eu de démêlés avec Richelieu, se serait compromis de cette manière. Pour comprendre, il faudrait se rappeler qu'il était difficile aux contemporains de prévoir qu'« une grande reine se trouvât opprimée par un ver de terre »[151], sa créature : depuis Pépin le Bref, aucun sujet n'a jamais évincé un monarque en France.

Nous ne croyons pas que le comte de Carmain ait été embastillé en 1630 dans la vague des représailles, puis libéré, avant d'être réincarcéré en 1635[152]. Le marquis de Sourdis devait en savoir long, et, selon lui, son beau-père suivit son conseil de se retirer dans ses terres de Gascogne et dans son gouvernement, loin de la colère du cardinal, en attendant que le temps et les Escoubleau travaillent à un accommodement, « n'y ayant aucune seureté à la Court pour un homme qui estoit mal avec led[it] Cardinal qui estoit tout puissant »[153].

---

150 *Mém. de Gaston, duc d'Orléans*, p. 93.

151 *Mém. de Gaston, duc d'Orléans*, p. 93.

152 TOMLINSON, p. 66.

153 *Vie de Mr le Comte de Carmaing*. BNF, ms. fr. 23344, f. 243r.

La situation du comte était donc précaire, mais ce n'était pas, comme certaines sources le représentent, une « disgrâce éclatante »[154]. Monluc s'effaça et s'éloigna de la cour, ce qui explique la phrase de Richelieu dans son *Advis donné au roy* (mars 1632) : « Faire obéir et venir le comte de Cramail, qui est demeuré en chemin »[155]. Lors de la prise d'armes du duc de Montmorency, le château de Saint-Félix changea de mains deux fois, sans que le comte de Carmain, son maître, entreprenne quoi que ce soit. L'exécution de Montmorency en novembre 1632 était censée paralyser toute volonté d'opposition.

Cette situation de pat dura pour Monluc jusqu'en en juillet 1635, lorsque Richelieu

> estant en peine de trouver quelqu'un pour servir de Mareschal de Camp aupres du Roy allant à la frontière de Champagne et dans le Barrois, l'Archevesque de Bordeaux qui estoit amy particulier du Cardinal de Richelieu et frere du marquis de Sourdis, creust avoir une belle occasion de faire revenir le Comte de Carmaing à la Court et le proposa au Cardinal de Richelieu pour cest employ[156].

Le 23 octobre 1635, à son retour de la Lorraine, le comte fut arrêté et conduit à la Bastille. On cite plusieurs motifs de son arrestation. Selon Richelieu, premièrement, il avait été « un mauvais conseiller » auprès du comte de Soissons, prince du sang et un des chefs militaires de la campagne de 1635[157]. Deuxièmement, il entretenait l'intelligence avec Mme du Fargis. Troisièmement, il aurait essayé d'« indisposer » le roi contre La Meilleraye, maître de l'artillerie et cousin germain du cardinal. Quatrièmement, lors du voyage lorrain du roi, le comte aurait essayé de le monter contre le cardinal[158].

---

[154] *Pap. Richelieu*, III, p. 560.

[155] *Let., instr. dipl. et pap. d'État du card. de Richelieu*, p. 271.

[156] *Vie de Mr le Comte de Carmaing*. BNF, ms. fr. 23344, fo. 243v.

[157] FOURNIER, p. 194.

[158] BASSOMPIERRE, IV, pp. 192-93, n. 4.

Il n'y a pas d'unanimité quant à ce denier point. La Porte, valet de chambre d'Anne d'Autriche, qui a vu le comte à la Bastille, affirme que celui-ci y a été mis «pour avoir averti le Roi, quand S. M. fut en Lorraine que sa personne n'étoit pas en sûreté, parce que l'armée des Lorrains étoit plus forte que la sienne, ce qui fut rapporté par M. de Chavigni à S[on] É[minence] qui le punit de la prison pour avoir donné de l'appréhension au Roi, quoiqu'elle fût juste et raisonnable»[159].

Selon le marquis de Cœuvres,

> ce cardinal ayant fait aller le Roi à Châlons contre son gré, et le Roi en montrant du chagrin et de l'inquiétude, le comte s'échappa de lui dire: «À quoi sont bonnes ces plaintes-là, puisque vous êtes le maître et que vous pouvez faire ce qu'il vous plaira?» Ce qui ayant été rapporté au Cardinal, qui n'avoit pas accompagné le Roi à ce voyage, et le Roi même ayant eu la foiblesse de le confesser, ce fut le motif de la prison de ce comte pendant sept ou huit années[160].

Selon le marquis de Sourdis, le roi

> eut le chagrin et tesmoigna force mescontentement contre le Cardinal de Richelieu assez publiquement de ce qu'il n'avoit pas trouvé son armée telle que l'on luy avoit dit. Il se descouvrit plus particulièrement audit Comte de Carmain qu'à aucun autre, et au comte de Tresme, son capitaine des gardes lors en quartier, lequel plus rusé que le Comte de Carmaing [...] sçachant que le Roy disoit tout au Cardinal de Richelieu, l'advertit par le moyen de Monsieur de Chavigny, ce que ne fit pas le Comte de Carmaing. Le Roy estant sur son retour à Paris haprehendoit le Cardinal de Richelieu [...], et ainsi lorsque le Roy vist le Cardinal de Richelieu, il attribua au Comte de Carmaing

---

159 LA PORTE *Mém.*, p. 196.

160 *Mémoires du Maréchal d'Estrées, sur la régence de Marie de Médicis et sur celle d'Anne d'Autriche*, p. p. Paul Bonnefon, Paris: Renouard, 1910; p. 176.

> toutes les choses qu'il avoit dittes audit Comte de Carmail contre led. Cardinal[161].

Dans un mémoire adressé au roi, Richelieu indique que le comte est un « esprit fort »[162] et que « le premier président de Toulouse, Mazuyer, luy vouloit faire son procez comme compagnon de Lucile »[163]. Étonnant à entendre 16 ans après le supplice de Vanini, cet argument fait penser à tout un dossier de matériaux compromettants que Richelieu remue à la recherche d'une justification : les liens avec les Guises, les habitudes de « l'ancienne cour », le fait que le comte de Carmain « essayoit de tirer en longueur les affaires et d'en éloigner tous les effets avantageux au service du roi »[164]. Par ailleurs, il dira que le comte de Carmain fut enfermé « pour avoir desservi l'état présent des affaires »[165].

Après avoir éliminé ses ennemis les plus puissants : Marie de Médicis, Monsieur, Montmorency, Richelieu acquit un pouvoir presque illimité et ressentit la haine d'autant plus forte de la part de la cour. Conscient de cette haine, il multiplia les représailles. La guerre contre l'Espagne, avec ses premiers échecs, servit de prétexte pour écraser non seulement ceux qui résistaient, mais ceux qui osaient opiner. Il reconnut lui-même avoir embastillé Bassompierre en 1631 pour sa langue ; il opta pour la même solution à l'égard de Carmain en 1635. Le cynisme de la motivation officielle de cette arrestation devient patent, quand on apprend que, comme alternative à ce « remède innocent »[166], on avait envisagé d'envoyer le comte commander des troupes en Provence.

---

161 *La vie de Mr le comte de Carmaing* (1649), f. 244r.

162 *Esprit fort* « sçavant, habile » (CuF 199).

163 *Lettres du cardinal de Richelieu*, V, p. 333 ; cité d'après : BASSOMPIERRE, IV, pp. 192-93, n. 4.

164 FOURNIER, p. 194.

165 LAVISSE *Hist. Fr. ill.*, VI / 2, p. 392.

166 *Lettres, instr. dipl. et pap. d'État du card. de Richelieu*, V, p. 317.

Comme de toutes les époques, le pouvoir illimité se servit de l'arbitraire extrajudiciaire aux fins politiques, impossibles à séparer de règlements de comptes personnels et n'ayant que très peu à voir avec la justice et la loi. Les exécutions de Chalais, de Marillac et de Montmorency, l'incarcération de Bassompierre et de Carmain furent des mesures pédagogiques, exemplaires, visant à intimider les adversaires. En s'agrippant au pouvoir, Richelieu ne pouvait se fier qu'à ses propres créatures, même au coût de priver l'armée de capitaines expérimentés. À une époque où perdre le pouvoir signifiait un exil ou une mort violente, il ne faisait pas de quartier sachant bien qu'en cas de revers de fortune, ses ennemis seraient aussi impitoyables.

Sans doute, une composante personnelle envenima les rapports entre Richelieu et le comte de Carmain. Selon Paul de Gondi, futur cardinal de Retz, qui rencontra le comte de Carmain à la Bastille, Richelieu aurait parlé en mauvaise part des *Jeux de l'Inconnu*[167]. On aurait beau croire que le comte se piqua d'honneur pour une taquinerie anodine : c'est avec des remarques anodines qu'on provoquait en duel. Le comte répondit en s'impliquant dans la Journée des dupes et en refusant de s'incliner devant Richelieu après son retour triomphal de Versailles.

L'arrestation de Carmain fut un jalon critique : le cardinal entama le cercle étroit de ceux de ses familiers qui n'étaient pas ses créatures. Il en était conscient, et cela explique les justifications verbeuses qu'il dut présenter au cardinal de La Valette et l'archevêque de Sourdis (qu'à son tour il fera exiler en 1641) et les compliments dont il comblait le comte détenu. Par contre, le ton sur lequel Richelieu parle du comte dans sa correspondance secrète avec Chavigny est plein de rancœur.

Richelieu fit aussi une promesse, qui se voulait apaisante : « On pourroit délivrer Cramail aussy tost que la paix seroit faicte, n'étant question que de le mettre en loge pour empescher

---

[167] *Mém. du card. de Retz*, pp. 250-51.

qu'il ne nuise aux affaires, ce qu'il fera en tous lieux s'il est libre»[168]. Le cardinal savait que, si la guerre durait, Carmain, âgé de 64 ans au moment de l'arrestation le 23 octobre 1635, pourrait mourir en prison. En effet, la paix ne fut faite qu'en 1648, mais Richelieu mourut avant.

De toute évidence, impuissant d'aller chercher le comte en Gascogne, Richelieu le fit rappeler en juillet 1635 pour utiliser son expertise militaire, s'il se montrait loyal, et pour l'arrêter enfin, s'il se mêlait de la politique, comme en 1630. L'arrestation était donc préprogrammée, et le comte n'aurait pu l'éviter, même s'il s'était montré plus prudent: il ne pouvait manquer à l'ordre de venir à Paris, et il ne s'attendait pas à la perfidie du roi qui à bon escient le provoqua à s'exprimer[169].

Ainsi, quels que fussent les rapports entre le comte et le cardinal, celui-ci n'avait pas le pouvoir du dernier mot. É. Fournier signale que, après la mort du cardinal-ministre, le roi ne s'est pas empressé de libérer ses prisonniers: «il fallut qu'on flattât plus sa parcimonie que sa justice. Il fut nécessaire de lui prouver que la captivité de personnages de cette sorte était fort coûteuse, et qu'il y aurait à les libérer moins de péril pour la sûreté de l'État, que de profit pour son trésor»[170]. Que le roi eut embastillé Monluc de son plein gré est assez démontré non seulement par le délai mis à le libérer, mais aussi par l'interdiction de réapparaître à la cour après l'élargissement.

Quelque libérales que fussent les conditions de sa détention, Adrian de Monluc, à 64 ans, dut en être ulcéré et souffrir à plusieurs égards. Dans cette «cage dorée», il écrivit ces lignes poignantes, adressées à ses derniers personnages littéraires, le Jour et la Nuit:

---

168 *Ibid.*, p. 318.

169 Louis XIII à Richelieu: «Je lui donnerai beau jeu pour le faire parler» (d'après Iliazd, p. 147).

170 FOURNIER «Notice sur Adrien de Montluc», p. 195.

> Et puisse vostre continuelle vicissitude ramener le temps où nous eslevions des temples à la liberté et des autels au sommeil et à la joye. [...] Quand est-ce que viendront ces heures sy paresseuses qui doivent borner nostre captivité (après tant d'afflictions et de langueurs souffertes) et donner le commencement à nostre bonheur?
> Que si les destinées nous retardent encor l'effect de nos esperances, hastez s'il vous plaist la legereté de vos courses et nous amenez promptement celles qui finiront nostre vie car vous serez bonnes et pitoyables, si ne voulant ou ne pouvant guerir nos plaies, vous nous donniez la mort, puisque le vivre sans liberté est un extreme supplice, et il vaut mieux tout à faict estre privé de vostre lumiere et de vos tenebres que d'en avoir la possession pour seulement deplorer ses infortunes et avoir plus de loisir de faire reflexion sur ses malheurs.
> C'est ce que disoit le triste Aristée accablé de ses desplaisirs, ne sçachant à qui se plaindre ny à qui se prendre contraint par la rigueur de ses chagrins, pour se divertir tant soit peu, de composer des fables, puisque jusques à cette heure il ne recevoit aucun soulagement de tant de verités qu'il a publiées estant persuadé par sa mélancolie qu'il trouveroit plus de douceur à resver des folies et à repaistre son esprit de chimeres que de l'entretenir de quelque discours plus serieux[171].

Résidences parisiennes et toulousaines

Le comte de Carmain considérait comme son domicile le château de Montesquiou (Armagnac). Il semble n'avoir fait que des séjours brefs dans les domaines de sa femme et au pays de Foix, et il n'est peut-être jamais allé à Chabanais. À l'exclusion de ses campagnes militaires, son temps se répartissait entre Paris et Toulouse.

Même à l'époque où le comte se trouvait à la cour continuellement, il ne semblait pas avoir sa propre maison dans la

171 *Fable des Amours du Jour et de la Nuit, faict par le conte de Cramail aitant à la bastille lan 1637*. BNF, m. fr. 24426, f. 20.

capitale. Dans un document notarié daté de janvier 1605, il se dit logé à l'enseigne de l'Hermine, rue Saint-Honoré, paroisse Saint-Eustache. La même année, en juin, il loge à l'hôtel de la Reine Blanche, rue du Coq. Enfin, en juin 1607, le comte se dit demeurer ordinairement à Montesquiou, mais loger à Paris à l'hôtel du Bouchage, rue du Coq[172].

Paris avait deux rues du Coq à l'époque : l'une, vis-à-vis du Louvre, aujourd'hui remplacée, écourtée et élargie, par la rue Marengo ; l'autre, aujourd'hui disparue, reliant les rues de la Tisseranderie (auj. de Rivoli) et de la Verrerie, au niveau de l'Hôtel de Ville. Les noms des hôtels permettent de déterminer que le comte a habité les deux rues : l'hôtel de la Reine Blanche, d'après Sauval, se trouvait rue de la Tisseranderie ; la mention de celui du Bouchage donne lieu à des observations plus étendues.

Du Bouchage était le nom héréditaire des ducs de Joyeuse. Le fait de demeurer dans leur hôtel[173] permet de faire un rapprochement entre le comte de Carmain et cette famille. Son rôle d'entremetteur pour le roi Henri auprès de la veuve de Montpensier était donc bien délicat : la princesse était née Henriette-Catherine du Bouchage, nièce du cardinal de Joyeuse. On comprend alors pourquoi Monluc s'est appliqué, sans le laisser paraître, à faire échouer le dessein du roi : il voulait protéger l'honneur de la famille de ses amis. Néanmoins, il était prêt à profiter de son déshonneur et à « s'en prevaloir luy-mesme si la Duchesse vouloit écouter ».

Toulouse ne faisait pas partie du gouvernement d'Adrian de Monluc, mais il y était attaché par sa qualité de noble languedocien et par ses liens avec les notables de la ville, dont les familles de ses anciens tuteurs. Pendant la Régence, le comte dirigeait de Toulouse des opérations militaires.

---

172 BNF, n.a.f. 23168, ff. 145, 144, 142.

173 L'hôtel, selon Sauval (VII, 123), avait appartenu aux Montpensier et fut acheté par le cardinal François de Joyeuse. Henriette-Catherine le vendit en 1616 au P. Berule, qui y fonda la congrégation de l'Oratoire. Aujourd'hui le bâtiment qui remplace l'ancien hôtel est une église protestante.

Monluc possédait deux maisons à Toulouse, situées au 11, rue des Filatiers, et au 4-6, rue Joutx-Aigues. En principe, il s'agissait d'une même maison, car les cours intérieures des deux se joignaient autrefois. D'après des documents, le comte aura vécu à Toulouse continuellement de 1616 à 1619.

Nous ignorons l'adresse parisienne du comte en 1619-21. En 1625 et 1626, il vendit les deux maisons toulousaines, et en 1627, lors d'un nouveau séjour à Paris, il logeait rue Saint-Honoré, paroisse de Saint-Germain-l'Auxerrois[174].

La dernière adresse connue d'Adrian de Monluc est celle où il rédigea son codicille testamentaire en octobre 1645 et où il attendait de se faire opérer pour la pierre : « la maison du Grand-Regard, size hors le faubourg Saint-Jacques »[175]. Comme on sait, les *regards* étaient des stations d'entretien et d'accès aux aqueducs. Le regard en question devrait être recherché sur l'axe de l'aqueduc de Rungis-Arcueil, qui amenait l'eau au palais de Luxembourg. Sauval parle d'une fontaine du Regard, hors la fausse porte de Saint-Jacques (II:213). Par ailleurs, un plan de Paris de 1652 situe un « Grand réservoir » juste au-dehors de la porte du faubourg Saint-Jacques, entre les rues d'Enfer (Denfert-Rochereau) et du Faubourg-Saint-Jacques, probablement à l'emplacement de l'Observatoire actuel.

Vie intellectuelle. Mécénat

Deux paramètres définissaient les attitudes idéologiques du comte de Carmain : il était catholique, non seulement de naissance, mais de conviction, proche de la Ligue et de l'Espagne, et il se voulait tribun des valeurs et des libertés nobiliaires. Il est difficile de mesurer la profondeur théosophique et philosophique de ses convictions : sa participation aux massacres des huguenots pouvait avoir plus d'un mobile, tout comme ses complaintes

---

174 Arch. nat., ET/CVII/71, pièce 93.

175 FOURNIER, p. 195.

sociales; car les huguenots pouvaient être vus comme des séditieux séparatistes, et les doléances de la noblesse pouvaient servir à fonder le mécontentement des princes.

Ce qui importe dans notre essai est de savoir qu'Adrian de Monluc était un noble d'épée assez bien instruit, bien articulé et prompt à écrire. Pour la plupart de ses contemporains, les répits entre les guerres étaient remplis de duels, d'intrigues amoureuses et politiques, et de jeux de hasard; le comte de Carmain y ajoutait une composante intellectuelle et esthétique. Les affaires de la « question royale » et de Vanini marquent peut-être un certain désir de sortir de l'ordinaire et de choquer, sans pour autant vouloir ébranler les fondements.

En 1609, pendant une réunion amicale, le comte commanda à Jean Duvergier de Hauranne, futur abbé de Saint-Cyran, un traité sur ce qu'on appela la « question royale »: dans l'hypothèse où un roi et son sujet se trouveraient naufragés sur une côte inhabitée, le sujet devrait-il se sacrifier pour que le roi ne meure pas de faim?

Plus tard, dans son éloignement toulousain, sous le pouvoir faible de la régente, il suivit la mode libertine, comme un nouveau jeu baroque, pour plaire et complaire aux jeunes, pour taquiner des esprits trop fermés. Son poids social créait chez ses clients une illusion de légitimité et d'impunité du libertinage. Il n'était pas le seul dans son genre. D'un rang plus haut, le duc de Montmorency avait son Théophile de Viau qui faillit finir comme Vanini.

Lucilio, *alias* Giulio-Cesare, Vanini (1585-1619), Napolitain, était un philosophe athée, qui prétendait aussi savoir la magie et la médecine. Il est considéré aujourd'hui comme un libre penseur, mais, au premier quart du XVIIe siècle, Vanini devait être vu par les uns plutôt comme un aventurier, chercheur de bénéfices, frustré, un peu fourbe, dangereusement bavard, et Italien en plus, par d'autres, comme un homme audacieux, bien instruit, philosophe non conformiste, charmant personnage et excellent interlocuteur. Il affirmait avoir écrit des tomes en physique, médecine, magie, astronomie, etc., mais il ne se conserve plus de lui que deux ouvrages latins[176]. Avant de venir en France, il essaya, sans succès, de s'établir dans d'autres pays. Sa dernière tentative, en Angleterre, lui valut une arrestation pour blasphème. Sorti de la prison, il vint en 1615 à Paris où il fut accueilli et protégé par le maréchal de Bassompierre, auquel est dédié le second de ses deux ouvrages survivants. Censuré par la Sorbonne, il se dit avoir répondu par une lettre adressée au pape, menaçant de retourner sens dessus-dessous en trois mois toute la religion chrétienne, si on ne lui accordait un bénéfice[177].

En 1617, Vanini vint s'installer à Toulouse. Il y trouva un accueil bienveillant et de la protection chez Montmorency et Carmain. Ce dernier l'aurait fait précepteur de ses neveux[178]. Selon d'autres sources, Vanini enseignait au fils de Bertier, premier président du Parlement de Toulouse[179]. Il devint une célébrité locale, mais fut arrêté à la suite d'une délation en automne 1618, jugé pour athéisme et blasphème et condamné à être étranglé et brûlé après avoir eu sa langue arrachée. Il fut exécuté en février 1619.

Les renseignements sur le rôle du comte de Carmain dans ces événements sont ambigus. Parfois, on parle de lui comme d'un disciple de Vanini. Deux jours après l'exécution de Vanini,

> a group of aristocrats, led by Montmorency and Monluc, presented a ballet in the same Place du Salin where Vanini had been put to the flames. The dance climaxed with a scene depicting a magician – played by Montmorency's household dwarf – being crowned with laurels in front of a sacrificial fire on an altar framed by the words, 'Quand on me brûle, je triomphe.' Clearly, if Vanini's aristocratic friends ultimately failed to protect him, they at least mourned him in style[180].

---

[176] SCHNEIDER, p. 152.

[177] SCHNEIDER, p. 153.

[178] LACHÈVRE, VIII, p. 200.

[179] *Hist. gén. Lang.*, XI; p. 933.

[180] SCHNEIDER, p. 155, avec référence au *Mercure françois*, 5 (1619), 120-121.

Le tragique de la chute de Vanini fut amplifié par le fait que quelques personnes de son entourage immédiat témoignèrent contre lui. Sans ces témoignages, le procureur n'aurait pas eu de cas. Un autre document de 1619, intitulé *De l'execrable docteur Vanini, autrement dit Luciolo, de ses horribles impietez, blasphemes et des sa fin tragique*, présente le rôle du comte de Carmain sous un jour différent:

> Monsieur le comte de Cremail (*sic*), croyant de cet Athée tout autre chose qu'il n'estoit pas (*sic*), luy fit par quelque sien amy offrir le gouvernement de l'un de ses nepveux, avec une honneste pension. Luciolo accepta cette condition, et commença d'instruire ce jeune Seigneur, au contentement de son oncle, en s'acquittant assez dignement de sa charge. Il entretenoit si souvent le Comte, qui est un esprit, extrêmement curieux, et par ses artifices acqueroit tous les jours de plus en plus son amitié. Comme il se vit aymé d'un tel Seigneur, et appuyé de beaucoup d'amis, le détestable recommença petit à petit à semer sa doctrine diabolique: toutesfois ce ne fut pas tout à coup ouvertement, mais par manière de risée. [...] Monsieur le Comte de Cremail, de qui le clair jugement ne se trompe jamais, et à qui la nature et le maniement des affaires ont donné la cognoissance de toutes choses, ce prudent et sage Seigneur, dis-je, recognut bientost l'intention de Luciolo. [...] Néantmoins, il dissimula quelques jours ce qu'il en pensoit, et sceut si bien tirer le ver du nez de ce meschant homme en devisant privement avec lui, qu'il l'esclaircit (sic) entièrement de sa doute. Cet execrable luy confessa librement qu'il croyoit que tout ce qu'on nous dit de la Divinité [...] n'est que fable et que mensonge...

Suit un bref exposé de la doctrine de Vanini, que nous omettons ici.

> Monsieur le Comte fut fort scandalisé de ce discours et ceste ame non moins religieuse que généreuse, s'efforça de reduire par de vives et pressantes raisons... ce malheureux Athée. Mais tout cela ne servit de rien... Ce que voyant ce Seigneur,... [suit l'exposition des arguments pieux du

> comte] il tesmoigna bientost à Lucilio le desplaisir qu'il sentait de sa perte, et le regret qu'il avoit de luy avoir baillé la charge d'instruire son nepveu. Et comme il estoit prest de le lui oster, de peur que cette jeune plante abbreuvée d'une si dangereuse doctrine, n'en retînt quelque mauvaise odeur, la Court de Parlement de Toulouse deputa deux de ses conseillers vers le mesme Comte. Ce juste et religieux Sénat ayant esté informé que Lucilio non content de mesdire publiquement de l'Eternel fils de Dieu, avoit des spectateurs en ses execrables opinions, luy eust desjà fait mettre la main sur le collet, mais auparavant elle (*sic*) vouloit sçavoir du sieur Comte s'il avouoit un si meschant homme. Les deux Conseillers ayant exposé leur commission au Seigneur de Cremail, ils eurent telle satisfaction de luy, que le lendemain Lucilio fut saisi, et mené en la Conciergerie[181].

Le récit se prête à deux interprétations opposées: d'une part, il semble écarter des soupçons de complicité qui pèsent sur le comte de Carmain; d'autre part, les épithètes «exécrable», «détestable», «méchant» dissimulent la propagande des idées de Vanini. Fr. Lachèvre indique que le récit fut retiré des éditions subséquentes du même recueil, «très probablement sur la demande de l'intéressé»[182], à savoir, du comte de Carmain.

Selon l'*Histoire générale de Languedoc*, qui ne mentionne point le nom du comte dans cette affaire, Vanini tomba victime de la haine de Catel, procureur général au Parlement de Toulouse, contre le président Bertier[183]. Une chose est claire: lorsque le comte sentit le danger, il se lava les mains de ses liens avec le libertin italien et même collabora avec les autorités.

En décembre 1618, pendant que Vanini subissait la question, Montmorency présenta son épouse au peuple du Languedoc. Les festivités durèrent jusqu'au carnaval. Le 3 février 1619, le

---

181 de ROSSET *Hist. mém. et trag.*; Hist. V, pp. 173-74.

182 LACHÈVRE, p. 202.

183 *Hist. gén. Lang.*, XI, p. 933, n. 1. Selon les annales de Toulouse, un mois après la visite des commissaires chez Carmain, Vanini était encore en liberté (SABATIER, p. 55).

duc donna un superbe ballet «par quatre troupes vêtues avec une magnificence extraordinaire»[184]. Le 10 février, il organisa une course à la quintaine, à laquelle le comte de Carmain n'omit pas de participer.

Le comte affichait un goût particulier pour le spectacle. Beaucoup d'aristocrates prenaient part à des ballets, mais Adrian de Monluc, en plus, a écrit des vers pour le *Ballet des Sept fous et sept sages* (1602). Les deux seules images qu'on a de lui sont des dessins qui le représentent en personnages de spectacle: le Chevalier de la Constance et le Baillif de Friesland.

Dans ce goût de divertissement artistique il se ralliait à Henri II de Montmorency. Privé de l'exubérance de la capitale qu'il dut quitter et chargé de nouvelles responsabilités au Languedoc après la mort de son épouse, Monluc fit loger sa propre cour à Toulouse, devenue brièvement un îlot de la paix et du culte de la beauté, avec ses jeux floraux et ses académies poétiques.

En hiver 1624, à l'occasion de la pacification de Pamiers, obtenue par le comte de Carmain grâce à «sa douceur et ses bonnes manières»[185], le duc de Ventadour donna un carrousel, et le comte, âgé de 52 ans, remporta le prix des courses, une boîte de diamants.

Adrian de Monluc était mécène, mais il sera utile de mettre de l'ordre aux idées qu'on a à ce sujet. Ainsi, selon J. Bellas, le comte «tenait à Toulouse… une sorte de petite académie où se trouvaient hommes de robe et gens de lettres. Il aimait Goudouli, Maynard et Mathurin Régnier»[186]. Selon J. Truffier, le comte de Carmain, devenu veuf, partit pour Paris où il donna cours «à son humeur aventureuse…. Fréquentant parmi les poètes, il devint ami de Mathurin Régnier qui devait lui dédier sa seconde satire»[187].

---

184 *Hist. gén. Lang.*, XI, p. 932.

185 *Hist. gén. Lang.*, XI, p. 988.

186 BELLAS, p. 46.

187 TRUFFIER, p. 444.

Compte tenu de tout ce qu'on sait maintenant sur la vie de Monluc, on peut dire que J. Truffier se méprenait: la «période parisienne» du comte se situe avant son veuvage, et il serait plus juste de dire que c'était les poètes, y compris Régnier, qui cherchaient sa bienveillance.

Les rapports entre Monluc et Régnier ne sont pas faciles à définir. La *Satire II* du poète est adressée au comte de «Garamain», mais ce fait seul ne témoigne pas d'un lien permanent entre poète et dédicataire. Aux environs de 1587, Régnier, âgé de 14 ans, entra au service du cardinal de Joyeuse (1562-1615), protecteur des intérêts de la France auprès du pape et, présumément, ami du comte de Carmain. Le cardinal faisait de temps en temps des retours plus ou moins prolongés en France, y compris de 1599 à 1604.

Il existe au moins deux datations de la *Satire II*. Selon celle de G. Raibaud, elle fut écrite en hiver 1597-98[188]; selon A. Adam, vers 1603[189]. Régnier y parle du comte, «soigneux de ma fortune et facille à mes vers». Toujours est-il qu'en 1604 Régnier restait au service du cardinal.

Entre temps, la *Satire III*, dédiée au marquis de Cœuvres, fut écrite en 1598 ou en 1604, suivant l'une ou l'autre des datations citées. Finalement, Régnier obtint une pension, quitta le service du cardinal de Joyeuse et devint, en 1609, chanoine à Chartres. Il mourut à Rouen en 1613 et, durant la dernière période de sa vie, il était très assidu auprès du marquis de Cœuvres[190], ce qui fait penser que ce dernier était son vrai protecteur. Tallemant le confirme expressément[191]. Dès 1606, au plus tard, Régnier avait déjà quelques prébendes et une pension, et le comte de Carmain n'est jamais mentionné comme source de cette réussite. On n'oubliera pas que Régnier était neveu du poète Desportes, lui

---

[188] AULOTTE, p.23, avec référence à G. Raibaud «Les dédicaces des Satires de Régnier», *Revue universitaire*, 1955, p.145-52.

[189] TALLEMANT, I, p. 896.

[190] AULOTTE, p. 20.

[191] TALLEMANT, I, p. 39 et note p. 712.

même capable de bienfaisance et protection et proche des ducs de Joyeuse et de Guise. Pour sa part, Monluc n'avait pas son statut de familier du roi avant 1605, et, dès 1610, il n'était même plus à Paris, mais dans un coin très éloigné et de Chartres et de Rouen. Par conséquent, s'il est permis de parler d'une relation entre le comte et Régnier, elle devait être intermittente et limitée à la période avant 1606.

Sous la Régence, le comte de Carmain entretenait à Toulouse, rue des Filatiers, une coterie qui reçut le nom d'« Académie des Philarètes »[192], ce dernier terme étant à la fois le composé grec « amateurs de la vertu » et l'anagramme de « Filatiers ». L'académie avait pour devise *Splendet in umbra*[193]. Les preuves de liens entre Monluc d'une part et François Maynard, Guillaume Ader et Peire Godolin, de l'autre, sont fermes. Outre cela, un Bernard de Godolin était l'écuyer et le procureur du comte en 1607, et il le restait encore en 1627. S'il est précoce de donner un cadre chronologique de ce mécénat, du moins on en retient des jalons importants : le régistre des dépenses de l'hôtel à Toulouse (1616) et l'édition du *Ramelet moundi* (1617) de Godolin, dédiée à Adrian de Monluc. Comme on a vu, cette félicité dura de 1616 à 1619 et prit fin après l'affaire Vanini et avec le départ subséquent du comte pour Paris (1619-20). La coterie dut cesser d'exister, ou continuer d'exister sans son protecteur, parce que, à partir de l'automne 1621, il passait la plupart de son temps à la guerre, et qu'en 1625-26 il se débarrassa de ses maisons toulousaines.

On peut croire qu'avec beaucoup de poètes Monluc entretenait une relation aussi proche de l'amitié que la distance sociale le permettait, et les vers de Maynard permettent de sentir quelque peu l'ambiance de leurs passe-temps :

> Le bon comte qui nous régale
> Veut qu'on trinque jusqu'à demain...[194]

---

192 TAILLEFER, p. 292.

193 TAILLEFER, p. 292.

194 *Œuvres poét. de Fr. de Maynard*, p. 273.

Comme c'est souvent le cas, en demeurant longtemps à un lieu où on a des parents et des liaisons anciennes, on ne manque pas de se faire des envieux ou des ennemis. L'affaire Vanini pouvait justement envenimer les rapports entre diverses cliques toulousaines, et le comte de Carmain partit. Il paraît naturel qu'ayant quitté Toulouse à contre-cœur et sans avoir épuisé la veine de ses inspirations, Monluc ait songé à recréer la même ambiance à Paris.

Dans la capitale, il renoua avec François de Rosset, auteur avec un penchant exprimé pour les genres de reportage et de faits divers, qu'il avait connu durant sa première période parisienne, marquée par la première parution des stances *La Nuit*, publiées par Rosset. Le contact survécut jusqu'en 1618, lorsque Rosset republia la *Nuit*. En 1619, il écrivit l'histoire tragique de Vanini, déjà citée plus haut.

Le comte forma des liens assez durables avec Marolles, Croisilles, Sorel. En 1620 ou 1621, Sorel devint brièvement secrétaire du comte de Carmain, pour le quitter peu de temps après. La cause de cette séparation est inconnue, mais on sait que, en automne 1621, Monluc partait au siège de Montauban; il n'avait pas besoin d'un secrétaire littéraire à Paris. Toutefois, Sorel semble avoir gardé pour le comte un bon sentiment pour le restant de sa vie.

C'est dans les années 20 que paraissent l'*Histoire comique de Francion* et le *Berger extravagant* de Sorel. Dans le même esprit de persiflage qui colore le *Francion*, le cénacle de Carmain s'attaqua à Guez de Balzac et enfanta un *Tombeau de l'orateur françois*, pamphlet long, mais bien écrit, comme pourra le constater quiconque aura la patience de le lire.

Il est douteux pourtant que le comte ait participé en personne aux réunions de la coterie, vu ses déplacements nombreux entre Paris, Montesquiou et l'armée. On comprend alors pourquoi le *Tombeau de l'orateur* et d'autres écrits anti-balzaquiens ont la forme épistolaire. Ainsi, en septembre 1625, lorsque le comte était près de Mas-d'Azil, l'abbé de Croisilles fit circuler une *Lettre du Sr de Crosilles contre M. de Balzac, écrite à*

M. le comte de Cramail. La plupart des ouvrages attribués aujourd'hui à Monluc paraissent durant cette période qui dut prendre fin en 1630, car les *Pensées du solitaire*, dans leur version élargie de 1632, contiennent un récit de voyage au Piémont, probablement faisant écho de la campagne italienne de 1630. Aucun nouveau recueil ne semble être sorti du cercle parisien après 1630, sauf les quelques ajouts aux vieux recueils.

Cette année-là ne fut pas heureuse pour le comte et pour son entourage : la saisie du tirage de la *Plainte de Tircis à Cloris*, la poursuite judiciaire en été, la moquerie avec laquelle Richelieu reçut les *Jeux de l'Inconnu*, et, enfin, la Journée des dupes à l'automne. Pour cinq ans, le comte de Carmain se fit presque invisible, avant même d'être mis à la Bastille en 1635.

Le comte de Carmain, nous n'en doutons pas, était entouré d'écrivains, dont la plupart lui devaient leur subsistance. Malheureusement, on sait sur son cercle parisien encore moins que sur celui des Philarètes. Il pouvait être proche de l'académie de Piat Maucours[195], laquelle n'est point mieux étudiée. Il est même plausible que cette académie était bien le cercle du comte de Carmain, ce dernier étant souvent absent et communiquant avec ses membres par correspondance. Le *Tombeau de l'Orateur* fournit quelques pseudonymes : Périandre (probablement, le comte de Carmain), Tyrsis (de Vaulx). Il y a aussi Tyrène (Ch. Sorel, selon É. Roy) et Damon (inconnu).

La coterie parisienne doit attirer le plus fort de notre attention, car elle est contemporaine par rapport à la composition de la *Comédie de proverbes*. L'information à ce sujet manque. D'ailleurs, tout lien connu du comte avec le théâtre se limite à une seule intervention : selon Mairet, c'est Carmain et le cardinal de La Valette qui lui suggérèrent d'écrire une pastorale en règle.

---

195 ALLOTT, p. 32.

La personnalité

Le comte de Carmain était un personnage remarquable et remarqué, et le manque d'information sur lui aujourd'hui est d'autant plus déplorable. Selon La Porte, « c'étoit un fort honnête-homme et très sage, qui avoit si bien acquis l'estime de la Reine que j'ai ouï dire à S. M. long-tems auparavant, que si elle avoit des enfans dont elle fut (*sic*) la Maîtresse, il en seroit gouverneur »[196]. Après la mort de Louis XIII, la reine se souvint de son vœu et rappela le comte à la cour, mais il ne put devenir gouverneur du roi, peut-être à cause de Mazarin. Sarcastique, Tallemant remarque que le comte « n'a pas assez vescu pour cela. Je croy qu'il ne l'eust pas esté, quand il eust vescu jusques à cette heure »[197].

Aucun portrait du comte de Carmain ne semble être connu. Maynard en reçut un que le comte fit peindre en détention[198]. On ne sait ce qu'il devint. Les descriptions verbales de Monluc sont rares et avares de détails : « Il estoit propre, dansoit bien et estoit bien à cheval... Pour un camus, ç'a esté un homme de fort bonne mine »[199], et s'attardent surtout sur le caractère : « digne des premiers emplois du Royaume », le comte de Cramail était aussi « digne héritier des vertus de son pere et de son aïeul. Je n'ai jamais connu un plus galant homme ni un plus homme d'honneur ; il conversoit le plus agréablement du monde, savoit mille belles choses »[200]. Même Richelieu se disait trouver « ledit comte homme d'honneur et de mérite, et qu'il l'eust plus tost souhaitté son amy que son ennemy »[201]. « Il mourut fort regretté de toutte la cour »[202].

---

196 LA PORTE, p. 196.

197 TALLEMANT, I, p. 232.

198 *Let. du prés. Maynard*, p. 4

199 TALLEMANT, I, p. 232.

200 MAROLLES, III, p. 265 ; I, p. 256 ; II, p. 211, respectivement.

201 *Journal de M. le Cardinal de Richelieu*, éd. 1664, p. 47.

202 *Vie de Mr le Comte de Carmaing*, f. 244v.

Autre part, pourtant, Richelieu décrivit Monluc comme «malicieux»[203], en notant que «le comte de Cramail avoit bon esprit et beaucoup de règle, mais l'application ne répondoit pas. [...] C'étoit un esprit qui avoit quelque pointe, mais point de résolution ni de jugement; toujours chancelant dans l'incertitude du parti qu'il fallait prendre»[204]. On pensera également à cette incapacité d'arrêter son choix, si on se souvient des cinq femmes qui lui donnèrent cinq enfants[205].

Ce que Richelieu interprète comme indécision ne fut peut-être que le souci de Carmain de ne pas se faire d'ennemis. Une telle attitude put faire en sorte que chaque cabale, tout en ayant du respect personnel pour lui, le croyait être de l'autre. On trouve l'écho de cette situation dans les lettres de Mme du Fargis écrites après la Journée des dupes et interceptées par Richelieu: «lors que j'ay voulu asseurer que [le comte de Cramail] n'étoit point au [Cardinal], l'on m'a prise pour duppe moy-mesme»[206]. Mme du Fargis parle elle aussi de «caprices» du comte de Carmain.

La même indécision semble transparaître dans sa dernière œuvre connue, *La Fable des amours du Jour et de la Nuit* (1637?), où, pour représenter l'alternance continuelle des jours et des nuits, il essaie plusieurs métaphores, sans pouvoir en choisir la meilleure pour l'approfondir.

Un certain goût de l'exagération ne devait pas lui être étranger: sinon, se serait-il dit octogénaire à Paul Gondi qui le rencontra à la Bastille en 1641? Ce même goût devait être un pendant de cette imagination hyperbolisante, de cette pointe poursuivie à l'extrême qui fait le trait commun de la plupart des œuvres qu'on lui attribue.

---

203 *Lettres, instructions dipl. et pap. d'État du card. de Richelieu*; V; p. 323.

204 *Lettres, instructions dipl. et pap. d'État du card. de Richelieu*; III, p. 757.

205 Ce trait, inconsciemment, put bien envoûter Iliazd qui, lui aussi, essaya plusieurs métiers et plusieurs courants poétiques, et qui vécut trois mariages, dont un avec une princesse africaine.

206 Bibl. Mazarine, ms. 2131, fo. 306r. Les mots entre crochets sont chiffrés dans l'original.

On sait peu sur les rapports entre le comte de Carmain et sa fille. Généralement, un homme de sa condition ne passait pas beaucoup de temps avec ses enfants, et une fille en tant que personne représentait pour lui peu d'intérêt. On se demanderait si le comte et sa fille se connaissaient bien. Un certain rapprochement aurait pu survenir lorsque Jeanne fut devenue adulte. Dans son testament, A. de Monluc, en instituant sa fille héritière universelle, lui réserve des mots d'amitié et de chaleur paternelle. Or, en 1646, après l'ouverture et la lecture du testament, Jeanne de Monluc déclara son intention de le faire casser[207].

À part les quatre femmes qui lui donnèrent ses fils naturels, le comte de Carmain aurait eu d'autres liaisons : pendant dix ans, avec Madame de Quelin (ou Clin), effleurée aussi par l'attention furtive de Henri IV[208]; plus tard, avec Madame du Fargis, au dam de Richelieu. Assurément, ce n'en étaient que les plus prolongées, mais jusqu'à la fin de sa vie, Monluc ne cesse pas de mystifier. Par testament, il fait passer une lettre cachetée à sa fille qu'il « prie et conjure d'accomplir le contenu d'icelle en faveur d'une personne mentionnée en ladite lettre que j'affectionne et à qui j'ai de l'obligation »[209]. D'ailleurs, on ignore s'il s'agit ici d'une affaire d'amour.

Les amitiés, comme les amours, constituent un élément important d'une personnalité. Selon G. Dotoli, le comte « è amico di Gaston d'Orléans, del duca di Montmorency, di cui è 'mestre de camp', dei libertini Régnier, Sorel, col quale ha forse collaborato »[210]. On mentionne parfois, parmi les amis de Monluc, Charles de Valois, comte d'Auvergne, bâtard de Charles IX, et Henriette d'Entragues, demi-sœur du comte d'Auvergne et favorite de Henri IV[211]. Qu'en est-il ?

---

207 Arch. nat., ET/CVII/172, f. 46.

208 Une liste incomplète de ces liaisons passagères est esquissée par Bassompierre (*Nouv. mém.*, p. 174).

209 Arch. nat. ET/CVII/172, f. 43r.

210 DOTOLI *Il Cerchio aperto*, p. 51.

211 LACHÈVRE *Libertinage au XVIIe s.*, VIII, p. 200.

Nous avons déjà examiné les cas de Régnier et de Sorel. Quant aux célébrités historiques, il faudrait veiller à ne pas projeter des concepts modernes sur une société qui n'était ni moderne, ni égalitaire, et se fier à des documents, et non aux apparences. Il est possible que le comte ait été proche de Charles de Valois et de Henriette d'Entragues, mais nous n'en avons vu aucune preuve. Par contre, en 1604, leur complot découvert, ces deux furent condamnés et le comte d'Auvergne, embastillé. Simultanément, le comte de Carmain se distingua à la répression de quelques émeutes et commença son ascension.

Adrien de Monluc et le duc de Montmorency partageaient des goûts esthétiques semblables, ils furent proches pendant quelque temps à Toulouse, et ils participèrent ensemble à quelques campagnes militaires. Or, le comte de Carmain ne soutint pas l'aventure des ducs d'Orléans et de Montmorency en 1632. Notons à propos que Henri II de Montmorency était de 24 ans plus jeune que Monluc.

De Gaston d'Orléans, on gardera ce discours, prononcé au conseil le 24 octobre 1635 et « aprouvant grandement l'action que le roi a faicte de la détention du comte de Cramail »:

> Il y a beaucoup de gens qui pensent avoir tout faict quand ils exposent leur vie pour leur M[aîtr]e ; et qui, servans de leur espée, comme on le peut désirer, usent de leur langue à leur mode en pestant, et descriant les affaires qu'ils soustiennent au péril de leur vie, ...[212]

On cite également parmi les amis du comte le maréchal de Bassompierre et le cardinal de La Valette. Bassompierre, à en juger par ses mémoires, avait un don d'observation et d'écriture, et il possédait une bonne culture personnelle. Carmain fit sa connaissance sous Henri IV, et ils passèrent plus de sept ans ensemble à la Bastille vers la fin de leurs vies. Les deux semblent avoir protégé Vanini, tout comme Montmorency.

---

212 *Lettres, instructions dipl. et pap. d'État de Richelieu*; V, p. 335.

Le cardinal de La Valette était très proche de Richelieu, mais il devait y en avoir une certaine attirance entre lui et le comte de Carmain : sinon, Richelieu ne se serait pas empressé de justifier devant La Valette l'arrestation du comte. Cependant, dans la Journée des dupes, Carmain et La Valette se trouvèrent aux camps opposés.

Tous les personnages énumérés étaient, avec tous leurs défauts, des gens d'esprit, bien articulés et avaient en commun la réputation d'aimer les lettres et le spectacle, tout comme Adrian de Monluc. Pourtant, dans leurs mémoires, où l'on s'attendrait à rencontrer souvent le nom de ce dernier, il n'est pas mentionné, si ce n'est à peine et en passant.

En analysant ces prétendues amitiés par rapport à la situation sociale du comte de Carmain, on peut les répartir entre au moins cinq niveaux de relations différents.

1° Parents et alliés : le président Henri de Mesmes, amateur des lettres et collectionneur, que le comte de Carmain désigna pour être son exécuteur testamentaire. En 1627, le président épousa une cousine du comte, Jeanne de Monluc-Balagny. De plus, le comte avait tout intérêt à entretenir un allié au haut échelon de la justice.

2° Patrons : les Joyeuse et les Guise-Lorraine ; la princesse de Conty. Ces liens présumaient une loyauté inconditionnelle et déterminaient les fréquentations, les mariages, etc.

3° Grands (princes, ducs, maréchaux) dont on n'est ni parent ni client, avec qui on forme des compagnies ou des cliques, desservant les intérêts communs, politiques, esthétiques ou autres : Bassompierre, Montmorency, le cardinal de La Valette.

4° Pairs. C'est à ce niveau-ci qu'on forme des liens sincères et désintéressés. Le baron de Villeneuve et, probablement, Lioterais, mentionnés par Tallemant, sont de ce nombre.

5° Clients et autres personnes de rang social inférieur, comme Maynard, Marolles, ou des clients : Godolin, Sorel, de Vaulx.

On aura observé que les biographies des grandes personnalités ne font presque aucun état du comte de Carmain, personnage secondaire du point de vue historique, quels qu'aient été ses talents. À leur tour, les vies des hommes de lettres et, *a fortiori*, celles des gens communs de son entourage immédiat, sont si mal documentées qu'on a besoin de la biographie d'un grand pour les éclairer. Une telle situation circulaire ramène à l'état de conjecture toute tentative de cerner un caractère ou une relation. En critiquant ici certaines interprétations et inférences fondées sur des informations très incomplètes, nous voudrions échapper à la convoitise d'en faire d'autres. Certes, une analyse logique ou psychologique pourrait donner lieu à des extrapolations (ou à des interpolations) plus ou moins plausibles, mais il en résulterait une reconstruction biographique romanesque, et notre étude n'est pas de ce genre.

Héritage littéraire

Très généralement, le goût littéraire du comte se distinguait par une prédilection pour des œuvres légères, facétieuses, parfois remplies de quolibets, voire donnant dans l'absurde, à l'époque même du triomphe de la netteté malherbienne, des régularités de Vaugelas et de Boileau, du rationalisme de Descartes et de la raison de Pascal et de Richelieu. Bref, le comte de Carmain était un auteur baroque.

Afin de concrétiser l'idée de l'implication littéraire du comte de Carmain, sur le fond de sa biographie, il importe de répondre aux questions suivantes: a) a-t-il écrit des œuvres littéraires? b) qu'est-ce qu'il a écrit? c) a-t-il écrit la *Comédie de proverbes*?

a) Que le comte de Carmain a écrit des pièces littéraires est témoigné par Régnier, qui, dans la *Satire II* dépeint Monluc comme « cher soucy de la Muse et sa gloire future », faisant croire qu'Adrian de Monluc aurait donné des preuves d'un don littéraire intéressant, et par Marolles[213] – les gens qui

[213] MAROLLES, II, p. 211.

l'ont connu personnellement. La preuve principale – et la plus précieuse – est celle du testament olographe d'Adrian de Monluc (1643), où il ordonne à sa fille « de ne desplacer ce peu de livres que j'ai à Montesquieu et les laisser dans le cabinet où ils sont et ne permetre pas que plusieurs manuscris qui sont des receuils de mes loisirs sortet de ses mains »[214].

b) On ignore le sort des manuscrits de Montesquiou. Nous ne savons pas si la marquise de Sourdis, qui vécut et mourut à Paris, était intéressée à préserver les vieux papiers. Le marquis, qui lui-même entretenait un cercle érudit et se mêlait d'écrire, aurait pu en principe s'approprier les écrits de son beau-père, mais jusqu'à présent on n'en signale pas de traces.

À défaut de manuscrits originaux, il ne peut s'agir actuellement que de publications attribuées à Adrian de Montluc : aucune œuvre imprimée ne porte son nom. L'ensemble des œuvres dites du comte de Carmain peut être subdivisé en deux sous-ensembles : ouvrages versifiés et prose.

Nous avons pu repérer quatre pièces versifiées, dont trois tirées du ballet *Des Sept fous et sept sages* (1602)[215]:

- *Les Astrologues* (*Les faiseurs d'Almanacs connoissent aux estoilles…*)
- Sans titre, suite de la pièce précédente (*De l'humeur folle et frenetique…*)
- *Les Fous* (*De tous les fous qu'on voit en France…*)

ainsi que les stances *La Nuit* (*Ô Nuit tant de fois désirée…*), publiées en 1609 et 1618[216].

Toutes les quatre pièces devaient être chantées. Il faut noter, cependant, que le ballet aurait pu avoir plus d'un auteur.

---

214 Arch. nat., ET/CVII/172, f. 43r.

215 LACHÈVRE, VIII, p. 200.

216 *Délices*, pp. 573-75. Cette poésie reparut dans l'*Anthologie de la poésie française du XVIIe siècle* (1987), pp. 170-72.

La prose consiste en:

- *L'Infortune des filles de joye* (essai satirique, 1624; anonyme et *s. l.*),
- *Les Pensées du solitaire* (recueil, Ire partie, 1629; IIe partie, 1630; épître dédicatoire signée «De Vaulx»); la réédition de 1632 est augmentée d'une nouvelle épistolaire *Le Solitaire à Nicandre* et d'une *Description de la Savoye*,
- *Les Jeux de l'Inconnu* (recueil, 1630, épître dédicatoire signée «De Vaulx»); la première édition contient: *Le Discours du Ris, Le Discours du Ridicule, Le Herty, ou l'Universel, Les Jeux de l'Inconnu, La Blanque* et *La Maigre*. L'édition de 1637 contient en plus: *Le Cerophyte, Le Dom Quixote Gascon, Le Philosophe Gascon, Le Courtisan Grotesque, Le Misodrie, Le Manteau d'Escarlatte, Les Nopces*, la *Lettre d'Alidor à Pandolphie, Le Festin à M. le Marquis de R.*[217]
- *Fable des Amours du Jour et de la Nuit*[218] (poème en prose, écrit en 1637, publié à titre posthume par l'abbé Cotin).

Il y a enfin la *Comédie de proverbes* (anonyme, 1633).

Les styles et le langage des ouvrages énumérés diffèrent et mériteraient une analyse stylistique et linguistique poussée. S'il devait s'avérer qu'un seul auteur les a produits tous, il devrait être tenu pour grand, ne serait-ce que pour sa versatilité. En effet, les traités *Du Ris* et *Du Ridicule* demanderaient, en plus d'un bon entraînement scolastique, énormément de loisir pour être écrits. *Le Moine bourru* décrit un tournoi chevaleresque absurde. *Le Don Quixote gascon* et *Le Philosophe gascon* sont des satires, le *Courtisan grotesque*, le *Misodrie* et le *Festin à Monsieur le Marquis de R.*, des plaisanteries, remplies d'allusions pour des initiés et paraissant des fatras de calembours à des non-initiés.

---

217 La pièce *Les Jeux de l'Inconnu* est intitulée *Le Moine bourru* dans cette édition.

218 Selon A. Adam, le titre est *Les jeux du jour et de la nuit*, (Notes aux *Historiettes* de Tallemant, p. 896).

Malgré la tradition généralisée voulant que le « comte de Cramail » soit l'auteur de toutes les œuvres énumérées, il se trouve des observations lucides qui expliquent le caractère clairement hétéroclite de cet héritage par la multiplicité des auteurs. Ainsi, la pièce *Les Conclusions amoureuses du Bachelier Érophile* (dans les *Pensées du solitaire*), vient probablement de Sorel[219], et le *Discours académique du ris*, présenté à l'Académie des Philarètes, et donc écrit avant 1625, sinon avant 1619, pourrait être de Jean Dant, auteur d'un autre traité baroque, *Le Chauve, ou du Mespris des cheveux*[220]. Le long galimatias *Le Herty, ou l'Universel* pouvait bien venir de Le Herty, fameux résident des Petites Maisons, qui était populaire aux années 20 et fréquenté par le public aristocratique[221].

Il existe quelques témoignages contemporaines quant à l'attribution d'autres œuvres au comte de Carmain. Sorel cite en entier le *Courtisan grotesque* dans ses Remarques au *Berger extravagant*. Il n'en donne pas le nom de l'auteur. Or, la première édition de cette pièce, parue en 1620 sous le titre *Coq-à-l'asne sur le mariage d'un courtisan crotesque*, est signée « Maynard ».

Dans sa *Maison des Jeux* (1642), Sorel mentionne les *Nopces* des *Jeux de l'Inconnu*, ainsi qu'une pièce des *Pensées du Solitaire*, en approuvant l'auteur qu'il ne nomme pas.

Plusieurs années plus tard, dans la *Bibliothèque françoise* (1667), Sorel écrira :

> On doit considerer avec cecy quantité de petites Pieces particulieres, qui paroissent sous diverses formes, comme d'Allegories, de Voyages, de Portraits, d'Histoires feintes, et de plusieurs inventions agreables ; On en voit assez dans les deux Volumes des *Pensees du Solitaire*, et dans celuy des *Jeux de l'Inconnû*, qui viennent d'un grand Seigneur de la vieille Cour, lequel veritablement a donné un modelle de nostre Galanterie moderne. On pretend (sic !) que c'estoit le *Comte de Cramail*, et que le sieur *de Vaux*, qui a mis son

219 ROY, p. 416.

220 Attribution par M. A. Coron, éditeur des notes d'Iliazd.

221 Chalais, dans sa lettre à Richelieu (juillet 1626), parle de visites continuelles de Gaston d'Orléans chez Le Herty. GRILLON, I, lettre 150, p. 408.

> nom à ces Livres-là, et qui est celuy qui avoit fait le *Tombeau de l'Orateur François*, avoit seulement eu le soin de l'impression[222].

Nous ignorons qui a été le premier à associer A. de Monluc avec l'*Infortune des filles de joie*. Cette pièce, qui au début ne faisait partie d'aucun des recueils nommés, parut anonyme, sans indication du lieu ni de l'imprimeur. Elle décrit une opération montée par les autorités municipales de Paris pour débarrasser la ville de ses prostituées. Parodiant au début les descriptions homériques d'une armée préparant et effectuant l'assaut d'une forteresse, le récit se transforme en un véritable pamphlet dénonçant l'injustice sociale, avec un pathétisme qui par moments fait penser au XIXe siècle et à un autre Victor Hugo :

> Pour rendre les hommes pauvres, il faut saisir leur bien; pour les rendre meilleurs, on les doit instruire, ou les corriger. Mais les reduire aux extremitez d'une pauvreté languissante, n'est-il pas mettre plus de soin à peupler l'Hostel-Dieu que le Paradis ? (15)

> Pour faire un homme de bien, il ne faut pas luy tailler des besaces, ny l'engager aux jeusnes de la gueuserie; il vaut mieux luy donner moyen de subsister dans le monde que luy casser le verre sur les lèvres, ou luy ravir les morceaux de la bouche (16)

> Que dans leurs maisons en ne parle jamais de Dieu qu'en jurant, qu'en cette belle et grande ville où tant de gens ont la vie assignée sur les ruines d'autruy, la haine et l'avarice n'ont point faute de ministres pour les [les prostituées] chasser au loin; qu'on peut bien supporter l'amour et le cocuage, mais qu'il y ait des lieux où chacun trouve ses plaisirs pour de l'argent, c'est consentir à la dépravation des bonnes mœurs, et mettre les vices en crédit. [...] Il n'appartient qu'à la vertu de se monstrer toute nue, comme au vice de ne se presenter jamais que voilé : car la laideur, fuyant les miroirs qui marquent sa disgrace, se plaist sous le masque,

222 SOREL *Bibl. fr.*, pp. 189-90.

> et la faire voir à descouvert, c'est luy declarer la guerre ouvertement. (18)[223]

Rien ne justifie l'attribution de la pièce au comte de Carmain. Nous ne croyons pas que le texte cité vienne du même auteur que le *Manteau d'escarlatte*, le *Courtisan grotesque* ou le *Misodrie*; il serait raisonnable de le comparer plutôt au *Tombeau de l'orateur françois*.

La fameuse *Plainte de Tircis à Cloris*, interdite par le Châtelet, est un amusant exercice de style sous forme de pastorale, qu'on ne peut même pas qualifier de pornographique, parce que les personnages principaux ne sont pas des êtres humains, ni même des êtres vivants, mais les organes génitaux travestis en bergers et bergères, et qu'un enfant pourrait lire sans aucun danger, car la pièce ne contient aucun mot obscène. Dans ce cas encore, on ne voit pas pourquoi elle serait attribuée au comte de Carmain. Cette nouvelle est ajoutée avec sa propre pagination au second livre des *Pensées du solitaire*, mais on ne la trouve pas dans tous les exemplaires de ce tirage. Cela fait penser que les imprimeurs ont eu le temps de brocher, en catastrophe (ce qui explique la pagination), quelques exemplaires de la *Plainte* dont le reste du tirage était à détruire. Abritée sous la couverture des *Pensées*, publiées avec privilège, la nouvelle y a survécu, mais rien ne dit qu'elle vienne du même (ou des mêmes) auteurs.

Le comte de Carmain avouait avoir créé les *Jeux de l'Inconnu*, que Richelieu tourna en dérision («J'espère que je ferai voir au cardinal que je suis bon à autre chose qu'à faire les *Jeux de l'inconnu*»[224]), mais il devait parler de la pièce portant ce titre, et non pas de tout le recueil, dont le compilateur (probablement, de Vaulx) avoue: «Je ne te sçaurois bien dire si elles sont toutes d'un mesme autheur, parce que je les ay tirées de diverses mains». Or, en dégageant le recueil de tous les longs traités

---

223 *L'Infortune des filles de Joye*, s.l., 1624. Pagination actuelle d'après l'édition de Paris (1863).

224 *Mém. du card. de Retz*, pp. 250-51.

quasi-académiques (du *Ris*, du *Ridicule*, et *Le Herty*), ainsi que du *Courtisan grotesque*, on obtient un cercle de pièces de valeur littéraire inégale, avec une prépondérance évidente des listes, parfois descriptives, mais surtout énumératives, aux dépens de la fable, de l'action et du dialogue. Les verbes y sont eclipsés par de longues énumérations nominales (*La Maigre*, *Le Misodrie*, *Les Nopces*, *La Blanque*, *Le Festin de Monsieur le Marquis de R.*), mais les images sont parfois surprenantes, tantôt presque surréalistes (*Jeux de l'Inconnu*, *Lettre d'Alidor à Pandolphie*, *La Maigre*), tantôt assaisonnées d'ironie et de sarcasme (*Le Philosophe Gascon*, *Le Dom Quixote Gascon*, *Lettre d'Alidor à Pandolphie*).

Le seul ouvrage en prose dont l'appartenance à Adrian de Monluc ne laisse presque aucun doute est la *Fable des amours du Jour et de la Nuit*. Ce texte pourrait servir de référence pour une analyse éventuelle de tous les autres.

Le même procédé pourrait être employé envers les *Pensées du solitaire*. Une fois le corpus hypothétique des œuvres de Carmain établi de cette manière, on verra que la *Comédie de proverbes* ne s'y inscrit qu'avec beaucoup d'effort.

c) Dans le recueil *La Vie intellectuelle à Toulouse au temps de Godolin*, il est affirmé que la «*Comédie des proverbes* reste la seule œuvre connue d'Adrian de Monluc» (p. 27). En réalité, de toutes les attributions, celle-ci est la moins certaine.

Puisque aucune édition de la *Comédie* n'est signée par le comte, il serait à démontrer d'abord qu'il l'a écrite. Si, pour d'autres ouvrages, mentionnés ci-dessus, on possède des témoignages soit de Monluc, soit de ses contemporains, il n'y en a aucun à l'égard de la *Comédie*.

On ne sait pas qui a été le premier à associer explicitement le nom du comte de Carmain avec la *Comédie de proverbes*. É. Fournier exagère en disant qu'au XVIIe et au XVIIIe siècle cela «ne faisait pas l'ombre d'un doute»: les imprimeurs étaient les premiers à avoir des doutes, et la pièce resta anonyme dans toutes ses rééditions. En appui de sa déclaration, É. Fournier cite le dialogue ficitif entre Vaugelas et Cyrano, créé vers 1671 par Gabriel Guéret (1641-1688), dans lequel le personnage de Cyrano dit:

> S'il faut vous en croire, Érasme a perdu son temps avec ses Adages; Baïf s'est moqué du monde avec ses *Mimes*; le comte de Cramail est un mauvais plaisant avec sa *Comédie des proverbes*...[225]

Pourtant, les paroles citées signifient seulement que vers 1671, la *Comédie* était déjà attribuée au comte de Carmain. Témoin unique, Guéret pouvait bien puiser sa certitude dans un certain mythe du «comte de Cramail», auteur d'œuvres ludiques et lubriques, auquel le public n'hésitait pas à attribuer tout ouvrage anonyme créé dans la même veine.

Les autres sources citées par É. Fournier sont *Les Anecdotes dramatiques*, *Le Dictionnaire des théâtres* de Léris et l'*Histoire du théâtre français* des frères Parfaict, ouvrages du milieu et de la fin du XVIIIe siècle, trop généraux pour soupçonner leurs auteurs d'avoir fait une recherche approfondie pour chaque sujet traité.

Cependant, au XVIIe siècle, exceptée la phrase de Guéret, la *Comédie* est l'objet d'un mutisme étrange. Sorel, qui s'intéressait vivement à toutes les nuances du développement littéraire en France et qui possédait des connaissances encyclopédiques sur les œuvres et sur les auteurs, décrit, dans le *Berger extravagant*, une comédie où les personnages parlent chacun un langage particulier, dont un, notamment, parle proverbes. Dans le livre XI du *Francion*, Sorel parle d'une pièce de théâtre composée d'extraits poétiques et de chansons, représentée en Italie par Francion et ses amis – celle qui devint, probablement, la *Comédie des Chansons*. Il n'est qu'étonnant qu'avec son goût pour ce genre de création, ayant connu le comte de Carmain et ayant plus d'une fois mentionné les œuvres principales de celui-ci, Sorel n'ait pas remarqué la *Comédie de proverbes*: il n'en parle jamais.

---

[225] GUÉRET, pp. 199-200.

Sorel ne savait-il pas que la *Comédie de proverbes* venait du comte de Carmain, ou n'avait-il pas connu la *Comédie*?

À la fin de ses mémoires, Michel de Marolles remercie tous ceux qui lui ont fait quelque don de livres, y compris le comte, «seigneur si honnête et obligeant, pour son Livre des *Jeux de l'Inconnu*, où il n'a pourtant pas mis son nom. Il a fait aussi les pensées du Solitaire, qui sont imprimées, et beaucoup d'autres ouvrages qui ne le sont pas». Marolles ne fait aucune mention de la *Comédie de proverbes*, et pourtant, celle-ci n'était même pas un ouvrage inédit.

Dix ans après la mort du comte de Carmain, en 1656, Jacques Cailloué va jusqu'à présenter une édition «revue et *augmentée*» (*sic!!*) de la *Comédie de proverbes*. Cailloué ne se donne même pas la peine de dire, par qui le texte de la *Comédie* aurait été augmenté – et d'ailleurs, il s'agit d'une supercherie banale, car il n'y a aucune augmentation, si ce n'est du nombre de fautes. L'imprimeur ne s'en préoccupe pas, parce que, à notre avis, en 1656, à Rouen, la *Comédie de proverbes* reste anonyme et que le libraire croit pouvoir en «faire des sauces ou des pâtés».

Un autre auteur bien informé de ce siècle-là, Tallemant des Réaux, réduit à deux phrases tout ce qu'il trouve à dire sur l'œuvre du comte de Carmain: «Il faisait des vers et de la prose assez mediocres. Un livre intitulé les *Jeux de l'Inconnu* est de luy; mais ma foy ce n'est pas grand chose»[226]. La *Comédie de proverbes* n'est pas mentionnée.

Dans le *Dictionnaire universel*, *s.v. proverbe*, on trouve la note: «La Comédie des proverbes, qui ne parle que par proverbes»; malheureusement, Furetière n'en nomme pas l'auteur. Connaissant ce dictionnaire, nous croyons que Furetière n'aurait pas omis de fournir ce détail, s'il le savait.

En conclusion, quoique les arguments *ex silentio* ne soient jamais décisifs, on possède une affirmation de Guéret, né en 1641 et qui probablement lut une des rééditions de la *Comédie*

---

226 TALLEMANT, I, p. 232.

de 1665, fusionnée avec les *Illustres proverbes historiques*, contre le silence d'au moins cinq de ses contemporains.

La *Comédie de proverbes* est une œuvre dramatique, avec des dialogues complexes et avec beaucoup de mouvements implicites des acteurs. On n'attribue au comte aucune autre pièce de théâtre. Sa prose est principalement descriptive et statique, la coulée de sa pensée, oisive et presque oiseuse, n'ayant rien en commun avec l'énergie dégagée par la *Comédie*. Même É. Fournier constate que les *Jeux de l'Inconnu* ne soutiennent aucune comparaison avec la *Comédie de proverbes*, qui « révèle en effet la science la plus étendue, la plus variée du langage et des dictons du peuple »[227].

En touchant la matière proverbiale, il serait opportun de relire quelques lignes de la *Lettre d'Alidor à Pandolphie*. Atteint d'un trait d'Amour, l'Auteur prétend être épris de Pandolphie, dame âgée et accablée de toutes les incommodités de la décrépitude avancée. En étalant, un à un, les « attraits » de cette maîtresse dans une de ces longues descriptions qui forment la « signature » spécifique du comte de Carmain, Alidor les confronte avec la beauté, la fraîcheur et l'originalité de la jeune Lidie, en optant, par antiphrase, pour la vieille. Or, parmi les soi-disant atouts de Pandolphie, on trouve... les phraséologismes :

> Ce ton cassé et enroué de vostre parole a je ne sçay quels charmes plus puissans que les accens doux et plaintifs de ceste Dame que je fuis pour vous suivre et qui m'afflige tous les jours par la delicatesse de ses pensées, par la subtilité de ses rencontres et par ses souspirs mourants, et par ses violentes passions, cependant que je me perds en l'admiration de vos quolibets, en la moralité de vos proverbes, en la prolixité de vos discours et en la promptitude de vos equivocques, qui font rougir Turlupin de honte et accusent Tabarin d'ignorance[228].

---

227 FOURNIER, p. 193b.

228 *Jeux de l'Incognu*, p. 172.

Il n'est pas impossible que le comte ait écrit la *Comédie de proverbes*, ne serait-ce pour se gausser, mais il s'agit alors d'une conjecture parmi d'autres, où tout reste à prouver.

Le mythe du «comte de Cramail»

S'il y a un enseignement à tirer de l'enquête biographique et bibliographique présentée ci-dessus, c'est celui de la viabilité d'un mythe malgré les faits. «On dit *Cramail* au lieu de *Carmain*», commence son historiette Tallemant. Des altérations, compréhensibles pour un usage oral, se sont glissées depuis longtemps dans l'écrit, et même les lettrés emploient les formes *Cramail / Cremail / Carmail*, et d'autres, avec cette conséquence qu'au XIXe siècle, Avenel, en commentant les lettres de Richelieu, croyait que «Carmain» était une corruption de «Cramail».

On notera l'origine orale des variantes du nom Carmain et la nature orale de son mythe. Adrian de Monluc a gagné la réputation d'écrivain sans avoir signé une seule œuvre. Cette réputation travaillait parfois contre lui: des gentilshommes gascons de l'arrière-ban, voulant quitter l'armée, ne voulurent pas écouter les exhortations de Carmain, comme de quelqu'un qui fait des livres[229] et donc ne peut être pris au sérieux.

Un détail semble jeter de la lumière sur la pratique littéraire du comte de Carmain. Au bal de la Douairière de Billebahaut (1626), le comte apparut déguisé en Baillif de Friesland, avec son compère le Baillif de Groenland (le duc de Nemours). Ils étaient accompagnés de deux «capriolleurs de louage qui en leurs places donnent de la teste au plancher, car la coustume du pays ne porte pas que les gens graves aillent à gambades»[230]. Sachant que le duc de Nemours écrivait, lui aussi[231], on pourrait interpréter cette phrase dans le sens de l'utilisation de prête-nom

229 TALLEMANT, I, p. 232.

230 *Grand Bal de la Douairiere de Billebahaut*, p. 8.

231 MAROLLES, I, p. 133-35.

par les deux grands, car un homme de leur âge (et de leur condition) ne devrait pas s'adonner à des extravagances littéraires.

A. de Monluc était réputé écrivain osé. En juin 1630, le tribunal du Châtelet mit en amende les libraires Augustin Courbé et Antoine de Sommaville pour avoir publié *La Plainte de Tircis à Cloris*. Il fut ordonné de supprimer le tirage. Aucune tentative ne fut faite pour trouver l'auteur, peut-être parce qu'on croyait le connaître : sa condition élevée et peut-être le fait d'être à l'armée en Italie sauvèrent le comte de Carmain.

Vingt-cinq ans plus tard, en juin 1655, un gentilhomme servant du roi, Jean L'Ange, fut écroué à la Conciergerie pour divulgation d'un ouvrage considéré comme portant atteinte aux bonnes mœurs, *L'Escole des filles*. L'intimé témoigna que le livre était soit du comte de Cramail, soit du comte de Solan (d'Ételan). Le vieux comte de Carmain était mort en bon chrétien depuis neuf ans, mais sa réputation littéraire agissait indépendamment de toute logique.

En 1655, on vit paraître à Paris, chez David, le livre des *Illustres proverbes historiques*. Dans un article du *Journal encyclopédique* de décembre 1775, Grosley attribue ce recueil au « comte de Cramail ». Or, selon A.-A. Barbier, il s'agit d'un plagiat des *Premiers Essais des Proverbes* de Fleury de Bellingen, parus à La Haye en 1653[232]. Néanmoins, ce démenti ne semble pas avoir produit d'effet, ni en 1882, ni plus tard, car et la Bibliothèque nationale de France, et plusieurs libraires antiquaires de Paris continuent à tenir le « comte de Cramail » pour l'auteur des *Illustres proverbes historiques*.

En 1665, le libraire Pépingué imprime les *Illustres proverbes nouveaux et historiques* en 2 tomes, reproduisant avec quelques changements la nouvelle édition hollandaise du livre de Fleury de Bellingen. Le premier tome contient en plus le *Ballet des proverbes* de 1654, le second, la *Comédie des proverbes*[233]. La parution

---

232 BRUNET, III, col. 498. V. aussi BARBIER, II, col. 892.

233 BARBIER, II, col. 892.

conjointe de la *Comédie* et des *Illustres proverbes historiques* en 1665 pouvait concourir à associer le comte de Carmain avec les deux ouvrages.

Là où l'autorité de A.-A. Barbier n'a pas suffi pour ôter au comte de Carmain les *Illustres proverbes*, elle sert à lui attribuer la *Comédie de proverbes*. Certains exemplaires de la *Comédie* à la BNF portent, sur la feuille de titre, bien entendu anonyme, un ajout manuscrit au crayon: «Adrien de Montluc, Cte de Cramail». Cette marque, qui n'oblige en principe à rien, est reproduite dans les catalogues, «d'après Barbier».

Tous les matériaux cités et analysés ci-dessus, tous les arguments tirés de leurs analyses se réduisent en fait à une clause: rien de ce qui est connu à date de la vie et de l'œuvre d'Adrian de Monluc ne prouve qu'il ait écrit la *Comédie de proverbes* publiée ici.

Autres auteurs hypothétiques

Si le comte de Carmain n'a pas créé la *Comédie de proverbes*, il n'est que légitime de vouloir identifier son véritable auteur. Des tentatives à cet effet datent d'assez longtemps. Nous allons examiner ci-dessous quelques hypothèses. On comprendra que l'auteur ne devait pas nécessairement être de l'entourage du comte de Carmain.

Dans l'oraison funèbre à l'occasion du décès (1694) du peintre Charles de Beaubrun, Guillet de Saint-Georges affirmait que celui-ci et son cousin Henri de Beaubrun «composèrent pour leurs amis particuliers la comédie des proverbes, dont il s'est fait un très-grand nombre d'éditions»[234]. Étant donné que les artistes étaient nés en 1606 et 1610 respectivement,

---

[234] *Mém. inéd. de l'Acad. royale de peinture et de sculpture*, I, p. 141. Les Beaubrun étaient des peintres bien connus sous Louis XIII et Louis XIV et choyés par les deux rois. Henri avait donné des leçons de dessin à Louis XIII. Les cousins possédaient la même manière de peindre, ce qui leur permettait de créer à deux, devant des spectateurs amusés, un même tableau, en faisant chacun un coup de pinceau à la fois.

É. Fournier[235] rejeta cette prétention, car pour lui il ne faisait point de doute que la *Comédie* avait été représentée en 1616. Maintenant que nous savons que la *Comédie* a été écrite quelque douze ans plus tard, le raisonnement d'É. Fournier n'est plus valable.

Deux objections peuvent être opposées à cette attribution : premièrement, dans l'ordre des événements décrits dans son oraison, Guillet situe la *Comédie* au règne de Louis XIV ; deuxièmement, les cousins Beaubrun étaient assez bien connus et ils n'avaient aucune raison apparente de se gêner d'afficher leur capacité d'écrire. Pourquoi alors n'ont-ils pas revendiqué un ouvrage qui ne pouvait qu'augmenter leur popularité et qui continuait, de leur vivant, à paraître dans l'anonymat ?

L'explication que nous suggérons enlève les deux objections, mais elle invalide l'affirmation de Guillet de Saint-Georges : on trouve parmi les participants du *Ballet des proverbes*, imprimé en 1654, un Sr de Beaubrun. Cela nous fait penser que les cousins-artistes ont écrit le *Ballet* – et non pas la *Comédie* – *des Proverbes*, et que, 37 ans plus tard, Guillet de Saint-Georges pouvait simplement et de bonne foi se tromper du titre.

Charles Sorel serait, à certains égards, un candidat plus plausible que les Beaubrun. Nous soupçonnons que, si cet écrivain professionnel n'est pas l'auteur de la *Comédie*, du moins a-t-il trempé sa plume dans le même encrier que celui-ci. Sorel connaissait le comte de Carmain ; il a même servi chez lui et aura gardé un certain lien avec le comte et son cercle plus tard, pendant la querelle de Balzac. De plus, les œuvres de Sorel partagent des centaines de phraséologismes avec la *Comédie de proverbes*.

Encore dans ce cas, deux objections sont possibles : Sorel n'était pas dramaturge (même s'il a écrit *La Comédie des chansons*) et il ne semble avoir jamais revendiqué ni même mentionné la *Comédie de proverbes*.

On observe une certaine légèreté dans la manière de traiter le problème de de Vaulx. Les catalogues des bibliothèques attri-

235 FOURNIER, p. 192a, n. 3.

buent tout ce qui est signé « de Vaulx » au comte de Carmain, comme s'il s'agissait d'un pseudonyme. Mais, tandis qu'un pseudonyme n'est qu'un nom, de Vaulx était une personne bien réelle, distincte du comte de Carmain[236]. En fait, il n'est même pas un prête-nom : certes, il publie des recueils dont il écrit et signe les dédicaces, mais il ne prétend jamais être l'auteur de tous les ouvrages qu'il présente.

À notre avis, D.-A. Gajda simplifie trop les choses, en hasardant que de Vaulx n'est nul autre que Charles Sorel[237]. Ce dernier, amateur de pseudonymes lui aussi, n'essaie d'usurper ni les œuvres du comte ni le nom de de Vaulx. Ainsi, selon Sorel, ce dernier ne fit que porter aux imprimeurs les *Jeux de l'Inconnu* et les *Pensées du solitaire*, le *Tombeau de l'orateur* venant bien de de Vaulx[238]. Même É. Roy, qui attribue beaucoup d'ouvrages à Sorel, croit qu'il a écrit les lignes finales du *Tombeau de l'orateur*, mais non pas le texte entier.

Les renseignements au sujet du sieur de Vaulx sont pauvres à l'extrême. Dans le *Tombeau de l'orateur françois*, l'auteur parle brièvement de son expérience passée en tant que peintre (p. 139) et de sa fièvre récurrente (*Préface au lecteur* et p. 172). Il raconte qu'une fois ses deux amis, Damon et Tyrène (selon É. Roy, ce dernier serait Charles Sorel), « cherchans à m'esloigner du souvenir de ma fièvre, me menerent insensiblement à l'Hospital des enfermez » (p. 172). Jugeant par la description de cette fièvre, nous sommes porté à croire qu'il s'agirait plutôt de crises d'une maladie mentale.

Une personne mentalement instable au service d'un grand seigneur est une situation qu'on retrouve dans le *Francion*, où Clerante, le patron de Francion, admet à son service un Collinet, homme de talent, mais troublé dans son esprit. Nous croyons, après É. Roy, que le personnage de Clerante, sans

---

236 ADAM, note pour la p. 232 des *Historiettes* de Tallemant.

237 GAJDA, *Commentary*, p. 52.

238 SOREL *Bibl. fr.*, pp. 189-90.

quelques digressions, avait pour prototype le comte de Carmain. Collinet pouvait bien être une charge un peu grotesque de de Vaulx.

Par ailleurs, éparpillées dans le texte du *Tombeau*, on trouve des mentions des voyages de l'auteur au Béarn, des anecdotes impliquant des Gascons et, bien sûr, un éloge direct de « M. le Comte de Carmail, en la composition duquel Dieu prit plaisir de marier la haute sagesse avec la veritable vaillance »[239]. À plusieurs reprises, de Vaulx revient à combler de louanges le cardinal de Richelieu. À travers l'argumentation qu'il déploie sur plus de 400 pages, on voit des signes d'une bonne formation systématique : logique, latin, lettres classiques sont mis en œuvre pour fustiger Guez de Balzac.

Le nom même représente une énigme. Ses dédicaces sont signées tout court « De Vaulx », mais le privilège pour les *Jeux de l'Inconnu* de 1630 est délivré à « Guillaume de Vaux, écuyer, sieur de Dos-Caros ». Par ailleurs[240], on cite une variante « de Vaux dos Caros ». Il ne semble pas que le groupe de mots *Dos Caros,* de sonorité ibérique, soit un véritable nom espagnol ou portugais ; or, retransposé en français, il peut devenir « des Cars » (« d'Escars »). Par contre, lu en occitan, *dos caroz* signifie « deux visages ».

Un autre document présente une nouvelle variation du même genre. Le 19 mars 1630, les libraires Rocollet, Bessin et Courbé signent un contrat avec Guillaume de Vaux, sieur de Scarron (*sic!*), qui, en échange du privilège et du manuscrit des *Jeux de l'Inconnu*, recevra 300 livres comptant et 50 exemplaires[241]. Il peut s'agir ici d'une lecture erronée du contrat manuscrit, à la suite de quoi *dos Caros* serait devenu *de Scarron*, à moins que de Vaulx n'ait modifié son pseudonyme à dessein.

Même si ces transformations linguistiques semblent promettre des pistes supplémentaires, il est difficile de voir où

---

239 DE VAULX *Tombeau de l'Orateur François*, p. 75.

240 *Dict. let. fr. XVIIe s.* (1954), p. 316.

241 MARTIN, I, p. 427.

celles-ci pourraient mener : le nom *Dos Caros* est encore moins connu dans la littérature que *de Vaulx*; des Cars sont bien une famille noble ancienne, mais nous n'avons trouvé aucune trace d'un Guillaume des Cars au XVIIe s.

Si on tente de chercher l'homme par le nom de sa terre, on se verra mener à des endroits curieux. *Vau(l)x* est un toponyme assez fréquent. Ainsi, le 26 avril 1630, le comte de Belin, grand mécène manceau, protecteur de Rotrou, de Mairet, de Mondory et du théâtre du Marais en général, acheta du cardinal de Richelieu la châtellenie de Vaux que celui-ci possédait depuis sept ans environ. Il existe également, en Lauragais, une place nommée Le Vaux, qui appartenait aux comtes de Carmain. Bref, ce ne sont pas des conjectures qui manquent.

Pour nous, l'existence de l'écrivain de Vaulx ne fait aucun doute, et cet auteur était, à notre avis, plus talentueux que son protecteur. Il souffrait d'une maladie chronique ou récurrente. Puisque le testament du comte de Carmain n'en dit rien (sous réserve de trouver et d'ouvrir l'enveloppe secrète jointe au testament), et puisque, aux années 30, on ne trouve plus d'œuvres nouvelles de cet auteur, nous assumons qu'il était mort (ou, peut-être, enfermé aux petites maisons).

Certes, on peut maintenir que, si « de Vaulx » n'était que le pseudonyme du comte, le départ de celui-ci de Paris (1630) et sa prison (1635-1643) mirent fin à l'existence de celui-là. Mais l'inverse pourrait être aussi juste : avec la mort du vrai de Vaulx (vers 1631), le comte perdit son écrivain.

Le Sr de Vaulx aurait bien pu écrire la *Comédie de proverbes*, qui serait publiée sans lui et sans le mentionner, mais ce qu'on sait de lui actuellement n'a aucun rapport avec le théâtre ni avec cette pièce. Il faudrait par conséquent examiner des candidats liés au théâtre.

Le premier est Philippin, Claude Deschamps, sieur de Villiers (1601-81) de son vrai nom, rival aîné de Molière. On le trouve parmi les acteurs de Paris dès 1624. En 1626-27, il dirige une troupe qui n'est ni celle des Comédiens du roi ni celle de Montdory. Hardy a collaboré avec cette troupe en 1627. Plus tard, il fera parti de la troupe du Marais, avant de passer à l'Hôtel de Bourgogne.

Deschamps était auteur en plus d'être acteur, et il a mis en vers une partie de la comédie *Les Ramonneurs*, plusieurs fois mentionnée ici. Dans la *Comédie de proverbes*, Philippin débite 15,9 % du texte total – plus que tout autre personnage hormis Alaigre – et on lui confie de clore la pièce. Il n'était pas rare de voir l'auteur-acteur se réserver le rôle principal.

Une objection à la candidature de Philippin-Villiers peut venir de ce que, ayant vécu une vie très longue, il ne se soit pas soucié de revendiquer la *Comédie*. Cette considération nous fait modifier les critères de recherche pour viser un auteur de théâtre comique mort aux environs de 1633.

Au moins un auteur, Des Lauriers, dit Bruscambille, correspond à ce critère. Ayant étudié la philosophie[242], ce Champenois préféra la scène à la science. Ses prologues, conçus initialement pour ouvrir des spectacles à l'Hôtel de Bourgogne, gagnèrent une popularité qui leur assura une vie littéraire indépendante. Les recueils des prologues de Bruscambille parurent surtout au cours du premier tiers du XVIIe siècle.

Le prologue du docteur Thesaurus rappelle vivement ceux de Bruscambille par ses ton, style, ingéniosité et exubérance lexicale. Ailleurs dans la *Comédie de proverbes*, plusieurs éléments ressemblent à des citations directes de Bruscambille : on pensera, entre autres, à l'obscur personnage de Geoffroy à la Grand Dent et, bien sûr, à l'extrait du *Galimatias sur un Habit* (« un grand petit homme rousseau, qui avoit la barbe noire », II.270).

Du vivant de Bruscambille, beaucoup d'imprimés étaient signés de son nom à tort et malgré lui. Il est mort en 1634, assez tard pour avoir pu écrire la *Comédie* et trop tôt pour pouvoir la revendiquer après la publication « orpheline » de 1633. Malheureusement, on ne sait presque rien de sa vie ni de son œuvre, à

---

242 « Vray Dieu, qu'il fait bon avoir estudié en philosophie... » (BRUFant, p. 105).

part ses monologues, et la *Comédie de proverbes* est bien plus qu'un monologue.

En terminant cet aperçu de candidatures, ajoutons seulement qu'on ne devrait point exclure la possibilité d'une collectivité d'auteurs.

La *Comédie de proverbes* reste donc anonyme, et les manuscrits du comte de Carmain, introuvables. Le recueil de locutions ayant servi de source à la *Comédie* et aux *Curiositez françoises* d'Antoine Oudin reste à découvrir. Pour les rendre au monde, à moins de tomber miraculeusement sur un manuscrit daté, signé et authentique, il faudra résoudre tout un nœud de mystères biographiques, historiques et littéraires, noué, probablement à dessein, voilà presque quatre cents ans. Assez décevant, comme tous les points d'interrogation ou de suspension, ce manque de certitude peut être pris avec un grain de contentement : le grand livre du premier XVIIe siècle n'est pas clos, sa dernière phrase n'a pas été lue, le point final est encore loin.

ABRÉVIATIONS ET CONVENTIONS UTILISÉES DANS CE LIVRE

<	provient de, dérivé de, se réfère à
(< XVI s. / 1832)	provient d'une source du XVIe siècle / de 1832
=	identique ou équivalent à
→	Voyez à
abcd	mot clé *abcd* dans la source citée
Ac	*Dictionnaire de l'Académie*, 1694
ATF, x	*Ancien Théâtre Français,* t. X « Glossaire »
BRUFant 12	Bruscambille *Fantaisies...*, p. 12
BRUFac 12	Bruscambille *Facecieuses paradoxes...*, f. 12
BRUNi 12	Bruscambille *Nouvelles et plaisantes imaginations*, p. 12

BRUPr 12	Bruscambille *Prologues tant sérieux...*, p. 12
Chastellain	Georges Chastellain
CNN	*Cent Nouvelles Nouvelles*
COud 612	César Oudin *Proverbes espagnols*, 1612 (pages non numérotées)
COud 624:123	César Oudin *Proverbes espagnols*, 1624, p. 123
CPR	*Comédie de proverbes*
CTG mesler	Cotgrave, *s.v.* mesler
CuF	Antoine Oudin *Curiositez françoises*
Deschamps	Eustache Deschamps
Eccl	Ecclésiaste
ER	Erasme *Adagiorum chiliades*
Es	Esnault *Dict. hist. des argots*
FdB	Fleury de Bellingen
FUR	Furetière *Dictionnaire universel*
Gerson	Jean Gerson
HEst	Henri Estienne *Deux dialogues du nouveau langage françois italianizé*
HSL A22	Hassell, entrée A22
HU	Huguet *Dict. de la l. fr. du XVIe s.*
Ill. prov. hist.	*Illustres proverbes historiques*
LaCur	La Curne de Sainte-Palaye *Dictionnaire historique*
LRxA ix,23	Le Roux de Lincy, 1842, série IX, p. 23
LRxB x,345	Le Roux de Lincy, 1859, série X, p. 675
Machaut	Guillaume de Machaut
MRW1234	Morawski, entrée 1234
Mt, Mc, Lc, Jn	Évangiles des saints Matthieu, Marc, Luc et Jean
NC17a	J. Nicot *Thresor*, p. 17, première colonne
Pech	Pechon de Ruby *Vie généreuse*
Perceforest	*La Treselegante histoire du tres noble roy Perceforest*
RBL, T / Q	Rabelais, *Tiers livre* ou *Quart livre*
Ri	Richelet *Dict. françois*

RMN 200	*Ramonneurs*, p. 200
RobHist	*Dictionnaire historique de la langue française. Le Robert.*
s.r.	sans référence dans la source citée
SorBE i, 200	Charles Sorel *Berger extravagant,* livre i, p. 200
SorFr 270; n.111	Ch. Sorel *Hist. comique de Francion*, p. 270; note 111
Viel Testament	*Mistere du Viel Testament* (v. détails chez Hassell)
XIV	numéro du siècle

Conventions appliquées par Antoine Oudin dans les *Curiositez françoises*

L'astérisque (*) ou le mot *vulg.* désignent une phrase ou un mot dont on ne doit se servir « qu'en raillant ». Plus précisément, l'astérisque marque les expressions qui doivent être interprétées au figuré. Le mot abrégé *vulg.* marque en plus les expressions appartenant au style familier.

Item = Autre signification

Les mots clés, chez Oudin, s'écrivent en majuscule. Nous soulignons les mots clés en supprimant les majuscules.

BIBLIOGRAPHIE

Textes et ouvrages de recherche

ADAM, Antoine, *Histoire de la littérature française au XVIIe siècle*, 3 v., Paris: Albin Michel, 1997.

ALLOTT, T.J.D., « Cramail and the Comic », *Modern Language Review*, 72, 1 (1977), pp. 22-33.

L'Amour de moy. Chansons des XVe et XVIe siècles, p. p. Françoise Ferrand, Paris: Union Générale d'Éditions, 1986.

Anthologie de la poésie française du XVIIe siècle, p. p. Jean-Pierre Chauveau, Paris: Gallimard, 1987.

ARISTOTE *Histoire des animaux*, p. p. Pierre Louis, Paris: Belles Lettres, 1969.

ASD → *Opera Omnia Desiderii*

AULOTTE, Robert, *Mathurin Régnier. «Les Satires»*, Paris: SEDES, 1983.

BASSOMPIERRE, François de, *Journal de ma vie*, 4 v., Paris: Renouard, 1877.

BELLAS, Jacqueline, «Adrien de Monluc», *Baroque* (Montauban) 1967, 2, pp. 45-52.

BERGIN, Joseph, *Pouvoir et fortune de Richelieu*, Paris: Robert Laffont, 1987.

BESSON, Sylvie, *L'astrologie dans les almanachs populaires du XVIIe siècle*, mémoire pour l'obtention de la maîtrise d'enseignement d'histoire, Université de Paris X - Nanterre, 1971-72.

BRUN, Pierre, *Autour du dix-septième siècle*, Grenoble: Librairie Dauphinoise, 1901.

BRUNET, Jean-Jacques, *Manuel du libraire et de l'amateur de livres*, 6 v., Paris: Firmin Didot, 1862.

BRUNOT, Ferdinand, *Histoire de la langue française*, IV, Paris: Armand Colin, 1966.

BRUSCAMBILLE, Deslauriers, dit, *Prologues tant serieux que facecieux avec plusieurs Galimatias*, par le Sr. D. L., Paris: Jean Millet et Jean de Bordeaulx, 1610.

– *Les Nouvelles et plaisantes imaginations de Bruscambille en suitte de ses Fantaisies*, par le S. D. L. Champ., Bergerac: Martin La Babille, 1615.

– *Facecieuses paradoxes de Bruscambille, et autres discours comiques, Le tout nouuellement tiré de l'Escarcelle de ses imaginations*, Rouen: Thomas Maillard, 1615.

– *Les Fantaisies de Bruscambille, contenant plusieurs discours, paradoxes, harangues et prologues facécieux*, Lyon, 1618.

Cabinet satyrique, d'après l'édition originale de 1618, 2 t., Paris: Librairie du Bon Vieux Temps Jean Fort, 1924.

CHALINE, Olivier, *La bataille de la Montagne Blanche (8 novembre 1620). Un mystique chez les guerriers*, Paris: Moesis, 1999.

Chansons de Gaultier Garguille, p. p. Éd. Fournier, Paris: Jannet, 1858.

CHARDON, Henri, *La vie de Rotrou mieux connue*, Paris, 1884.

CHEVALLIER, Pierre, *Louis XIII*, Paris: Fayard, 1997.

« La Comédie de proverbes », dans *Ancien Théâtre Français*, p. p. É. L. N. Viollet Le Duc et A. de Montaiglon, 10 v., Paris: Jannet, 1854-57; IX (1856), pp. 5-98.

Dialogos familiares, compuestos y corregidos por J. de Luna, Cast., interprete de la lengua Española con otros Dialogos compuestos por Cesar Oudin y con un Nomenclator Español y Francés, Bruxelles: Hubert Antoine, 1625.

DOTOLI, Giovanni, *Il cerchio aperto. La Drammaturgia di Jean Mairet*, Bari: Adriatica, 1977.

– « Scrivere per il popolo. La lingua della 'Bibliothèque bleue' nel seicento e nello primo settecento », dans *La Lingua francese nel seicento. Quaderni del seicento francese*, 9, Bari: Adriatica, Paris: Nizet, 1990; pp. 315-86.

DOUBLET, G., « Un Seigneur Languedocien compositeur de comédies sous Louis XIII », dans *Revue des Pyrénées. France Méridionale - Espagne*, VIII, 1896, pp. 457-69.

Épitaphier du vieux Paris, p. p. André Lesort et Hélène Verlet, Paris: Imprimerie nationale, 1974.

ESTIENNE, Henri, *Deux dialogues du nouveau langage françois italianizé et autrement desguizé*, Genève, 1578.

EULOGE, Georges-André, *Histoire de la police et de la gendarmerie des origines à 1940*, Paris: Plon, 1985.

FERRAND → *L'Amour de moy*

FLEURY de BELLING(H)EN *Étymologie, ou Explication des proverbes françois*, La Haye, 1654.

FOLENGO, Theophile, *Histoire maccaronique de Merlin Coccaïe*, Paris: Delahays, 1859.

FOURNIER, Édouard [éd.], « La Comédie des proverbes », dans *Le Théâtre français au XVIe et au XVIIe siècle*, Paris, 1871; pp. 192-227.

FURETIÈRE, Antoine de, *Le Roman bourgeois*, p. p. Jacques Prévost, Paris: Gallimard, 1981.

GAJDA *Commentary* → SOREL *La Maison des jeux*

GILL, Austin [éd.] → *Ramonneurs*

Grand Bal de la Douairiere de Billebahaut, Paris: Henault, 1626.

GRILLON, Pierre, *Les papiers de Richelieu*, 6 t., Paris: Pedone, 1975-1985.

GUÉRET, Gabriel, *La Guerre des auteurs anciens et modernes*, Paris, 1691.

HAUTECŒUR, Louis, *Paris*, 2 v., Paris: Nathan, 1972.

Histoire des amours du grand Alcandre, dans *Recueil de diverses pieces servant à l'Histoire de Henri III roy de France et de Pologne*, Cologne: Pierre Marteau, 1699; pièce IV, pp. 216-302.

Histoire des Amours de Henry IV avec diverses lettres escrites à ses maistresses et autres pieces curieuses, par Marguerite de Lorraine, d'abord Mlle de Guise, ensuite princesse de Conti, Leyde: Jean Sambyx, 1663.

Histoire et dictionnaire des guerres de religion, par Arlette Jouanna, Jacqueline Boucher, Dominique Biloghi, Guy Le Thiec, Paris: Laffont, 1998.

Histoire générale de Languedoc par C. Devic, J. Vaissete, E. Roschach, A. Molinier, Toulouse: Privat, 1872-1904.

Hist. gén. Lang. → précédent

HUGON, Alain, *Au service du Roi Catholique: «honorables ambassadeurs» et «divins espions» face à la France*, thèse de doctorat, sous dir. d'André Zysberg, Université de Caen, 1996.

Les Illustres Proverbes historiques ou Recueil de diverses questions curieuses, pour se divertir agréablement dans les Compagnies, Niort: L. Favre, 1883 [d'après l'édition de Paris: Pépingué, 1665)] → aussi FLEURY de BELLINGEN.

Les Jeux de l'Inconnu, Rouen: Jean Osmont, 1637.

JOUBERT, Laurent, *Traité du Ris contenant son essance, ses causes et merveilleus effais*, Paris: Nicolas Chesneau, 1579.

KRAMER, Michael, «*Jarnac* et *bilboquet*: deux curiosités lexicographiques vues à travers des attestations textuelles», *Cahiers de lexicologie*, 2002-2, 81, pp. 1-14.

– «*Les armes de Caïn*: une locution sous enquête diachronique», *Neophilologus*, 2000, 2, pp. 165-187.

– «La *Comédie de proverbes* du comte de Cramail et les *Curiositez françoises* d'A. Oudin: un lien privilégié», *Papers on French Seventeenth Century Literature*, 2000, 53, pp. 489-499.

LA PORTE, Pierre de → *Mémoires de M. de La Porte*

LACHÈVRE, Frédéric, *Le libertinage au XVIIe siècle*, 15 v., Paris, 1909-28; [réimpr: Genève: Slatkine, 1968].

LANCASTER, Henry Carrington, «Molière's Borrowings from the Comédie des Proverbes», *Modern Language Notes*, XXXIII, 1918; p. 208-211.

Lettres du Président Maynard, p. p. Jean-Pierre Lassalle, Paris: Toussaint Quinet, 1652 [réimpr.].

LAVISSE, Ernest, *Histoire de France illustrée depuis les origines jusqu'à la révolution*, 9 t.; VI, 2e partie. «Henri IV et Louis XIII (1598-1643)» par J.-H. Mariéjol, [Paris]: Hachette, 1911-1926.

Le Cabinet satyrique. D'après l'édition originale de 1618, Paris: Librairie du Bon Vieux Temps Jean Fort, 1924.

LEBEUF, L'abbé, *Histoire de la ville et de tout le diocèse de Paris*, 6 v., Paris: Féchoz et Letouzay, 1883.

Les Lettres du président Maynard, Paris: Toussaint Quinet, 1652; [réimpr. p. p. Jean-Pierre Lassalle].

Lettres inédites de quelques membres de la famille de Monluc, p. p. Philippe Tamizey de Larroque, Auch, 1888.

Lettres, instructions diplomatiques et papiers d'État du cardinal de Richelieu, 8 v., Paris, 1853-77.

Le libertinage au XVIIe siècle. → LACHÈVRE

LINTILHAC, Eugène, *Histoire générale du théâtre en France*, II. *La Comédie. Moyen Âge et Renaissance, 1904-1911*; [réimpr. Genève: Slatkine, 1973].

MAROLLES, Michel de, abbé de Villeloin, *Mémoires*, 3 t., Amsterdam, 1755.

MARTIN, Henri-Jean, *Livre, Pouvoirs et Société à Paris au XVIIe siècle (1598–1701)*, 2 t., Genève: Droz, 1969.

Le Mémoire de Mahelot, Laurent et d'autres décorateurs de l'Hôtel de Bourgogne et de la Comédie-Française au XVIIe siècle, p. p. Henry Carrington Lancaster, Paris: Champion, 1920.

Mémoires de Gaston, duc d'Orléans, contenant tout ce qui s'est passé en France de plus considérable, depuis l'an 1608 jusqu'en l'année 1636, (attribués à Algay de Martignac, 1683), dans *Coll. des Mémoires relatifs à l'histoire de la France*, par M. Petitot, XXXI, Paris: Foucault, 1824; pp. 1-175.

Mémoires de Henry dernier duc de Mont-morency contenant tout ce qu'il y a de plus remarquable depuis sa naissance jusqu'à sa mort, Paris: Fr. Mauger, 1666.

Mémoires de Mathieu Molé, procureur général, premier président au parlement de Paris et garde des sceaux de France, p. p. Aimé Champollion-Figeac, 4 v., Paris: Jules Renouard, 1855.

Mémoires de M. de La Porte, Premier Valet de Chambre de Louis XIV, Genève, 1756.

Mémoires de Richelieu, 7 v., Paris: Librairie Ancienne Honoré Champion, 1926.

Mémoires du cardinal de Retz, p. p. Simone Bertière, Paris: Garnier, 1998.

Mémoires inédits sur la vie et les ouvrages des membres de l'Académie royale de peinture et de sculpture, p. p. L. Dussieux *et al.*, 2 v., Paris, 1854.

MONGRÉDIEN, Georges, *La Journée des Dupes. 10 novembre 1630*, Paris: Gallimard, 1961.

MORÈRE, l'Abbé G. B., *Histoire de Saint-Félix-de-Caraman*, Toulouse: Privat / Paris: Picard, 1899.

MOUSNIER, Roland, *Les Institutions de la France sous la monarchie absolue. 1598 – 1789*; Paris: P.U.F., I, 1974; II, 1980.

– *L'Homme rouge ou la Vie du cardinal de Richelieu*, Paris: Laffont, 1992.

Mystères inédits du quinzième siècle, 2 t., Paris: Téchener, 1837.

Nouveaux mémoires du maréchal de Bassompierre, recueillis p. le président Hénault, Paris, 1803.

Œuvres de Tabarin, Les, p. p. Georges d'Harmonville, Paris: Garnier, 1883.

Œuvres poétiques de François de Maynard, p. p. Gaston Garrisson, Paris: Lemerre, 1885-88 [réimpr. Slatkine, 1970].

Opera Omnia Desiderii Erasmi Roterodami, Amsterdam-Oxford: North Holland, 1969-.

OUDIN, César, *Dialogos muy apazibles - Dialogues fort plaisans, escrits en langue Espagnolle et traduits en François*, Bruxelles: Hubert Antoine, 1625.

OUDIN, César-François → PRÉFONTAINE

Pap. Richelieu → GRILLON

PARFAICT, Claude, François PARFAICT, *Histoire du théâtre françois depuis son origine jusqu'à présent*, 15 v., Paris: Le Mercier, 1745-49.

PECHON DE RUBY, *La Vie généreuse des Mercelots, Gueux et Bohémiens*. Texte de 1596, p. p. Romain Weber, Paris: Allia, 1999.

Les Pensées du Solitaire, Paris: Antoine de Sommaville, 1629.

Les Pensées du Solitaire. 2de partie, Paris: Augustin Courbé, 1630.

PLINE L'ANCIEN, *Histoire naturelle*, p. p. A. Ernout, R. Pépin, Paris: Belles Lettres, 1947.

PRÉFONTAINE, César-François Oudin, sieur de, *L'Orphelin infortuné, ou le Portrait du bon frère*, p. p. Francis Assaf, Toulouse: Société de littératures classiques, 1991.

RACAN, Honorat de Bueil, sieur de, *Vie de Monsieur de Malherbe*, p. p. Marie-Françoise Quignard, Paris: Gallimard, 1991.

RAIBAUD, G., «Les dédicaces des Satires de Régnier», *Revue universitaire*, 1955, p.145-52.

Les Ramonneurs, comédie anonyme en prose, p. p. Austin Gill, Paris: Marcel Didier, 1957.

Recueil de farces. 1450-1550, p. p. André Tissier, Genève: Droz, 1990.

Recueil des lettres missives de Henri IV, p. p. Berger de Xivrey, 9 v., Paris: Imprimerie impériale, 1858.

*Recueil général des Isopets. L'*Esope *de Julien Macho*, p. p. Pierre Ruelle, Paris: Sté des Anciens textes français, 1982

RIGAL, E., *Le Théâtre français avant la période classique*, Paris: Hachette, 1901.

ROSSET, François de, *Histoire du Palais de la Félicité, contenant les aventures des chevaliers qui parurent aux Courses faictes à la Place Royale pour la feste des Aliances de la France et de l'Espagne*, Paris: François Huby, 1616.

ROSSET, François de, *Histoires mémorables et tragiques de ce temps*, p. p. Anne de Vaucher Gravili, Paris: Librairie générale française, 1994.

ROY, Émile, *La Vie et les œuvres de Charles Sorel, sieur de Souvigny (1602-1674), thèse présentée à la Faculté des Lettres de Paris*, Paris: Hachette, 1891.

SABATIER, Monique, «Un mécène à Toulouse - Adrien de Monluc, comte de Caraman», dans Peire Godolin. 1580-1649. Actes du Colloque international. Université de Toulouse - Le Mirail, 8-10 mai 1980, p. p. Christian Anatole, Toulouse, 1982; pp. 47-58.

SAUVAL, Henri, *Histoire et recherches des antiquités de la ville de Paris*, 3 t., Paris: Palais Royal, 1724.

SCHERER, Colette, *Comédie et société sous Louis XIII. Corneille, Rotrou et les autres*, Paris: Nizet, 1983.

SCHMARJE, Susanne, *Das sprichwörtliche Material in den Essais von Montaigne*, 2 v., Berlin/New York: De Gruyter, 1973.

SCHMIDT, Albert-Marie «Le petit monde du prince de Chabanais», *Mercure de France*, 352, 1964; pp. 566-571.

SCHNEIDER, Robert A., *Public Life in Toulouse. 1463-1789. From Municipal Republic to Cosmopolitan City*, Ithaca - London: Cornell University Press, 1989.

SCHULZE-BUSACKER, Elisabeth, *Proverbes et expressions proverbiales dans la littérature narrative du Moyen Âge français. Recueil et analyse*, Paris: Champion, 1985.

SEAUVE, Christian de, *Caraman. 1581-1858. Chronique d'une maison. L'Hôtel de Malbos, son environnement catholique et protestant*, Caraman: Collectionneurs Amateurs, [1996?].

Sommaire des principaux moyens deduicts au procès, D'entre Loys Regnault, Escuyer sieur de L'Aage bertrand, appellant d'une sentence rendue par les grands Maistres Enquesteurs et Generaux reformateurs à la Table de Marbre, le septiesme Aoust 1612, contre Messire Adrien de Mont-luc, Prince de Chabanois, s.l.n.d.

SOREL, Charles, *Le Berger extravagant*, Paris: Toussainct du Bray, 1627; [réimpr. p. p. Hervé D. Béchade, Genève: Slatkine, 1972].

– *La Bibliothèque françoise*, Paris: Compagnie des Libraires du Palais, 1667.

– *Histoire comique de Francion*, livres I à VII, p. p. Yves Giraud, Paris: Garnier-Flammarion, 1979.

– *La Maison des jeux*, Paris: Antoine de Sommaville, 1657; [réimpr. p. p. Daniel-A. Gajda, Genève: Slatkine, 1977].

TAILLEFER, Michel, *Vivre à Toulouse sous l'Ancien Régime*, *s.l.*: Perrin, 2000.

TALLEMANT DES RÉAUX, Gédéon, *Historiettes*, 2 v., p. p. Antoine Adam, Paris: Gallimard, 1961.

TRUFFIER, Jules, «Adrien de Montluc et 'La Comédie de Proverbes'», *Conferencia* 1936, v. 30/2, nos. 13-24, pp. 444-451.

VAULX, Guillaume de, *Tombeau de l'Orateur François*, Paris: Adrian Taupinart, 1628.

Vie de Mr le Comte de Carmaing, faite en 1649, Escritte par Mr le Marquis de Sourdis son gendre, Bibl. nat. de France, ms. fr. 23344, ff. 242-44.

La Vie intellectuelle à Toulouse au temps de Godolin. Exposition et publication de la Bibliothèque municipale de Toulouse, 1980.

VUILLIER, Maurice, *Histoire de la famille de Montesquiou*, Toulouse, 2002.

Dictionnaires

AUBERT de la CHENAYE-DESBOIS, François, *Dictionnaire de la noblesse*, 10 v., Nancy: Berger-Levrault, [réimpr. 1980].

BARBIER, Antoine-Alexandre, *Dictionnaire des ouvrages anonymes*, 4 v., Paris: Fechoz et Letouzey, 1882.

COTGRAVE, Randle, *A Dictionarie of the French and English Tongues*, London: A. Islip, 1611.

Dictionnaire de l'Académie françoise, Paris: veuve Coignard, 1694.

Dict. nobl. → AUBERT

Dictionnaire des lettres françaises. XVIIe siècle, 4 v., Paris: Fayard, 1954.

Dictionnaire des lettres françaises. XVIIe siècle, sous la dir. de Patrick Dandrey, Paris: Fayard - Librairie Générale Française, 1996.

Dictionnaire historique de la langue française. Le Robert, sous la dir. d'Alain Rey, 2 v., Paris: Le Robert, 1992.

Enciclopedia dello spettacolo, 12 v., Roma: Unedi, 1975.

ESNAULT, Gaston, *Dictionnaire historique des argots français*, Paris: Larousse, 1965.

FEW → WARTBURG

FURETIÈRE, Antoine de, *Dictionnaire Universel*, 3 v., La Haye-Rotterdam: Leers, 1690.

Le Gers. Dictionnaire biographique de l'Antiquité à nos jours, dir. p. Georges Courtès, Auch: Sté Historique et Archéologique, 1999.

La Grande Encyclopédie, 31 v., Paris: Lamirault, 1886-1902.

HASSELL, James W., *Middle French Proverbs, Sentences, and Proverbial Phrases*, Toronto: Pontifical Institute of Mediaeval Studies, 1982.

HILLAIRET, Jacques, *Dictionnaire historique des rues de Paris*, 2 v., Paris: Minuit, 1964.

HUGUET, Édmond, *Dictionnaire de la langue française du XVIe siècle*, 7 v., Paris: Champion, 1925.

JOUANNA, Arlette, Jacqueline BOUCHER, Dominique BILOGHI, Guy LE THIEC *Histoire et dictionnaire des guerres de religion*, Paris: Laffont, 1998.

LA CURNE DE SAINTE-PALAYE *Dictionnaire historique de l'ancien langage françois. Glossaire de la langue françoise depuis son origine jusqu'au siècle de Louis XIV*, 10 v., Niort: L. Favre, Paris: H. Champion, 1875.

Larousse du XXe siècle, 6 v., Paris: Larousse, 1929.

LAZARE, Félix, Louis LAZARE, *Dictionnaire administratif et historique des rues et monuments de Paris*, Paris: Revue Municipale, 1855.

LE ROUX DE LINCY, A. J. V., *Le Livre des proverbes français précédé d'un essai sur la philosophie de Sancho Pança* par Ferdinand Denis, Paris: Paulin, 1842; [rééd. Paris: Hachette, 1996].

– *Le Livre des proverbes français précédé de recherches historiques*, 2 v., Paris: Delahays, 1859.

LEROUX, Philibert-Joseph, *Dictionnaire comique, satyrique, critique, burlesque, libre et proverbial*, Lyon: Heritiers de Beringos fratres, 1752.

MOISY, H., *Dictionnaire de patois normand*, Caen, 1887.

MORAWSKI, Joseph, *Proverbes français antérieurs au XVe siècle*, coll. «Les Classiques français du Moyen Âge», Paris: Champion, 1923.

MORÉRI, Louis, *Le grand dictionnaire historique ou mélange curieux de l'histoire sacrée et profane*, 6 v., Paris: Coignard, 1725.

NICOT, Jean, *Thresor de la langue françoyse, tant ancienne que moderne*, Paris: D. Douceur, 1605.

Nouvelle Biographie Générale depuis les temps les plus reculés jusqu'à nos jours, sous dir. du Dr Hoefer, 46 v., Paris: Firmin Didot, 1861.

OUDIN, Antoine, *Curiositez françoises, pour supplément aux dictionnaires*, Paris: A. de Sommaville, 1640; [réimpr. Genève: Slatkine, 1971].

OUDIN, César, *Refranes o proverbios españoles traduzidos en lengua francesa - Proverbes espagnols traduits en François, con Cartas en Refranes de Blasco de Garay*, Bruxelles: Velpius et Anthoine, 1612.

– *Refranes o proverbios castellanos traduzidos en lengua francesa - Proverbes espagnols traduits en françois, reveues, corrigés et augmentez de plus de 400 proverbes par le mesme*, 3e édition, Paris: P. Billaine, 1624.

RICHELET, Pierre, *Dictionnaire françois tiré de l'usage et des meilleurs auteurs de la langue*, 2 v., Genève: J. H. Widerhold, 1679; [réimpr. Genève: Slatkine, 1970].

TAUSIN, Henri, *Dictionnaire des devises historiques et héraldiques*, 2 t., Paris: Lechevalier, 1895.

WARTBURG, Walther von, *Französisches etymologisches Wörterbuch*, vv., Basel: Zbinden, Tübingen: Mohr, 1946 -.

PRÉSENTATION DU TEXTE

Mesures préliminaires

Le caractère particulier de la *Comédie de proverbes* comme source de phraséologismes, et, souvent, de premières attestations, rend très délicate la tâche de son édition. Notre préoccupation de principe a été d'établir un texte aussi fidèle que possible à l'original de 1633. Dans la mesure du raisonnable, les particularités orthographiques et grammaticales de celui-ci ont été respectées, y compris les variations de graphies et la distribution des majuscules et minuscules. Néanmoins, il a été indispensable d'en châtier l'aspect, pour faciliter sa lecture, en permettant au lecteur de se concentrer sur l'essentiel. À cette fin et conformément à la pratique adoptée dans le domaine, nous avons modifié l'aspect original du texte en éliminant certains traits non pertinents :

les tildes ont été supprimés et les syllabes nasalisées ont été transcrites au long ;

l'esperluette (&) a été transcrite comme *et*;

la ligature conventionnelle latine *-q;* a été transcrite comme *-que*;

les *u* et les *i* consonantiques, ainsi que les *v* vocaliques sont transcrits selon l'usage d'aujourd'hui ;

à la suite de ce dernier changement, le tréma est supprimé là où il est devenu redondant ;

puisque les textes anciens ne sont pas toujours cohérents dans leur usage orthographique, les constantes orthographiques de chaque texte sont rapportées dans une section à part ;

la ponctuation a été ramenée à l'usage moderne. Les points d'exclamation et d'interrogation sont introduits là où ils s'imposent. Des phrases trop longues, à plusieurs propositions juxtaposées, sont découpées en phrases autonomes selon le cas. Toutefois, nous n'avons pas tenu à « corriger » l'édition de 1633 ; par conséquent, lorsque la ponctuation originale n'entrave pas la lecture, nous la conservons ;

l'emploi des diacritiques a été modifié selon l'usage moderne dans les cas d'homophonie (*a* verbe contre *à* préposition, *la* article contre *là* adverbe, etc.) ;

l'homophonie des formes *ces* et *ses*, et d'autres cas semblables, a été résolue selon la logique du contexte;

nous n'avons pas tenu compte des distinctions orthographiques entre les textes anciens, dues, si le cas permet d'en conclure, à une négligence typographique ou à des variations orthographiques banales de l'époque; ainsi, les variantes *valet/vallet*, *voleur/volleur*, et semblables, ne sont pas considérées comme pertinentes;

les variations d'orthographe des noms propres ont été considérées comme assez importantes pour être rapportées aux notes critiques;

il ne nous a pas paru cohérent de rectifier les inclusions en langues étrangères, car nous ne savons pas si ce n'était point l'intention de l'auteur de laisser «écorcher» ses langues à ses personnages pour mieux les caractériser. Il ne serait pas correct non plus d'avoir des formes latines ou italiennes parfaitement correctes sur le fond des irrégularités du français. La seule préoccupation a été de rendre les inclusions intelligibles.

Conventions éditoriales

Les barres // délimitent les pages selon l'édition de 1633; le nombre entre les barres représente le numéro de la page qui débute. Les pages de l'*Argument* et du *Prologue* ne sont pas numérotées dans l'original.

Les éléments ajoutés au texte original par l'éditeur actuel sont présentés entre crochets [ ]. Les segments du texte original jugés superflus sont enfermés entre parenthèses ( ) et ne se lisent pas.

Aspect général du texte

Les didascalies sont placées aux endroits où elles s'imposent suivant la logique de l'action, sans que cela corresponde toujours à leur place originale, qui varie, d'ailleurs, d'une édition à l'autre. La lettre D, à gauche de la colonne du texte, marque l'emplacement de la didascalie correspondante dans l'édition de 1633. Nous ajoutons des didascalies entre crochets là où elles s'imposent pour indiquer le destinataire de certaines répliques et pour spécifier une action.

Afin de faciliter la lecture de la *Comédie*, l'identification des segments phraséologiques et leur repérage, nous avons procédé à deux modifications importantes de l'aspect du texte :

1) chaque réplique du P33 est munie d'un numéro combiné qui comporte, en chiffres latins, le numéro d'acte et, en chiffres arabes, le numéro de réplique, le *Prologue* étant chiffré « 00 ». Le numéro de réplique est placé dans la colonne de gauche, vis-à-vis du nom du personnage correspondant.
2) le texte de chaque réplique est subdivisé en segments dont chacun correspond à une locution. Une telle subdivision, en plus de mettre en relief les constituants phraséologiques et parémiologiques du texte, crée des groupes rythmiques faciles à lire et des groupes syntaxiques faciles à comprendre, malgré les défauts de la ponctuation originale.

Nous avons renoncé à l'idée d'attribuer un numéro séparé à chaque unité phraséologique. En plus d'alourdir l'aspect de la page, une telle numérotation ne ferait que compliquer le traitement dans les cas, fort nombreux, d'expressions amalgamées.

Appareil critique

L'appareil critique est situé en notes. Chaque variante est précédée du sigle de l'édition la contenant. Lorsque une même variante est attestée dans plus d'une édition, elle est précédée des sigles de toutes ces éditions.

Les variantes touchant le même segment du texte sont séparées par un trait vertical | . Un trait vertical double | | sépare des variantes se rapportant à des segments différents. Nos observations touchant des variantes sont imprimées en italique. Les notes peuvent renvoyer aux *Commentaires* là où des explications plus élaborées sont requises.

LA COMEDIE DE PROVERBES.

PIECE COMIQUE

A PARIS,

Chez FRANÇOIS TARGA,
au premier pilier de la grand'Salle du Palais,
devant la Chapelle, au Soleil d'or.
M. DC. XXXIII.
Avec Privilege du Roy[1]

1 P65 LA COMEDIE DES PROVERBES | *Dans P65, le privilège est déclaré, mais l'extrait du privilège n'est pas imprimé.*

// ARGUMENT

Lidias Gentil-homme plus noble que riche, ayant aymé longtemps Florinde fille du Docteur Thesaurus, et se voyant hors d'espoir de l'espouser à cause de la recherche qu'en faisoit le Capitaine Fierabras, qui avoit beaucoup plus de moyens que luy, s'en vient la nuit assisté d'Allaigre, son vallet, pour enlever cette belle, qui luy avoit desja donné sa parole, ayant à mesme instant asseurance de Philipin, valet de la maison, qui estoit resolu de s'en aller avec elle. Ils accomplissent heureusement leur dessein et s'en vont eux quatre ensemble.

Le Docteur Thesaurus, qui estoit aux champs, apprit à son retour l'enlevement de sa fille, tant par le raport d'un voisin, que par sa femme qui ne la treuva plus au logis. Ce que le Capitaine Fierabras ayant appris aussi, il vient tesmoigner au Docteur le ressentiment qu'il a de cet affront, et jure de s'en venger.

Les fugitifs d'un autre costé essayent[2] avec beaucoup de peine d'arriver à une metayrie que // Lidias avoit aux champs; et comme ils se treuverent dans une campagne, voyant que la faim ne leur permettoit pas d'aller plus loing, ils se mettent à l'ombre de quelques arbres, pour manger de la provision que Philipin avoit eu soin d'apporter. Bien-tost après leur repas, la grande[3] chaleur et la lassitude les invite à prendre le repos que l'agreable fraicheur du lieu où ils estoient leur faisoit esperer; et pour cet effect ils se despouillerent des habits qui les incommodoient le plus.

Or, pendant leur sommeil, quatre Boesmiens qui estoient poursuivis du Prevost pour quelques larcins qu'ils avoient faits,

---

2 P33 P40 H54 T58 P65 essayant.

3 P33 P40 d'apporter bien-tost... repas. La grande | P65 d'apporter; un peu apres leur repas, la grande ...

se rencontrerent aupres d'eux, et leur jouerent un tour de leur metier, affin de se sauver plus aisément. Ils se vestirent donc de leurs habits, et leur laisserent les leurs.

Ceux qui avoient trop dormy se treuverent vollez à leur resveil. Ils se consolent neanmoins par une invention que treuve Alaigre de contrefaire les Boesmiens, et se servir de leurs habits pour aller voir le Docteur, et luy disant la bonne aventure le faire consentir à recevoir sa fille avec un Jandre[4]. Ce qui leur reüssit tres-bien, car le Docteur et sa femme creurent presque tout ce que[5] leur dirent ceux qu'ils croyoient estre vrays Boesmiens. Le Capitaine, auquel on avoit dit aussi la bonne aventure, devient[6] amoureux de // la Boesmienne Florinde qui ressembloit, ce disoit-il, à sa premiere maistresse qui avoit esté enlevée. Il luy fait donner une serenade, qui est interrompue par le Prevost qui cherchoit les volleurs[7] qui s'estoient sauvez.

Il frappe à la porte où estoit Lidias avec ceux de sa troupe, que l'on prend pour Boesmiens; Lidias reconut incontinent le Prevost qui estoit son frere. Ils s'en vont tous ensemble treuver le Docteur, qui receut Lidias pour son gendre avec beaucoup de contentement, et les amans gousterent en repos les plaisirs que leur amour meritoit.

Le Capitaine desesperé d'amour va rechercher sa consolation dans les occasions de la guerre.

---

4 P40 H54 T58 P65 gendre

5 T58 P65 presque ce que

6 T58 adventure || T58 P65 devint

7 P40 H54 T58 P65 voleurs Bohemiens | 1. *Les orthographes de ce segment varient d'une édition à l'autre. 2. C'est la fin de la phrase dans P65. La phrase suivante* « Il frappe... » *commence à la ligne.*

Extraict du Privilege du Roy

LE Roy par ses Lettres de Privilege données à S. Germain en Laye le dernier jour de Janvier 1633, signées DAUDIGUIER, et scellées du grand sceau, a permis à FRANÇOIS TARGA marchand Libraire à Paris, d'imprimer, vendre et distribuer un Livre intitulé, *La Comédie de Proverbes. Piece comique.* Faisant defences à tous Imprimeurs, Libraires, et autres, de quelque qualité et condition qu'ils soient, d'imprimer ledit Livre, en vendre ny distribuer par tout le Royaume, pays et terres de son obeyssance, sans consentement dudit Targa, pendant le temps de dix ans, sur peine aux contrevenans de confiscation des exemplaires, et de trois cens livres d'amende, despens, dommages et interests dudit exposant, Nonobstant Clameur de Haro, Chartre Normande, prise à partie, et lettres à ce contraires. Comme il est plus amplement porté par l'original des presentes.

Achevé d'imprimer pour la premiere fois le douziesme de Septembre 1633.

// PROLOGUE DU DOCTEUR THESAURUS

Pythagoras, Socrates, Plato, Aristoteles, *atque alij tam Magi, sacerdotes, Gimnosophistæ, Druidæ, sapientes, Doctores, quàm qui in omni scientiarum genere floruerunt vt Demosthenes, Cicero*, et autres de mesme farine,
tant Antiens, que Modernes, nommez et à nommer, dits et à dire, dictez et à dicter, recitez et à reciter, cognus et à cognoistre, nez et à naistre en ce monde icy et en l'autre, *toti et rudissimi quidem sed nihil ad me*;
car il n'y a non plus de comparaison d'eux à moy que d'un Escollier à un Maistre,
d'un butor à un esprevier,
d'un asne à un cheval,
d'une fourmis[8] à un Elephant,
d'une montagne à une souris,
et, parlant par reverance, que d'un estron à un pain de sucre, *sic de cæte//ris,*
ce ne sont que des zerots en chifre au regar[d] de moy,
qui suis *Magister Magistrorum,*
Doctor Doctorum,
præceptor præceptorum
et totius vniuersæ academiæ facilè princeps et coriphæus,
moy en qui la Philosophie a fait son *indiuidu*[9],
moy qui ay presché sept ans pour un Caresme,
moy qui enseigne Minerve,
moy qui suis le tripier d'élitte,
et le pot aux trippes, dis-je le prototippe(s) de doctrine;

---

8 T58 d'un fourmis

9 P40 H54 indivitu

moy qui suis en un mot, l'enciclopedie, mesmes le ramas de toutes les sciences,
in sequitur[10], que je suis le premier des Docteurs du monde,
quare et per quàm regulam, quand les canes vont aux champs la premiere va devant.
Voilà qui est vuidé aussi bien qu'un peigne,
aux autres, ceux-là sont cossez[11].
Ioco nilo[12], pour neant,
faisons partie nouvelle
et jouons sur nouveau[x] frais[13],
serio[14], tout de bon.
Auditores amplissimi, tant peti[t]s que grands,
vtriusque generis, masculinis et fœminis[15],
à tous bons entendeurs salut, honneur, santé, joye, amour // et dilection;
vous soyez tous les aussi-bien venus, comme si l'on vous avoit mendez[16],
vous avez bien faict de venir, car je ne vous fusse pas allé querir[17].
Mais à propos de bottes, mes soulliers sont persez,
couvrez-vous, bagotiers, la sueur vous est bonne, et [à] moy[18] aussi;
car il est bien fou[19] qui s'oublie.
Or sus, or ça, or sum, or sus donc,

---

10 H54 P65 insequitur
11 T58 costez
12 P40 T58 iaco nilo | H54 jaco nilo | P65 (856 871) taco nilo
13 T58 P65 nouveaux
14 *Dans l'édition de Troyes (1715),* serio *et* ioco nilo *deviennent* feru *et* jacolino.
15 P40 T58 feminis | P65 masculini et feminini
16 H54 T58 P65 mandez
17 P33 P40 H54 T58 aller querir | P65 (856) eusse pas esté querir
18 T58 couvrez vos... et a moy | P65 couvrez vous... et à moy
19 T58 bon fou

vos *departie sepentere*, sçavoir[20]
qu'il est aujourd'huy S. Lambert, qui sort de sa place la pert,
qui[21] la conserve vaut mieux que le resiné;
qui ben esta non si move[22], dit l'Italien.
et nos doctissimi doctores, nous disons en nos Escolles proverbialles:
qui tenet teneat[23], *possessio valet,*
qu'il vaut mieux tenir que querir.
Et au cas que Lucas n'eust qu'un œil, sa femme auroit espousé un borgne[24],
et au cas, dis-je, [que] quelques Docteurs de nouvelle impression
et de la derniere couvée, ayant chaussé leur vert coquin
et enfumé la langue soubs[25] la cheminee des medisans,
veu//lent tondre sur un œuf
et corriger le Magnificat à Matine[s][26],
nous leur riverons bien leur clou et leur dirons
qu'il n'y a point de plus empeschez que ceux qui tiennent la queue de la poisle,
qu'on est[27] quitte à bon Marché quand on ne pert que les arres,
qu'il a beau[28] se taire de l'eschot qui rien n'en paye pour la bonne bouche,

---

20 P40 debetis sepelire vous deves sçavoir | H54 debetis sepelire, vous devez sçavoir | T58 debitis sepelire, vous devez sçavoir | P65 debitis sepelire, vous deuez sçavoir.

21 P33 P40 H54 T58 P65 que la conserve || => Commentaires *et* Glossaire.

22 T58 qui benectat non sine move | P65 qui benestat non fine move || Chi bene sta *s'impose ici, mais aucun des textes ne donne la version correcte.*

23 T58 P65 tenet tenat

24 P33 au cas frere Lucas, que Lunas n'eust | P40 H54 T58 au cas frere Lucas, que Lucas n'eust | P65 au cas que Lucas n'eust || T58 auroit enuie d'espouser | P65 auroit épousé

25 P33 langue enfumee soubs | P40 H54 langue soubs | T58 P65 langue sous

26 T58 P65 Matines

27 T58 on n'est

28 P33 P40 H54 T58 qui a beau | P65 qu'à beau

et qu'il est facile de reprendre, mais mal-aisé de faire mieux;
si bien que[29], de ce costé-là, nous en demeurons à deux de jeu,
à bon chat bon rat,
s'ils nous donnent des pois, nous leur donnerons des febves[30].
Qu'en dites-vous, Messieurs les Auditeurs, et vous, mes Dames les Auditrisses[31]?
Motus, bouche cousue?
Vous ressemblez le perroquet de Me Guillaume, qui ne dit mot et n'en pense pas moins.
Il est temps de parler et temps de faire le *tacet*[32].
Hoc verbo, celuy qui ferme la bouche et se taist, n'est-ce pas bien parler à luy?
C'est ce que va faire *le scientifique et venerable Docteur Thesau//rus*, en vous disant, *valeté et plaudite.*
Toutefois, trois fois, puis qu'en[33] bonne compagnie il ne faut rien celer ny garder[34] sur le cœur qui nous fasse mal,
je vous diray en deux mots à coupe cul ...
pour m'expliquer plus clairement, c'est que nous vous prions instamment de donner le silence,
en recompense et contrechange dequoy,
trocq pour trocq, à peti[t]s frais, sans bource delier,
je vais querir mes compagnons, qui diront et feront comme Robin fit à la dance, du mieux qu'ils pourront:
qui dit ce qu'il sçait, et donne ce qu'il a, n'est pas tenu à davantage.
Si vous ne le voulez croire, charbonnez-le[35].

---

29 P65 mieux, bien que

30 H54 s'ils nous leur donnerons des febves

31 T58 mes dames les advertisses

32 P33 P40 H54 T58 tasset | P65 tacet

33 P40 H54 toutefois, puis qu'en | T58 toutes fois, puisqu'en | P65 toutesfois puisqu'en.

34 P33 P40 et ny garder | H54 et n'y garder | T58 P65 et rien garder

35 T58 P65 856 ne le voulez, charbonnez-le || *Variante absurde à cause de l'absence de l'élément clé* croyez *servant à produire le jeu de mots.*

Pour[36] conclusion donc, je vous dis que l'experience est maistresse de toutes les sciences,
et experto crede roberto[37].
Mais, comme il n'y a si bonne compagnie qu'en fin ne se separe,
Adieu sans Adieu, amour sans regret,
valete, valete[38], *atque iterum valete.*

36 P40 H54 T58 et pour
37 T58 et experto cœcedere roberto
38 P33 P40 H54 valete, valetote.

// NOMS DES ACTEURS[39]

LIDIAS	*Amoureux de Florinde.*
ALAIGRE	*Son vallet.*
LES ASSISTANS DE LIDIAS.	
PHILIPIN	*Vallet du Docteur.*
FLORINDE	*Fille du Docteur.*
BERTRAND	*Voisin du Docteur.*
MARIN	*Autre voisin.*
CLABAULT	*Apprenty de Marin.*
LE DOCTEUR THESAURUS.	
ALIZON	*Sa servante.*
MACEE	*La femme du Docteur.*
LA CAPITAINE FIERABRAS.	
Quatre BOESMIENS volleurs.	
UN ARCHER OU DEUX.	
LE PAGE DU CAPPITAN[40].	

39 *Dans T58 et P65, cette liste s'intitule* Acteurs.

40 T58 P65 CAPITAINE

/1/ LA COMEDIE DE PROVERBES.

ACTE PREMIER.

SCENE PREMIERE.

LIDIAS, ALAIGRE, LES ASSISTANS, PHILIPPIN, FLORINDE

I.1 LIDIAS.

D *Ils sortent de nuict.*

Tant va la cruche à l'eau qu'en fin elle se brise,
d'autres ont battu les buissons, nous aurons les oyseaux.
C'est à ce coup qu'ils /2/ sont pris s'il[s] ne s'envollent,
car la nuict qui est noire
comme je ne sçay quoy,
nous aydera mieux à trouver la pie au nid.

I.2 ALAIGRE.

Il eust mieux valu venir entre chien et loup,
il fait noir comme dans un four,
à peine puis-je mettre un pied devant l'autre.
Mais, à propos de bottes, nous ne sommes pas loin de la maison de Florinde,
qui nous guette à cette heure, comme le chat fait la souris.

I.3 *Lidias met[41] ses gens en ordre au coin de la rue.*

D LIDIAS.

Sus, compagnons, prenons l'occasion aux cheveux,
vostre nés icy, vostre nés[42] là.

---

41 H54 LIDIAS, qui met

42 P58 P65 nez... nez

Et en cas de resistance, mettez la main à la serpe,
et frappez comme des sours;
la mere de Florinde dort à cette heure comme un sabot.

I.4 LES ASSISTANS.

Çà, çà, cela s'en va sans le dire.

I.5 LIDIAS *frappe*[43] *à la porte.*

Ouvrez l'huis, ma mie, de par Dieu et /3/ de par nostre Dame, si vous voulez estre nostre femme.

I.6 *PHILIPIN regarde*[44] *à la fenestre.*

Qui va là? J'ay peur.

I.7 LIDIAS[45].

Ce sont des amis de delà l'eau.

I.8 PHILIPIN.

Non est, je ne vous cognoy non plus que l'enfant qui est à naistre.

I.9 LIDIAS.

Ouvrez, ouvrez, nous sommes des amis de la fille de la maison[46].

I.10 PHILIPIN.

Dieu vous soit en ayde, nostre pain est tendre.

---

43 H54 LIDIAS, qui frappe

44 H54 PHILIPIN, regardant

45 *La réplique I.7 est absente de T58 et de P65, où la réplique I.8 :* «Non est,...» *est attribuée à Lidias.*

46 P33 P40 de la fille, de la maison | H54 T58 P65 de la fille de la maison

I.11 ALAIGRE.

Diable soit le gros soufleur de boudin, tant de discours ne sont pas les meilleurs,
I.11 sus, compagnons, forçons la baricade.

/4/ ACTE I.

SCENE II.

PHILIPIN, ALAIGRE, LIDIAS, FLORINDE, LES ASSISTANS.

I.12 *Philipin sort du logis, et Lidias y entre pour prendre Florinde. Lidias sort qui emporte Florinde.*

PHILIPIN.

Aux voleurs, aux voleurs, on nous tient pris comme[47] dans un blé!
Attendez, attendez, rustres, coureurs de nuict, je m'en vais vous tailler de la besogne.
Çà, çà, à tout perdre, il n'y a qu'un coup perilleux.
Aux voleurs, aux voleurs! on emmene ma maistresse, roide comme la barre d'un huis.

I.13 ALAIGRE.

Il faut mourir petit[48] cochon, il n'y a plus d'orge.

I.14 PHILIPIN.

Prenez garde! qui frapera du couteau, moura de la guesne.
Au meurtre, au secours! on m'assassine comme dans un bois.

---

47 T58 P65 tient comme

48 T58 P65 mon petit

I.15 /5/ ALAIGRE.

Tu ressemble l'Anguille[49] de Melun, tu crie devant qu'on t'escorche.

I.16 PHILIPIN.

Ah, je suis blessé; si les boyaux y avallent, j'en mouray[50].

I.17 ALAIGRE.

Tu n'es pas ladre, tu sens bien quand on te pique.

I.18 FLORINDE.

Aux volleurs, à l'ayde, secourez moy, on m'enleve comme un corps saint!

I.19 LIDIAS.

Tenez, mes amis, voilà ce que les rats n'ont pas mangé. Attendez-moy à la porte de la ville, mais non pas comme les moines font l'Abbé.

I.20 LES ASSISTANS.

Cela vaut fait.

I.21 ALAIGRE.

Monsieur, nous mangerons du boudin, voila la grosse beste à bas.

I.22 /6/ LIDIAS.

Ce seroit dommage qu'il mourust un Vendredy, il y auroit bien des tripes perdues.

I.23 ALAIGRE.

Mais encore en faut-il faire quelque chose, ou rien.

---

49 T58 P65 l'Anguile | | => *Comm.*

50 T58 blessé les boyaux avallent j'en n'aurray | P65 blessé, si les boyaux m'y avalent, j'en auray.

I.24 LIDIAS[51].

Fais-en des choux, ou des patez[52],
et ne le gardes non plus que de la fausse[53] monnoye.

I.25 ALAIGRE.

D Çà, çà, je m'en vais le mener par un chemin où il n'y a point de pierre.

Alaigre tombe[54]

I.26 LIDIAS[55].

Il y a un vielleux enterré là dessous; il a fait dancer un lourdaut,
releve toy, bon homme, et fuyons viste comme le vent,
il vaut mieux une bonne fuitte qu'une mauvaise attente.
D Mais de quel costé tourne tu ta jaquette?
Tu ressemble les Escoliers, tu prends le plus long.
Tu es estourdy comme un aneton.

Les voisins regardent en la rue[56].

Mais /7/ chut[57], motus, la cane pont.

I.27 ALAIGRE.

Ho, ho, il est demain feste, les marmousets sont aux fenestres.

---

51 *Dans T58, l'en-tête* Lidias *est omis, si bien que cette réplique continue, à la ligne, la réplique I.23 d'Alaigre.*

52 T58 P65 pastez

53 H54 ne le gardez | T58 ne les gardez | P65 ne le garde... que la fausse

54 *Dans T58, P65, cette didascalie suit I.25; dans H54, elle est placée entre le mot* Alaigre *et le début de I.25.*

55 *T58 : l'en-tête* Lidias *manque.*

56 *Dans T58, P65, la didascalie précède immédiatement la réplique I.27. Dans H54, à I.26, elle suit la marque* LIDIAS.

57 T58 P65 chaut

I.28 LIDIAS[58].

Prenons garde à nostre vais[s]elle,
il n'y a si petit buisson qu'il ne porte ombre.

ACTE I.

SCENE III.

BERTRAND, MARIN, ET CLABAULT[59].

I.29 BERTRAND.

Aux volleurs, aux volleurs! on enleve la fille du Docteur, comme un tresor.
Je ne sçay si elle se mocque, ou si c'est tout de bon,
mais elle crie comme un aveugle qui a perdu son baston.
Helas, mon voisin, plus l'on va en avant, et /8/ pis c'est.
Il y a d'aussi meschantes gens dans ce monde qu'en lieu où on puisse aller.
On dit bien vray qu'une fille est de mauvaise garde,
et à bon[60] jour bonne œuvre,
aux bonnes festes se font les bons coups.

I.30 MARIN[61].

Helas! Jean mon amy, saimon. Car fille qui escoute et ville qui parlemente est à demy rendue.
Helas! ils enlevent Philipin comme un corps mort.
Garçons, aux voleurs, aux voleurs, courez dessus, et frapez comme tous les diables!

---

58 *Dans T58 et P65, l'en-tête «*Lidias*» manque, mais la réplique I.28 commence à la ligne.*

59 T58 Martin | P65 Martin, et Clabaut.

60 P40 H54 T58 P65 à un bon

61 T58 Martin

Quoy? je ressemble Monsieur de Bouillon: quand je commande, personne ne bouge.

I.31 BERTRAND.

Et eux fins, les gros butors!
Il y fait chaut,
ils sont armez comme des Jacquemarts,
et montez comme des saints Georges.
Il vaut mieux faire comme on fait à Paris, laisser pleuvoir.
Je n'ay garde de m'y aller faire froter.

I.32 /9/ CLABAULT.

Allez vous y frotter, le nez au cul de ces gens-là.
Que sçait-on qui les pousse?

I.33 BERTRAND.

Tu te feras plustost bailler un coup de cuiller[62] à la cuisine qu'un coup d'espée à la guerre.

I.34 MARIN.

Nous nous débatons de la chappe à l'Evesque.
Ils ont fait desjà hau[t][63] le corps, jaquette de gris.
Ils vont du pied comme des chats maigres,
et comme s'ils avoient le feu au cul.
À la presse vont les fous,
fils de putain qui yra.

I.35 BERTRAND.

Il est vray qu'il vaut mieux estre seul[64] qu'en mauvaise compagnie.

---

62 P65 cuillere

63 P33 P40 T58 hau | P65 haut | | *Cf.* CuF haut.

64 T58 estre foux

Pour trop gratter, il en cuit aux ongles.
Qui garde sa femme et sa maison a assez d'affaires.
Mais cependant on s'étrangle;
il est tard, Jacquet, retirons nous tre[s]tous ensemble[65], chacun chez soy.
Bon jour, bon soir: c'est pour deux fois.
L'on crie demain des cotrets[66] à Paris.

/10/ ACTE I.

SCENE IIII.

THESAURUS, ALIZON, MACEE, ET BERTRAND.

I.36 THESAURUS.

Pro sanitate corporis il n'est que l'air des champs. *O quàm bonum est, quam iucundum*, au[67] qu'il est agreable!

I.37 ALIZON.

Voila bien debuté pour un Docteur; ditte plustost, pour la santé du corps, la chaleur des pieds,
et, à dire vray, un fol enseigne bien un sage.

I.38 THESAURUS.

C'est vouloir enseigner Minerve;
non sans raison l'on dit que parler à des ignorans, c'est semer des marguerites devant les pourceaux.
Va, tu es un animal indecrotable.
Iterumque dico: annimal et per omnes casus annimal.

---

65 P65 retirons-nous ensemble

66 T58 cottes

67 *A. Oudin donne cette orthographe de l'interjection dans sa* Grammaire.

I.39 /11/ ALIZON.

Pour du Latin, je n'y entends rien, mais pour du Gretz, je vous en casse.

I.40 THESAURUS.[68]

Pecora campi.

I.41 ALIZON.

Voylà du Latin de cuisine, il n'y a que les Marmitons qui l'entendent.

I.42 THESAURUS.

Je t'ay presché sept ans pour un Caresme,
mais cela t'a passé en oreille d'asne

I.43 ALIZON[69].

Parlez François,
à bon entendeur ne faut qu'une chartée de paroles.
Mais, mon Maistre, je m'avise en mangeant ma souppe de la chanson qui dit:
Clopin, tu n'y sçaurois aller.

I.44 THESAURUS.

La pelle se mocque du fourgon.
Mais, à propos de clopiner, par Ciceron:
c'est une facheuse monture que la Haguenée[70] des Cordeliers.
Il m'est advis que /12/ j'ay apporté le cloché de sainct Denys sur mes espaules, tant je suis lassé et recru.
Si j'y retourne de la façon, que l'on m'y fouette.

I.45 ALIZON.

Vrayment saimon, voilà bien dequoy,
il a fait en quinze jours quatorze lieues.

---

68 *T58 omet l'en-tête* Thesaurus.

69 *T58 omet l'en-tête* Alizon.

70 T58 P65 haquenée

La pauvre beste, qu'elle est lasse,
elle vient de Sainct Denys : c'est bien employé!
Vous estes riche comme un Juif,
et si vous souppés dés le matin de peur de pisser au lict.
[Vous estes] plus avare[71] qu'un uzurier.
On tireroit plustost de l'huile d'un mur que de l'argent de vostre bource.
Quand on vous en demande, il semble que l'on vous arrache le cœur du ventre.
Il ne tient pas à vous
que nous ne fassions petites crottes.
On ne sçait ce que vous estes : les uns disent que vous estes Grec, les autres Latin.
Pour moy, je dis que vous n'estes ny Grec, ny Latin, mais vous estes un peu Arabe.

I.46 /13/ THESAURUS.

Là-là, Alizon, selon la jambe le bas[72],
selon le bras la saignée ;
qui bien gaigne et bien despend n'a que faire de bourse à mettre son argent ;
à petit mercier petit pannier ;
à petit trou petite cheville.
Il faut faire petite vie,
et qu'elle dure,
et ne pas manger son blé en verd,
ny son pain blanc le premier :
qui va piane va sane, et qui va sane va lontane, et qui va lontane va bene,
petit à petit l'oiseau fait son nid,
maille à maille fait le haubergeon.

---

71 P40 H54 T58 P65 lict, vous estes plus avare

72 T58 P65 bras

I.47 ALIZON.

Vous avez bien peur que terre vous[73] faille, il ne vous en faut que six pieds.
Si le Ciel tomboit, il y auroit bien des allouetes prises.
Vous estes un vray chiche-face,
et tout ce que je vous dis, autant vaudroit-il[74] parler à un Suisse
et se cogner[75] la teste contre un mur.

I.48 THESAURUS.

Il est vray que l'on a beau prescher à /14/ qui[76] n'a cure de bien faire.
Je suis ferme comme un mur,
et j'ay la cervelle trop bien timbrée pour ne pas sçavoir ce que j'ay à faire[77].
Comme dit l'autre, ce qui est fait est fait.

I.49 ALIZON.

Ne devriez-vous pas vous resjouir, quand la barbe vous vient,
et du vin pour[78] la bonne année?

I.50 THESAURUS.

Il sera vert, nostre vin; nous n'en pourrons boire,
et puis, nostre vigne ressemble celle de la courtille: belle monstre et peu de rapport.
Mais quand j'y songe, nous sommes levés de bon matin[79].

---

73 T58 P65 ne vous
74 P65 vaudroit parler
75 P65 et cogner
76 T58 à un qui
77 T58, P65 j'ay affaire
78 T58 par
79 T58 P65 levez du matin

I.51 ALIZON.

Saimon, c'est pour baiser le cul à Martin, de peur qu'il n'y ait presse;
nos gens seront estonnés[80] comme des fondeurs de cloches de nous voir
à cette heure qu'on n'entendroit une souris troter par[81] la rue.

I.52 /15/ THESAURUS *frappe*[82] *à la porte.*

Femme! fille! Philippin! quelqu'un de nos gens les mieux habillés! *attollite portas* au Docteur des Docteurs!
Ils sont morts, ou ils dorment;
mais je crains que ce ne soit un somme d'airin[83],
et que ma femme ne soit allée au Royaume des taupes et *in terra.*

I.53 MACEE.

Qui va là? Combien estes-vous qui n'avés point mangé de souppe?
Si vous estes seul, attendés compagnie.

I.54 ALIZON.

Chaussés vos lunettes et bayés[84] par la fenestre, et vous verrés que c'est le maistre.

I.55 THESAURUS.

C'est le scientifique et venerable Docteur Thesaurus.

---

80 T58 P65 sont estonnez

81 T58 troter dans

82 H54 THESAURUS, qui frappe

83 T58 P65 airain

84 T58 P65 et parlez

I.56 MACEE.

Vous vous levés bien matin de peur des crottes.

I.57 /16/ ALIZON.

Qui a bon voisin a bon matin[85].

I.58 THESAURUS.

Il a beau se lever tard qui a le bruit de se lever matin.

I.59 ALIZON.

Se lever matin n'est pas heur, mais desjeuner est le plus seur.

ACTE I.

SCENE V.

MACEE, THESAURUS, BERTRAND, ALIZON.

I.60 MACEE.

Vous soyez le tres-bien venu, comme en vostre maison de l'isle de Bouchar[d][86].

A quoy est bon tout cela? vous n'allez que la nuict, comme le Moine-bouris[87]

et les loups-garous;

on ne sçait comme vous avez la jambe faite: /17/

vous ne dormez non plus qu'un lutin, et si[88] vous ne laissez dormir les autres.

---

85 P65 mastin

86 P40 H54 T58 Bouchard | P65 les tres-bien venus... l'Isle de Bouchard

87 P65 les Moines bourus

88 T58 *le segment* «vous ne dormez non plus qu'un lutin, et si» *manque*.

I.61 THESAURUS.

Ho ho, vostre chien mord-il encore?
Vous estes bien rude[89] à pauvres gens.
Qui vous fait mal, Macée,
pour nous faire une mine pire qu'un excommuniement?
Vous vous estes levée le cul le premier,
vous estes bien engrongnée.

I.62 MACEE.

J'avons ce que j'avons,
j'avons la teste plus grosse que le poing, et si elle n'est pas enflée.

I.63 THESAURUS.

Je voids[90] à vos yeux que vostre teste n'est pas cuite,
vous avez quelque diablerie.
Il vous fait beau voir un pied chaussé et l'autre nud.
Ne pouviez-vous faire venir ce maroufle de Philipin?

I.64 MACEE.

Il dort la grasse matinée,
il fait ses choux gras.
Nostre fille ne grouille ny ne pipe.
Mais je m'en vais les appeller /18/ tout bas tant que je pourray.
Philipin! Philipin! de par Dieu ou de par le diable! sus! debout! les chats sont chaussez!
Ouay, ils ont peur de payer, personne ne respond.

I.65 THESAURUS.

Si je vay là, je vous feray faire le saut de crapaut!

---

89 T58 P65 rudes

90 P65 vois bien

I.66 MACEE.

Vrayment, je m'en vais luy donner son bouillon.

ACTE I.

SCENE VI.

ALIZON, BERTRAND, THESAURUS, ET MACEE[91]

I.67 BERTRAND[92].

Helas, mon voisin, où estiez-vous durant la bagarre ?
Les volleurs ont emmené vostre fille et Philipin.
Ils ne /19/ le vouloient pas nourrir, car ils luy ont baillé plus de coups que de morceaux de pain.
Je ne sçay s'il en mourra, mais ils l'ont lardé plus menu que lievre en paste.
Morquoy, nous fussions sortis, mais les coups pleuvoient dru et menu comme mouches[93].

I.68 MACEE.

Mon mary, mon mary, tout est perdu,
il n'y a plus que le nid, les oyseaux s'en sont envollez,
nous sommes reduits au bisac,
nous sommes venus à nid de chien,
nous sommes volez, ruinez[94] de fond en comble.
Voilà que c'est que de laisser des oisons et des bestes à la maison, et s'en aller comme un mattras desenpané,

---

91 *L'ordre d'apparition des personnages n'est respecté par aucune des éditions..*

92 P33 ALIZON | | *La réplique appartient à Bertrand. À partir de P40, cette erreur est corrigée, mais la liste des personnages de la scène, qui reflète d'habitude l'ordre d'apparition, commence dans toutes les versions par Alizon : témoignage du caractère primaire du P33. À la réplique I.67, P40, H54, T58, P65 joignent une didascalie* « Un voisin entre », *absente du P33.*

93 T58 P65 morguoy | | T58 P65 856 dru comme mouches

94 P40 H54 T58 P65 volez et ruinez

sans regarder plus loing que son nez
et sans songer ny à cecy ny à cela.

I.69 THESAURUS.

Les battus payeront l'amende,
ceux qui nous doivent nous demandent.
Il est vray que je suis plus malheureux /20/ qu'un chien qui se noye, de m'estre fié à une femme,
et d'avoir estably ma seureté sur un sable mouvant.
Me voilà reduit au baston blanc
et au saffran,
le grand chemin de l'hospital:
car ils n'auront laissé que ce qu'ils n'auront p(e)u emporter[95].
Me voila entre deux selles, le cul à terre,
plus sot que Dorie[96],
plus chanseux qu'un aveugle qui se rompt le col.
Helas, mon voisin! j'ay perdu la plus belle roze de mon chappeau,
la fortune m'a bien tourné le dos,
moy qui avois feu et lieu,
pignon sur rue,
et une fille belle comme le jour,
que nous gardions à un homme qui ne se mouche pas du pied,
qui m'eust servy de baston de vieillesse et d'appuy à ma maison.
S'il sçavoit ma desconvenue[97], il seroit icy il y a longtemps, ou en chemin pour leur tailler des croupieres[98].

---

95 T58 n'ont laissé … qu'ils nont peu en porter | P65 n'ont laissé... pû

96 P33 de Dorie | P40 H54 T58 P65 que Dorie

97 T58 P65 servy de baston de ma déconvenue || *T58, P65: le segment* «vieillesse.... S'il sçavoit» *manque.*

98 T58 P65 luy tailler || P33 croupises | P40 H54 T58 P65 croupieres

Si le bon-heur nous en eust tant voulu qu'il se fust rencontré à la meslée, il en eust mangé six cens[99] avec un grain de sel.

I.70 /21/ ALIZON.

Sans compter les femmes et les petits enfans.

I.71 BERTRAND.

Il n'a pas les dents si longues.
Helas, mon voisin! il n'est pas si diable qu'il est noir,
il eust assez[100] d'affaire de jouer de l'espée à deux jambes.
S'il y eust esté en personne, je croy qu'il n'en eust pas rapporté ses deux oreilles[101];
s'il eust veu sortir une goutte de sang, il eust esté plus pasle qu'un foireux.
Il fait assez du rodomont, et puis c'est tout.
Pour moy, il faut que je vous confesse, encore que je ne sois pas un pagnotte, que j'ay pensé pisser de peur,
et si je ne les voyois que par la fenestre de mon grenier.

I.72 MACEE.

Vous estes aussi un vaillant champion, je ne m'en estonne pas: vous estes un grand abbateur de quilles,
c'est dommage de ce que la caillette vous tient.
Voilà que c'est d'avoir de bons /22/ voisins, j'en sommes bien atournez,
ils font les bons valets quand on n'en a[102] plus que faire.
Mais à qui vendez-vous vos coquilles? à ceux qui viennent de sainct Michel?

---

99 P40 H54 T58 plus de six cens

100 P33 P40 T58 eut assez | P65 eut eu assez

101 T58 qu'il eust pas || P65 ses oreilles

102 T58 P65 on en a

I.73 BERTRAND.

Voilà que c'est[103], faites du bien à un vilain, il vous crachera au poin[g];
poignez-le, il vous oindra; oignez-le, il vous poindra;
graissez-luy ses bottes, il dira qu'on les y brusle[104].

I.74 MACEE.

Vous en avez fait tout plein,
mais c'est comme les Suisses portent la hallebarde,
pardessus l'espaule.
Au besoin on cognoist les amis.
Bien, bien, c'est la devise de Monsieur de Guise, chacun a son tour[105].

I.75 THESAURUS.

Ma femme, le torrent de la passion vous emporte; vous avez fait la faute, et vous voulez que les autres la boivent.
Mettez de l'eau dans vostre vin;
il /23/ falloit que vous fussiez bien endormie[106] pour ne pas entendre le sabbath de ces maudites gens-là.
Il y a là du micq macq;
on vous avoit mis sans doute de la poudre à grinper sous le nez,
ou bien vous aviez du coton dans les oreilles.
Mais patience passe science,
il ne faut point tant chier des yeux.

I.76 MACEE.

Marchand qui pert ne peut rire;
qui perd son bien perd son sang,
qui perd son bien et son sang perd doublement.

---

103 P65 ce que c'est

104 T58 P65 les brusle

105 H54 T58 à son | P65 chacun son tour

106 T58 P65 endormis

I.77 THESAURUS.

Les pleurs servent de recours aux femmes et aux petits enfans.
Mais cependant que nous nous amusons à la moultarde
et à conter des fagots,
les voleurs gaignent la guerite.
Si faut-il sçavoir le court[107] et le long de cette affaire.
Je crains qu'ils n'ayent fait perdre le goust du pain à Philipin,
et qu'ils ne l'ayent envoyé en Paradis en poste.

I.78 /24[108]/ ALIZON.

Helas, le pauvre garçon! s'il est mort, Dieu luy donne bonne vie et longue.

I.79 THESAURUS.

Mais Sire Bertrand[109], ces diables de ravisseurs n'avoient-ils pas un nez au visage,
quand ils vous ont donné si bien la fée?

I.80 BERTRAND.

Je croy qu'ils sont du pays-bas,
car ils sont esgueulez.

I.81 ALIZON.

Que vous en chaut[110] qu'ils soient verds ou gris?
Il vaut autant estre mordu d'un chien que d'une chienne[111].

---

107 P33 P40 H54 cours | T58 P65 court

108 *P33 : cette page porte le numéro 42.*

109 T58 bernard | P65 Bernard

110 P33 P40 H54 T58 P65 chaud

111 T58 P65 que d'un chat || *Déviation sémantique importante.*

I.82 THESAURUS.

Non pas, car en affaire d'importance il ne faut pas prendre sainct Pierre pour sainct Paul,
de peur d'en mordre ses poulces ;
mais, mon voisin, ne vous défiez-vous point qui m'auroit joué ce tour-là ?

I.83 /25/ BERTRAND.

Je ressemble le chiant-lict, je m'en doute.
Ce pourroit bien estre quelque amoureux transi
qui vous auroit faict cette eschauffourée,
car j'ay veu ces jours passez roder un certain vert-gallant autour de vostre maison.

I.84 MACEE.

Je ne sçaurois m'imaginer qui nous a fait cette escorne.
Si Lidias[112] estoit en cette ville, je croirois bien que ce fust luy qui auroit mangé le lard.

I.85 ALIZON.

Helas ! le pauvre jeune homme, il n'y songe[113] non plus qu'à sa premiere chemise,
il est bien loing s'il court tousjours.

I.86 MACEE.

Aga, nostre chambriere ! Vous a-il donné des gages que vous parlez si bien pour luy ?
Vous mettez vostre nez bien avant dans nos affaires.
Meslez-vous de votre quenouille
et allez voir là dedans[114] si j'y suis !

---

112 P33 escorne-cy. Lidias | P40 H54 T58 P65 escorne. Si Lidias

113 T58 P65 songea

114 T58 voir la devant | P65 voir là bas

I.87 /26/ ALIZON.

Je suis Marion, je garde la maison.
Si je chausse ma teste, je n'iray pas.
Je sçavons bien que ce n'est pas d'aujourd'huy que vous nous portez de la rancœur[115].
Baillez-moy de l'argent pour acheter de la fillasse[116].

I.88 MACEE.

Tu n'as que faire d'aller aux halles pour avoir des responses;
si tu m'échaufe la teste
je t'iray dourder[117] à coups de poing.
Allons, appellez vos chiens,
que l'on emporte le nid aussi bien que les oyseaux.

I.89 ALIZON.

J'engraisse de coups de poing, j'en engraisse.

I.90 THESAURUS.

Il est bien temps[118] de fermer l'estable quand les chevaux sont sortis;
toutefois il ne faut pas jetter le manche apres la coignée.
On dit: qui croit sa femme et son Curé est en danger d'estre damné.
Mais quelquefois les fols et les en/27/fans prophetizent.

I.91 MACEE.

Chat eschaudé craint l'eau froide.
Ce n'est pas tout de prescher, il faut faire la queste.

---

115 H54 T58 P65 sçavois | | T58 P65 rancune

116 T58 P65 avoir de la filasse

117 T58 tourder

118 T58 il est temps

Vous ne vous remuez non plus qu'une espousée qu'on attourne, ny qu'une poulle qui couve.

I.92 THESAURUS.

Patientia vincit omnia.
Paris la grande ville[119] ne fut pas faite en un jour.

I.93 MACEE.

Vous estes de Lagny, vous n'avez pas haste.
Il faut battre le fer tandis qu'il est chaud et les suivre à la piste,
affin de les trouver entre la haye et le bled.

I.94 THESAURUS.

Ils auront sonné la retraite
et tiré de long.
Apres avoir fait cette cavalcade[120],
ils se seront mis à couvert de peur de la pluye,
craignant qu'on ne leur donnast du crocq en jambe.
Il ne faut rien precipiter,
car il faut premierement faire un proces verbal aux despens[121] de qui il appar/28/tiendra,
et la Justice, qui leur monstrera leur bec jaune,
selon les us et coustumes en tel cas requis et accoustumez,
pour ne rien faire à l'estourdy
qui nous puisse cuire.
Ils peuvent leur asseurer que je brusleray mes livres,
je perdray mon latin et tout mon credit[122],
ou j'en auray la raison[123].

---

119 T58 grand ville
120 T58 P65 cavalde
121 T58 au despens
122 T58 P65 perdray tout mon credit
123 T58 ma raison

Cependant, allons voir si nostre maison est encore en sa place.
Adieu sias, Sire Bertrand[124].

I.95 BERTRAND.

Dieu vous doint bonne encontre, Jean,
je prie Dieu qu'il vous console et vous donne à soupper une bonne saule.
Pour moy, je m'en vais dans ma boutique tirer le diable par la queue.

ACTE I.

SCENE VII.

LIDIAS, FLORINDE, ALAIGRE, PHILIPIN.

I.96 LIDIAS.

Et bien ma fille, nous leur en avons bien baillé d'une?
I.97 Et moy fin de vous prendre, puisqu'on ne vouloit pas vous donner.[125]
Au reste, vous ne vous en repentirez ny tost ny tard,
je suis de ceux qui bien ayment et tard oublient.
Je vous le jure par tous les Dieux ensemble, apres cela il n'y a plus rien,
que je vous seray plus fidelle que le bon chien n'est à son maistre,
et que je vous cheriray comme mes[126] petits boyaux
et vous conserveray comme la /30/ prunelle de mon œil;

---

124 P65 à sa place | | T58 P65 (856) Bernard

125 P40 H54 T58 P65 (856 871) donner à moy | | *Comme toutes les éditions examinées, P33 attribue la réplique I.97 à Philippin. Seule l'édition de 1871 redistribue les répliques, I.96 à Philippin et I.97 à Lidias.*

126 T58 cheriray plus que mes

soyez-en aussi asseurée[127] comme il n'y a qu'un soleil au Ciel.
Si je me parjure jamais, je veux estre reduit en poudre tout presentement.

I.98 ALAIGRE [*à part*].

Il faut le croire[128], il n'en voudroit pas jurer.
Ce qu'il nous dit est aussi vray comme il neige boudin.

I.99 FLORINDE.

Je vous crois comme un oracle, et vous seriez un vray barbare,
et plus traistre que Judas, si vous faisiez autrement.
Si j'eusse creu que vous en eussiez voulu abuser, je ne vous eusse pas tant donné de pied sur moy.
Mais parlons un peu de nostre levée de bouclier[129];
nos gens sont bien camus.

I.100 ALAIGRE[130].

Mon maistre, ils sont aussi estonnez que vous seriez, s'il vous venoit des cornes à la teste.

I.101 /31/ LIDIAS.

Taisez-vous, Alaigre, vous estes plus sot que vous n'estes grand,
et plus fol qu'un jeune chien.
Si vous faites le compagnon,
je vous donneray de la hastille[131].

---

127 P33 P40 H54 asseurez | T58 P65 asseuré

128 T58 il le faut croire

129 P65 boucliers

130 T58 P65 Alizon

131 T58 bastille

I.102 PHILIPIN.

Il est vray, Alaigre, tu fais tousjours des comparitudes et similaisons qui n'appartiennent qu'à toy.
Il faut qu'un serviteur ne se joue à son maistre non plus qu'au feu.
Tu ne sçais pas ton pain manger,
fais comme moy qui vais[132] tout rondement en besongne,
et apprends que pour bien servir et loyal estre, de serviteur on devient[133] Maistre.

I.103 ALAIGRE.[134]

Le gros nigaut,
il est aussi fin qu'une dague de plomb,
et si, le voyez-vous, il se quarre comme un poux sur une galle. [*Philipin siffle.*]
Tu t'amuse à siffler, tu ne seras pas Prevost des Marchands.

I.104 /32/ LIDIAS.

Taisez-vous, enfans, vous avez trop de caquet, vous n'aurez pas ma toille.
Mais vien-çà, Philipin, tu en as bien donné à nostre Docteur et sa femme avec ta feinte,
c'est justement leur avoir donné d'une vessie par le nez.

I.105 PHILIPIN.

Ils peuvent bien jouer au jeu de j'en-tenons;
je crois qu'ils ne nous promettent pas poire molle.
J'ay bien fait croire aux voisins que des vessies sont des lanternes.

---

132 T58 P65 va

133 T58 P65 estre, de bien servir on devient

134 P40, H54 LIDIAS | | *Ces deux éditions contiennent une didascalie* Philipin siffle, *absente dans le P33 et justifiant la dernière phrase d'Alaigre.*

Mordiable ! ils croyent maintenant qu'il n'y a plus de Philipin pour un double.
Ils sont bien du guet,
mort non pas [de ma vie,]
la vessie[135] pleine de sang a bien joué son jeu, quand Alaigre l'a percé[e] au lieu[136] de mon ventre.
Mais s'il eust pris Gautier pour Guarguille,
j'en aurois belle Verdasse.

I.106 ALAIGRE.

Il eust fallu dire febé, pour qui est-ce ? c'eust esté pour toy.

I.107 /33/ FLORINDE.

Là là, mon pauvre garçon, qui bien fait bien trouve, et qui bien fera bien trouvera.

I.108 ALAIGRE.

Ou l'Escriture mentira.

I.109 FLORINDE.

Un bien-fait n'est jamais perdu.
Tout vient à poinct qui peut attendre.
Mon cher Lidias se mangeroit plustost les bras[137] jusques au coude,
quand on luy fait un plaisir[138] grand comme la main,
qu'il n'en rendist long comme le bras.

---

135 P33 P40 H54 mort non pas la vessie | T58 P65 mort non pas de ma vie, la vessie || *La leçon correcte est celle de T58 et P65, retenue aussi par 856.*

136 T58 au milieu

137 P65 le bras

138 T58 P65 fait plaisir

I.110 LIDIAS.

Philipin, tu peux t'asseurer de ce que te dit ma Florinde, comme si cela estoit, autant vaudroit que tous les Notaires y eussent passé:
ce que nous te disons n'est pas de l'eau beniste de Cour.

I.111 ALAIGRE.

Philipin, autant de frais que de sallé,
ce qu'on te promet[139] n'est pas perdu.

I.112 /34[140]/ PHILIPIN.

Vous n'avez qu'à commander, je me mettrois en quatre,
et ferois de la fausse monnoye pour vous;
je prendrois la lune avec les dens,
je ferois de necessité vertu pour vostre service.
Je vous ayme mieux tous deux qu'une bergere ne fait un nid de tourterelle à cause de luy pour l'amour d'elle.
Morgoine, je suis un homme qui n'est pas de bois,
et qui sçay[141] rendre à Cesar ce qui est à Cesar.
Je fais cas des hommes de qualité
plus que d'une pomme pourie
et que d'un chien dans un jeu de quille.

I.113 ALAIGRE.

Tu fais des comparaisons bien saugrenues,
et si tu les enfilles comme crottes de chevres.
Il te faudroit un petit bout de chandelle pour t'esclairer à trouver tout ce que tu veux dire
où il n'y a ny bon envers ny bon endroict.
Il vaut mieux se taire que de mal parler;

---

139 T58 P65 qu'on promet

140 *Dans P33 cette page porte le numéro 43.*

141 T58 P65 sçait

tu es bien heureux d'estre fait, on n'en fait plus de si sot[s][142].

I.114 /35/ PHILIPIN.

Ouye, il semble à t'entendre que je sois une huistre en escaille[143]
ou quelque sot qui parle à bricq et à bracq.
Aga, à mocqueur la mocque,
à bossu la bosse,
et à tortu la torse ;
tu es un beau frelempier,
c'est bien à toy à qui j'en voudroye rendre compte[144] ;
je crois que tu as fait ton cours à Asnieres[145],
c'est là où tu as laissé manger ton pain à l'asne,
c'est là où tu as appris ces beaux pieds de mouche[146]
et ces beaux *y* Gregeois.
Tu es un sçavant Prestre, tu as mangé ton breviaire.
Aga ! tu n'es qu'un sot, tu seras marié au village.
Il n'y a que trois jours que tu es sorty de l'hospital, et tu veux faire des comparaisons avec les gueux.
Si tu estois aussi mordant que tu es reprenant, il n'y auroit crotes dans ces champs que tu n'allasse estestant[147].

I.115 ALAIGRE.

Mais gros boufe-trippe,
il me semble que vous prenez bien du nort.
Je te /36/ conseille de ne point tant empiler, si tu ne veux que je te donne cinq et quatre, la moityé de dixhuict.

---

142 P33 P40 H54 sot | T58 P65 sots

143 T58 Oye | P65 Oy | | P65 à l'écaille

144 T58 P65 à toy que j'en voudrois | P40 H54 compe

145 T58 P65 Asniere

146 T58 P65 de mouches

147 P40 H54 T58 P65 (856 871) crotte... n'allasse fleurant

I.116 PHILIPIN.

Ouye, je te bailleroye raffle de six et trente[148] en trois cartes.
Si tu y avois seulement pensé, je ferois de ton corps un abreuvoir à mouche
et te montrerois bien que j'ay du sang aux ongles.

I.117 ALAIGRE.

Je le crois, mais c'est d'avoir tué des poux.

I.118 LIDIAS.

La paille entre deux!
Sus! la paix à la maison!
Je n'ayme pas le bruit, si je ne le fais.
Je veux que vous cessiez vos riottes, et vous soyez comme les deux doigts de la main.
Alaigre, vous faites le Jean fichu l'aisné
et vous vous amusez à des coquesigrues et des balivernes.
Je veux que vous vous embrassiez comme freres et que vous vous accordiez tous deux comme larrons[149] en foire,
et que vous /37/ soyez camarades comme cochons.

I.119 ALAIGRE.

Il est bien-heureux qui est Maistre, il est valet quand il veut.

I.120 *Alaigre, et Philipin s'embrassent.*

D PHILIPIN.[150]

Je croy que tu as esté au grenier sans chandelle, tu as apporté de la vesse pour du foin.

---

148 T58 P65 baillerois || P40 H54 T58 P65 (856 871) cinq et trente

149 T58 que vous embrassiez || T58 P65 accordiez comme deux larrons

150 *T58 P65 La didascalie* « Alaigre et Philippin » *n'a pas de verbe.*

I.121 ALAIGRE.

Tu n'y entens rien, c'est que j'ay tué mon pourceau, je me joue de la vessie.

Ho, grosse balourde, ne sçais-tu pas que, qui veut vivre longuement, il faut bailler[151] à son cul vent?

I.122 PHILIPIN.

Ouy, mais pour vivre honnestement, il ne faut vessir si puant.

I.123 LIDIAS.

Accordez vos flustes encor un coup,
et changez de notte.
Revenons à nostre premiere chanson.
Que disoit-on[152] en mon absence?
On me prestoit[153] de belles charitez,
au moins, je crois qu'on n'oublioit /38/ pas à me tenir[154] sur le tapis,
et à mettre en avant que je disois comme le renard des mures,
quand je fis courir le bruit
que l'amour ne me trotoit plus[155] dans le ventre,
et que je ne me souciois ny des rez ny des tondus.
Je crois, mon cœur, que cela fut cause qu'on ne vous serroit plus tant la bride.

I.124 FLORINDE.

Il est vray que vostre absence faisoit parler de vous tout au travers des choux.

---

151 T58 P65 il faut donner

152 T58 P65 diroit on

153 P65 presteroit

154 T58 croy que on n'oubliroit | P65 croy que l'on n'oubliroit || T58 me mettre les tapis | P65 me mettre sur le tapis

155 T58 ne me mettroit plus

Mon pere entr'autre ne m'en rompoit plus tant la teste[156],
parce qu'il croyoit que toutes nos affections fussent evanouies,
et que nous eussions planté l'amour pour reverdir.
Bref, on ne songeoit plus qu'à rire,
et me donner[157] à ce grand franc-taupin de Capitaine
qui me suivoit comme un barbet,
et je ne m'en fusse jamais despestré[e] sans cette contremine, de laquelle on ne se doutoit non plus que si le Ciel eust deu[158] tomber.

I.125 /39/ PHILIPIN.

On vous avoit mis aux pechez oubliez, on ne songeoit non plus à vous que si vous n'eussiez jamais esté né,
et nostre Docteur estoit plus aise qu'un pourceau qui pisse[159] dans du son
de ce qu'on disoit que vous aviez plié bagage,
car il croyoit jamais n'estre despatrouillé de vous.
D Il escarpinoit avec sa robbe troussée de peur de crottes.

Philipin saute.[160]

I.126 ALAIGRE.

Saute crapaut, voicy la pluye.

I.127 PHILIPIN.

Mais il ne songeoit pas [que] qui rit[161] le Vendredy pleure le Dimanche.

---

156 T58 romproit plus la teste | P65 rompoit plus la teste

157 P65 et à me donner

158 T58 ceste contremise | | T58 que le Ciel deu | P65 que le Ciel eust deu

159 P40 H54 puisse

160 T58 P65 Philippin tombe | | *Cette remarque est placée, à tort, devant la réplique I.125.*

161 T58 songe pas qui rit | P65 songe pas que qui rit

I.128 ALAIGRE.

Il rit assez qui rit le dernier[162].

I.129 PHILIPIN.

Saimon, je crois qu'il se gratte bien maintenant où il ne luy demange pas.
Il rit jaune comme farine
et vous dit bien la pastenostre de singe,
mais morgoine, il ne vous tient pas, ce n'est pas pour son /40/ nez mon cul,
ny pour ce grand malautru de Capitaine
qui croyoit tenir Florinde comme un pet à la main.
Il peut bien la serrer et dire qu'il ne tient rien.
Il a beau s'en defripper, il n'a qu'à s'en torcher le bec.

I.130 ALAIGRE.[163]

C'est un bon fallot,
le morceau luy passera bien loin des costes.

I.131 FLORINDE.

Pour moy, je ne sçay comme mon pere est coueffé
de cet avalleur de cherrette desferrée[164].
Quelques-uns disent qu'il est assez avenant,
mais pour moy, je le trouve plus sot qu'un pagnier percé,
plus effronté qu'un page de Cour,
plus fantasque qu'une mulle,
meschant comme un asne rouge,
au reste, plus poltron qu'une poule,
et menteur comme un arracheur de dents.

---

162 T58 il rit qui rit le dernier

163 T58 P65 Alizon

164 T58 cherreté ferrée | P65 cherrettes ferrées | *Cf.* CuF.

I.132 LIDIAS.

Vous dites là bien des vers à sa louange.

I.133 /41/ FLORINDE.

Pour la mine, il l'a telle quelle,
et, sur tout, il est delicat et blond comme un pruneau relavé;
et la bource il ne l'a pas trop bien ferrée;
de ce costé-là, il est sec comme un rebecq
et plus plat qu'une punaise.

I.134 ALAIGRE.

Et puis apres cela, allez vous y fourrer.

I.135 PHILIPIN.

Elle dit vray. Il est plus glorieux qu'un pet,
et ce drosle-là n'en feroit pas un à moins de cinq sols.
Quand il rit, les chiens se battent;
il est quelquefois rebiffé comme la poule à gros Jean,
et, à cette heure-là, il faut estre grand Monsieur pour avoir un pied de veau.

I.136 LIDIAS.

Vous le tenez bien au cul et aux chausses,
les oreilles luy doivent[165] bien corner.
Mais c'est assez le drapper en son absence,
laissons-le là pour tel qu'il est.

I.137 /42/ ALAIGRE.

S'il en veut davantage, il n'a qu'à en aller chercher;
s'il n'est content[166] de cela, qu'il prenne des cartes:

---

[165] T58 oreilles doivent

[166] P33 P40 H54 comptant | T58 P65 content

aussi bien il est bon à jouer au berland, il a tousjours un ase caché sous son pourpoint.

I.138 LIDIAS.

Ce n'est pas tout, il ne faut pas demeurer icy planté[s] comme des eschallats,
il faut faire gille pour trois mois,
et ne point revenir que nous n'ayons renmanché nos flustes
et consommé[167] nostre mariage.
S'ils nous viennent chercher sur nostre paille[168],
nous leur monstrerons qu'un coq est bien fort[169] sur son fumier,
et que chacun est maistre en sa[170] maison.

I.139 ALAIGRE.

Il faudra que ce croquant de Capitaine
ayt de bonnes mitaines pour en approcher.
Il est fort mauvais, il a battu son petit frere.
Je n'ay pas peur qu'il luy prenne envie de courir apres son esteuf,
car il y a plus de six mois qu'il a vendu /43/ son cheval pour avoir de l'avoine, si bien que
s'il est bottifié, c'est pour coucher à la ville, et pour[171] piquer les boucs.
Je vous jure que je n'auray[172] pas la puce à l'oreille,
et ne m'en leveray pas plus matin.

---

[167] T58 que nous n'ayons consommé | *Le segment* «renmanché nos flustes et» *manque*.

[168] T58 P65 paillé

[169] T58 est fort

[170] P65 à sa

[171] T58 ville pour

[172] T58 P65 n'ay

I.140 PHILIPIN.

La beste a raison, il la faut mener à[173] l'étable.
Mais parlons un peu d'affaire[174], il faut desgueniller d'icy,
il n'y fait pas si bon qu'à la cuisine.
Quand le soleil est couché, il y a bien des bestes à l'ombre.

I.141 ALAIGRE, *parlant au violon.*

Soufflez, Menestrier, l'espousée vient.[175]

/44/ LA COMEDIE DE PROVERBES.

ACTE SECOND.

SCENE PREMIERE.

LE CAPITAINE, FIERABRAS, ALIZON, ET LE DOCTEUR.

II.142 LE CAPITAINE.

Pauvre Docteur Thesaurus, je te plains bien, mais je n'ay rien à te donner;
si tu n'avois la caboche bien faite,
tu serois deja à Pampelune.
Tu as receu un terrible re/45/vers de fortune,
tu as perdu le joyau plus precieux de ta maison sans l'avoir joué,
et le tout par un tour de soupplesse que ta fille t'a fait,
ayant laissé prendre un pain sur la fournée
par un qui ne seroit pas digne de servir de goujat

---

173 P58 P65 mettre à

174 P65 d'affaires

175 *H54 ajoute:* «Fin du premiere. Acte».

à un qui se sentiroit trop heureux de me torcher les bottes.
Ah Florinde ! *quien*[176] *se casa per amores, malos dias y buenas noches.*
Ouy, ouy, Florinde, tu l'esprouveras que qui se marie par amourette a une bonne nuict, mais de[177] mauvais jours.
Tu m'as bien baillé de la gabatine
et fait un tour de femme,
apres m'avoir promis monts et vaux.
Ah, que de la male muger te guarda y de la buena no fies[178] *nada.*
Toutefois, que dis-je, Florinde, je te fais tort de croire que tu aye fait breche à ton honneur.
Tu es possible dans la gueule des loups,
et en quelque part plus morte que vive.
Et toy aussi, pauvre pere[179], plus triste qu'un bonnet de nuict sans coiffe,
tu es plus cajois[180] qu'une chatte qui trou/46/ve ses petits chats morts,
plus dolent qu'une femme mal mariée,
bref, plus desolé que si tous tes parents estoient trespassez.
Il faut bien à cette heure que la constance te serve d'escorte et de bouclier.
Je sçay bien, c'est[181] dans la necessité que les vrays amys se monstrent où ils sont ;
c'est pourquoy ma langue, aussi bien esguisée que mon espée,
va dire et faire tout ensemble au Docteur Thesaurus

---

176 P33 P40 qui en

177 P40 H54 T58 P65 a pour une bonne nuict beaucoup de

178 P33 P40 malé... garda... nofiat | H54 mala... no fias | T58 Abque de lamalé muger regarday... nofiat | P65 Abque... la malè... gorda... no fiat || *Inintelligible dans T58, cette phrase dégénère davantage dans T715, où* muger *devient* mugar. => Comm.

179 P33 frere | P40 H54 T58 P65 pere

180 T58 coiols

181 T58 P65 bien que c'est

que je suis le Roy des hommes, le Phenix des vaillans,
que j'extermineray et mettray à jambrebridaine[182] tous ses ennemis,
et que je chiquetteray pour son service tout ce qui se rencontrera plus menu que chair à pasté.
De l'abondance du cœur la bouche parle,
à grands Seigneurs peu de paroles.
Moy, qui suis plus vaillant que mon espée,
je le vais asseurer que pour un amy l'autre veille.
Me voicy proche de son hostel. Hola ho!

II.143 /47/ ALIZON.

Qui va ladre-là?

II.144 FIERABRAS.

C'est le vaillant Fierabras, General des Regimens de Tartarie, Moscovie, et autres.

II.145 ALIZON.

Dittes, des Regiments du port au foin, de Pouilly, et autres.
Ha ha, c'est donc vous, ce n'est pas grand cas,
attendez, si vous voulez, ou bien allez vous-en à l'autre porte, on y donne des miches.
[Fierabras cogne à la porte]
Toubeau, ne rompez pas nostre porte, elle a cousté de l'argent.

II.146 FIERABRAS.

A tous Seigneurs tous honneurs, beste brute,
voilà bien nicqueter, c'est trop niveler,
il n'est pire sourd que celuy qui ne veut pas entendre.

---

182 T58 la brebridaine | P65 la brebidaine

C'est le Capitaine Fierabras, et Masche-fer, cela te suffise,
ouvre sans tant de babil,
et ne m'eschauffe pas la cervelle
que tu n'en trouve mauvaise marchande[183];
prends-y /48/ garde,
et que je ne t'envoye à Mortaigne
ou à Quancalle pescher des huistres.

II.147 ALIZON.

Vos fievres quartaines à trois blancs les deux!
Tout beau,
encor un coup de par Dieu ou de par le diable.
Dieu nous soit[184] en ayde, puis qu'il le faut dire,
vous faites plus de bruit qu'un cent d'oyes, et si vous estes tout seul.
Vous estes bien hasté, et si, personne ne vous presse.
Monsieur, venez vistement parler au Capitaine Fierabras;
il rompra tout, si on ne le marie.

/49/ ACTE II.

SCENE II.

FIERABRAS, THESAURUS, ALIZON.

II.148 FIERABRAS.

Il entre dans la[185] maison du Docteur.

D Dieu soit ceans, et moy dedans, et le Diable chez les Moines.

---

183 T58 tu ne t'en trouve || P40 H54 mauvaise marchand

184 T58 P65 vous soit

185 T58 P65 en la

II.149 THESAURUS.

Seigneur Capitaine, à vous et aux vostres, fussiez-vous un cent, encore un coup en despit des envieux.
Il faut que je vous embrasse bras dessus bras dessous[186].
Et bien, quel bon vent vous meine ?

II.150 FIERABRAS.

Les vents ne me meinent pas, car je vay plus viste à pied qu'ils ne vont[187] à cheval, quand il est question de vous voir.
Eole n'escroque et n'emprunte /50/ que mon haleine
pour souffler dans les oreilles des hommes et des enfans
que je suis la terreur de l'univers,
l'honneur des pucelles[188]
et le massacreur du vautour qui m'a ravy la proye que vous me gardiez.

II.151 ALIZON.

On vous la gardoit dans un petit pot à part.

II.152 FIERABRAS.

Et pour cela je vous suis venu dire qu'il faut vous armer[189] des armes de la patience.
Pour moy, je me veux vestir de celles de la vengeance contre ceux qui vous ont tolli et emblé vostre fille.
Mes trouppes en bataille[190], et le bruit que je feray armé de pied en cap
et jusques aux dents,
les espouventera comme estourneaux[191],

---

186 T58 P65 bras dessous, et bras dessus

187 T58 P65 font

188 T58 l'honneur d'icelles | P65 l'honneur d'iceluy

189 T58 il vous faut armer

190 P33 P40 H54 en batailles

191 T58 comme des estornaux

ou bien leur donnera des aisles aux tallons
pour les faire revenir plus viste qu'un trait d'arbaleste vous ramener le tresor qui ne peut estre estimé ny cognu que par le furieux et terrible Fierabras.
Quand j'appris cette nouvelle, /51/ j'en devins si eschauffé dans mon harnois,
que je pensay perdre cette race ou megnie d'Archambaut, plus il y en a moins elle vaut.
J'étois si boufi de colere
que je pensay crever dans mes paneaux,
quand je sceus qu'ils avoient gaigné les champs,
ou Dieu me damne.

II.153 ALIZON.

Il en devint[192] si constipé, qu'il n'en pouvoit pisser ny fienter.

II.154 FIERABRAS.

Enfin, jamais homme ne fut plus ebobi[193] que moy, ny plus resolu de nous vanger tous deux.
C'est pourquoy je suis venu sans dire ni qui a perdu ni qui a gaigné,
pour vous offrir l'or et les richesses
qui ne me manquent non plus que l'eau en la riviere. Pour le courage, la valeur et la force...

II.155 ALIZON.

Il en est fourni comme de fil et d'aiguille.

II.156 FIERABRAS.

Faites de moy comme des choux de vôtre jardin.
J'employeray le verd et le sec pour vous;

---

192 P40 H54 devient

193 T58 esbahy

je ne suis point de ces especes de /52/ chianbraye
qui n'ont que du caquet,
et qui n'ont point de force qu'aux dents.
Je t'ay[194] bien monstré où gist le liévre,
je sçay bien où il faut appliquer le courage que je feray parestre comme le clocher sur l'Eglise.
Quand il sera temps, je les attaqueray d'estoc et de taille,
de cul et de pointe, de bec et de griffe[195],
à meschant meschant et demy.

II.157 THESAURUS.

Quant à cela, vous ne sçauriez mieux dire si vous ne recommencez.
Vous n'en parlez pas comme un clerc d'armes,
mais comme un homme qui en a bien veu d'autres.
Ceux-là ne vous feroient pas vessir de peur;
comme dit nostre voisin Jean Dadais,
il n'est que d'avoir du courage,
car qui se fait brebis, le loup le mange,
vous n'en avez pas moins qu'un lion[196].

II.158 FIERABRAS.

Ces brigands, ces chercheurs de barbets
et de midy à quatorze heures
quels /53/ qu'ils soient sous la callotte du Ciel,
fussent-ils aux Antipodes
ou dans les entrailles de la terre,
ils seront bien cachez, si je ne les trouve.
Je leur montreray bien à tourner au bout et à qui ils se jouent[197].

---

194 P65 J'ay

195 P40 H54 grieffe

196 T58 P65 Lyon

197 T58 au bout: à qui se jouent ils, | P65 au bout: à qui se jouent-ils?

Ils n'ont pas affaire à un facquin,
ils verront de quel bois je me chauffe;
le veulent ou non, ils passeront par mes pattes.
Je leur feray sentir ce que peze mon bras,
je les chastieray si bien et si beau,
qu'on n'en entendra ny pleuvoir ny venter.
Quand ils seroient tous de feu,
et qu'ils auroient la force de Samson
et le courage d'Hercule,
qu'ils seroient des Poliphemes, des Achilles, des Hectors, des Cirus, des Alexandres, des Annibales, des Scipions, des Cesars, des Pompées, des Rolands, des Rogers, des Godefroy de Bouillon, des Roberts le diable, des Geofroy à la grand dent, tous aussi grands que des Gargantuas et des Briarées à cent bras,
un seul des miens les tuera comme des hanetons,
et ne du/54/reront devant moy non plus que feu de paille.

II.159 ALIZON.

Et qu'une fraize dans la gueule d'une truye.
Il y va de cul et de teste[198], comme une corneille qui abbat des noix.
O le grand casseur de raquette!
le grand rompeur d'huis ouverts[199]!
le grand depuceleur de nourrice[s][200]!
Il est vaillant, il a fait preuve de sa valeur [avec] des armes de Cain, des machoires[201].
Le voyez-vous, ce Capitaine plante-bourde?

---

198 T58 du cul et de la teste

199 P65 de portes ouvertes | | *S'agit-t-il ici d'un simple conflit entre les variantes synonymiques du même phraséologisme, ou d'une tentative de «traduire» un mot déjà trop archaïque en 1665?*

200 P33 P40 H54 T58 nourrice | P65 CuF nourrices

201 P33 P40 H54 valeur, des armes de Cain, des machoires | T58 valeur des armes de Cain, de machoires | P65 valeur avec des armes de Cain, des machoires

II.160 FIERABRAS.

Seigneur Docteur, ce que je vous dis ne sont pas des contes de la cicoigne.

II.161 ALIZON.

Ce qu'il dit est vray comme je file;
c'est un bon Gentilhomme, il est fils de pescheur, noble de ligne[202].

II.162 FIERABRAS.

Et vous le verrez plus-tost que plus-tard, plus-tost aujourd'huy que demain,
je les feray renoncer à la triomphe,
et /55/ coucher du cœur sur le carreau;
il en faut depestrer le monde, la garde n'en vaut rien,
car telles gens vallent mieux en terre qu'en pré,
ils ne font que traisner leur lien,
en attendant que je me jette sur[203] leur fripperie,
et que je les jette si haut, que la region du feu les reduira en cendre[204]
en moins d'un tourne-main.

II.163 THESAURUS.

Par Ciceron, vous vallez mieux que vostre pesant d'or;
car vous faites l'office d'un vray amy de venir sans estre mandé;
c'est estre venu comme tabourin à noces,
et faire en personne ce qu'un autre feroit[205] par Procureur.
Mais pour ne point mettre *ablativo*[206] tout en un tas, et ne rien confondre,
il ne faut pas tant faire de bruit,

---

202 T58 noble lignée

203 P65 me mette sur

204 T58 religion du feu || P65 cendres

205 T58 que feroit un autre

206 P33 P40 H54 ablativaux | T58 ablativau | P65 CuF ablativo

ce ne sont des abeilles[207], on ne les assemble pas au son d'un chaudron.

II.164 ALISON.

Ils sont bons chevaux de trompette, ils ne s'effrayent pas pour le bruit,
tel menace qui a grand peur[208],
Maistre Gonin est mort, le monde n'est plus grue.

II.165 /56/ FIERABRAS[209]

L'on verra que devant qu'il soit trois fois les Roys
je les mettray au *benigna*[210].

II.166 ALIZON.

Vous nous donnez le Caresme bien haut.
Le terme vaut l'argent,
il n'y aura plus en ce temps là ny beste ny gens.

II.167 FIERABRAS.

Le sang me monte au visage,
il me boult dans le corps de ne pouvoir dès à present
mettre la griffe sur eux.
J'entre en telle colere[211]...

II.168 ALIZON.

... qu'il tueroit un Mercier pour un peigne.
O le grand fendeur de nazeaux!

II.169 THESAURUS.

Ne fumetis Domine.

---

207 P65 sont pas des abeilles

208 T58 P65 (856) a bien peur

209 P33 P40 H54 T58 P65 856 ALAIGRE | | *Erreur commune. Alaigre ne participe pas à cette scène.*

210 P40 H54 T58 P65 O benigna | | *Cf.* CuF.

211 T58 en cholere | P65 en colere

II.170 ALIZON.

Il est en colere, la lune est sur bourbon[212].

II.171 THESAURUS.

Il ne faut pas que la colere vous emporte du blanc au noir, et du noir au /57/ blanc.
Vous estes trop chaut pour abreuver,
ce seroit tomber de fievre en chaut mal,
il faut aller au devant par derriere,
et vous conserver comme une relique,
nous avons affaire de vous plus d'une fois;
il ne faut pas tout prendre de vollée,
et jouer à quitte ou à double:
ce seroit trop hazarder le paquet,
en danger de tout perdre et tomber de Caribde en Scila[213];
c'est à dire qu'il faut aller doucement en besongne.
Croyez-moy, et dites qu'une beste vous l'a dit.

II.172 FIERABRAS.

Vostre conseil n'est point mauvais, il y en a de pires;
il vaut mieux les laisser venir se prendre[214] au trebuchet.
Ils feront comme les papillons, ils viendront d'eux-mesmes se brusler à la chandelle.
Je leur veux tendre des fillets,
où ils se viendront prendre comme moineaux à la glue.
Lors je les traitteray en enfans[215] de bonne maison,
je les espousteray[216]

---

212 P40 H54 856 boubon | T58 P65 le bonbout

213 T58 P65 Scile

214 T58 P65 laisser se venir prendre

215 T58 traiteray comme enfans

216 T58 esprouveray | P65 traiteray, je les éprouveray || *Une omission dans P65.*

et estrilleray sur le ventre et par tout,
et en at/58/tendant je vous prie de dormir à la Françoise,
et moy je veilleray à l'Espagnole.

II.173 ALIZON.

Vous dites d'or, et si vous n'avez pas le bec jaune. Allez delà, et moy deçà, et nous verrons qui les aura[217].

ACTE II.

SCENE III.

LIDIAS, FLORINDE, PHILIPIN, ALAIGRE.

II.174 LIDIAS.

Enfin, chere Florinde, nous sommes plus heureux que sages
d'avoir cueilly la rose parmy de si dangereuses espines.
Aussi est-ce dans les plus grands perils que l'on fait cognoistre ce qu'on a dans le ventre.
On dit bien vray quand on dit qu'il ne faut pas vendre sa bonne fortune,
et que jamais honteux n'eut /59/ belle amie;
car qui ne s'aventure n'a ny cheval ny mulle.
Ainsi les plus honteux le perdent.
Mais pour rentrer de pique noire, parlons de nostre Capitaine,
je luy ay bien passé la plume par le bec,
il a beau maintenant escouter s'il pleut.

II.175 FLORINDE.

Il est vray que nous avons bien joué nostre roolle;
mais quand j'y songe, il estoit tout jeune et joyeux

---

217 T58 P65 et si n'avez pas... qui en aura

de croire se pouvoir mettre en mes bonnes graces qui estoient à la lessive pour luy.
Vrayment, mes affections estoient bien vouées à d'autres Saincts.
Que je suis heureuse, mon cher Lydias! que ce grand embaleur[218]-là me lanternoit!
Il me sembloit que j'estois à la gehenne,
lors qu'il me rompoit les oreilles de son caquet,
et cependant le respect que je portois à mon pere qui le supportoit[219] me forçoit de l'amadouer
et l'entretenir en abboyes
le bec en l'eau.
Il mâche bien à cet'heure so[n] frein.
Mais tirons païs, cher Lidias,
de peur qu'il ne nous joue quelque tour.

II.176 /60/ PHILIPPIN.

Et de quoy[220] avez-vous peur? n'avez-vous pas monté sur l'ours?

II.177 LIDIAS.

Il n'oseroit me regarder entre deux yeux,
et ne sçavez-vous pas que je suis un Richard sans peur,
et que je ne crains ny loup ny lievre s'ils ne vollent!
Je ne le redoute ny mort ny vif;
c'est un habille homme apres Godart.
Mais je suis fort en impatience d'Alaigre,
que nous avons envoyé pourmener pour avoir des chausses,
et espionner en quels termes vostre pere et nostre Capitaine nous tiennent.
Il y aura apres demain trois jours qu'il est party,

---

218 T58 P65 abateur

219 P33 qui le perdoit | P40 H54 qui le portoit | T58 P65 qui le supportoit

220 T58 P65 En quoy

et il ne nous en apporte ny vent ny nouvelle;
sans doute il se sera amusé à siffler la rostie, le coquin,
il ne songe pas plus loin que son nez.

II.178 PHILIPIN.

Mais, cependant, la gueule me rabaste[221],
il semble à mon ventre que le diable a emporté mes dents.

II.179 /61/ FLORINDE.

Cela est estrange que tu sois tousjours sur ton ventre.

II.180 PHILIPIN.

Vous m'excuserez, je suis sur mes deux pieds comme une oye;
il y a pour le moins trois heures que je masche à vuide et que j'avalle le suc[222] de nos bribes que je tiens dans le sac;
il n'est pas feste au Palais, mes dents veulent travailler.

II.181 FLORINDE.

Je crois que tu ne sçaurois estre un moment sans avoir le morceau au bec.

II.182 LIDIAS.

Philipin, prends courage, tu verras tantost
qu'il fait bon porter le fardeau d'Esope, on s'en descharge[223] par les chemins.

II.183 PHILIPIN.

Je sçay bien qu'il n'est rien tel
que de faire provision de gueule.

---

221 P65 me gagne

222 P40 H54 le sucre

223 H54 on s'on descharge | T58 ou sans descharger | P65 ou s'en décharger

Ce n'est pas d'aujourd'huy que j'ay ouy dire
que *beati garniti* vaut mieux que *beati co/62/ron*[224].
Mais mordiable, cela n'empesche pas que je n'aye des grenouilles[225] dans le ventre,
mes boyaux crient vengeance.

II.184 LIDIAS.

Attends qu'Alaigre soit venu de battre la semelle.

II.185 PHILIPIN.

Je sçay bien que si Alaigre ne vient bien-tost, je le passeray maistre.
Pour un Moine on ne laisse pas de faire[226] un Abbé.

II.186 LIDIAS.

Quand on parle du loup, on en voit la queue.

II.187 FLORINDE.

Le voilà, comme si on l'avoit mandé ;
il vient de loin, il est bien eschauffé, il luy faut une chemise blanche.

II.188 LIDIAS.

Il a fort bon courage, mais les jambes luy faillent.

II.189 PHILIPIN.

Monsieur, souflez-luy au cul, l'haleine luy faut,
parlez haut, visage[227],
que dit-on de la guerre ? le charbon sera-t'il cher ?

---

224 P33 beatis garnitis... beatis | T58 P65 Beati garnitis... Beati quorum

225 T58 P65 quenouilles

226 T58 P65 ne laisse d'en faire | *V. l'*Introduction *sur le traitement de cet endroit dans le H54.*

227 P33 parlez à haut visage

II.190 LIDIAS. /63/

Et bien, Alaigre, le Docteur est-il aussi mauvais qu'il a promis à son Capitaine?
je croy qu'ils ne feront que de l'eau, encore sera-t'elle toute claire.

II.191 ALAIGRE.

Tout est calme, ils ont callé leurs voiles,
pour ne sçavoir pas de quel costé vous avez pris vos brisées,
ny quelles gens leur avoient joué cette trousse[228].
Tant y a qu'ils ont mis leur procedure au croc,
en attendant le temps de faire haro sur vous et sur vostre beste, mon Maistre.

II.192 LIDIAS.

Vous faites le sot, Alaigre,
mais je vous bailleray ce que vous ne mangerez pas.

II.193 ALAIGRE.

Vous m'obligerez beaucoup plus de me donner ce que je mangeray bien, car je suis affamé comme un loup.

II.194 LIDIAS.

Je sçay bien que tu es affamé comme un chasseur qui n'a rien pris.
Mais, tandis que Philipin estendra nos bribes sur l'herbe,
dis-moy un peu si tu as veu ce mangeur de petits enfans.

II.195 /64/ ALAIGRE.

Si je l'ay veu? Vrayment[229], je vous en responds,
et si j'ay eu belle rescappée[230];

---

228 P33 traffe | P40 H54 T58 P65 trousse

229 *Découpage des phrases établi d'après P65.*

230 T58 eschapée | P65 escapée

car j'ay pensé estre gratté depuis[231] *Miserere* jusques à *Vitulos*.
J'ay rencontré ce croquant de Capitaine à grands ressorts
au milieu de la rue comme une statue de marbre.
Il ne remuoit ny pieds ny mains non plus qu'une souche,
tenant sa gravité comme un asne qu'on estrille,
ou comme un Espagnol à qui on donne le chiquin.
J'allois mon grand chemin
sans songer ny à Pierre ny à Gautier.
Comme j'ay passé aupres de luy,
plus malicieux qu'un vieux singe,
il m'a tendu sa grand'jambe[232] d'allouette,
et m'a fait donner du nez en terre;
puis, me regardant comme un chien qui emporte un os, il me dit, Bon, bon,
tu as le nez cassé, je ne demandois pas mieux.
Enfin moy, qui ay esté aussi-tost relevé qu'un bilboquet[233],
je luy ay dit, Ry, Jean[234], on te frit des œufs.
Et voyant qu'il me faisoit la /65/ moue,
je l'ay appellé gros bec, il a mangé la pesche,
chien de filoux,
preneur de tabac,
et luy ay demandé en demandant pourquoy il m'empeschoit de passer mon chemin?
Il m'a respondu, se quarrant comme un pourceau de trois blancs qui a mangé pour un carolus de son,
qu'il ne[235] vouloit rendre conte à personne,
et qu'il estoit sur le pavé du Roy.

---

231 T58 P65 depuis le

232 P40 H54 grande jambe

233 H54 relevé bilboquet | T58 moy quand j'ay esté relevé aussi tost… | P65 relevé aussi tost…

234 T58 Roi Jean

235 P40 qu'il ne'n | H54 P65 qu'il n'en | T58 qui n'en

Mais moy qui me voulois fondre[236] en raison comme une pierre au Soleil,
je luy ay dit tout cecy, tout cela, par-cy par-là, bredit[237] bredat,
chose[s] et autres les plus belles du monde,
et enfin qu'il ne devoit faire à autruy que ce qu'il vouloit qu'on luy fist.
Là dessus il m'a appellé Grimaut le pere au diable,
il m'a menacé de me grater où il ne me demangeroit pas,
de me donner morniffle,
et que si je [ne] m'esloignois[238] de luy plus d'une lieue à la ronde,
il nettoiroit[239] ma cuisine.
Vrayment vrayment, il n'a pas eu affaire à maupiteux;
je luy ay bien rivé son clou,
/66/ et luy ay bien monstré que quand il pence son cheval, ils sont deux bestes ensemble.
Car je luy ay dit bien et beau
qu'il n'estoit qu'un gros veau;
que j'étois à un visage
qui n'estoit pas de paille;
qu'il luy faisoit bien la nique,
et luy gardoit quelque chose de bon;
que s'il prenoit ma querelle,
il luy feroit rentrer ses paroles cent pieds dans le ventre,
et luy feroit petter[240] le boudin,
et luy donneroit une Prebande dans l'Abbaye de Vatan.
Alors, vous entendant nommer, il a plus vomi d'injures contre vous qu'il ne passe de gouttes d'eau sous un moulin,

---

236 T58 P65 fonder

237 T58 P65 dit tout cela bredit

238 P33 je m'ésloignois | P40 H54 je mesloignois | T58 je ne m'esloignois | P65 je m'éloignois

239 T58 P65 nettoyeroit bien

240 T58 porter

et vous a donné à plus de diables qu'il n'y a de pommes en Normandie.

II.196 LIDIAS.

Ce qu'il dit et rien c'est tout un,
je ne m'en mets pas davantage en peine,
poursuis ta pointe seulement.

II.197 /67/ ALAIGRE.

Il ne m'en dit ni plus ni moins; car quand je le vis si en fougue,
je le plantay là,
et m'en suis venu le grand galop[241],
la gueule enfarinée.

II.198 PHILIPIN.

Voilà Monsieur venu, trempez-lui sa soupe!
Servez Godard, sa femme est en couche.
O[r][242] ne laisse pas d'aller disner d'où tu viens,
car la marmite est renversée,
il n'y a ni frict ni fracq;
et quand il y en auroit, ce n'est pas pour toy que le four chauffe.

II.199 ALAIGRE.

Ouay, gros Marcadan,
ce n'est ny de ton pain ny de ta chair,
tu fais plus l'empesché qu'une poulle à trois poussains;
tu es un grand jazeur, tu n'as que la[243] bave.
J'en ferois plus en un tour de main que tu n'en gasterois en quinze jours.
Tu t'y prends d'une belle desgaisne.

---

241 T58 galo

242 P58 P65 Or

243 T58 P65 que de la

II.200 /68/ PHILIPIN.

O, tu es nourry de brouet d'andouille, tu sçais tout,
je voudrois bien voir de ton eau dans un coquemard.
Tu es un beau cuisinier de He[s]din[244], tu as empoisonné le diable;
tu entends la cuisine comme à faire un coffre
ou à ramer des choux.
Je pense que tu ferois aussi bien un pot qu'une poisle.

II.201 ALAIGRE.

Tu en diras tant que je te donneray du bois pour porter à la cuisine.

II.202 PHILIPIN.

Ho-ho, tu as la teste bien prés du bonnet,
ce n'est que pour rire, et tu prends la chevre;
si tu sçavois combien je t'ayme depuis un demy quart[245] d'heure, tu en serois estonné. Aga, je t'ayme mieux voir que le cœur de mon ventre;
tu es un bon garçon, tu as la jambe jusques au talon
et le bras jusques au coulde.
Tu es de bonne amitié, tu as le visage long.

II.203 /69/ ALAIGRE.

Tu sçais bien que chien hargneux a tousjours les oreilles deschirées.

II.204 FLORINDE.

Cela est estrange que ces garçons ont tousjours quelque maille à départir.
Philipin, prends garde
qu'Alaigre ne t'estrille,
car il en mangeroit deux comme toy.

---

244 P33 P40 H54 T58 hedin | P65 Hédin

245 T58 P65 un quart

II.205 LIDIAS.

S'il y avoit songé, il ne mangeroit jamais pain.

II.206 FLORINDE.

Je crois que pour se cognoistre il faut qu'ils mangent un minot de sel ensemble.
Mais sans plus de discours,
enfans, taisez-vous, ou dites que vous n'en ferez rien, et ne nous rompez plus la teste,
elle nous fait desja mal[246] de vos caquets.

II.207 ALAIGRE.

Si vous estes malade, prenez du vin ;
aussi mal de teste veut repaistre. De plus, la medecine n'est point sotte.

II.208 /70/ LIDIAS.

Il dit vray, le lourdaut. Aussi bien pour les accorder il faut qu'ils boivent ensemble.

II.209 FLORINDE.

Vous les grattez bien où il leur demange.

II.210 LIDIAS.

Ma Florinde, six et vous sont sept.

II.211 ALAIGRE.

Allons à la souppe, goulu,
flacquons-nous là, et daubons des machoires.

II.212 LIDIAS.

Garçons, soit fait ainsi qu'il est requis.

---

246 T58 P65 desja assez mal

II.213 PHILIPIN.

De quatre choses Dieu nous garde,
D'une femme qui se farde,
D'un vallet qui se regarde,
De bœuf sallé sans moutarde,
Et de petit disner qui trop tarde.

II.214 ALAIGRE.

Le diable s'en pende, je me suis mordu.

II.215 /71/ PHILIPIN.

C'est bien employé, Alaigre, tu es trop goulu, en pensant manger du bœuf, tu as mordu du veau.

II.216 ALAIGRE.

Et toy, tu joue desja des balligouinsses comme un singe qui desmembre des escrevisses.
Morbleu, quel avalleur de poix gris!
vrayment, tu n'oublie[247] pas les quatre doigts et le pousse.
Quel estropiat des machoires!

II.217 PHILIPIN.

Aga, t'estonne-tu de cela? les mains sont faites devant les cousteaux.
Ho Dame[248]! je ne suis pas un enfant, je ne me repais pas d'une fraize.
Bonnes sont les vertes.

II.218 ALAIGRE.

Bonnes sont les mures.

---

247 T58 P65 il n'oublie

248 P65 Ho damne

II.219 PHILIPIN.

Bonnes sont les noires.

II.220 ALAIGRE.

Bonnes sont les blanches.

II.221 /72/ PHILIPPIN.

Mais que mange-tu là en ton sac,
grand gueule?
Je crois que tu as le gosier pavé.

II.222 ALAIGRE.

Tu mets ton nez par tout, tu en as bien affaire.
Tien, tien,[249] ne te fasche pas; choisis!
Quel niais de Solongne! tu te trompe à ton profit[250],
je ne te trouve point tant sot, tu aymes mieux deux œufs qu'une prune.

II.223 PHILIPIN.

Tu es bien dessallé, tu sçais bien:
qui choisi[t] et prend le pire est maudy de l'Evangile.

II.224 ALAIGRE.

Philipin, laissons-là l'yvrongnerie, et parlons de boire.
Je te prie, haussons un peu le gobelet[251], nous ne boirons jamais si jeunes,
je sens bien que c'est trop filer sans mouïller.

---

249 T58 P65 rien, rien | *Un exemple de la confusion typographique entre le* t *et le* r.

250 T58 quel que niais de solongne,... à profit | P65 quelque niais de Sologne

251 T58 haussons le gobelet

II.225 PHILIPIN.

Du temps du Roy Guillemot on ne /73/ parloit que de boire;
maintenant on n'en dit mot. Que t'en semble, mon compere?

II.226 LIDIAS.

Ma chere Florinde, vous estes icy traittée à la fourche;
mais imaginez-vous que vous estes à la guerre.

II.227 FLORINDE.

Une pomme mangée avec contentement vaut mieux qu'une perdrix dans le tourment.
Pour moy, je treuve qu'il n'est festin que de gueux, quand toutes les bribes sont ramassées.

II.228 LIDIAS.

Il ne fut jamais si bon temps que quand le feu Roy Guillot vivoit,
on mettoit les pots sur la table, on ne servoit point au bufet.

II.229 FLORINDE.

A l'occasion on prend ce qui vient à l'hameçon,
tout cecy ne m'est point à rebours.

II.230 /74/ LIDIAS.

Quand vous n'auriez point d'apétit, ces garçons vous en peuvent donner en les regardant. Mais goustez un peu de cela.

II.231 FLORINDE.

Les premiers morceaux nuisent aux derniers.

II.232 ALAIGRE.

Allons à cettui-là, tu prends[252] de la peine tout plein.

II.233 PHILIPIN.

Comme diable tu hausse le temps !

II.234 ALAIGRE.

Cela passe doux comme laict.
Mais je pense que tu es fils de tonnelier, tu as une belle avalloire.
Et bien, qu'en dis-tu ? ce vin-là seroit-il pas bon[253] à faire des custodes ? il est rouge et verd ;
c'est du vin à deux oreilles,
ou du vin de Bretigny, qui fait danser les chevres.

II.235 PHILIPIN.

Je croy qu'il est parent du roulier d'Orleans nommé Ginguet.
Toutefois, à six /75/ et à sept tout passe par un fosset.

II.236 ALAIGRE.

Il fait bon estre bon ouvrier, on met toutes pieces[254] en œuvre.

II.237 FLORINDE.

Voyez un peu ces garçons, ils se donnent bien au cœur[255] joye.

II.238 LIDIAS.

Je m'en fierois bien à eux,
ils ont la mine

---

252 T58 à cestuy la prends

253 P65 seroit bon

254 T58 P65 pierres

255 P65 s'en donnent bien à cœur

de ne manger pas tout leur bien ; ils en boiront une bonne partie[256].
Allons à ce reste.

II.239 PHILIPIN.

Je me porte mieux que tantost, il me sembloit que le soleil me luisoit dans le ventre,
il y a long-temps que je ne me suis donné une telle carrelure de glabe[257].

II.240 ALAIGRE.

Ma foy, cela m'est venu comme un os dans la gueule d'un chien.
Mais tu ressemble les Procureurs, tu veux relever mangerie.
Courage, courage, si tu meurs à la table, je veux mourir à tes pieds ;
beuvons en tirelarigot.

II.241 /76/ PHILIPIN.

Il vaut autant se despouiller[258] icy qu'en la taverne.

II.242 ALAIGRE.

D *Alaigre chante.*

Andouilles de Troyes, saucissons de Boulongne, marrons de Lyon, vin muscat de Frontignac, figues de Marseille, cabats d'Avignon[259] sont des mets pour les bons compagnons.

---

256 T58 une partie

257 P40 H54 glabe | T58 P65 globe

258 P65 se débaucher

259 P40 H54 d'Avigon

II.243 PHILIPIN.

O qu'il est gravissant[260]!
il chante comme une serene du pré aux Clercs,
et fredonne comme le cul d'un mulet.
Allons, masse à qui dit!

II.244 ALAIGRE.

Taupe, taupe! morbleu! je vaux mieux escu que je ne vallois maille.

II.245 PHILIPIN.

O, je suis Roy de Poictiers, il ne faut plus que me couronner d'une chaufferette[261].

D Qu'en dis-tu? il ne nous faut plus que des choux, si nous avions de la graisse.

Il rotte

II.246 /77/ ALAIGRE.

N'oubliez pas la Confrerie des pourceaux, en voicy le Marguiller.

II.247 PHILIPIN.

Un estron pour le questeur.
Morgoy, me voila plein comme un œuf,
et je croyois jamais ne me souler.
Mais j'ay les yeux plus grands que la panse.

II.248 ALAIGRE.

Pour moy, j'ay beu *tanquam sponsus*,
j'en ay jusques au goulot.
que sert-il de boire si on ne s'en sent?
Philipin, nous voila en bon estat,
nous avons bien beu et bien mangé, pandu soit-il qui l'a gaigné.

---

260 P65 ravissant

261 T58 P65 Roy de Potiers | P65 chauffette

II.249 LIDIAS.

Parlez haut, enfans,
vous ressemblez les soldats de Brichanteau, vous mangeriez jour et nuict, si on vous laissoit faire.
Je suis d'avis que nous nous reposions icy à l'ombre de peur des mouches.

II.250 PHILIPIN.

J'ay fait comme les bons chevaux, /78/ je me suis eschauffé en mangeant.

II.251 FLORINDE.

Je commence à avoir de la poudre aux yeux,
le petit bon-homme me prend.

II.252 LIDIAS.

La chaleur nous convie de mettre casaquin bas.

II.253 ALAIGRE.

Je suis fort aysé à nourrir,
quand je suis saoul, je ne demande qu'à dormir.
C'est un sault que j'ayme bien à faire: de la table au lict.
Je pense bien dormir en repos en quittant mes habits; car il n'y a rien à perdre.

II.254 PHILIPIN.

Fils de putain en qui[262] tiendra.

II.255 ALAIGRE.

Philipin, viens icy travailler, ta journée est payée.

---

262 P65 à qui

II.256 /79/ PHILIPIN.

Mais voicy une epingle d'enfer, elle tient comme tous les diables.

II.257 ALAIGRE.

Cela fut joué à Loche[263];
c'est que tu n'entends pas le tran tran,
car tu es mal adroit[264] comme Cueillart.
Il n'y a remede, puis que vous avez faict un trou à la nuict,
et que vous avez emporté le chat.
Madamoiselle, il faut[265] prendre le temps comme il vient.

II.258 FLORINDE.

Cela vous plaist à dire, masque.
Tout cela est bien, nous voilà deshabillez[266] le mieux du monde.
Çà, jouons un peu à cleine mucette.

II.259 ALAIGRE.

Teste bleu,
que voilà un joly appeau[267] de coqu,
je n'aurois non plus pityé d'elle qu'un Advocat d'un escu.

II.260 /80/ PHILIPIN.[268]

Pour le moins, ne jouons point au pet-en-gueule.

---

263 P33 l'ortie | P40 H54 T58 loche | P65 Loche

264 T58 P65 trantran … maladroit

265 P33 P40 chat madamoiselle. Il faut | T58 chat. Madamoiselle, | P65 chat, Madamoiselle,

266 P40 H54 T58 des habillez

267 T58 P65 rappeau

268 *T58 : l'en-tête* Philippin *est le dernier mot de la scène III. Le texte de la réplique II.260 manque. Dans P65, la réplique et le nom de Philippin sont absents.*

ACTE II.

SCENE IV[269].

LES QUATRE BOESMIENS, LE COESRE, UNE VIEILLE, SA FILLE, ET LE CAGOU[270].

II.261 LE COESRE.

Et bien, n'entens-je pas à pincer sans rire?
Il n'apartient qu'à moy de faire raffle en trois coups,
vous n'y allez que d'une fesse,
vous craignez la touche
premier que d'avoir mis la griffe.
C'est lors que l'on est nanty qu'il faut craindre la harpe,
comme à cette heure que nous avons attrimé au passeligourt,
et fait une bonne grivelée;
il faut enbier /81/ le pelé[271],
gaigner le haut,
et mettre ses quilles à son col.

II.262 LA VIE[I]LLE[272].

Par manenda[273], il faut promtement nous oster de dessous les pattes des chiens courans du boureau,
de peur que le brimart ne nous chasse les mouches de sur les espaules[274] au cul d'une cherette,
et qu'il ne nous donne les marques de la ville
de peur de nous perdre en faisant la procession par tous les Carrefours.

---

269 P65 SCENE VI

270 P40 H54 VIEILE || P65 CAGOUT

271 T58 P65 il faut le pelé

272 P33 P40 H54 VIELLE - *partout dans cette scène.*

273 P65 Par ma nenda

274 T58 brimort | P65 brimord || T58 P65 de dessus les || P40 H54 espales

Si nous pouvions trouver d'autre[s] lange[s] pour nous couvrir, nous aurions bien le vent en pouppe.

II.263 LA FILLE.

Saincte Migorce!
nous sommes nées coiffees,
il ne faut plus que des allouettes rotties[275] nous tomber au bec.
Aga, aga, ma mie, voicy du monde soubs ces arbres qui joue à la ronfle,
qui ont quitté leurs vollants /82/ avecque leurs habits de peur d'avoir trop chaut;
il les faut attrimer
et dire grand mercy jusques au rend[r]e,
qui sera la sepmaine des trois[276] jeudis, trois jours apres jamais.

II.264 LE CAGOU.

Que chacun fasse comme moy, le plus grand fol commance le premier.
Voicy qui me vient mieux que bien,
ce Georget est comme si je l'avois commandé.

II.265 LA VIE[I]LLE[277].

Il faut que je laisse ma teste, et que je me serve de cecy sans prendre ma mesure.

II.266 LA FILLE.

J'ay fait, que feray-je?

---

275 P40 H54 T58 roties | P65 rosties | | *Ces disparités peuvent refléter le nivellement en prononciation des /o/ longs fermés et brefs ouverts.*

276 T58 semaine aux trois

277 T58 La vieillesse

II.267 LE COESRE[278].

Il ne faut pas icy se mirer dans ses[279] plumes,
escampons[280] prestement,
et perdons la veue du clocher.
Il faut trousser[281] ses quilles
et ses trottains
de peur d'estre pris de gallicot.
Laissons nos vollans et le reste de nos habits
à ces pau/83/vres diables,
à qui on donnera la sausse[282]
si on les trouve avec la robbe du chat;
ils n'auroient pas si bon marché de nous, si la peur que j'ay d'estre pris ne m'empeschoit;
il les faudroit rendre nuds comme la main.

II.268 LA VIE[I]LLE[283].

Allons, allons, qui trop embrasse mal estreint,
la trop grande convoitise romp le sacq.

II.269 LE CAGOU.

Maudit soit le dernier,
sauvons-nous, le Prevost nous cherche.

---

278 P33 P40 H54 COESTRE

279 T58 ces

280 T58 eschapons | P65 échapons

281 P33 P40 H54 T58 trouver | P65 CuF trousser.

282 T58 la fausse | P65 la faute

283 T58 La vieillesse

ACTE II.

SCENE IVa[284].

LIDIAS, ALAIGRE, FLORINDE ET PHILIPIN.[285]

II.270 PHILIPIN.

Ho, ho, il ne m'a pas ennuyé icy non plus qu'à la table[286].
Je resvois /84/ que je voyois un grand petit homme rousseau, qui avoit la barbe noire, qui portoit son espaule sur son baston[287], et estoit assis sur une grosse pierre de bois.
J'en avois si envie de rire!
Je ne sçay ce que cela signifie;
pour moi, je n'y adjouste point de foy:
car les songes sont mensonges.
Mais quand j'y pense tout de bon, il ne fait guere meilleur icy qu'en un coupe-gorge.
Alaigre, Alaigre[288], debout! les vaches vont au[x] champs.

II.271 ALAIGRE.

Je t'enjolle peigne de bouis,
laisse reposer mon humanité;
si tu m'importune davantage, tu me déroberas un soufflet.

---

284 H54 ACTE II. SCENE V. | *Cette scène apparaît comme quatrième dans P33 et P40. Elle suit la scène IV et correspond à la scène V de H54 et de 856. H54, pourtant, a deux scènes V.*

285 *L'ordre de présentation ne correspond pas à celui d'apparition.*

286 T58 P65 qu'à table

287 T58 sur son espaule son baston | P65 sur son épaule un baston. || *L'effet de l'absurde comique disparaît dans cette variante. Il est possible que l'imprimeur de T58 ait pris ce fragment pour une erreur qu'il a «corrigée» et que P65 ait suivi T58.*

288 T58, P65: Alaigre - *une fois.*

II.272 PHILIPIN.

O paresseux! quand je te regarde, je ne vois rien qui vaille: car tu ne vaux pas le debrider,
apres boire prends garde à toy,
telle vie, telle fin.

II.273 /85/ ALAIGRE.

Tu as raison, gros badin, tu serois bon sur le bord d'un estang, tu remonstrerois bien le menu peuple[289].
Voilà un homme bien diligent pour en parler, il se leve tous les jours à huict heures, jour ou non.

II.274 PHILIPIN.

Ouye. Aga! hé, quelle heure pense-tu qu'il soit?

II.275 ALAIGRE.

Si ton nez estoit entre mes fesses, tu trouverois qu'il seroit entre une et deux.
Mais il est l'heure que les fils de putains vont à l'escolle, pren ton sac et y va.
Sans tant de discours, donne moy un peu ma jaquette, je te serviray le jour de tes nopces.

II.276 PHILIPIN.

Tien, la voilà pour chose qu'elle vaut.

II.277 ALAIGRE.

Tu as la berlus,
je croy que tu as esté /86/ au trespassement d'un chat, tu vois trouble.

---

289 T58 P65 tu serois bien... | |... bien au peuple

II.278 PHILIPIN.

Qu'importe? tu n'as pas changé ton cheval borgne à un aveugle.

II.279 ALAIGRE.

Que diable est cecy[290]?
Ne voicy que des frippes, propres à jouer une farce:
voilà qui est riolé piollé comme la chandelle des Rois.
Philipin, à quel jeu jouons nous?
Est-ce tout de bon[291], ou pour bahutter?

II.280 PHILIPIN.

Je crois qu'on nous a fait grippe cheville[292].
Monsieur! Monsieur! levez-vous! aux voleurs! on nous a couppé[293] la gorge!
Aux voleurs, aux voleurs, on nous a desvalisez!

II.281 LIDIAS.

Qu'est-ce, qu'est-ce?

II.282 PHILIPIN.

Ah! nous sommes volez depuis les pieds jusques à la teste.

II.283 /87/ LIDIAS.

Te mocques-tu de la barbouillee?

II.284 ALAIGRE.

Sans raillerie, nous sommes pris pour duppes,
il y a de l'ordure au bout du baston.

---

[290] P33 P40 H54 est-ce cy | T58 P65 (856) est ce-cy

[291] T58 P65 jouons nous tout de bon

[292] P40 H54 chenille | T58 P65 cheuille | | Cheuille *semble plus logique, pour signifier «un piège». Pourtant, CuF donne* chenille.

[293] T58 on nous couppe

On nous a jetté le chat aux jambes,
et voicy les habits de quelques Boesmiens qui ont fait la picoree en prenant les nostres;
pour se sauver ils se sont couverts du sac[294] mouillé.

II.285 LIDIAS.

Ostons-nous du grand chemin, de peur de payer la folle enchere des fautes d'autruy.

II.286 FLORINDE.

C'est fort bien dit. N'attendons pas la pluye,
mettons-nous à couvert.

II.287 ALAIGRE.

Mon Maistre, à quelque chose le malheur est bon:
voicy qui nous vient comme Mars en Caresme.
Nous pouvons nous deguiser en ceux qui nous ont joué cette trousse.
Ces breluques /88/ nous y serviront,
et contre-faisant les Boësmiens, nous pourrons facillement donner une cassade au Docteur.
Il est assez aisé à enjoller,
à un besoin on luy feroit croire que des nuées sont des poesles d'airin[295].
Laissez moy luy[296] jouer cette fourbe,
je gageray ma teste à couper, qui est la gajure d'un fol, que j'en viendray[297] à bout.

---

294 T58 P65 d'un sac

295 T58 P65 les nuées … d'airain

296 P33 P40 H54 laissez luy moy | T58 laissez me luy jouer ceste | P65 laissez moy luy jouër || *Il n'est pas exclu que le traitement des pronoms clitiques ait représenté une difficulté assez courante.*

297 T58 je viendray

Vous n'aurez qu'à faire comme au jeu de l'abé, qu'à me suivre.
Je vous veux premierement apprendre cinq ou six mots d'un langage que j'ay appris à la Cour du grand Coesre,
du temps que j'estois parmy les Mattois, cagoux, pollissons, casseurs de hannes.
Je ne me mocque ma foy pas[298],
je veux qu'on me coupe la teste,
si je ne vous mets d'accord avec le Docteur, comme le bois de quoy on fait les vielles.

II.288 PHILIPIN.

Je pensois estre plus fin, mais, au diable, c'est luy;
ce garçon-là a de l'esprit, /89/ il a couché au Cimetiere.

II.289 ALAIGRE.

Allons, escampons[299] vistement d'icy, il me semble qu'on me tient au cul et[300] aux chausses.

II.290 PHILIPIN.

Le cul me fait lappe, lappe, lappe.

II.291 FLORINDE.

Si l'on venoit à nous tenir[301], nous n'eschaperions pas pour courir, despeschons de nous sauver.

II.292 PHILIPIN.

Les despeschez sont pendus, drillons viste.

---

298 T58 mocque par ma foy pas | P65 mocque pas par ma foy pas

299 T58 P65 escamotons

300 P40 au cul & | H54 au cul. | | *Au P40, la phrase s'interrompt sur «&», à la fin de la page, et elle ne reprend pas à la page suivante. Fidèle à P40, H54 arrête la phrase au même endroit, en supprimant l'esperluette, devenue inutile.*

301 T58 P65 à nous courir

II.293 ALAIGRE.

J'ay si grand peur, qu'on me boucheroit le cul d'une charetee de foin.

/90/ ACTE II.

SCENE V[302].

II.294 FIERABRAS.

Faut-il que l'invincible Fierabras, de qui la valeur fait fendre les pierres,
soit maintenant au bout de son rollet ?
faut-il qu'il soit aussi chanceux que Cogne-festu, qui se tue et ne fait rien ?
quoy ? faut-il que mes desseins, pour estre trop relevez, ressemblent les montaignes qui n'enfantent que des souris ?
faut-il, dis-je, que je ne me puisse mouvoir sans que tout le monde en soit abbreuvé,
et que ces petits avortons de la nuict,
ces Pigmees qui ont enlevé ma Florinde ayent eventé la mine que je voulois faire jouer,
et que mes stratagemes et /91/ virevoltes n'ayent servi qu'à les faire fuir comme trepillards,
ou comme un Regnard devant un Lyon[303] ?
Mon excellence se fust bien abbaissee jusques à courir apres eux,
mais l'Orphevre qui me faisoit des esperons à pointes de diamants a fait un pas de clerc
qui l'a fait cacher en un trou de souris, où le diable ne le trouveroit pas.

---

302 T58 P65 SCENE VI

303 T58 renard... Lion | P65 Renard... Lion

D'ailleurs, pour m'achever de peindre,
les Couriers qui portoient[304] par monts et par vaux les tonnerres de ma renommee
ont tary[305] de chevaux toutes les postes et les relais du monde ;
et tant y a que me voilà atrapé.
Mais, par la teste[306] du Sort et du Destin, ils ne me peuvent fuir,
cela m'est hoc,
je leur feray croquer le marmouset comme il faut.
Et à qui vous joue-tu ?
Quelque sot mangeroit son frein et n'en diroit mot.
Ah ! que si j'y eusse esté en cher et en os comme sainct Amadou, ils n'eussent pas eu faute de /92/ passe-temps,
ils ne s'en fussent pas retournez[307] sans vin boire, ny sans beste vendre.
Mais il faut que j'aille faire en sorte de descouvrir le trantran.

Fin du second Acte[308].

---

304 P33 sortoient | P40 H54 T58 P65 portoient

305 T58 ravi | P65 ravy

306 T58 P65 atrapé : par la teste

307 T58 Ha, que si j'eusse esté en chair... Amadon, ils n'eussent pas retournez

308 *Cette remarque est absente dans T58 et P65.*

/93/ LA COMEDIE DE PROVERBES.

ACTE TROISIEME, ET DERNIER.

SCENE PREMIERE.

ALAIGRE, PHILIPIN, LIDIAS, ET FLORINDE,
desguisez en Boesmiens.

III.295 ALAIGRE. [*aux spectateurs*]

Me voilà maintenant paré[309] comme un bourreau qui est de feste,
je m'imagine qu'on ne nous prendroit pas tous quatre pour des enfans du bourlabé[310] qui ne demandent qu'amour et simplesse;
/94/ on nous prendroit plustost pour des carabins de la commette,
et pour des esveillez
qui ne cherche[nt] que chappe chutte.
Un Tavernier nous regarderoit à deux fois avant que nous donner quelque chose,
il auroit peur d'estre payé en monnoye de singe.
Florinde a bien la mine de ces ficheuses,
qui ressemblent les balances d'un Boucher, qui pesent toutes sortes de viande[311],
car la voilà troussee comme une poire de chiot.
Mon Maistre a mieux la mine d'un guetteur de chemin,
et d'un escornifleur de potence,
que d'un moulin à vent,
et Philipin d'une bourgeoise d'Aubervillers[312], à qui les joues passent le nez.

---

309 T58 maintenant preparé | P65 maintenant brave | *La leçon de P65* « brave » *est avérée par CuF 61. V.* Glossaire.

310 Cf. CuF Bourg l'Abbé.

311 T58 P65 viandes

312 P33 et Philipin pour une || T58 d'aubervilliers | P65 d'Aubervilliers

III.296 PHILIPIN.

Tu as raison. Toy, tu ressemble mieux à un parement de gibet qu'à un quarteron de pommes,
mais n'importe, l'habit ne fait pas le Moine.
Aga, queu si queu my[313], *te rogamus audi nos.*

III.297 /95/ ALAIGRE.

Voicy le bout du jugement, les bestes parlent latin.

III.298 LIDIAS.

Florinde, au conte de ces garçons, tu passeras pour une bourgeoise du Nil, ou d'Arger[314].

III.299 FLORINDE.

Et toy, Lidias, pour un pellerin de la Mecque.
Vrayement, Alaigre a plus d'esprit qu'un Gerfault;
il me fait esperer que nous ne demeurerons pas sur crouppe d'or.

III.300 ALAIGRE.

Ouy, mais ce n'est pas tout que des choux, il faut sçavoir son rollet,
je doute fort que Philipin ne sache que le trou de bougie[315].
Là, là, il faut commencer son dicton[316] en faisant chemin.
Philipin, diras-tu bien la bonnaventure sans rire?

III.301 PHILIPIN.

Encor que je ne manque pas d'igno/96/rance,
je serois bon à vendre vache foireuse,

---

313 P65 queusi queumy

314 P65 d'Alger

315 T58 boucle | CuF Baugis

316 T58 diction

je ne ris point si je ne veux,
et si j'ay caquet bon becq, la poulle à ma tante.

III.302 ALAIGRE.

Diras-tu bien ce que j'ay mis dans la truche[317]?
sçais-tu bien river le bis,
ou rousquailler bigorgne[318]?

III.303 PHILIPIN.

Jaspin, je rive, fremy comme pere et mere,
il ne me reste plus qu'à casser les hannes
pour me rendre plus fin que Maistre Gonin.

III.304 LIDIAS.

Philipin est sçavant jusques aux dents, il a mangé son breviaire.

III.305 ALAIGRE.

O diable, c'est un bon gars, il entend cela, son pere en vendoit.

III.306 LIDIAS.

Florinde, puis que nous sommes avecques les loups, il faut hurler,
et dire nostre ratelee de ce jargon,
ou ne s'en /97/ point mesler,
et comme il nous viendra à la main,
soit à tort ou à travers,
à bis ou à blanc[319], n'importe,
pourveu qu'on ne nous entende non plus que le haut Allemand.

---

317 T58 P65 cruche

318 P40 T58 P65 bigorne

319 T58 à bis à blanc

III.307 FLORINDE.

Je ne veux pas m'amuser à ces bricolles de discours.
Je diray seulement ce qui me viendra à la bouche.
Il faut laisser faire ces garçons,
ils entendent cela comme à faire un vieux coffre.

III.308 PHILIPIN.

Morgoine, je sçay entraver sur le gourd;
il ne m'en faut que monstrer;
j'en dirois à cette heure autant qu'il en pourroit venir.
Allons viste, il me tarde
que je n'en devide[320] une migouflée
à ce malautru de Capitaine,
qui fera[321] tousjours flouquiere,
et puis c'est tout[322].
Il faut commencer à tourner vers la vergne,
les pieds me fourmillent[323] que je n'y sois tout chaussé et tout vestu.

III.309 /98/ ALAIGRE.

Il faut embier le pelé juste la targue[324].

III.310 FLORINDE.

Philipin a gaigné mon esprit.
Car il prend la matiere à cœur
et s'en acquitte mieux que de planter des choux.
S'il estoit appris, il seroit vray.
Il y a[325] pourtant esperance qu'avec du pain et du vin il fera quelque chose, ou il ne pourra.

---

320 T58 P65 j'en devide
321 T58 P65 qui sera
322 P33 tout une
323 T58 P65 vermeillent
324 T58 tarque
325 T58 P65 il a

III.311 ALAIGRE.

Il a les genoux gros, il profitera.

III.312 PHILIPIN.

Vous y estes, laissez vous y choir, vous avez frappé au but.
Et là là,
laissez faire George, il est homme d'aage.

III.313 ALAIGRE.

Quand j'ay quelque chose en la teste, je ne l'ay pas au cul.
Car quand je m'y mets, je me démeine comme un Procureur qui se meurt.

III.314 LIDIAS.

Va, tu ne peux mal faire; tu es le plus gentil de tous tes freres,
et particuliere/99/ment à cette heure que tu dance tout seul.
Suy-moy, Jacquet, je te feray du bien.

III.315 PHILIPIN.

Dame, il faut que je m'essaye pour mieux jouer mon personnage,
afin qu'on n'y trouve rien à tondre.

III.316 ALAIGRE.

Nous approchons la vergne
où on nous prendra pour l'ambassade de Biaronne[326], trois cens chevaux et une mule.

---

326 P40 H54 T58 P65 Biaron

III.317 PHILIPIN.

Qu'on nous prenne pour qui on voudra,
pourveu qu'on ne nous grippe point au cul et aux chausses ;
car si je le croyois, je quitterois la partie quand je la devrois perdre.
Mais nous approchons fort la ville[327],
il faut commencer à se carrer comme soldats[328] qui regardent leur Capitaine.

III.318 ALAIGRE.

Tu vas l[']emble[329] comme une truye qui va aux vignes.

III.319 /100/ PHILIPIN.

Je vays[330] comme je veux, ce n'est rien du tien.
Tu veux faire du rencontreur ; mais tu rencontre comme un chien qui a le nez cassé.
Dis tout ce que tu voudras, cela ne me cuit ny ne me gelle[331].

III.320 LIDIAS.

Or ça, enfans, où logerons-nous ?

III.321 ALAIGRE.

Sur mon dos, il n'y a personne.

III.322 LIDIAS.

Je songe qu'il y a une maison destiné[e] pour ceux de nostre estoffe ;
il s'y faut aller planter,
nous y ferons aussi bonne chere qu'à la noce.

---

327 T58 P65 approchons la ville

328 P40 H54 des soldats

329 P33 P40 H54 T58 P65 lemble

330 T58 vas

331 T58 P65 galle

III.323 PHILIPIN.

C'est bien dit, mangeons tout.
Mais de quel costé jetterons-nous la plume au vent?

III.324 LIDIAS.

Du costé de l'autre costé.

III.325 ALAIGRE.

Si on vouloit prendre un diable à la /101/ pipée,
on n'auroit qu'à mettre Philipin sur une branche de noyer.

ACTE III.

SCENE II.

FIERABRAS ET LE DOCTEUR THESAURUS.

III.326 FIERABRAS.

Seigneur Docteur, j'ay remué le ciel et la terre depuis le rapt de vostre fille,
j'ay fureté par tout
sans pouvoir descouvrir leur cache;
mais si je puis un jour tenir ces maraux d'honneur,
je les jetteray cent mille lieues par de-là le bout du monde,
j'aneantiray leur maudite engeance jusques à la milliesme generation.
Comment! s'adresser à moy,
qui puis d'un seul clein d'œil faire tarir toutes les mers,
et qui du vent de ma pa/102/role peut[332] reduire les plus hautes montaignes du monde en cendre!
Ne sçavent-ils pas que je porte sur mon front la terreur et la crainte?

---

332 T58 peux

III.327 THESAURUS.

Certissime[333], Seigneur Capitaine, il s'y faut prendre d'un autre biays:
moins de parole et plus d'effect.
Il y faut mettre ses cinq sens[334] de nature pour les descouvrir.
Pour moy, je vendray plustost jusques à ma derniere chemise.

III.328 FIERABRAS.

Si je les puis tenir, je les secoueray bien.
Mais puisque nous avons resolu d'aller par toutes sortes de chemins,
il vient de sortir un bon expedient du cabinet de mes plus rares conceptions.
C'est qu'il est arrivé depuis peu des Boësmiens qui ne cedent rien à Nostradamus, ny à Jean Petit Parisien en l'art de deviner.
Il les faut consulter, peut-estre nous en diront-ils plus que nous n'en voudrons sçavoir.

III.329 /103/ THESAURUS.

Au diable zot[335],
croyez-moy, vous serez sauvé,
et autant pour le brodeur;
s'il n'est vray, la bourde est belle,
ce ne sont que des charlatans.

III.330 FIERABRAS.

Je vous le donne pour le prix que je l'ay eu.

---

333 T58 Cerenitissime | P65 Serenissime

334 T58 P65 cens

335 P33 Au diablezot | P40 H54 Au diable zot | T58 Au diable zor | *Cf.* CuF au Diable zoc.

Je vous diray : l'essay ne nous en coustera[336] rien,
tout le monde y court comme au feu.
Escoutez, je les entends, ou les oreilles me cornent.

III.331 THESAURUS.

O bien, nous verrons ce qu'ils sçavent faire.
Ma femme, venez voir les dadées[337].

/104/ ACTE III.

SCENE III.

MACEE, THESAURUS, FLORINDE, ALAIGRE, FIERABRAS, PHILIPIN, ET LIDIAS.

D2 *Les Boesmiens dancent.*
La femme sort du logis.

III.332 MACEE.

Ma mye, les beaux Tabarins,
D1 qu'ils sont jollis, ils dancent tout seuls.

III.333 THESAURUS.

Parlez haut, brunette,
ma mye de bon cœur,
sçavez-vous dire la bonne adventure ?

III.334 FLORINDE.

Ouy dea, mon bon Seigneur ; mais donnez-moy[338] donc la piece blanche, ou bien je ne vous diray rien.

---

336 P33 laissez, il ne nous | P40 H54 laissay, ne nous | T58 laissezle, il ne nous | P65 laissez-le, il ne nous | *La solution de 856* « l'essay ne nous en coustera » *est une* divinatio, *jusitifiée par la prononciation, par la variante P40 et par le bon sens.*

337 T58 P65 voir les diables

338 T58 P65 donne-moy

III.335 THESAURUS.

Tres-volontiers, dit Panurge,
ma /105/ bonne amye, la voila plus viste que vous ne me l'avez demandée.

III.336 FLORINDE.

Vous avez de grands pensemens dans le tintouin, mon bon Seigneur.
Je voy par cette ligne de vie que vous aurez une grande maladie,
où les Medecins se porteront mieux que vous.
Toutesfois apres avoir esté à la porte de Paradis,
vous en reviendrez,
et vivrez apres jusques à la mort.

III.337 ALAIGRE[339].

Et bien n'entend-elle pas bien le pair et la praize[340]?

III.338 FLORINDE.

Il vous est arrivé plusieurs choses, et vous en arrivera plusieurs autres.
Vous avez perdu vostre fille, la Perronnelle[341], que les gend'armes ont enlevée.
C'estoit un bon enfant.

III.339 ALAIGRE.

Morbleu, qu'elle fait bien la chatemite.

III.340 /106/ THESAURUS.

Tarare pompon,

---

339 T58 P56 ALIZON

340 P65 presse

341 T58 petronnelle

vous estes des devins de Mont-marte, vous devinez les festes quand elles sont venues[342].
Mais poussez votre cheval.

III.341 FLORINDE.

Vous recouvrerez vostre fille, si elle n'est perdue.
Sçachez qu'elle est saine et entiere par la valleur d'un bon Gentil-homme
qui l'a despatouillée[343] des mains de certains gouinfres
qui luy vouloient ravir son honneur;
ce bon Gentil-homme l'a si bien plantée, qu'elle reviendra[344] bien tost.

III.342 ALAIGRE.

Voilà le goust de la noix, ce plantement-là.

III.343 FLORINDE.

Vous avez aussi un gros garçon qui a le ventre à la Suisse,
et est meilleur que le bon pain.

III.344 THESAURUS.

Je donne au diable, si vous n'estes de/107/vins: vos peres estoient yvres quand ils vous firent.
Achevez, achevez.

III.345 ALAIGRE. [*à part*]

Voilà un Capitaine qui se carre comme un savetier qui n'a qu'une forme.

---

342 P40 H54 mont-marte,... venus | T58 Mont-martre | P65 Montmartre

343 T58 despatroüillée | P65 dépatroüillée

344 T58 P65 viendra

III.346 FLORINDE.

Ces brigands luy vouloient faire passer le pas,
si ce bon Gentilhomme ne l'eust secouru tout à point.
Au reste, ce n'est pas tout, je prevois de grands tintamarres dans vostre maison,
et que tout ira cul pardessus teste,
si vous ne mariez vostre bonne fille à celuy qui l'a sauvée[345] par les marais.
Elle l'aime, et vous luy voulez mal de mort!
Mais ne soyez d'oresnauant si cruel qu'un tygre,
il faut aimer sa geniture.
Faites ce que je vous dis, et vous y aurez[346] profit et honneur.

III.347 MACEE.

Foin de l'honneur!
Ma fille en est gâtée;
si jamais je la tiens, elle ne m'eschappera pas.
Helas, mon pauvre enfant! ton absence me donne[347] la mort au cœur.

III.348 /108/ THESAURUS.

Ma fille, vous m'avez dit des merveilles;
si cela arrive, je ne vous promets pas des neiges d'antan[348].

III.349 FLORINDE.

Il ne tiendra qu'à vous de la revoir[349].
Elle vous est aussi asseurée que si elle estoit dans vostre manche.

---

345 P40 H54 sauvé | T58 si vous mariez... qui l'a salué

346 T58 et y aurez

347 T58 donnera

348 T58 P65 d'entend

349 P65 recevoir

III.350 THESAURUS.

Je vous asseure que, dés qu'elle sera venue, je feray tuer le veau gras.

III.351 FIERABRAS.

Il faut aussi par mesme chemin
que je sçache par où il m'en prendra.
Tien, ma grande amie, regarde, et ne me celle que ce que tu ne sçais pas.

III.352 PHILIPIN.

Aveignez donc la Croix, mon bon Seigneur,
elle chasse celuy qui n'a point de blanc en l'œil.

III.353 /109/ FIERABRAS.

D *Il desgaigne son espée.*

Tien! Voila celle qui a fait desloger sans trompette,
et fuir plus viste que la foudre[350] dix millions d'hommes,
dont le moindre eust battu dos et ventre cent millions de telles gens que tu dis.

III.354 ALAIGRE.

Quel emballeur!
il est bouffi de vangeance comme un harang soret.

III.355 LIDIAS.

Helas, que tout ce qui reluit n'est pas or!

III.356 PHILIPIN.

Cela n'a ny force ny vertu pour estre sur la ligne de vie;
il faut une croix marquée en un beau quart d'escu,
pource que ce metail porte medecine.

---

350 T58 le foudre

III.357 FIERABRAS.

Tien, cela ne me chaut, je n'ay qu'à pescher l'argent,
cent mille pistoles ne me furent jamais rien,
ce n'est pas le fient de mes cannes,
ou Dieu me damne.

III.358 LIDIAS.

Il n'a que faire d'en jurer.

III.359 /110/ ALAIGRE. [*à part*]

Je crois que dix escus et luy ne passerent jamais par une porte.

III.360 PHILIPIN.

Mon bon Seigneur, vous estes fils de bon pere et de bonne mere, [*à part*] mais l'enfant ne vaut gueres.
Vous ne mentez jamais, [*à part*] si vous ne parlez,
et si vous avez la conscience estroite [*à part*] comme la manche d'un Cordelier.
Vous estes fort liberal, [*à part*] vous ne mangeriez pas le diable que vous n'en donnassiez les cornes.
Vous n'avez qu'un vice, c'est que vous estes trop vaillant,
que vous serez un jour Capitaine d'une grande reputation,
[*à part*] on vous donnera le haussecol en Greve;
vous estes aussi prudent que valeureux: [*à part*] quand vous avez esté battu, vous n'en dites mot à personne.
Vous faites des miracles en vos combats, [*à part*] ceux que vous avez tuez se portent bien, graces à Dieu;
vous serez heureux en vos rencontres, comme de coustume; [*à part*] on vous battra plus pour /111/ rien qu'un autre pour de l'argent.
Vous ferez beaucoup plus que le preux et vaillant Achille: [*à part*] car il est mort par le tallon,
et les vostres vous sauveront la vie en faisant *vide aquam*[351], l'eau benite de Pasques.

---

351 P33 P40 a quam | H54 videa quam | T58 Vidi Aquam | P65 vidi aquam

Vous estes sans comparaison plus fort que Samson[352],
qui tuoit les lions, leoparts, et autres bestes;
car vous en avez tué de toutes les cochonnées et de plusieurs autres sans difficulté
et à petit bruit, de peur d'effrayer leurs compagnons.

III.361 ALAIGRE.

En tiens-tu, petit bonet?

III.362 FIERABRAS.

Barres-là, ma bonne amye,
rayez cela de sur vos papiers,
je n'eus jamais intention d'attraper mes ennemis en tapinois,
car je leur fais la peur toute entiere et puis le mal.[353]
Pour les autres choses susdites, c'est une autre paire de manche[s],
je m[']en rapporte au parchemin qui est plus fort que le papier.
Mais pousse et acheve.

III.363 PHILIPIN.

En aymant fort et ferme,
vous perdez[354] /112/ vostre huile et vostre temps:
car vous aymez une fille qui est amoureuse comme un chardon.
Cette ligne est bonne tant que vous aurez bon pied bon œil.
Qui plus n'en sçait plus n'en dit.

---

352 T58 P65 Sanson

353 *Le point manque à cet endroit dans toutes les éditions examinées, si bien que le groupe «pour les autres choses...» continue la proposition précédente.*

354 T58 perdrez

III.364 FIERABRAS.

Si ce que tu me viens[355] de dire n'est vray, le nez te puisse choir.
Vray ou faux, n'importe. Je t'en remercie comme de quelque chose de meilleur.
Mais changeons un peu de batterie.
Ma bonne mere, cette fille est-elle à vous? elle ne vous revient point mal.

III.365 PHILIPIN.

Ouy, mon bon Seigneur, je l'ay faite et forgée.

III.366 THESAURUS.

Je donne au diable s[']el[les] ne se ressemble[nt][356] comme un Moine à un fagot.
C'est une Boesmienne de Gonnesse,
ou bien elle a baisé le meusnier, car elle est blanche[357] comme farine.

III.367 /113/ FIERABRAS.

Il faut que j'en die un mot à cette brunette.
Messieurs, n'en soyez pas si jaloux qu'un coquin de sa besasse.

III.368 LIDIAS.

Vous ne tenez rien, mon camarade,
vous estes bien loing de vostre compte,
ce n'est pas chaussure à vostre pied.

---

355 P33 P40 H54 ce que tu ne me viens | T58 P65 ce que tu me viens || *La particule* ne *est superflue :* => Comm.

356 P33 sel ne se ressemble | P40 H54 selle ne se ressemble | T58 P65 s'elle ne le ressemble

357 T58 c'est une Bœsmienne elle est blanche | P65 c'est une Bohemienne, elle est blanche

III.369 ALAIGRE.

Seigneur cappitan, vous pouvez bien manger vostre potage à l'huile, il n'y a point de chair pour vous.

III.370 FIERABRAS.

N'ayez point peur[358], je ne la mangeray pas.

III.371 ALAIGRE. [*à part*]

On ne mange pas[359] de si grosses bestes.

III.372 FIERABRAS.

Je ne luy diray que deux mots, et puis la fin.

III.373 ALAIGRE.

Il vaut mieux le laisser faire que de gaster tout.

III.374 /114/ LIDIAS.

Faisons bonne mine, et mauvais jeu.
S'il bransle, je le tue.

III.375 FIERABRAS[360].

La belle fille, que je vous voye entre deux yeux.
Vous ressemblez toute crachee
à une beauté qui m'a donné dans la veue,
cela fait que je vous cheris comme mon espée,
outre que vous estes plus mignonne qu'un petit lou[p][361],

---

358 T58 P65 point de peur | | *Malherbe et l'Académie reconnaissaient la légitimité des tournures semblables.*

359 T58 P65 ne mange point

360 *T58 : l'en-tête* Fierabras *est absent.*

361 P33 lou | P40 H54 qu'une petit lou | T58 P65 qu'une petite louve

plus droite qu'un jon[c][362]
et plus gentille qu'une poupee.

III.376 FLORINDE.

Monsieur, vos belles paroles [ne][363] me closent la bouche,
je n'eus jamais tache de beauté.

III.377 FIERABRAS.

Vos mespris vous servent de louange.
Mais, mon petit cœur, une fille sans un amy est un Printemps sans roze.

III.378 FLORINDE.

Vostre cœur est dans le ventre d'un veau,
je suis une saincte qui ne vous /115/ guariray jamais de rien,
addressez ailleurs vos offrandes.

III.379 FIERABRAS.

Je te prie, baize-moy à la pincette.

III.380 FLORINDE.

Voyez-vous qu'il est gentil, on ne baize plus en ce temps icy.
Je croy que vous estes fils de boulanger, vous aimez bien la baissure[364].

III.381 FIERABRAS.

Mignonne, je t'en prie, tu n'obligeras pas un ingrat.

---

362 P33 P40 H54 jon | T58 lion | P65 jonc

363 *La négation s'impose, quoique absente dans toutes les éditions anciennes. Cf.* 856 871 ne me closent.

364 T58 P65 baisure | *Cf.* CuF baisure.

III.382 ALAIGRE.

Il se caline,
ma foy il se goberge.

III.383 LIDIAS.

Courage, courage, nos gens recullent.

III.384 FLORINDE.

Vous n'avez pas lavé vostre becq,
et puis vous sçavez bien, que baizer qui au cœur ne touche, ne fait rien qu'afadir la bouche.

III.385 FIERABRAS.

Dieu me sauve! Si tu me veux aymer, je te rendray[365] plus heureuse que le poisson dans l'eau.

III.386 /116/ FLORINDE.

Il faut cognoistre avant[366] que d'aimer,
à beau demandeur beau refuseur.

III.387 FIERABRAS.

Et quoy, tu m'es gracieuse comme une poignee d[']ortie!
Mais dy moy: qu'as-tu caché là?

III.388 FLORINDE.

Je m'estonne comme vous estes si gras, que vous avez tant d'affaire;
laissez cela, ce n'est que du foin, sont les bestes qui s'y amusent.

---

365 T58 P65 tiendray

366 P40 H54 autant

III.389 FIERABRAS.

Ne dites[367] mot seulement, et me laissez faire, on me cognoist bien.

III.390 ALAIGRE.

Et que diable, estes vous fol de vous faire tenir à quatre?

III.391 PHILIPIN.

Vous troublerez[368] toute la feste.

III.392 FLORINDE.

Je croy que vous estes boucher, vous aymez à taster la chair,
et là, là, vous ne m[']acheterez pas, laissez moy seulement,
/117/ vostre amie n'est pas si noire[369].
Vrayment, vous estes un gentil perroquet.

III.393 FIERABRAS.

Petite folle, tu ne sçais pas que les plus illustres Princesses de la terre tienne[nt] à honneur mes caresses,
et briguent incessamment la possession de la moindre de mes faveurs.
Ayme moy, je te rendray plus esclatante que la pierre en l'or.

III.394 FLORINDE.

Ne sçavez-vous pas qu'à laver la teste d'un asne, on y pert son temps et sa peine,
et qu'on ne sçauroit faire boire un asne, s'il n[']a soif.
Vous grattez la Bastille avecque les ongles
et escrivez sur l'eau.
Et ne me lenternez pas davantage.

---

[367] T58 P65 N'en dites

[368] T58 P65 troublez

[369] P65 n'est pas noire

III.395 FIERABRAS.

Ha ventre! tu es plus farouche que n'est la biche au bois,
Dieu me sauve! Tes persecutions me mettent à l'extremité,
je ne sçay plus de quel costé me /118/ tourner.
Le beau parler n'escorche pas la langue,
ayme-moy desormais, et me traicte en amy!
Tu ne me respons rien,
qui ne dit mot consent.

III.396 FLORINDE.

A sotte demande, il ne faut point de responce.

III.397 FIERABRAS.

[H]a ventre! si est-ce que je t'auray, mauvaise, souvien-toy que je te mettray à la raison.

III.398 FLORINDE.

A Dieu[370] pagnier, vendanges sont faites.

III.399 ALAIGRE.

Baisez mon cul[371], la paix est faite,
et tirez vos chausses,
Seigneur Croquand!

III.400 FIERABRAS.

Al[l]ons, gueux de l[']ostiere,
et bandez vos voilles, et videz d'icy, autrement je vous estropieray.

---

[370] P40 H54 P65 Adieu

[371] T58 P65 Baisez-moy au cul

III.401 ALAIGRE.

Maraut, si je m'estois mis en colere un demy quart d'heure, je mettrois tes oreilles à la composte.

III.402 /119/ FIERABRAS.

Ha ventre, coquin!

III.403 ALAIGRE.

Allons en garde,
à vaillant homme courte espee,
prend[s] à la botte glissee.

III.404 FIERABRAS.

Le pendart! il fait Jacques desloges;
il a raison, il vaut mieux estre plus poltron, et vivre davantage.

III.405 FLORINDE.

Nous allons busquer fortune ailleurs.

III.406 FIERABRAS.

Adieu, Mignonne, à la première veue chose nouvelle.

III.407 ALAIGRE.[372]

Destallons, le marché se passe.
Serviteur, visage.

III.408 THESAURUS.

Et bien, Seigneur Cappitan, des devins, que vous en semble?

III.409 FIERABRAS.

Je ne sçay que dire de peur qu'il n'arrive,

---

372 *T58 : l'en-tête* Alaigre *manque.*

/120/ il[s] m'ont conté mille lenternerie[s],
qui ne vallent pas un clou à soufflet.
Qui ne le croira ne sera pas danné.

III.410 MACEE.

Là, là, il ne faut de rien jurer. Pourquoy non?
Ces Tabarins, qui sont des enchanteurs, ne pourroient-ils deviner[373]?
Mon mary, il ne faut pas ressembler Testu, estre incredule,
car en peu d'heure Dieu labeure.

III.411 THESAURUS.

Ce n'est pas article de foy que ce qu'ils disent;
mais pourtant je ne mettray pas aux pechez oubliez les advertissements qu'ils m'ont donnez de ma fille,
je les ay bien mis en ma caboche,
ils ne sont pas tombez à terre.
Mais vienne qui plante,
je suis resolu comme Bartole[374] à tout ce qui m'arrivera.

III.412 FIERABRAS.

C'est affaire à des niaix de croire ces gens-là,
ils sont devins comme des vaches, ils devine[nt] tout ce qu'ils voyent.

III.413 /121/ THESAURUS.

Si vous ne le voulez croire, ne le(s)[375] croyez pas.
Pour moy, j'aime mieux le croire que d'y aller voir.
C'est pourquoy je m'en vais attendre la grace de Dieu.

---

373 P33 P40 H54 devenir

374 T58, P65 Barthole

375 T58 P65 ne le

Il n'y a si bonne compagnie qu'elle ne se separe[376].
Adieu scias, me recommande[377], seigneur Capitaine.

III.414 FIERABRAS.

Contre fortune il faut avoir bon cœur.
Une livre de melancolie n'acquitte pas pour une onse[378] de debtes.
Pour un perdu deux recouverts[379],
un[380] clou chasse l'autre.
Depuis que j'ay veu cette petite Boësmienne, la perte de Florinde ne me touche plus tant au cœur.
Changement de corbillon fait appeti[t] d'oublie.
Ma valleur abhorre trop la captivité
et le lien de je ne sçay quels mariages,
que des testes sans servelles ont inventez.
Je me veux esbauldir avec cette petite barbouillee.
J'aimerois mieux qu'elle fust tombee dans mon lict[381] que la gresle;
je /122/ la trouverois plus facilement qu'une puce.
Je la veux honnorer d'une serenade,
il faut que je m'abaisse jusques-là[382].
L'amour commence à me bander[383] les yeux
pour me faire faire banqueroute[384] à l'honneur que je pourrois pretendre dans les caresses de quelque Sultane, ou Imperatrice,

---

376 T58 P65 qui ne se separe

377 H54 P65 je me recommande

378 T58 P65 un once

379 T58 P65 retrouvez

380 P40 H54 une

381 T58 le lict

382 T58 P65 honorer jusques là | | *T58 et P65 omettent exactement une ligne.*

383 P65 mébranler

384 T58 P65 me faire banqueroute

qui s'estimeroit trop heureuse de me baiser[385] la contrescarpe,
ou Dieu me damne.

ACTE III.

SCENE IV.

LE PREVOST ET LES 2. ARCHERS.

III.415 LE PREVOST.

Il y a tantost trois heures que je trotte à beau pied sans lance,
pour descouvrir en quel canton de la ville sont certains esgrillards de Boësmiens,
coupeurs de bource et de pendants,
qui sont venus sans mander, hier, ou devant hier, que je n'en mente.
Mais je les empescheray bien de s'en retourner /123/ sans dire à dieu[386],
car je me suis[387] chargé de les attraper, ou je ne pourray.
Je veux leur faire manger des poires dangouesses[388],
et leur faire voir qu'il vaut mieux tandre la[389] main que le col;
ils sçauront en peu de temps qu'en vaut l'aune.
Où ces gueux-là ont mis les pattes,
ils n'ont laissé que frire.
Ils ont mis au net
un pauvre Prestre qui n'avoit pas grand argent caché;

---

[385] T58 P65 bailler

[386] P65 Adieu

[387] T58 car je suis | P65 car suis

[388] H54 d'angoüesses | T58 les faire... d'angoisses | P65 d'angoisse

[389] T58 tendre sa

mais si peu qu'il avoit, ils l'ont escamotté
et aggriffé avec leurs argots de chapon[390].
Bref, ils font merveilles avec leurs pieds[391] de derriere
et chef d'œuvre de leurs mains.
Par tout où il[s] passent, ils font le partage de Mongoumery[392], tout d'un costé, et rien de l'autre.
Ce sont des marchands à tout prendre, qui n'oublient[393] jamais leurs mains.
Si je les puis tenir, je les mettray à telle lexive, qu'ils voudroient avoir esté endormis pour quinze jours.
Si j'y faux[394], croix de paille.
Ils feront les capriolles[395] en l'air,
ou les bras de mes Archers leur faudront[396] au besoin.
Il faut que j'attende la nuict pour /124/ les surprendre lors qu'ils y songeront le moins, comme renards à la taniere.
On m'a dit qu'ils s'estoient[397] fourrez où le bout de la rue fait le coin.
La lune commence à monstrer ses cornes.
C'est pourquoy mes Archers petillent d'impatience
d'aller plumer l'oison.

III.416 LE 1. ARCHER.

Boutteville aura sa revenge[398],

---

390 T58 chappons

391 T58 P65 merveilles des pieds

392 T58 oú ils passeront il | | P40 H54 T58 le partage de Cormery | P65 de Mongommery | | *La répartition des variantes est inattendue: T58 = P40 = H54 contre P65 = P33.* => Comm.

393 T58 n'oublieront

394 P33 P40 H54 faut

395 T58 P65 cabriolles

396 T58 P65 vaudront

397 P40 H54 T58 P65 qu'ils estoient

398 P33 P40 Botteuille *ou* Borteuille | H54 Borteville | T58 Boutteville | P65 Bouteuille | *V.* Comm. | | T58 P65 sa revanche

nos Gentilhommes à la courte-espée trouveront tantost plus mauvais qu'eux.

III.417 LE 2. ARCHER.

Mais que nous les tenions pieds et mains liez,
nous les traitterons en chiens courtaux,
et s'il en arrive faute, prenez-vous-en à moy.

III.418 LE PREVOST.

Allons faire aiguiser nos cousteaux.

/125/ ACTE III.

SCENE V.

FIERABRAS, LES MUSICIENS, PHILIPIN, ALAIGRE, LE PREVOST, DEUX ARCHERS, ET LIDIAS.

III.419 FIERABRAS.

Les amoureux ont tousjours un œil aux champs et l'autre à la ville.
Pour moy, je ne sçay plus sur quel pied dancer,
à quel Sainct me vouer,
ny de quel bois faire fleche,
depuis la veue de cette petite Egiptienne,
pour qui mes soupirs sortent plus viste qu'un cliquet de moulin
et aussi furieusement qu'un tonnerre[399].
Car, quand je remasche les responces dont elle m'a traitté,
je les treuve si aigres, que ne les puis avaller.
Je ne sçay /126/ à quelle sausse manger ce poisson,

[399] T58 souspirs sortent plus viste qu'un tonnerre

si ce n'eust esté de la crainte qu'elle avoit que ces maraux n'en fussent[400] jalloux
et n'eussent eu peur[401] que je leur coupasse l'herbe sous le pied.
Car autrement elle m'eust embrassé la cuisse
pour me tesmoigner, moitié figues, moitié raisins,
que de bon[d], ou de vollee[402],
ribon, ribaine,
qu'elle se fust sentie plus heureuse, que de posseder tous les Monarques de l'Univers,
d'estre plantée si avant[403] dans le bastion de mon cœur.
Il faut, quoy qu'il puisse arriver, que je luy fasse entendre ce que j'ay fait à sa louange.
Mes amis, alte ! c'est icy où il faut triompher.

III.420 *LES MUSICIENS CHANTENT.*

Silence par toute la terre,
Le voicy ce grand Chef de Guerre
Couronné de lauriers,
Qui vient pour conter à sa belle
Qu'il veut abandonner pour elle
Tous ses actes Guerriers.

III.421 /127/ ALAIGRE.

Parle, hé, frere Dominicle, vien voir la musicle, aupres de nostre bouticle[404].

---

400 T58 P65 ne fussent

401 T58 P65 n'eusse peur

402 P65 que de bon que de volée | | *Cf.* CuF bond.

403 P33 P40 H54 cy-avant | T58 si avans | P65 si avant

404 T58 Dominique, vient... musique,... boutique | | Bouticle *est une forme ancienne (XIVe s.) de* boutique *(cf. Hurtaut et Magny, IV, 294). T58 perd une partie de l'effet comique.*

III.422 PHILIPIN.

Ho, ho, c'est quelque amoureux transi.
Dame, cœur[405] qui soupire, n'a pas ce qu'il desire.

III.423 *LA MUSIQUE.*

Sa gloire ne court point de risque,
Puisqu'il a donné quinze et bisque
A tous les Potentats.
Ils n'adorent que ce bravache
Qui de l'ombre de son panache
Conserve leurs[406] *Estats.*

III.424 PHILIPIN.

Sonnez[407] comme il escoutte.
Dame, voila qui est beau, et s'il n'est pas cher.
C'est la musique de sainct Innocent, la plus grande pitié[408] du monde.

III.425 /128/ ALAIGRE.

Qui ne sçait son mestier, ferme sa boutique.
Ils s'amusent à chanter, ils n'y entendent rien,
car les femmes n'ayment pas tant les voix que les[409] instruments.

III.426 *LA MUSIQUE.*

C'est pour vous, belle Egyptienne,
Qu'il quitte sa flame ancienne
Qui cause son tourment.
Ne luy faites point d'imposture[410]*,*

---

405 T58 à mon cœur | P65 car cœur | | *On notera la proximité phonétique entre les segments* Dame cœur *et* À mon cœur.

406 T58 P65 les

407 T58 Sonne

408 P33 grand partie | T58 P65 grand pitié

409 P33 que le son des | P40 H54 T58 P65 que les

410 T58 P65 faites d'imposture

Il croit que sa bonn' aventure
Est d'estre vostre amant.

III.427 PHILIPIN.

Hola, c'est à Florinde qu'on addresse l'esteuf,
c'est ce grand escorcheur de Sergens Fierabras.

III.428 ALAIGRE.

C'est un bon vendeur d'espinars sau/129/vages,
ma foy nous l'avons bien mangé tous[411] tant que nous sommes ; il ne nous revient point au cœur.
Je croy qu'il n'a que faire d'apprests, les œufs sont durs pour luy.
Retournons dormir.

III.429 *LA MUSIQUE.*

Beauté plus divine qu'humaine,
Recevez ce grand Capitaine
Apres tant de hazards.
Ne faictes point la rancherie,
Soyez sa Venus, je vous prie,
Il sera vostre Mars.

III.430 FIERABRAS.

Ch[u]t, j'entens quelqu'un qui me vient tarabuster en ce lieu,
où ame qui vive ne peut pretendre que moy.

III.431 LE PREVOST.

Nous voicy tantost où l'on ne nous attend pas.

---

411 P58 P65 tout

III.432 FIERABRAS.

Ouy, à vostre dam, perturbateurs de mon repos.

III.433 /130/ LE PREVOST.

Qui sont ces bandoulliers qui parlent si hardiment?
Canailles! si vous estes sages, ne croupissez pas là davantage, et vous retirez:
il est heure indue.

III.434 FIERABRAS.

Ah ventre! commande à tes valets,
et garde que je ne te donne un si beau revire-marion que la terre t'en donnera un autre.

III.435 LE PREVOST.

A beau jeu beau retour.
Compagnons, traittons ces drosles-là de martin baston,
nos espées seront plus de requestes ailleurs.

III.436 LE 1. ARCHER.

Je voy bien que la chair leur demange.

III.437 LE 2. ARCHER.

Il faut gratter leur coine.

III.438 /131/ FIERABRAS.

L'ignorance fait les hardis,
Et la consideration les craintifs;
Bien courir n'est pas un vice;
On court pour gaigner le prix,
C'est un honneste exercice,
Un bon coureur n'est jamais pris.

III.439 LE PREVOST.

Comme diable il arpente,
nous avons fait là un crotesque desordre.

III.440 LE 1. ARCHER.

Ils gaignent le haut
plus viste qu'un lievre de Beausse.

III.441 LE 2. ARCHER.

Les pauvres museaux de chiens,
nous avons bien revisité leur fripperie.
Ils n'en ont pas tiré leurs brayes nettes,
ils y ont laissé de leurs plumes.

III.442 LE PREVOST.

Ce n'estoit pas là pour ma dent creuse,
aux autres, ceux-là sont pris.

/132/ *Il heurte à la porte.*

III.443 PHILIPIN.

D Qui est là ? qui est là ? vous frappez en maistre.

III.444 LE I ARCHER[412].

Amis sont, ouvrez seulement.

III.445 PHILIPIN.

Amis sont bons, mais qu'ils apportent.
Seigneur Lidias, venez, l'on vous veut marier.

III.446 LE PREVOST.

Ouy ouy, juste et carré comme une fluste,
nous le festinerons d'une salade de Gascon.

---

412 T58 Le 2. Archer

III.447 ALAIGRE.

Le diable est bien aux vaches,
ces diables-la ont le nez fait comme des Sergens.

III.448 PHILIPIN.

On t'en pond, Sergent, toy et ton recorps; mon maistre n'est pas obligé par corps.

III.449 LIDIAS.

D *Il sort*

N'importe qui que ce soit,
en bien /133/ faisant on ne craint personne.
Mais ma veue me fait faux bond,
ou j'apperçois un frere en qui je ne songeois non plus qu'à m'aller noyer.
Est-ce vous, mon frere?

III.450 LE PREVOST.

Hé, mon frere, c'est grande nouveauté que de vous voir,
je vous croyois à plus de cent lieues d'icy.
Que veut dire cela?
Je suis aussi ravy de vous avoir rencontré que si j'estois Roy de la febve.

III.451 ALAIGRE. [*à part*]

La douce chose, accollez ce poteau;
je suis aussi resjouy de voir cela que si on me fricassoit des poullets.

III.452 LE PREVOST.

Je ne voudrois pas pour une pinte de mon sang ne vous avoir trouvé,
on vous croit *ad patres*.

III.453 LIDIAS.

Vous me voyez sain et sauf,
entierement à vous à vendre et dependre[413].

III.454 ALAIGRE.

Hé ! suis-je ton pere ?
vous ay-je vendu /134/ des poix qui ne cuisent pas ? vous me regardez de costé ?

III.455 LE 1. ARCHER.

Non, non. Mais il me semble que je l[']ay veu aux prunelles.

III.456 ALAIGRE.

Mais, Messieurs, sans ceremonie,
couvrez ces macquereaux
de peur qu'ils ne s'esventent.

III.457 LIDIAS.

Dictes moy, je vous prie, mon frere, quel dessein vous meine ?

III.458 LE PREVOST.

Je cherchois certains Egyptiens qui pillent par tout où ils passent,
mais je croy que j'ay quitté leur brisee.
J'ay une memoire de lievre, je la perds en courant.

III.459 LIDIAS.

Vous ne vous en estes[414] pas esloigné d'un quart de lieue ;

---

[413] T58 et entieremenet à vous vendre et à despendre | P65 et entierement à vous, à vendre et à dépendre

[414] T58 Vous n'en estes

car nous estions, il n'y a qu'un moment,[415] deguisez en ceux que vous cherchez,
nous avions pris la peau du regnard[416]
pour attraper ce vieil /135/ cocq de Docteur Thesaurus,
et luy jouer un tour de passe-passe.
Et en effet nous luy avons preparé l'esprit à recevoir un futur gendre
qui luy doit venir comme champignons, en une nuit,
quoy qu'il me cognoisse aussi bien que s'il m'avoit nourry,
mais non pas pour ce que je suis à present, mal-gré luy et mal-gré ses dents.
Je vois bien que vous n'entendez pas tout ce galimatias icy,
avec plus de loisir je vous esclairciray la matiere.

III.460 ALAIGRE.

Tantost, tantost, nous vous en conterons de huict et de treize.

III.461 LIDIAS.

Entrons dans[417] le logis,
je vous veux faire voir une sœur qui est venue de la grace de Dieu,
et qui est belle et grande.

III.462 ALAIGRE. [*à part*]

Il ne faut prendre garde à la grandeur, mauvaise herbe croist tousjours. [*à haute voix*]
Entrez /136/ seulement, vous verrez qu'elle n'est point tant deschirée,
avec cela vous apprendrez le reste du trippotage.

III.463 LE PREVOST.

---

415 T58 P65 car c'estoit nous, il n'y a qu'un moment qu'estions

416 T58 P65 renard

417 T58 dedans

Je meurs d'impatience de sçavoir à quoy abboutiront ces[418] feintes.
Je vous veux aussi conter la rencontre de certaine musique
qui vous fera rire à gorge desployée.
Entrons donc, je vous prie.

III.464 ALAIGRE.

Philipin, un mot:
voicy des escogriffes qui ne nous apporteront rien,
ne laisse pas traisner un chiffon qui nous appartienne,
ils ont la mine de le serrer.
Et regardons plustost à leurs mains qu'à leurs pieds.

III.465 PHILIPIN.

Aussi feray-je:
car, quand ils ne seroient pas larrons, je croy qu'ils sont hardis preneurs.

/137/ ACTE III.

SCENE VI[419].

III.466 FIERABRAS.

Où sont-ils, ces Mirmidons, qui ont si temerairement donné un assaut à mon courage?
Ils courent comme si le Diable leur avoit promis quatre sols.
Mais ils ont beau destaller, je ne me donneray pas la peine de courir apres eux.

---

418 T58 toutes ces

419 T58 SCENE II

Ha ventre ! je desespere quand je songe qu'il a fallu que le vaillant, terrible et foudroyant Fierabras se soit laissé mettre hors de games par des mortels
sans avoir fait un deluge de sang ;
ils sçavoient bien que mon courage mesprise ses ennemis quand ils sont trop foibles.
Car, [en] effect, la pitié m[']a empesché de les regarder de mauvais œil, /138/
de peur de les faire mourir subitement,
sans avoir le loisir de songer à leur conscience.
Mais, quand je reviens à moy : faut-il qu'une petite fille, une petite barbouillée ait fait trouver lieu en moy à une [autre] passion qu'à celle de Mars ?
Dieu me sauve !
Elle a causé un miracle auquel ma memoire donne fin
par le resouvenir des treves que j'avois accordée[s] à tous les Roys et mescreans de la terre qui sont expirées.
C'est pourquoy il faut que je leur aille servir à present de fleau,
et couronner ce front de lauriers que l'amour en badinant avoit flestris parmy sa chaleur[420].
Ce petit demon avoit allumé en moy une flame par les yeux de certaines petites marmotes,
qui, sans y penser, eust peu causer quelque fumée au lustre de ma gloire pour l'estouffer.
C'est le regret que j'ay maintenant, car, puis qu'un homme de paille vaut une femme d'or,
le Mars des mortels doit-il esperer moins qu'une divinité ?
Ha ven/139/tre ! je vay faire baiser mes pas à cinq cens Monarques,

---

420 T58 P65 que la bouë … par sa chaleur || *Phonétiquement, les segments* l'amour *et* la boue *se ressemblent* La boue *peut représenter une transcription incorrecte de* l'amour, *qui pourrait résulter d'une dictée ou d'une tentative de transcrire un texte déclamé. Cette transcription est reprise dans 856.*

et me faire adorer par mille Princesses, ou Dieu me damne[421].

SCENE VII, et derniere[422].

Le Prevost, Alaigre, Philipin, Lidias, Florinde, le Docteur, Alizon, et Macée.

III.467 LE PREVOST.

Mon frere, charité bien ordonnée commence par soy-mesme.
Je trouve que vous avez fort bien fait d'oster Mademoiselle Florinde au Cappitan[423] Fierabras,
c'est un tresor dont il estoit indigne.
Je ne m'estonne plus si vous estes gay comme Perrot,
vous en avez subjet, car la chance est bien tournée
depuis que nous vous voy[i]ons[424] aussi triste que si vous eussiez eu la mort aux dents.
L'amour vous faisoit la guerre en ce temps-là;
mais à présent vous avez recouvert celle que la renommée vante[425] par tout,
et qui est la perle des filles[426].

---

421 P33 dannes | P40 H54 T58 P65 damne

422 T58, P65: *les mots* « et derniere » *sont absents. Le numéro d'acte manque dans toutes les éditions examinées.*

423 T58 P65 Capitaine

424 P65 vismes

425 P33 vente | P40 H54 T58 P65 recouvré... vante || *La confusion entre* recouvert *et* recouvré *était assez fréquente au XVIIe s.*

426 T58 des fidelles

III.468 /140/ ALAIGRE [*à part*].

Je ne m'en estonne donc pas s'il l[']a si bien enfillée[427], puis qu[']elle est la perle des filles,
c'est folie d'en mentir,
il a ma foy bien trouvé son balot.

III.469 PHILIPIN.

Dame, il arrive à[428] un jour ce qui n'arrive pas en cent.
Ah![429] jeunesse, que tu es forte à passer!

III.470 LIDIAS.

Mon frere, chacque chose a sa saison, et chacque saison apporte quelque chose nouvelle.
Aujourd'huy Evesque, demain Meusnier[430],
c'est le[431] monde, l'un descend et l'autre monte,
le bon-heur suit le mal-heur,
chaque chose fuit[432] son contraire et cherche son semblable,
apres la guerre, la paix,
que nous pouvons avoir sans coup ferir.
Le jour qui commance beau et serain, nous pronostique
qu'apres la pluie vient le beau-temps.

---

427 *Le mot* enfiller *sert à produire un double calembour: en plus du jeu de sens, entre* enfiler *et* perle, *un jeu de forme, entre* enfiler *et* fille. *Comme dans le cas de* bouticle, *T58 et P65 perdent la moitié d'effet à cause de l'orthographe* enfiler. *Cf. CuF*: une fille qui a fillé «qui a eu des enfans. vulg.», p.224, *et* filler «faire des enfans. vulg.», p.225.

428 T58 en

429 P33 P40 H54 T58 P65 ha

430 T58 P65 et demain Musnier

431 P65 ainsi va le

432 T58 P65 fait

III.471 /141/ PHILIPIN.

Pardienne! comme dit l'autre, ciel pommelé et femme fardée ne sont pas de longue durée.
Si je ne voy le chemin de sainct Jacques escrit au temps,
je ne m'y fie non plus qu'à un larron ma bource.

III.472 ALAIGRE.

Ho! que tu as un grand esprit, tu cognois bien un double.

III.473 PHILIPIN.

Aga, rouge au soir, et blanc au matin, c'est la journee du pellerin.

III.474 ALAIGRE.

Tu es un grand Astrologue, tu t'y cognois comme une truye en fine espice, et pourceau en poivre,
tu ferois mieux les plats nets que tu ne cognois les planettes.
Mais ne disputons sur l'Astrologie et troussons vistement bagage.

III.475 LIDIAS.

Alons tout de ce pas trouver le Docte[433] Thesaurus.
Mon frere, il ne vous co/142/gnois[t] non plus que le grand Sophy de Perse.
Il vous croira à cent pour cent dés la premiere parole que vous jetterez en avant
touchant la baye que nous luy voulons donner.
Allons, qui m'aime me suive!

III.476 ALAIGRE.

Escoutez, sur tout fichez-luy bien vostre colle,
et qu'elle soit franche.
Mais tournons un peu la truye au foin:

---

433 T58 le docteur | P65 le Docteur

il n'y auroit point de danger de boire un coup, de peur du mauvais air.

III.477 PHILIPIN.

Tu as tousjours le gosier adulteré[434].
Si tu étois prescheur, tu ne prescherois que sur la vendange.

III.478 FLORINDE.

Nous voicy tantost au lieu où il faudra entendre nostre sentence[435].
Pour moy, j'en tremble comme la fueille.

III.479 LIDIAS.

On dit qu'il ne faut jamais trembler qu'on ne voye sa teste à ses pieds.
Mais /143/ à vostre compte,
vous estes bien loin de là.

III.480 LE PREVOST.

Il faut estre asseurez comme meurtriers,
et ne se laisser pas[436] prendre par le bec.

III.481 PHILIPIN.

Il ne faut rien desbagouller.
Pour moy, je m'en vais faire le marmiton
et bien ageancer l'emplastre
pour bailler mieux la fée.

[*Philipin se panse la tête.*]

III.482 ALAIGRE.

O! que voilà une belle maison s'il y avoit des pots à moineaux!

---

434 P33 P40 H54 adultere

435 T58 P65 entendre sentence

436 T58 P65 ne se pas laisser

Nous ne trouverons pas visage de bois.
On ouvre la porte à Calpin le jeune.

III.483 FLORINDE.

C'est mon pere, pour le seur[437].

III.484 LE DOCTEUR[438].

Dieu me doint aussi bonne encontre comme mon songe semble me la promettre.
Il me sembloit que j'avois trouvé deux enfans pour un.
Je /144/ m'en vay me recommander à Nostre Dame de recouvrance.

III.485 LE PREVOST.

Monsieur, elle vous renvoye ce qui n'estoit pas perdu, aussi seine et entiere que quand elle est sortie du ventre de sa mere.

III.486 THESAURUS.

Est-ce vous, mon enfant, mon baston de vieillesse?
Est-ce vous, ma petite rate, ma petite fressure?
Helas! mon soucy, d'où venez-vous, dites?
Vous ne parlez non plus que si vous n'aviez point[439] de langue.
Hé, là, là[440], ne pleurez point tant, vous l'aurez.
Mais dites-moy un peu qui vous avoit si bien troussez[441] en malle.

---

437 P33 P40 H54 sur | T58 P65 seur

438 T58 P65 Thesaurus

439 T58 et d'ou venez vous, n'aviez vous point | P65 et d'où venez-vous? n'aviez-vous point

440 T58 P65 ho là, là

441 T58 P65 troussée

III.487 FLORINDE.

Mon pere, je ne sçay. Mais sans le secours de ce Gentilhomme vous n'auriez plus de fille[442].
C'est à luy à qui vous devez sçavoir gré
de m'avoir conservé l'honneur, sain et entier,
exposant /145/ sa vie à plus d'une douzaine d'espées, dont les coups tomboient sur luy et sur les siens comme la pluye[443].
Philipin a eschappé belle aussi bien que moy.
Je m'asseure qu'il sçait bien à quoy s'en tenir. Car il eut de bons chinfreneaux[444].

III.488 PHILIPIN.

Ils n'avoient pas envie de me faire languir,
sont des meschans, ils ont couppé la main[445] à nostre cochon.
Sans le Seigneur Lidias et ce visage-là,
ils m'eussent couppé bras et jambes, et m'eussent envoyé aux galleres ;
en deux coups de jarnac ils nous delivrerent de cette maudite engeance.

III.489 LE DOCTEUR[446].

Mais encore n'avez-vous point eu vent qui ils estoient, vous qui les avez si bien rembarrez[447] ?

III.490 ALAIGRE.

O ma foy, fouillez moy plustost.

---

442 T58 P65 pas de fille

443 H54 comme pluye

444 T58 chifrenaux

445 P65 la patte

446 T58 P65 Thesaurus

447 T58 P65 les avez rembarrez

Je vous diray bien qu'il en demeura moins d'une douzaine sur le carreau ;
ils estoient /146/ tellement hachez de coups d'espée[448], qu'on ne les pouvoit recognoistre.
Avec cela nous les avons percez à jour comme des cribles.

III.491 LIDIAS.

Nous prismes langue aux lieux prochains,
mais cela ne nous servit de rien,
car ils couroient comme des levriers.

III.492 ALAIGRE.

Ceux qui resterent ne nous donnerent pas le loisir pour nous recognoistre ;
car ils nous tournerent bien-tost le dos,
et nous monstrerent bien leurs[449] talons,
dont ils n'escrimoient point mal.
Quand je vis cela, je jettay mon bonnet par-dessus les moulins,
et je ne sçay ce qu'il devint.

III.493 THESAURUS.

Il faut que j'appelle nostre chere moitié.
Ma femme, venez voir nostre geniture !
Venez viste, nostre heritiere[450] est de retour.

III.494 /147/ PHILIPIN.

Elle est revenue Denise ; tout va bien.

Alison sort.[451]

---

[448] P65 d'espées

[449] T58 monstrerent leurs

[450] T58 P65 heritage

[451] *Cette didascalie n'apparaît que dans P33.*

III.495 ALAIGRE.

D Parlons bas, chose nous escoute.

III.496 THESAURUS.

Seigneur Lidias, il faut que je vous embrasse,
j'ay mis en arriere
la dent que j'avois contre vous.

III.497 ALAIGRE[452].

Alizon, je te baise les pieds, les mains sont trop communes.
Morbleu, tu as les yeux riants comme une truye bruslée,
tu es d'aussi belle taille que la perche d'un ramoneur.
Dy-moy sans mentir, de combien as-tu aujourd'huy ferré la mule ?
Regarde Philipin, ce drolle-là t'aime, il te rit tortu[453].

III.498 ALISON.

Tu n'es qu'un hableux,
je ne suis pas viande pour ton oiseau.

III.499 THESAURUS.

Puisque vous aymez ma fille, oubliez[454] le mal-talent que vous pouvez avoir contre moy.
Je suis fasché de ne vous /148/ avoir pas traitté comme mon enfant,
vous le meritez mieux que ce donneur de canart à moitié,
qui nous promettoit tant de chasteaux en Espagne.

---

452 T58 Fierabras

453 T58 P65 ce drolle il t'aime, il rit tortu

454 P33 P40 H54 T58 P65 publiez | | *Cette leçon est en désaccord avec le sens du discours.* | 856 871 oubliez.

III.500 LIDIAS.

Monsieur, l'homme propose et Dieu dispose.

III.501 PHILIPIN.

Mais que tu fasse bien, les lievres prendront les chiens.

III.502 ALIZON.

Hé, le malitorne,
que cela est maussade,
il ne sçauroit laisser le monde comme il est.

III.503 MACEE.

Helas, ma pauvre fille, je suis plus heureuse de t'avoir recouverte
que si j'avois trouvé la pierre Philosophale.
Je ne faisois que traisner ma vie en ton absence,
à cette heure il semble que je volle,
le cœur me saute dans le ventre,
je m'espanouis la ratte.
Çà, que je t'embrasse à mon gogo.

III.504 /149/ ALAIGRE[455].

Mais à propos, qu'est devenu ce Capitaine des bandes grises?
il a tousjours esté aussi chanceux que le chien à Brusquet.

III.505 THESAURUS.

C'est un pipeur, les petits enfans en vont à la moutarde;
un temps durant je l'ay veu honneste homme pourtant.

---

455 *T58: cette réplique n'est marquée d'aucun nom de personnage, comme s'il s'agissait toujours des paroles de Macée.*

III.506 ALAIGRE.

Honneste homme, c'est donc en Latin, car en François il n'a jamais esté qu'un sot.
c'est un grenier à coups[456] de poing,
ce morfondu-là.
Fy, fy, au diable.

III.507 PHILIPIN.

Vous l'avez donc recognu, Seigneur de nul lieu faute de place.
Je me doutois bien qu'il estoit des Gentilshommes de la Beausse, qui se tiennent au lict pendant qu'on refait leurs chausses.

III.508 THESAURUS.

Mais, ma femme, ne faites pas comme les singes, qui serrent si fort leurs petits, /150/ quand ils les caressent, qu'ils les estouffent.
Ma femme, rendez un peu l'honneur à qui il appartient,
et faites une accollerette[457] à ce Gentilhomme,
que vous devez à tout jamais, à perpetuité, et par tous les siecles cherir comme s'il avoit tourné en vostre ventre.

III.509 LIDIAS.

Madame, je ne merite pas la moindre partie de l'honneur que je reçois de vous.
Ce que j'ay[458] fait n'a esté que par devoir,
je vous prie de croire que c'est la moindre chose que je voudrois[459] faire pour vostre service.

---

456 T58 P65 en latin, car un grenier à coups de poing | | *Une proposition entière manque.*

457 T58 colerette

458 P65 j'en ay

459 T58 de croire que je voudrois | | *L'imprimeur de T58 a sauté quelques mots en prenant un* que *pour un autre.*

III.510 MACEE.

Monsieur, vous nous obligez si fort à faire estime de vous, que vous nous pouvez commander aussi absolument que le Roy à son Sergent, et la Royne[460] à son enfant.

III.511 ALAIGRE.

Pour luy, il a les jambes de festu et le cul de verre, il rompra tout s'il se remue.

III.512 /151/ MACEE.

Vous voyez des gens qui se repentent de vous avoir fait passer tant de mauvaises nuicts.
Vous sçavez qu'il vaut mieux se repentir tard que jamais.
Nous l'amenderons de façon ou d'autre.

III.513 LIDIAS.

Madame, rien ne s'acquiert sans peine.
Puis que les moindres choses meritent le travail qu'on y employe,
les bonnes-graces du pere, de la mere, et de la fille, que j'estime par sur les montaignes[461],
meritoient bien d'estre acquises avec toutes ces peines,
et mesmes au peril de ma vie, comme j'ay fait.

III.514 THESAURUS.

Ma femme, s'il vaut mieux escu que l'autre maille, Dieu le devoit[462] à nostre fille.

---

[460] P65 Reine

[461] P65 par dessus les montagnes

[462] T58 P65 le doint

III.515 MACEE.

Monsieur, nous vous prions de l'accepter d'aussi bon cœur que quelque chose de meilleur,
c'est peu à vôtre égart, nous n'en doutons pas.

III.516 /152/ THESAURUS.

Nous vous donnons ce que nous avons en amy, sans aucune condition que celle que vous voudrez.

III.517 LIDIAS.

Monsieur, j'accepte cecy et cela, et tout ce qu'il vous plaira,
je vous donne la carte blanche.

III.518 THESAURUS.

Vous estes un brave homme de recevoir ce[463] compromis sans barguigner.
Pour les autres petites bagatelles, nous ne nous battrons pas ensemble.

III.519 ALIZON.

Vous sçavez bien comme vous vous en portez, ma petite maistresse[464].
Tredame, vous voila grande comme un jour sans pain.

III.520 FLORINDE.

Tu caquette tousjours comme un chardonneret.

III.521 THESAURUS.

Mais s'il est ainsi qu'on cognoisse par les fleurs l'excellence du fruict,

---

463 P65 ces

464 T58 ma maistresse | P65 ma Maistresse

ce Gen/153/tilhomme-là est honneste homme à sa mine[465].

III.522 LIDIAS.

Monsieur, s'il n'est ce que vous dites, au moins est-il du bois dont on le[s][466] faict.

III.523 PHILIPIN. [*à Alaigre*]

Pourquoy ne le seroit-il pas? le cousin germain du pere de son grand-pere avoit envie de l'estre.

III.524 ALAIGRE. [*à Philipin*]

Il est meschant, je ne voudrois ma foy pas qu'il m'eust rompu une jambe.
C'est un galland, il a la fesse tondue;
fol qui luy donnera sa femme en garde:
car c'est un masle, il a la gorge noire.

III.525 LIDIAS.

Sans vous tenir davantage en suspens,
pour[467] vous esclaircir de doute,
je vous asseure qu'il ne me peut[468] estre plus proche s'il n'est mon pere.

III.526 LE PREVOST.

Monsieur, je suis vostre serviteur, quand vous ne le voudriez pas.

III.527 /154/ THESAURUS.

Monsieur, vous nous tiendrez pour excusez s'il vous plaist, nous n'avions pas l'honneur de vous cognoistre.

---

465 T58 honneste à sa mine | P65 honeste à sa mine

466 P40 H54 T58 on les

467 T58 P65 et pour

468 T58 P65 ne peut

Vous sçavez que nul ne naist apris et instruit[469].

III.528 PHILIPIN.

N'importe, n'importe, tous chats sont gris de nuict.

III.529 LE PREVOST.

Monsieur, je suis ce que je suis,
D mais je vous conjure de croire que je suis autant vostre serviteur qu'un pareil à moy.

Macée caresse Alizon.[470]

III.530 THESAURUS.

Ma femme, mesnagez vostre contentement,
une soudaine joye tue aussi-tost qu'une grande douleur.
Voilà le frere du Seigneur Lidias, rendez-luy le devoir[471],
il faut honorer la vertu par tout où on la trouve.

III.531 MACEE.

Vrayment, à la bonne heure.

III.532 ALAIGRE.

Nous prit la pluye.

III.533 /155/ MACEE.

Il fait bon vivre et ne rien[472] sçavoir, on apprend tousjours quelque chose.
Monsieur, pardonnez-leur, ils ne sçavent ce qu'ils font, je vous asseure.

---

469 T58 nul n est apris ny instruit | P65 nul n'est appris et instruit

470 *Cette didascalie est placée : dans H54, immédiatement après l'en-tête «LE PREVOST»; dans P65, dans la réplique III.528 de Philippin.*

471 T58 Sieur Lidias, rendez luy devoir | P65 sieur Lidias

472 T58 P65 et rien

III.534 LE PREVOST.

Madame, où il n'y a point de faute, il n'y a point[473] de pardon.

III.535 MACEE.

Vous sçavez que nous ne sommes pas maistres de nos premiers mouvemens.

III.536 ALAIGRE.

Je donne au diable si [...]

III.537 PHILIPIN.

Toubeau, je retiens la teste pour faire un pot à pisser.

III.538 ALAIGRE.

[...] si on donne rien à si bon marché que les compliments.

III.539 PHILIPIN.

Retire toy de là, ta jument rue.
Si le Diable te venoit querir, j'aurois peur qu'il ne prist le cul pour les chausses.

III.540 /156/ ALAIGRE.

Cela ne vaut pas le disputer.

III.541 PHILIPIN.

Tu t'estonne d'entendre des complimens.
Vrayment, ils en disent bien d'autres dont ils ne prennent point d'argent.

III.542 ALAIGRE.

Ils payent souvent le monde de cette monnoye-là,

---

473 P65 il ne faut point

car tous tant qu'ils sont, ils ressemblent les Arbalestriers[474] de Cognac, ils sont de dure desserre;
c'est justement comme les compagnons Bahutiers, ils font plus de bruit que de besongne.

III.543 MACEE.

Dittes-moy[475], enfans, ceux-là sont-ils de vostre caballe?

III.544 THESAURUS.

Estes-vous camarades ensemble?

III.545 PHILIPIN.

Camarade, leurs camarades sont au moulin, la corde au col, et les fers aux pieds.
Voulez-vous que je vous dise?
Toutes comparaisons sont odieuses, /157/
vous avez bon foye ma foy de m'accomparager à telles gens que cela:
ils ne furent jamais de nostre plat bougre.

III.546 ALAIGRE.

Ho, ma foy, à propos, signez-vous, vous voyez les mauvais,
et si je vous responds
qu'ils seront de la nopce des plus avant et des moins prisez.
Ce sont gens qui payent bien quand ils payent contant.
Au reste ils gaignent par tout;
je croy qu'ils portent de la corde de pandu.
En un mot, sont ceux qui mettent le monde dans la boëste aux cailloux.

---

474 P65 arbalestiers

475 T58 P65 Prenez-moy

III.547 PHILIPIN.

Sont les deux fils de Michaut Croupiere, qui est Maistre aux Arts, tailleur de pourpoints à vache[476].
Il est parquienne[477] aussi vray que je pesche, voyez le beau macquereau que je tiens.

III.548 MACEE.

Nous sommes presque aussi sçavans que nous estions.
Mais ce n'est pas fait,
allons mettre tout par escuelle pour so/158/lenniser la noce,
je veux marquer pour jamais ce jourd'huy d'une pierre blanche.
On dit bien vray que nul ne sçait le futur.
Post tenebras, lux. Post nebula Phœbus[478].
Dieu fait tout pour le mieux.
Mais laissons cela à part, et allons faire la noce.
Messieurs, je vous prie de la benisson, et du disner non.

III.549 ALIZON.

Je m'en vais m'apprester[479] à bien remuer le pot aux crottes,
mon maistre n'aurons-nous pas les flusteux[480]?

III.550 THESAURUS.

Cela s'en va comme le vin du vallet,
foy de sçavant homme,
je suis aussi aise qu'à la noce.

---

476 P33 P40 H54 tailleurs | | T58 maistre aux arts,... pourpoint a vaches | P65 Maistre és Arts,... pourpoint à vaches

477 P40 H54 T58 P65 pardienne

478 T58 fœbus

479 T58 P65 m'en vais apprester

480 T58 fluteurs | P65 flusteurs

III.551 ALAIGRE.

Alizon, tu as gaigné ton proces,
tu danceras tantost la dance du loup, la queue entre les jambes.

III.552 THESAURUS.

Allons, mes enfans, entrons dans le logis, et faisons bonbance, bonbance.

III.553 /159/ PHILIPIN.

Morbleu! faisons gogaille, le diable est mort!

III.554 MACEE.

Messieurs, ne vous plaist-il pas d'entrer, mon mary vous montre le chemin.

III.555 ALAIGRE.

Ils ne feront pas cette sottise-là, vous la ferez s'il vous plaist.

III.556 LE PREVOST.

Madame, treve de ceremonies.

III.557 PHILIPIN.

Vous avez sept ans passez,
quand les canes vont aux champs la premiere va devant.

III.558 ALAIGRE.

Voilà qui est bien,
ils vont deux à deux, comme Freres mineurs.

III.559 PHILIPIN.

Florinde ressemble à l'espousée de Massi,
elle passeroit sur quatre œufs sans qu'elle en cassast demy douzaine.

III.560 ALAIGRE.

Et là, Alizon, remue-toy, tu n'as rien de rompu.
Veux-tu un serviteur?
Voilà /160/ le galland;
n'en veux-tu point? Tu ne l'auras pas;
un mary sans un amy[481], ce n'est rien fait qu'à demy.
Pour ce qui est de Philipin, un cochon de son aage ne seroit pas bon à rostir.
Si tu veux que nous nous mettions ensemble,
je te feray plus aise qu'un pourceau en l'auge.

III.561 ALIZON.

Helas que nenny, vous seriez deux loups apres une brebis.

III.562 PHILIPIN.

Vrayment, tu n'as garde de la perdre[482], tu ne la tiens pas.
Tu n'es qu'un bourache; tu n'as pas le liart pour te faire tondre, et tu te veux marier.

III.563 ALAIGRE.

Taisez-vous, gros caffard,
si vous faites la beste, le loup vous mangera.

III.564 ALIZON.

Race que tu es,
je ne sçay comme je ne t'arrache la face au courage qui me tient!
Tu es un homme bien fait pour tourner quatre broches.
Le voyez-vous? /161/
Il est basti comme quatre œufs et un morceau de fromage.
Vrayment, tu n'as garde d'enfondrer, tu es bien arrivé.

---

481 P40 un amie | H54 T58 P65 une amie

482 P33 P40 H54 T58 P65 le perdre

III.565 ALAIGRE.

La pucelle à Jean Guerin,
je t'asseure que je ne voudrois pas cacher ma bourse entre tes jambes, on y fouille trop souvent.

III.566 PHILIPIN.

Aga, Alizon, l'envie ne mourra jamais, mais les envieux mourront.
En dépit d'eux que je t'acolle.

III.567 ALAIGRE.

O la grande amitié, quand un Pourceau baise une Truye!
pousse, pousse Quentin, c'est vin vieux.
Tu feras comme les savetiers, tu travailleras en vieille besongne,
au reste[483], quand vous voudrez tous deux, on fera un trou à vos chausses.

III.568 ALIZON.

Va, va, mal-encontreux, Dieu te conduise et le Tonnerre, tu n'iras pas sans tabourin.

III.569 /162/ PHILIPIN.

Aga, ma grosse crevasse,
c'est un meschant, tu le verras bouillir en enfer.
Tu sçais bien ce que je te suis: rien si tu ne veux.
Quand tu voudras, je frotteray ma quoine contre ton lard
et te[484] couvriray de la peau d'un Chrestien.
Alizon, si tu veux, nous coucherons nous deux.

---

483 T58 P65 arreste

484 P65 et je te

III.570 ALIZON[485].

Tredame, tu n'es[486] point desgousté;
l'eau ne te vient-elle point à la bouche?
Aye patience que soyons[487] mariez,
il faut que Messire Jean y passe,
et puis tu y passeras tout ton soul.
D Je vois bien que tu es bien amoureux, car tu es bien chatouilleux.

III.571 *Philipin saute sur le dos d'Alizon*[488].

PHILIPIN.

Tu as bon dos, tu es bonne à marier,
il ne manque plus qu'à coupper du pain au chanteau.

III.572 /163/ ALIZON.

Dame, Philipin, il te faut donner un peigne[489], tu t'en veux mesler.
Tu as les genoux chaut[s][490], tu veux jazer.
Je te trouve tout jeune et joyeux,
je croy que tu as encore ton premier beguin.
Et aga, mon pauvre belot,
qui te tordroit le nez, il en sortiroit[491] du laict,
et si tu ressemble les grands chiens, tu veux pisser contre les murailles.

---

485 H54 ALIZON. Philipin saute sur le dos d'Alaigre.

486 P33 P40 H54 T58 P65 tu n'est | | *Faute commune.*

487 P33 je soyens | P40 H54 je soyons | T58 j'ay patience que soyons | P65 que soyons

488 P40 le dos d'Alaigre | | *Faute évidente, reproduite dans H54, II.570. Le dos est celui d'Alizon.*

489 T58 P65 il te faut un peigne

490 T58 P65 chaux

491 P65 (856) sortiroit encore

III.573 PHILIPIN.

Et pourquoy non, ay-je pas la barbe[492] au menton?
Suis-je pas aussi dru que pere et mere?
Et puis, ne sçais-tu pas que les plus sots le font le mieux?

III.574 ALIZON.

Vertu chou, quel chenault[493],
tu as les dents plus longues que la barbe,
je pense que tu viens de Vaugirard, ta gibesiere sent le lard,
ou bien d'un estrange pays, car tu as de la barbe aux yeux.

III.575 /164/ PHILIPIN.

Morquoyne[494], tu es belle à la chandelle, mais le jour gaste tout.
Mais allons[495] à la nopce, nous en sommes bien serrez pour nostre argent;
c'est pour nos maistres et pour nous qu'on fait la feste.

III.576 *Finis coronat opus*, comme dit le Docteur,
la fin couronne les taupes.
Tirez le rideau, la farce est jouée.
Si vous ne la trouvez bonne, faites y une sausse,
ou la faites[496] rostir ou bouillir, et traisner par les cendres;
et si vous n'estes[497] contens, couchez-vous auprès,
les vallets de la feste vous remercissont.
Bon soir, mon pere et ma mere et la compagnie!

FIN

---

492 T58 pas de la barbe

493 P33 P40 H54 P65 chenault | T58 cheuault

494 T58 Morgoigne | P65 Morgoine

495 T58 tout. Allons | P65 tout: allons

496 P65 ou faites

497 T58 P65 si n'estes

COMMENTAIRES

PAGE DE TITRE

LA COMEDIE DE PROVERBES. Comme il a été mentionné, le titre apparaît modifié dans la branche « cadette » depuis 1665. La nuance sémantique est assez fine, d'autant plus que l'emploi de l'article contracté *des* n'était pas régularisé. Détail curieux : dans l'introduction à la seconde partie des *Pensées du solitaire* (1630), de Vaulx avertit le lecteur : « ne te laisse pas surprendre aux endroicts où tu trouveras *des* pour *de* ou le contraire. Ces petites fautes eschapent aisément, et je suis contrainct de t'advouer que j'ai esté un peu negligent à les corriger ». Cf. « la *Comédie des proverbes*, qui ne parle que par proverbes » (FUR *s.v. proverbe*).

Avec Privilege du Roy. Le seul imprimeur à publier l'extrait de son privilège est F. Targa. La mention du privilège est absente de T58, où il est prétendu néanmoins qu'il s'agit de la troisième édition, la seconde ayant été celle de Targa en 1640. Le privilège original étant valide jusqu'en 1643, l'édition de Troyes de 1649, reprise en 1658, était licite. En 1665, Guignard affirme avoir un privilège, sans en imprimer l'extrait. À Rouen, Cailloué imprime la *Comédie* sans privilège dès 1645.

EXTRAIT DU PRIVILEGE

Nonobstant Clameur de Haro, Chartre Normande... En 1315, Louis X octroya aux Normands une charte selon laquelle aucune taxe, hormis la taille royale et des aides, ne serait levée sur la province, sauf en cas d'urgence. Depuis Charles VII, les états de Normandie seuls pouvaient décider de l'urgence. La clameur de haro donnait la possibilité à tout Normand de suspendre toute procédure judiciaire ou policière intentée contre lui et de faire une représentation directe devant le roi. Selon R. Mousnier (*L'Homme rouge*, p. 716), Henri IV et Louis XIII furent les premiers à ne pas reconfirmer la charte à leur avènement et à décréter « nonobstant la Charte Normande et clameur de Haro ».

Nous avons trouvé la même formule dans une lettre de Henri III, datée de 1585 (Bibl. Mazarine, 4376, f. 98v). → aussi le comm. II.191 *infra*.

PROLOGUE

Discours semi-improvisé servant à occuper et à calmer le public avant le spectacle, un prologue n'est pas nécessairement lié avec la pièce représentée. Le fait qu'un prologue soit imprimé avec la pièce est plutôt exceptionnel. D'après son style et son exploitation créative du lexique pédantesque, le prologue du Docteur rappelle vivement ceux de Bruscambille (?–1634), comme d'ailleurs plusieurs segments de la *Comédie* même.

Autres de mesme farine. Selon E. Fournier (196a, n.1), cette expression est latine: «*Omnes hi sunt eiusdem farinae*». Il a raison: «*Eiusdam (sic) farinae* dicuntur, inter quos indiscreta similitudo. Quod enim aqua ad aquam collata, idem ad farinam farina» (ER III.v.43).

Toti et rudissimi quidem sed nihil ad me. Jeu de mots *eruditissimi / et rudissimi*.

Doctor Doctorum. *Cf.* «moy qui suis *Doctor Doctorum in utroque jure culorum*» (BRUFant 248).

En qui la Philosophie a fait son *indiuidu*. *Cf.* «des individus de Democrite» (BRUFant 226).

Moy qui enseigne Minerve. «Et avoit ung collier d'or au col, autour duquel estoyent quelques lettres ionicques, desquelles je ne péus lire que deux mots: υς, Αθηναν, pourceau Minerve enseignant». (Rbl, Q, 41). «Tritissimum apud Latinos autores adagium, 'Υς την Αθηναν, id est *sus Minervam*, subaudiendum 'docet' aut 'monet', dici solitum, quotiens indoctus quispiam atque insulsus eum docere conatur, a quo sit ipse magis docendus» (ER I.i.40).

le tripier d'élitte et le pot aux trippes, dis-je le prototippes ... «trépied d'élite». 1) Allusion au tripode du temple de Delphes: → «Ex tripode» (ER I.vii.89). 2) Le Docteur, ayant débuté comme *tripier*, finit comme un *pot aux tripes*. De tels glissements de langue sont fréquents chez Bruscambille. *Cf.* «un Petangorge, je veux dire un Pedagogue ...» (BRUFant 85), «comme dit l'etique Aristote, je veux dire Aristote en ses Etiques ...» (BRUFant 251), «la Canequicule, je dy de la Canicule» (BRUFac), «à fine folie, je dis à philosophie...» (BRUFant 293).

***quare et per quàm regulam,* quand les canes** ... Se prononce à la française, avec les *a* nasaux accentués: «*kar é per kan régulan*», ce qui provoque la taquinerie enfantine qui suit, invoquant une chanson (ou comptine) bien connue: *Quand les canes* (var.: *trois poules*) *vont aux champs, | La première va devant, | La seconde suit la première, | La troisième est la dernière, | Quand...* etc.

Auditores amplissimi. *Cf.* «*spectatores impatientissimi*» (BRUFant 78).

masculinis et fæminis. Seule la variante P65 *masculini et feminini* est correcte, mais le latin incorrect faisait peut-être partie du dessein de l'auteur. *Cf. masculini et foeminini generis* (BRUFac 12v).

Couvrez-vous bagotiers. Le Docteur s'adresse à ses orteils qu'on voit à travers les trous de ses souliers.

La sueur vous est bonne ... Allusion au traitement par transpiration de certaines maladies, y compris vénériennes.

... à moy aussi. Il est bien fou qui s'oublie. Suite du précédent: le Docteur a failli oublier que la transpiration lui ferait autant de bien. Le proverbe a deux sens.

Or sus, or sa, or sum, or sus donc. *Cf* «Or sus, or ça, or doncques» (BRUFant 67).

Vos departie sepentere, sçavoir. *Vos debetis sapere* ou *scire* 'vous devez savoir'. Le Docteur se trompe, en disant dans P33 *sepentere* (mot improvisé, il faut croire, à partir de *sapiens*) ou, dans P40, *sepelire* «ensevelir, enterrer». Il est difficile de délimiter l'erreur préméditée des fautes originales ou typographiques.

Qui la conserve vaut mieux que le resiné. → *conserve* et *résiné* dans le *Glossaire*. Le fait que la conserve valait mieux que le résiné, régal des pauvres, sert ici pour former un jeu de mots attaché à la phrase précédente: qui conserve sa place, vaut mieux que le résigné.

en nos Escolles proverbialles. Il n'est pas clair si le Docteur fait une allusion à son doctorat proverbial, provenant de quelque coterie d'amateurs de proverbes, ou s'il parle du système d'enseignement scolastique s'appuyant sur la mémorisation de lieux communs pour toute occasion.

Qui tenet teneat... Référence à un des principes du droit romain, selon lequel, quoique d'un statut inférieur que la propriété, la possession d'un objet, durable et au su de la communauté, confère au possesseur des droits prioritaires face à d'autres revendicateurs.

Au cas que Lucas n'eust qu'un œil... *Cf.* la farce *Lucas sergent boîteux et borgne et le Bon payeur*[1]. Il se peut que le dicton soit plus ancien que la farce, laquelle sert alors à l'illustrer.

Docteurs de nouvelle impression ... nous leur donnerons des febves. Cet extrait ressemble à une invective contre une troupe théâtrale rivale. Probablement, les concurrents auraient représenté une pièce qui ressemblait à une de celles du théâtre du Docteur. Ce pourrait être, p.ex., une autre comédie de proverbes. NB. Sorel mentionne, dans le *Francion*, des « maximes de l'Hôtel de Bourgogne » (p. 76). Si, conformément à l'hypothèse d'A. Gill, la *Comédie de proverbes* est un produit de la future troupe du Marais, leurs seuls concurrents sérieux étaient les Comédiens du roi, qui louaient l'Hôtel de Bourgogne. Ces derniers étant une troupe plus ancienne, ceux du Marais ne pourraient leur reprocher d'être de « nouvelle impression ». Étant donné aussi quelques indices topographiques (→ *Quelques observations*...), l'attribution de la *Comédie* à la future troupe du Marais peut manquer de fondement.

enfumé la langue soubs la cheminee des medisans → *Répertoire phraséol.*

Corriger le Magnificat à Matines. Il s'agit d'un hybride des expressions *corriger le magnificat* « essayer de faire quelque chose qui dépasse sa compétence » et *chanter magnificat à matines* « faire quelque chose d'inapproprié ». → Chapitre sur le lien entre CPR et CuF.

Qu'en dites-vous, Messieurs les Auditeurs, et vous, mes Dames, les Auditrisses. L'auditoire comprenait donc des femmes. Sachant que le théâtre n'était pas vu comme un endroit convenable pour une femme, on peut supposer que la *Comédie de proverbes* avait était conçue pour un public d'élite, et non pour la scène commerciale. *Cf.* Bruscambille, qui s'adresse généralement à un auditoire masculin: « Qu'en dites-vous, messieurs les studieux? » (Fant 53), ou « en quoy, messieurs, vous remarquerez ... » (Fant 64), ou encore « ne vous estonnez pas, messieurs » (Fant 66).

Me Guillaume ... « Fou du temps d'Henri IV, à qui l'on faisait endosser toutes les facéties qu'on vendait sur le Pont-Neuf » (Fournier, 197b, n. 1). D'ailleurs, ce Me Guillaume devait posséder plus d'un animal: *cf.* « mullet de maistre Guillaume » (BRUFant 258).

---

1 *Recueil de farces. 1450-1550*, pp. 263-307.

Faire le tasset. *Se taire* < *lat. tacet «se tait»*.

Valeté et plaudite. *Cf.* BRUFant: *Valete et plaudite* (207); *Valete, valete, valete, et plaudite* (272); *Valete et plaudite* (283).

en deux mots à coupe cul. *Cf.* «je vous dirai succinctement, en dix huict-cens milles parolles ou environ» (BRUFant 67).

charbonnez-le … *Cf.* Creta / carbone notare ER I.v.54

valete, valete, atque iterum valete. *Cf. Valete*. BRUFant 87

ACTE I, SCENE 1

I.11 **sus**, **compagnons**, **forçons** … Chanson du temps de la Ligue (Fournier 198a, n. 1).

ACTE I, SCENE 2

I.15 **l'Anguille de Melun** … 1) «Il y avoit à Melun-sur-Seine près Paris un jeune homme nommé L'Anguille, lequel, en une comédie qui se jouoit publiquement, représentoit le personnage de saint Barthélemy. Comme celuy qui faisoit l'exécuteur le voulut approcher, le couteau à la main, feignant de l'écorcher, il se prist à crier avant qu'il le touchast, ce qui donna sujet de rire à toute l'assemblée et commencement à ce proverbe « (*Ill. Prov. hist.*, ch. III). 2) «Les marchandes d'anguilles avaient pour annonce, pour cri de leur poisson frais: 'Anguille de Melun, avant qu'on ne l'écorche' et elles le poussaient d'un si fort gosier, que, pour désigner les grands braillards, on disait: Il crie comme on crie 'Anguille de Melun avant qu'on ne l'écorche'» (Fournier 198b, n. 1)

I.16 **Ah, je suis blessé**... Aucune didascalie ne dit que Philippin soit blessé. On l'apprend du texte, comme on apprend que du sang y a été épandu. Plus tard (I.105), Philippin parlera d'une vessie de pourceau remplie de sang, dispositif couramment utilisé au théâtre et mentionné également par Sorel (*Francion*, p. 419, n. 247). Indication que le texte avait été créé pour la scène et par un dramaturge.

I.17 **Tu n'es pas ladre**... Lépreux. «Les Grecs ont appellé cette maladie *elephantiasis*, à cause que les *ladres* ne sentent rien et ressemblent à l'élephant, qui est presque insensible à cause de la dureté de sa peau» (FUR).

I.18 **On m'enleve comme un corps saint**. *Cf.* «Enlevé comme un caurcin. Voici l'origine de ce proverbe, qui a changé entièrement d'acception parce qu'on a cessé de le comprendre. À plusieurs époques du moyen âge, mais principalement au moment des croisades, différentes compagnies de marchands italiens s'établirent en France, et s'enrichirent en faisant l'usure. Ces compagnies furent appelées Couercins, Caorcins, Cahorsins, soit, comme le veulent quelques-uns, parce que les principaux d'entre eux venaient de Florence et appartenaient à la famille des Corsini, soit parce qu'une des plus considérables de ces compagnies avait été s'établir à Cahors. La dureté avec laquelle ces commerçants agirent envers leurs créanciers, et aussi le désir de s'emparer des richesses considérables ramassées par eux, furent causes qu'à plusieurs reprises on les enleva pour les expatrier. De là est venu le proverbe. On peut consulter à ce sujet l'historien Mathieu Pâris sous l'année 1235, tome IV, page 121, de la traduction française de M. Huilard-Breholles, Paris, 1841, in-8°, Paulin éditeur. Dans le *Don Quichotte* on donne à ce proverbe une autre signification. Quand Sancho fut arrivé à son gouvernement de l'île de Buratria, on vint le recevoir en grande cérémonie, on l'enleva en pompe, comme un corps saint» (LRxA i,165).

La référence au *Don Quichotte* supplante décidément l'anecdote des Corsins, car elle prouve que la notion de porter quelqu'un comme un corps saint est internationale, tandis que l'anecdote évoque un fait historique et une homophonie français.

I.19 **Tenez, mes amis, voilà ce que les rats**... Une indication sur ce qui se passe sur la scène.

I.21 **Voilà la grosse beste à bas**. → commentaires I.16, I.19.

I.22 **Ce seroit dommage qu'il mourust un Vendredy** ... Le vendredi est un jour maigre, en mémoire de la passion du Christ. Il est même interdit de vendre de la viande.

I.26 1) ***Alaigre tombe***. Alaigre tombe parce que Philippin est lourd. Le commentaire de Lidias prouve le lien du texte avec l'action. 2) **Tu ressemble les Escoliers**... Réplique attachée à l'action: un peu étourdi après sa chute, Alaigre prend une mauvaise direction, comme un écolier qui tâche d'allonger son trajet en allant à l'école. 3) **Estourdy comme un aneton** → *Gloss.*: *haneton*.

I.27 **Il est demain feste, les marmousets sont aux fenestres**. 1) Marmousets: «Les images des saints qu'on sortait et qu'on attifait dans leur[s] niches, les jours de fête» (Fournier 198b, n. 4). → *Gloss.* 2) Expression rimée.

ACTE I, SCENE 3

I.29 **Je ne sçay si elle se mocque**... Bertrand soupçonne une feinte, ce qui ajoute un trait réaliste à l'action.

I.29 **Bonne œuvre** *Œuvre* est du masculin dans CuF 47 *bon œuvre* et dans BRUFant 136: *œuvre parfait.*

I.30 1) **Jean, mon amy**. Marin appelle Bertrand «Jean». À I.95, Bertrand dira «Jean» à Thesaurus. À II.157, Thesaurus parle de «nostre voisin Jean Dadais». On peut se demander si «Jean» est employé dans tous ces cas en tant que prénom substitut universel, ou s'il s'agit de traces d'un texte primaire, qu'on a omis d'harmoniser avec les noms définitifs des personnages. 2) **Je ressemble Monsieur de Bouillon**... Allusion à un des nombreux soulèvements échoués du duc de Bouillon, souverain de Sedan et un des chefs huguenots du premier quart du XVIIe s.

I.31 1) **Armez comme des Jacquemarts**. «Par comparaison à ces statues de fer qu'on plante sur les horloges avec un marteau à la main, pour frapper les heures sur la cloche, lesquels on appelle Jaquemar, du nom de l'Ouvrier qui en a donné la premiere invention qui s'apelloit Jaque-Marc. Mais je croirois plustost que l'Etymologie de ce nom ou l'origine, vient de Jaque-mar de Bourbon, Seigneur de Preaux, troisiéme fils de Jaques de Bourbon, Comte de Ponthieu et de la Marche, Connestable de France sous le regne du roy Jean. [...] en tous les combats, deffenses et sieges de places où il se rencontra, il s'arma, tousjours à l'avantage, sçachant bien que les armes n'estoient faites que pour cela» (*Ill. Prov. hist.*, XXIV). → III.435. 2) **Montez comme des saints Georges**. L'iconographie traditionnelle représente saint Georges à cheval, transperçant un dragon avec une pique. La présence de cette comparaison signifie que les «ravisseurs» sont à cheval, ce qui serait bien logique. Cependant, les chevaux ne sont plus jamais mentionnés.

I.32 **Que sçait-on qui les pousse**. Phrase à deux sens: «Nous ne savons pas qui est derrière ces gens-là, quel est leur mobile» et «Il ne faut pas trop s'approcher de celui qui joue avec une arme. Si quelqu'un lui pousse le bras, nous nous ferons blesser». → *Répert. phras.*

I.33 **Cuiller** Malherbe aurait dit un jour à Henri IV: «Sire, vous estes le plus absolu roy qui aye *(sic)* jamais gouverné la France, et si vous ne sçauriez faire dire deça Loire *une cuillere*, à moins que de faire deffence à peine de cent livres d'amende, de la nommer autrement.»

(Racan, p. 41). Pourtant, on trouve déjà la forme méridionale dans P65.

I.34. **À la presse**.... *presse* «foule». Variante: «À la foule vont les fous».

ACTE I, SCENE 4

I.38 1) **Vouloir enseigner Minerve** → comm. sur le *Prologue*, *supra*. 2) **Marguerites devant les pourceaux** Ces pourceaux sont invoqués ici par association avec celui qui enseigne Minerve. 3) **Animal indecrotable** L'expression apparaît dans *SorFr* (p. 193, n. 137). 4) **Per omnes casus** *Cf.* «Meschant per omnes casus» - H. Estienne *Deux dialogues* (1578), p. 616.

I.39 **Pour du Gretz, je vous en casse**. Le jeu de mots est possible parce que *grec* et *gretz* sont des homophones: les consonnes finales ne se prononcent pas.

I.40 ***Pecora campi*** Le Docteur et Alizon marchent à travers la campagne, en-dehors des murs de Paris, où l'on voit paître des moutons. Il se peut, toutefois, que *pecora* serve à Thesaurus pour décrire l'ignorance obstinée d'Alizon. Bruscambille (Fant 156) emploie le mot *pecore*, du féminin, comme une injure.

I.43 **Clopin tu n'y sçaurois aller**. Probablement, une chanson du temps.

I.44 **Par Ciceron**. En vrai savant, le Docteur ne jure que par Cicéron. *Cf.* II.163.

I.45 1) **Elle vient de Sainct Denys**. Localisation réelle de l'action. 2) **On vous arrache le cœur du ventre**. Le ventre est le réceptacle du cœur.

I.46 **Qui va piane**... L'italien imparfait rejoint le latin cassé dans l'arsenal du Docteur, de l'auteur ou du scribe. Une telle transcription des mots *piano, sano, lontano* permet pourtant de conserver le rythme italien dans la prononciation française.

I.47 1) **Chicheface** Dans la traduction française (1605) de l'*Histoire maccaronique de Merlin Coccaïe*, de T. Folengo, C. est un monstre qui se nourrit uniquement des femmes soumises à leurs maris (p. 428), ce qui explique sa maigreur extrême. L'auteur italien n'a pas inventé ce personnage, dont la tradition est beaucoup plus ancienne. Il existe un poème *De la Chinchefache*, en ancien français (B.N.F., m. fr. 837, copie du XIIIe siècle), cité au complet par Achille Jubinal dans le commentaire à son édition des *Miracles de Sainte Geneviève*[2]. 2) **Autant vaudroit-il parler à un Suisse**. Allusion à la faible maîtrise du français par les soldats suisses venant des régions alémaniques.

I.49 **Quand la barbe vous vient**. Quand vous vous ennuyez.

I.50 **Nostre vigne ressemble celle de la courtille**. « Courtille est un ancien mot usité autrefois à Paris, pour dire un Jardin, et vient apparemment de *Courti*, dont se servent les Picards, pour signifier la même chose. Des Courtilles du Temple, de St Martin, Barbette, et au Boucelais nous inferons que les courtilles étoient des jardins champêtres, où les Bourgeois aussi bien que les Templiers et les Religieux de St Martin alloient se promener et prendre l'air; et tout de même du vin de la Courtille, raillerie ou proverbe du tems passé, nous apprenons qu'en plantant des vignes dans les Courtilles, on songeoit plus à contenter la vue que le goût.... Comme le bout du faux-bourg du Temple s'appelle encore la Courtille, il se pourroit faire que ce seroit la Courtille du Temple veritablement.» (Sauval [1623-76], *Hist. et rech.*, I, p. 67).

I.51 **Estonnés**. Étourdis.

I.52 **Ne soit allée ... *in terra***. Dans ce contexte, c'est l'accusatif *in terram* qui s'impose.

I.54 **Bayés par la fenestre,... le maistre**. 1) Rime au /e/ long: *fenestre – maistre*.

I.57 **Qui a bon voisin**... La phrase est adressée à Bertrand qui entre en scène ou qui se tient, sans parler, devant sa maison.

I.59 **heur, ... seur**. Rime révélatrice de la prononciation.

ACTE I, SCENE 5

MACEE, THESAURUS, BERTRAND, ALIZON. Seuls Macée et Thesaurus parlent dans cette scène. Les deux autres personnages sont présents, silencieux. La scène 5 s'enchaîne avec la précédente sans aucune pause et se déroule si vite que la présence muette de Bertrand, constatée depuis I.57, est naturelle: il n'a pas le temps de placer un mot, bien qu'il ait des nouvelles troublantes à annoncer.

I.60 1) **L'isle de Bouchar**. Ville de l'Île-Bouchard, non loin de Chinon, achetée par Richelieu en 1628. 2) **Vous n'allez que la nuict**

---

[2] *Mystères inédits du quinzième siècle*, I, p. 248:26; note pp. 389-391.

comme le Moine-bouris. a) Var. *moine bourru*. Personnage légendaire qui parcourt, après le couvre-feu, les rues de la ville, en frappant sur les têtes des curieux regardent par la fenêtre. b) Jeu de société.

I.63 **Quelque diablerie, un pied chaussé et l'autre nud**. De la diablerie incomplète : le diable a les deux pieds chaussés.

I.64 **Les chats sont chaussez!** Cette phrase représente un exercice de prononciation, où les chuintantes et les suintantes s'alternent rapidement. *Cf.* II.270 : *les vaches vont aux champs.*

ACTE I, SCENE VI

I.68 - I.69 **oisons / maison**, **desenpané / nez**. … **l'amende / demandent … mouvant / blanc / saffran** Les rimes parallèles pourraient servir à mieux mémoriser le texte.

I.69 1) **sur un sable mouvant** « Mais quiconque entend ces paroles que je dis, et ne les pratique point, il est semblable à un homme insensé, qui a bâti sa maison sur le sable » (Mt 7 :26). 2) **Reduit au baston blanc et au saffran** Le bâton blanc était un attribut des aveugles mendiants. « On peignait de jaune, couleur de *safran*, la maison de ceux qui s'étaient enfuis sans payer leurs dettes, et par suite, on les appelait *safraniers*» (Fournier 201a, n. 3).

I.71 **J'ay pensé** + *infinitif* = J'ai failli + *infinitif*. → *Répert. phras.*

I.72 **À qui vendez-vous vos coquilles?** Les coquilles constituaient une relique du pèlerinage au Mont-Saint-Michel. Parfois, le pèlerin en attachait une ou plusieurs à son chapeau.

I.74 **La devise de Monsieur de Guise**... « Cette devise, que prit la maison de Guise dans le temps de la Ligue, fut interprétée diversement. Ceux qui n'estoient pas de leurs amis, l'attribuoient au dessein qu'ils avoient formé de s'emparer de la couronne de France, qu'ils publièrent leur appartenir, parce que Hugues Capet, dont estoit la maison régnante, l'avoit enlevée à Charles, duc de Lorraine, dont ils prétendoient descendre. Mais le peuple qui estoit attaché à la maison de Guise, et qui ne pénétroit pas si avant, regardoit comme si elle avoit voulu dire : si tu as aujourd'hui l'avantage sur moy, si tu me bats, si tu m'abaisses, je tâcherai de m'en revancher et de te battre à mon tour ». – Fl. de B., 1656 ; p. 179 (LRxA ix, 482-3).

I.75 **le torrent de la passion vous emporte** La même métaphore se trouve chez Bruscambille : « le torrent de ma capacité m'emporte » (BRUFac 49).

I.80 **Ils sont du pays-bas ...** *Pays-bas* signifiait, dans le langage familier, les parties inférieures du corps humain. *Cf.* « Ceux qui pettent sans ouvrir le cul sont declarez roturiers au *pays bas*» (BRUFant 184) ; « C'est une diligence fort methodique de porter une demy douzaine de verres de vin au *païs bas* sans bouger de la table » (BRUNi 39v). En l'occurrence, pourtant, Bertrand peut vouloir dire soit que les ravisseurs parlaient trop bas, avec des voix altérées, comme s'ils étaient « égueulés », soit que leur langage était sale (→ *Répert. phras.* à I.80).

I.81 **Que vous en chaud**... La forme correcte est *chaut* de *afr. chaloir.* « Que vous importe ?»

I.85-I.86 **Le pauvre jeune homme ... - Aga ...** Alizon est sur le point de se trahir, et Macée le sent : un autre trait réaliste de la *Comédie.*

I.87 1) **Je suis Marion**... Probablement, extrait d'une chanson. 2) **Je sçavons bien**... Alizon parle vulgaire, comme Macée à I.62.

I.88 **Appelez vos chiens, que l'on emporte le nid**... Macée soupçonne Alizon de plus en plus d'être complice du rapt. Il faut croire qu'elle fait à ce moment un mouvement pour fapper la servante.

I.89 **J'engraisse ... j'en engraisse** La répétition correspond à l'action : Macée essaie de frapper Alizon, et peut-être y réussit-elle, et à chaque coup Alizon rétorque.

I.90 **Quelquefois les fols**... Thesaurus, en effet, lui aussi commence à croire que sa femme n'a pas tort de soupçonner Lidias et Alizon.

I.94 1) **faire un proces verbal** Le Docteur connaît la loi : le rapt est un crime capital, et même un enlèvement simulé suivi d'un mariage sans le consentement des parents de la mariée est un rapt (ordonnance de Blois, 1579, art. 40 à 44)[3]. 2) **Adieu sias** Malherbe avait dit que la France, au sud de la Loire, était le pays d'Adieusias. (Racan, pp. 39-40)

ACTE I, SCENE 7

I.97 **Et moy fin de vous prendre**... L'attribution erronée de cette réplique à Philippin provient probablement du manuscrit et se reproduit dans toutes les éditions.

I.98 **Il neige boudin**. Selon Érasme, cette formule, survivance du mythe antique d'un siècle d'abondance, circule encore de ses jours parmi le vulgaire. (ER III.ii.71)

---

3 MOUSNIER *Institutions*, I, p. 56-60.

I.101 1) **Taisez-vous Alaigre**... De temps en temps, Lidias vouvoie Alaigre. 2) **Plus sot que vous n'estes grand**. Indication à l'aspect physique d'Alaigre.

I.103 **Dague de plomb**. L'image d'une dague (d'un glaive) de plomb est ancienne. *Cf. In eburnea vagina plumbeus gladius* (ER I.vii.25) ; *plumbeo iugulare gladio* (ER II.v.10) < Cicéron : «... *cum illum plumbeo gladio iugulatum iri tamen diceret.*» (*Ad Atticum* 1:16:2)

I.105 1) **La vessie pleine de sang** → I.16. 2) **Belle verdasse** Selon É. Fournier (203b, n. 1), pour comprendre le mot *verdasse*, il faut remplacer le *v* avec un *m*.

I.106 **Febé, pour qui est-ce?** Allusion au jeu de la fève pendant la fête des Rois. Une fois le gâteau de fête découpé, on plaçait un enfant sous la table, pour l'empêcher de voir les convives et pour assurer une distribution de morceaux impartiale. À la question « Pour qui est-ce ?», l'enfant disait *Phoebe (Febé) domine*, en ajoutant le nom d'un convive. (É. Fournier, 203b, n. 2). Celui qui gagnait le morceau contenant la fève, devenait le Roi de la fève (*cf.* III.450).

I.112 **à cause de luy pour l'amour d'elle**... Probablement, une chanson ou un air pastoral.

I.113 **ces beaux pieds de mouche et ces beaux y Gregeois**. Ses paroles sont destinées à commenter quelque geste d'Alaigre ou quelque détail de son apparence.

I.123 **l'amour ne me trotoit plus dans le ventre**. → I.45.

I.124 1) **qui me suivoit comme un barbet**... « on dit proverbialement d'un homme qui en suit toûjours un autre, qu'il le suit comme un barbet» - *FUR*. 2) **Je ne m'en fusse jamais despestrée sans cette contremine**. Pour une fille de bonne famille, Florinde maîtrise assez bien la terminologie militaire. Elle a déjà parlé d'une levée de boucliers (I.99).

I.126 **Saute crapaut**... L'action est intégrée dans le texte, ce qui prouve que la pièce était programmée pour être jouée.

I.127 **Qui rit le Vendredy pleure le Dimanche**. Ce proverbe n'est pas équivalent à *qui rit le soir, le matin pleure*. Toute joie est déplacée le vendredi, jour de la Passion (*cf.* I.22), sous peine d'un dimanche chagrin. Le proverbe sert également à décrire quelqu'un qui fait tout à l'envers.

I.131 **Meschant comme un asne rouge** *Cf.* LRxA iv, 263 « opiniâtre comme un asne rouge»: «Pour dire opiniâtre comme le peut estre un cardinal ignorant, lequel s'obstine ordinairement en son opinion, sans fondement ni raison, et veut tout gaigner en vertu de son autorité, et s'offense si on ne luy cède. Non pas que son avis soit juste et raisonnable, mais parce qu'il est cardinal et prince de l'Église. Or on le nomme asne parce qu'il est ignorant, et rouge parce qu'il porte la calote et le bonnet rouge.» (*Étym. des Prov. franç.*, par Fl. de B., 1656, p. 154.). Cette interprétation, placée dans un recueil paru à La Haye en 1656, semble viser Jules Mazarin. Cette entrée est retirée de l'édition de 1665 (*Ill. Prov. hist.*), quatre ans après la mort du cardinal. En réalité, l'image de l'âne rouge est plus ancienne (*cf.* CuF 611 et *Répert. phras.*).

I.138 **Faire gille** Quand quelqu'un s'est dérobé, et s'en est fuï secrettement, on dit qu'*il a fait Gile*; parce que Saint Gile, Prince du Languedoc, s'enfuit secrettement, de peur d'estre fait Roy» (*Ill. Prov. hist.*, I).

I.139 **Il a vendu son cheval**... Le Capitaine n'est donc pas aussi riche que l'*Argument* le prétend.

I.140 **Quand le soleil**... *Cf.* «L'autre soir comme le Soleil estoit couché toutes les bestes, Messieurs, estoient à l'ombre, comme vous estes» (BRUPr 55).

I.141 **parlant au violon**... La présence du musicien est une autre preuve à l'effet que la pièce était destinée à être jouée. Cette manière de s'adresser au musicien fait penser à Bruscambille: «voilà le premier acte de nostre comédie, que l'on fasse jouer les violons» (BRUFac 16); «sonnez violons» (*ibid.* 17v).

ACTE II, SCÈNE 1

II.142 1) ***Quien se casa***... «Qui se marie par amours, a de bonnes nuicts et mauvais jours». Ce proverbe, comme celui qui suit, avec les traductions respectives que nous citons, se trouve dans les recueils de proverbes espagnols de César Oudin, père d'Antoine, à partir, pour le moins, de 1612. → *Bibliogr.* Cela promet d'élargir le champ d'affiliation entre les Oudin et la *Comédie de proverbes*. 2) ***de la male muger***... «De la mauvaise femme gardes toy bien, et ne te fies en rien en la bonne» (Trad. de C. Oudin, dont nous retenons l'orthographe). 3) **toutefois que dis-je**... Le premier réflexe de Fierabras est de croire que l'enlèvement de Florinde est un subterfuge, mais, soudain, il se ravise. 4) **plus triste qu'un bonnet de nuict sans coiffe** «Sous le bonnet de nuit, qui était d'étoffe de couleur sombre, on mettait une coiffe blanche, dont le rebord retroussé par-dessus l'égayait. Quand la coiffe et son blanc rebord manquaient, le bonnet de nuit était triste à voir» (Fournier, p. 206a, n. 2). 5) **le Phenix des vaillans** *Cf.* «ce phénix du bien dire» (BRUFant 145). La Fontaine n'innove pas lorsque son Renard applique la même métaphore au Corbeau.

II.147... **vous estes tout seul**. Comme nous avons déjà fait remarquer, le capitaine n'a pas de page.

ACTE II, SCENE 2

II.152 1) **race ou megnie d'Archambaut** Selon É. Fournier (p. 207a, n. 1), allusion à une famille seigneuriale, notoire au Moyen Âge pour ses exactions dans le Poitou et le Bourbonnais. 2) **crever dans mes paneaux** ... «Le panneau était un filet à prendre les lièvres, qui parfois y étouffaient.» (Fournier 207a, n. 2).

II.158 **Ces brigands**... «la bande que la ville de Paris arma et soldoyoit à la sollicitation de Charles Dauphin de France, durant la detention du Roy Jean son Pere, prisonnier en Angleterre, l'an mille trois cents cinquante-six. Ceux-là estoient soldats à pied nommez Brigans, parce qu'ils estoient armez de brigandines, armes pour lors fort usitées; d'autant que ces troupes se licencioient à toutes sortes de debordemens, pillans, volans, et faisans mille ravages par tout où elles passoient;... le commun Peuple croyoit que tous ceux qui faisoient profession de piller et voler, et mesme les voleurs qui voloient dans les forets, et sur les grands chemins, estoient de ces troupes-là, et les nomma Brigands.... Toutes-fois je croirois plustost que ce nom est plus ancien, et qu'il vient de certains Peuples d'Allemagne, nommez anciennement Brigantins ou Brigans, qui habitoient sur les rives du lac de Constance, et voloient publiquement et impunement tout ce qu'ils rencontroient, sans difference d'Amis ou d'Ennemis « (*Ill. prov. hist.*, XXV).

II.158 1) **chercheurs de barbets et de midy à quatorze heures**. 1) «'Chercheur de barbets' c'est-à-dire pauvre diable courant dans les crottes comme barbets, dont il semble suivre la piste». (Fournier 207a, n. 4). Nous optons plutôt pour l'explication donnée par Oudin (→ *Répert. phras.*). 2) «'Chercheur de midi à quatorze heures', c'est-à-dire chercheur de dîner, quand on ne dîne plus. Ce repas se faisait alors à midi. On disait aussi *cherche-midy*. Le nom de la rue, bien connue, qui s'appelle ainsi lui venait d'une enseigne où se voyait un gueux en quête de dîner.» (Fournier 207a, n. 4) 2) **Geofroy à la grand dent**. Dans cette liste de grands héros du passé, ce personnage fait tache. Nous n'en avons trouvé aucune mention dans la littérature médiévale. Par contre, il est invoqué par Bruscambille (Fant 208) : « gestes memorables de feu de bonne memoire Geoffroy à la grand dent ».

II.159 **les armes de Caïn, des machoires** L'Ancien Testament ne spécifie pas l'arme avec laquelle Caïn tua son frère Abel (Gén. I.IV), mais de nombreuses traditions parabibliques attribuent à Caïn une arme quelconque : une pierre, une massue, une bêche, etc. Les armes varient d'une région à l'autre, et leur distribution est assez stable à travers le Moyen Âge, comme nous l'avons signalé dans notre article, paru dans le *Neophilologus*, 2000, 2. La tradition anglaise munit Caïn d'une mâchoire d'âne. À la fin du Moyen Âge, cet attribut passe aux Pays-Bas et, localement, en Allemagne, mais on n'en trouve aucune attestation dans le domaine royal français jusqu'à ce qu'au XVIIe siècle il ne fasse sa double apparition dans CPR et CuF. Tout récemment, nous en avons trouvé une nouvelle attestation dans le prologue *Des Chastrez* de Bruscambille : « la machouere duquel Caïn tua son frere Abel » (BRUNi, p. 38v°). À côté d'autres nombreuses ressemblances lexicales et stylistiques, que malheureusement nous ne pouvons citer toutes dans notre *Répertoire*, cet attribut parabiblique appuie une hypothèse du lien entre Bruscambille et la création de la *Comédie de proverbes*.

II.162 1) **Renoncer à la triomphe; coucher du cœur sur le carreau**. Jargon de jeux de cartes. → *Glossaire, triomphe*. 2) **la region du feu les reduira**... Une des sphères qui entourent la Terre selon l'ancienne cosmologie, entre l'air et la sphère de la Lune. *Cf. SorBE* ii.261.

II.163 1) **Par Ciceron** → I.44. 2) **Mettre ablativo tout en un tas**. « vient de la règle latine de l'ablatif absolu, qui permettait une certaine confusion de phrases et de mots mis en tas l'un sur l'autre ». (Fournier 208, n. 1). 3) **Ce ne sont des abeilles** ... On trouve une variante de cette expression chez Sorel : « On rappelle les Muses esgarées ainsi que les avettes au son du chaudron « (*SorBE* iv.490). Dans l'Antiquité, on croyait que les abeilles possédaient l'ouïe. Selon Aristote, « il semble aussi que les abeilles aiment le bruit retentissant : et c'est pourquoi, dit-on, on les rassemble dans la ruche en frappant des vases avec des cailloux. Cependant on ne sait absolument pas si elles entendent quoi que ce soit, et si elles agissent ainsi par plaisir ou par peur » (trad. d'A. Ernout). Columelle est certain que les abeilles entendent le son du bronze. Selon Pline l'Ancien, les abeilles aiment le bruit : « Gaudent plausu atque tinnitu aeris eoque convocantur »[4].

---

4 ARISTOTE *Hist. des anim.*, IX, 40. COLUMELLE *De Re rustica*, IX.viii.10 ; IX.xii.2. PLINE l'Ancien *Hist. nat.*, XI, xxii (20).

II.164 1) **Tel menace**... Le proverbe correspondant espagnol chez C. Oudin n'est pas équivalent: «Quien amaga y no da, miedo ha» (1624, p. 221). 2) **Maistre Gonin** Personnage parisien semi-légendaire de la fin du XVIe siècle, escroc et farceur, décrit en particulier par Brantôme dans les *Dames galantes*. → aussi III.303.

II.165 1) **devant qu'il soit trois fois les Roys**... Fierabras prend-il trois ans pour résoudre le problème? Ce délai provoque la réponse sarcastique d'Alizon. 2) **je les mettray au *benigna*.** «Une des neuf antiennes commençant toutes par O, qui se chantaient avant Noël, à grand renfort de festins, et dont le Chicanoux de Rabelais regrettait que la tradition se perdit» (Fournier 208, n. 3). → CuF au *Répert. phras.*

II.173 **Allez de-là, et moy deçà**... Alizon est en collusion avec les fugitifs.

ACTE II, SCENE 3

II.174 **Qui ne s'aventure**... Équivalent esp. «Quien no se aventura, no anda à cavallo ni à mula» C. Oudin (1624, p. 219).

II.175 1) **nous avons bien joué nostre roolle**... En effet, quelques spectacles sont enchâssés dans la *Comédie*: l'enlèvement, le déguisement en Gitans, le retour au bercail, la querelle entre Philippin et Alaigre pour les faveurs d'Alizon sont autant des mini-comédies ou farces. 2) **mes bonnes graces qui estoient à la lessive** → *Glos.* bonnes graces.

II.177 1) **Il n'oseroit me regarder entre deux yeux**... Sans s'en rendre compte, Lidias se lance dans sa propre rodomontade. 2) **habille homme apres Godart**... *Cf.* II.198 et *Répert. phras.* 3) **Il y aura apres demain trois jours**... Un des indices chronologiques, preuve de l'unité du temps.

II.180 **j'avalle le suc de nos bribes**... Selon É. Fournier (209a, n. 2), *bribes* signifie «hardes, guenilles» – et on voit mal pourquoi. Il s'agit clairement de nourriture facile à transporter, surtout dans les conditions d'un voyage ou d'un repas improvisé.

II.182 **le fardeau d'Esope**... On propose à Ésope de choisir le fardeau qu'il aimerait porter pendant un long voyage, et il choisit un sac de nourriture, lequel, lourd au départ, se vide graduellement. Planude raconte cette anecdote dans sa *Vie d'Ésope*, comme l'indique É. Fournier (209a, n. 3) en se rapportant à La Fontaine. Or, l'ouvrage de Planude a pénétré en France de l'Allemagne, grâce à la traduction par J. Macho (1478)[5], et La Fontaine n'en a fait qu'une adaptation moderne.

II.183 **beatis garnitis** … *lat. macaronique* Béatilles garnies. → *Gloss.*

II.191 **faire haro sur vous et sur vostre beste**… *Faire h. sur luy et sur sa beste* « c'est à dire arrester prisonnier et saisir sa monture. Aro est un cri dont les sergens et huissiers de Normandie se servent pour arrester quelqu'un par ordre de justice, depuis le règne de Raoul, ancien duc de Normandie, lequel estoit si grand justicier, que ses sujets se raportoient à luy seul de tous leurs différens et appeloient leur partie devant son tribunal en leur disant: *à Raoul*, c.-à-d. je t'appelle par-devant Raoul. Ce mot à Raoul s'est depuis corrompu et l'on a dit aro » (Fl. de B., 1656, p. 195). → comm. sur l'Extrait du privilège, *supra*, et *Répert. phras.*

II.195 **depuis *Miserere* jusques à *Vitulos***. *Miserere* et *vitulos* sont le premier et le dernier mots du psaume 51. É. Fournier (209b, n. 2) y voit « une allusion aux coups de discipline que se donnaient les moines pendant toute la durée du psaume ».

II.202 **le cœur de mon ventre** → I.45, I.123.

II.206 **un minot de sel** «*Nemini fidas, nisi cum quo prius modium salis absumperis*» (ER II.i.14).

II.213 **De quatre choses Dieu nous garde**… Premier verset de plus d'une chanson du XVIe siècle, et le nombre de choses dont il fallait se garder ne se limitait pas à quatre. Selon É. Fournier (p. 210b, n. 3), « ces vers se trouvent suivis de quelques autres, et avec plusieurs variantes, dans un recueil du XVIe siècle, *Suite aux mots dorés de Caton*».

II.213 **bœuf sallé sans moutarde**… *Cf.* «Marions donc le bœuf salé avecque la moustarde, afin d'avoir une belle race de rouges museaux.» (*Les Jeux de l'Incognu*, Rouen, 1637, p. 159).

II.225 **Du temps du Roy Guillemot**… 1) Il s'agit d'une chanson, qu'É. Fournier (211a, n. 4) a pu dénicher et dont la mélodie est notée. 2) É. Fournier: « Le Noble, dans ses *Pasquils*, n'appelle pas Guillaume d'Orange autrement que 'le roi Guillemot'». Il est probable qu'on

---

5 Macho a traduit en français la partie latine de l'édition bilingue, allemande et latine, par H. Steinhöwel (Ulm, 1477). V. *Recueil gén. des Isopets. L'*Esope *de Julien Macho*, pp. x-xiii, xxv-xxvii.

applique ainsi au Taciturne le nom d'un personnage folklorique préexistant.

II.228 **Il ne fut jamais si bon temps**... Vraisemblablement, une autre chanson.

II.234 **bon à faire des custodes? il est rouge et verd**. « Les custodes étaient des rideaux d'alcôve dont souvent l'un était cramoisi, l'autre vert.» (Fournier, p. 211b, n. 2). *Cf. Gloss.*

II.239 **Carrelure de globe**. *Cf. carreleure de ventre* (BRUFant 2), *carlure de ventre* (BRUFant 295). É. Fournier ramène le mot *glabe* au celt. *galbe* « gros, ventru ». « Quant à *carrelure*, il s'emploie ici comme chez le savetier, pour raccommodage.» (212a, n. 1). Selon Furetière, une des significations de *carrelure* est « carreaux sur le plancher d'une chambre ». À notre avis, l'image insinuée ici est celle de bien revêtir les parois de l'estomac, comme si on le carrelait. Quant à *glabe*, il peut également dériver de *glabre* < lat. *glaber* « chauve, pelé, dépourvu de poils », comme le ventre, ou être une contamination de *globe*. En effet, le globe terrestre, tel qu'on voit cet instrument sur des gravures du XVIe siècle, est déjà couvert du filet de coordonnées, sorte de *carrelure* qui justifie un jeu de mots.

II.242 **Andouilles de Troyes**, etc. 1) Une chanson qui permet, grâce à ses paires idiomatiques rimées, de mieux saisir la prononciation de l'époque. 2) *Cf.* « Nous marierons ... l'andouille de Troye avec le saucisson de Boulogne.» (*Les Jeux de l'Incognu*, p. 165-6). *Cf.* aussi II.213 *supra.* 3) *Figues de Marseille* se trouve dans la longue liste des jeux auxquels Rabelais fait jouer l'enfant Gargantua (RBL, G, 20). *Cf.* II.258, II.260, II.263 du *Répertoire phras.* 4) Il a existé de longues listes d'attributs de diverses villes de divers pays: bonne image de spécialisations économiques, d'échanges et de connaissances stéréotypées qui en dérivaient.

II.243 **qu'il est gravissant!** « C'est-à-dire, sa voix gravit, monte bien.» (Fournier 212, n. 3). Nous croyons plutôt qu'il y a un jeu de mots *gravissant – ravissant*, ce dernier qualificatif étant un mot bien en vogue.

II.243-II.244 **masse à qui dit. – Taupe, taupe**... Philippin propose de boire à la santé d'Alaigre, qui répond comme il doit. → *Gloss.*

II.245 **Roy de Poictiers**... « Il faut lire roi des *potiers*. Le jour de fête du métier, on le coiffait d'une chaufferette de terre renversée, qui figurait assez bien une couronne grotesque » (Forunier 212a, n. 7).

II.257 1) **Cela fut joué à Loche**. *Var.* Cela fut dit à Loches. «Ce proverbe, qui se dit à propos d'une vieille histoire que l'on entend raconter, fait allusion au séjour que la cour de France fit dans cette ville, pendant le règne de Louis XI» (LRxA vii, 434). 2) **mal adroit comme Cueillart** On disait aussi, dans le même sens, pour un homme qui revenait sans succès, mal en point, n'ayant rien trouvé, «c'est un cueilleur de pommes» (Fournier 212b, n. 4).

ACTE II, SCENE 4

II.263 **joue à la ronfle**... «Sorte de jeu de cartes qui nous était venu d'Italie» (Fournier 213b, n. 1).

ACTE II, SCENE 4a

II.270 1) **il ne m'a pas ennuyé icy**... C'est-à-dire, dans le rêve. 2) **je voyois un grand petit homme rousseau**... *Cf.* «Je rencontray un grand petit homme rousseau, qui avoit la barbe noire, lequel venoit d'un pays où, excepté les bestes et les gens, il n'y avoit personne» (BRUFant 149). 3) **les vaches vont au champs**... *Cf.* comm. I.64 *supra.*

II.279 **frippes, propres à jouer une farce**... Évocation du théâtre dans le théâtre.

II.283 **Te mocques-tu de la barbouillée?** C'est-à-dire, de la face barbouillée. Allusion à la farce qu'on jouait à une personne distraite, en lui faisant barbouiller son propre visage avec de la suie.

ACTE II, SCENE 5

II.294 1) **me voilà atrapé**... Tout ce qui précède, pour dire que Fierabras n'a pas de cheval. 2) **Je leur feray croquer le marmouset comme il faut**. Une expression hybride de *faire craquer le marmouset* «casser la figure» avec *croquer le marmot.*

ACTE III, SCENE 1

III.295 1) **Paré comme un bourreau**. Le mot *brave* signifiait aussi «bien vêtu». Pechon de Ruby l'emploie dans ce sens dans l'Épître ouvrant la *Vie généreuse*: «je t'ai toujours ouï … te plaindre de n'être assez brave, je t'ai vu très bien paré (on ne saurait peindre un roi Hérode plus brave que je t'ai vu)». *Cf. brave comme un lapin* «bien vestu» (CuF 61). 2) **On ne nous prendroit pas … pour des enfans du**

bourlabé... «La rue Bourg-labbé, au bout de la rue aux Ours[6], s'appelloit en 1386 et 1426, tantôt la rue Bourg-labbé, tantôt la Bourre-labbé, rarement la rue Bourg-labé et seulement par ceux qui veulent trouver de la raison dans les noms propres; elle a passé long-tems entre deux rues affectées autrefois aux dissolutions publiques, et pour lors, n'étoit habitée que par de pauvres gens, qui ne passoient pas pour les plus chastes du monde, ni pour les plus spirituels; témoin le Proverbe qui court d'eux, et dont on se sert encore aujourd'hui contre ceux qui n'ont pas grande malice: Ce sont gens de la rue Bourg-labbé, ils ne demandent qu'amour et simplesse» (Sauval, II, 120). 3) **ne cherchent que chappe chutte**... «Occasion de voler. Allusion au *Roman de Renard*, où l'on voit que chacun prit garde de laisser tomber, *chuter*, sa chape du moment que Renard fut échappé, de peur qu'il ne la prît» (Fournier 215, n. 1). 4) **Bourgeoise d'Aubarvillers, à qui les joues passent le nez**. «Les gens d'Aubervilliers avaient le renom de gens fort gras, sans doute à cause des choux, leur marchandise. Un autre proverbe disait: Bourgeois d'Aubervilliers, D'embonpoint vaut un millier» (Fournier 215, n. 2).

III.296 **qu'à un quarteron de pommes**... *Cf.* «... ressembloit mieux à un gardeur de vaches qu'un asne à un quarteron de pommes» (BRUFant 150).

III.303 **plus fin que Maistre Gonin**. → comm. II.164.

III.308 **fera tousjours flouquiere**... «Du vent. On disait plutôt *floutière*, qui faisait mieux voir la racine du mot *flou*, souffle» (Fournier 216a, n. 2).

III.310 ... **ou il ne pourra**. Fin inattendue qui réduit à néant le contenu optimiste de la phrase. *Cf.* la phrase d'Alaigre: «Mais encore en faut-il faire quelque chose, ou rien» (I.23).

III.312 **laissez faire George**... «ce proverbe ... s'est fait du temps du Cardinal *George* d'Amboise Ministre d'Estat: quand on parloit des affaires publiques, on disoit, Laissez [...] d'âge, pour dire, qu'il s'en falloit rapporter à sa bonne conduite et à sa grande intelligence» (FUR). Selon Oudin (→ *Répert. phraséol.*), il existe un autre dicton, formé sur le même modèle, mais avec le prénom *Jacques*. Il est possible que l'anec-

---

[6] Avant la construction du boulevard Sébastopol et, donc, au temps de Sauval, la rue Bourg-l'Abbé était parallèle aux rues St-Denis et St-Martin, soit perpendiculaire à son orientation actuelle.

dote d'Amboise soit plus jeune que l'expression avec *Jacques*. On aura donc appliqué au ministre de Louis XII un dicton préexistant.

III.314 **Tu dance tout seul**. L'expression *danser tout seul* peut avoir une signification idiomatique, car l'auteur l'emploie encore une fois (III.332).

III.316 **l'ambassade de Biaronne**... Furetière a *Viarron* (→ *Répert. phras.*) Ce nom était probablement une variante phonétique de *Béarn*; l'expression ferait alors allusion à de multiples tractations entre les monarches de France et de Navarre au cours du XVIe siècle.

III.317 **Je quitterois la partie quand je la devrois perdre**. Curieux écho de la Journée des dupes. «Qui quitte la partie, la perd», dit le cardinal de La Valette à Richelieu.

III.322 **destinée pour ceux de nostre estoffe**... Probablement, un taudis, soit à Ville-Neuve-aux-Gravois, juste au-delà de la porte Saint-Denis, soit dans le quartier Saint-Denis, à l'intérieur de l'enceinte de Paris.

III.323 **De quel costé jetterons-nous la plume au vent?** 1) Une autre indication implicite à ce qui se passe sur la scène. Philippin porte le chapeau («la tête») que la vieille Bohémienne a «quitté». Il doit s'agir d'une des plumes de ce chapeau. 2) Une expression espagnole explicite le sens du geste impliqué: «Echar la pluma al ayre, y ver donde cae» (COud, 1624, p. 83) – jeter la plume au vent et voir où elle tombe.

ACTE III, SCENE 2

III.327 **moins de parole et plus d'effect** Le Docteur commence à s'impatienter. Il réplique surtout à l'avant-dernière phrase de Fierabras, «du vent de ma parole...».

III.328 1) **cabinet de mes plus rares conceptions** *Cf.* «buffet de mes conceptions» (BRU 148). 2) **Il les faut consulter**... Comme Fierabras avait prévu, les «ravisseurs» viennent d'eux-mêmes au piège, mais il ne s'en rend pas compte.

ACTE III, SCENE 3

III.333 **Ma mye de bon cœur**... Cette formule fait penser à celle employée par Carmen, chez Prosper Mérimée: «Ami de mon cœur».

III.335 **Tres-volontiers, dit Panurge**. L'expression doit remonter à Rabelais, mais la séquence la plus proche que nous avons pu trouver dans la concordance de ses œuvres est la suivante: «– Reste encores à sçavoir si tel advis voulez ou d'homme ou de femme prendre. – Je (respondit Panurge) voluntiers d'une femme le prendroys» (T, 19).

III.335 **La voila plus viste**... Changement d'attitude miraculeux. Tout à l'heure, Thesaurus ne voulait pas entendre parler des «charlatans», et le voilà qui sort son argent, tout avare qu'il est. L'explication est simple: il a reconnu sa fille et il accepte le jeu qu'elle propose.

III.337 **n'entend-elle pas bien le pair et la praize?** La locution *entendre le pair* s'appliquait à ceux qui étaient capables d'opérer les taux de conversion entre différentes devises (Fournier 217b, n. 1).

III.338 **la Perronnelle, que les gend'armes ont enlevée**... Évocation directe de la chanson populaire dont le contenu même ressemble à celui de la *Comédie de proverbes*. – *L'Amour de moy. Chansons des XVe et XVIe siècles*, p. 56.

III.341 **Vous recouvrerez vostre fille, si elle n'est perdue**. Cette phrase, bien faite pour une bonne aventure, rejoint celles de I.23 et III.310 en ce que sa fin annule son début.

III.344 **Vos peres estoient yvres quand ils vous firent**. Thesaurus, se tournant vers Philippin, déguisé en vieille Bohémienne, le reconnaît et lui adresse la dernière phrase.

III.346 **profit et honneur** Binôme idiomatique employé déjà par Froissart (→ *Répert. phras.*) et connu également en espagnol: «– Que vestida quiere poner vuestra merced? – El de velarte, que dizen que es honra y provecho» (COud, 1625, p. 5).

III.348 **Je ne vous promets pas des neiges d'antan**. Thesaurus est prêt à capituler avec Florinde.

III.349 **aussi asseurée que si elle estoit dans vostre manche**... Probablement, à cet instant, Florinde, pensant que son jeu réussit, prend l'audace de passer sa main dans la manche de Thesaurus.

III.350 **Dés qu'elle sera venue, je feray tuer le veau gras**. 1) L'accueil sera digne de l'enfant prodigue. Le Docteur sait qu'il parle à Florinde: une véritable Gitane n'aurait pas besoin de ces promesses. 2) LRx cite cette expression d'après CPR, mais elle est bien plus ancienne que l'Évangile de St Luc. Chez Aristophane (*Plutus*), βουθυτειν (*immolare boves*) est idiomatique et signifie «festoyer, faire bonne chère avec beaucoup de faste» (ER III.iii.56). Ainsi, peut-être déjà du temps de l'évangéliste, *tuer le veau gras* était un cliché métaphorique.

III.362 **Je n'eus jamais intention**... etc. Cette réponse prouve que le capitaine n'a entendu de la raillerie que la dernière phrase, à laquelle il réplique. Les autres remarques moqueuses ont été faites en aparté.

III.364 1) **Si ce que tu (ne) me viens de dire**... Logiquement, le *ne* est superflu, parce que Fierabras reste content de la partie des « divinations » qu'il a entendue. 2) **Vray ou faux, n'importe**. À cet instant même, Fierabras pose son regard sur Florinde, et rien n'importe plus pour lui.

III.366 **Boesmienne de Gonnesse**. Comme si l'on l'avait saupoudrée de farine : la ville de Gonesse était réputée pour son pain.

III.377 **Vos mespris vous servent de louange**. « Cette phrase, qui était alors courante, se trouve dans la chanson grivoise de Malherbe, que chantait Gautier Garguille, et qui figure dans son *Recueil* » (Fournier 219a, n. 1).

III.378 **Vostre cœur est dans le ventre**... 1) → I.45, I.123, II.202. 2) Oudin trouve que c'est une phrase d'usage parmi le vulgaire (→ *Répert. phras.*). En 1632, on l'atteste dans une chanson de Gautier Garguille : « – Catin, ton visage est beau. Permets, mon cœur, que je le baise. – Vostre cœur est dans le ventre d'un veau ... »[7].

III.379 **Baize-moy à la pincette**. « Donner un baiser à une personne, en lui pinçant doucement les deux joues » Leroux *Dictionnaire comique* (cité par Fournier 219a, n. 2). *Cf.* la définition par Oudin au *Répert. phras.*

III.380 **Vous aimez bien la baissure**. P33, P40 et P54 donnent la leçon *baissure*, faisant penser au jeu de mots avec *levure*. É. Fournier propose une autre explication : une *baisure* est, « en termes de boulangerie, le côté par lequel deux pains se sont touchés dans le four » (219a, n. 3).

III.388 **Ce n'est que du foin**... Cette phrase montre vers quel objet se dirige la curiosité de Fierabras. *Cf.* avec ce dialogue de Gautier Garguille : « – Que je baise ton blanc sein, / Soit par finesse ou par ruse. – Arrestez-vous, il n'y a que du foin ; Sont des bestes qui s'y amusent »[8].

III.394 **laver la teste d'âne**... *Cf. esp.* « Xabonar cabeça de asno, perdimiento de xabon » (COud, 1624, p. 270).

---

7 *Chansons de Gaultier Garguille*, pièce XXVII, p. 53.

8 *Ibid.*, p. 54.

III.397 **Je t'auray, mauvaise, ... je te mettray à la raison**. La résistance de Florinde enflamme Fierabras. Celle qui lui avait été promise pour un mariage arrangé ne l'excitait pas autant.

III.403 **botte glissee** Terme d'escrime (< it. *botta* « coup »). Alaigre l'emploie parce que Fierabras a dégainé son épée.

III.410 **En peu d'heure**... *Cf. esp.* « En chica ora Dios obra » (COud, 1624, p. 104).

III.411 **Ce n'est pas article de foy que ce qu'ils disent**. Thesaurus fait semblant d'être sceptique, mais il a déjà pris sa décision en faveur de Lidias.

III.414 1) **le lien de je ne sçay quels mariages**... Florinde la « Bohémienne » est d'autant plus attrayante pour Fierabras qu'il ne sera pas obligé de l'épouser. 2) **baiser la contrescarpe** Jeu de mots. On baise l'*escarpe* (< it. *scarpa*) de quelqu'un, en signe de soumission. *Escarpe* et *contrescarpe* sont des éléments de fortification. Cette locution est attestée et critiquée par H. Esteinne dans ses *Deux dialogues*, p. 273.

ACTE III, SCENE 4

III.415 1) **LE PREVOST** La fonction de police à Paris et aux environs était confiée au lieutenant criminel, avec juridiction sur Paris, au chevalier du guet, toujours dans Paris, et au prévôt de l'Île, qui assurait le service policier à travers l'Île-de-France, hormis Paris[9]. Ici, le terme *prévôt* est employé probablement comme générique de tout officier de police, comme le mot *coesre*, plus haut, l'est pour tout meneur de voleurs. 2) **Poires dangouesses** « Bâillon muni d'un ressort qui détendait les mâchoires à la victime » (*Hist. pol.*, p. 25). Dans son sens premier, *dangouesse* est probablement une sorte de poire, et Cotgrave n'est pas le premier à l'attester (→ *Rép. phras.*). Cette sorte ne fait pas partie de la longue liste donnée par Furetière. *Cf. Répert. phras.*, III.415. 3) **Argots de chapon** ... *Ergots*; peut se prononcer [argo]. Probablement, aussi, un jeu de mots. 4) **Partage de Mongoumery**, **tout d'un costé et rien de l'autre**. Il existe deux variantes de cette expression, chacune munie d'une anecdote étymologique: a) « Partage de Cormerie (Cormery): Tout de là et rien icy. (*Prov. en rimes et Rimes en prov., etc., XVII s.*). 'Cormery, ville du département d'Indre-et-Loire, dans l'ancienne province de Touraine. L'église de Cormery, ancienne

---

[9] EULOGE, p. 23.

abbaye de Bénédictins, est située à une des extrémités de la ville. On assure que cette circonstance a donné lieu au proverbe rapporté plus haut, parce que toutes les maisons se trouvent d'un seul côté.'» (LRxB i,vii,340); b) «Partage de Montgomery, tout d'un côté et rien de l'autre. (*Ducatiana*, p. 526.) 'Les anciennes coutumes de Normandie accordent aux aînés de la famille de Montgomery la plus grande partie des biens'» (LRxB ii,viii,17). Quant à la var. a), on ne sait pas si la situation de la ville de Cormery est unique au point de devenir proverbiale. Probablement, cette variante a émergé localement grâce à son homophonie avec la variante b). L'explication «étymologique» de cette dernière n'est pas assez précise. Il est vrai que la coutume normande faisait les fils aînés héritiers de tous les biens, mais cette règle ne se bornait pas aux Montgomery. En effet, la phrase citée de Le Roux est une modification de celle de Duchat: «Illustre famille de Normandie, où, par la coutume, les aisnez emportent presque tout». *Où* renvoie ici à *Normandie*, et non à *famille*. Il n'est pas clair pourquoi, pour illustrer la coutume normande, on aurait choisi une seule famille illustre, au lieu de dire: *»Le partage normand, etc.» Quelles que soient leurs motivations premières, les deux expressions ont existé parallèlement au XVIIe siècle (comme en témoigne leur distribution à travers les éditions de la *Comédie*) et s'employaient avec la même signification de «partage grossièrement inéquitable». Il ne reste qu'à constater le fait et à essayer de voir laquelle des deux expressions avait été attestée la première, et quand. Il sera utile d'ajouter qu'une des devises héraldiques des Montgomery a été TOUT BIEN OU RIEN. La devise n'est attestée que par un seul des dictionnaires des devises consultés par nous, et celui-ci[10] ne spécifie ni les dates d'utilisation de la devise ni la branche de la famille qui l'a utilisée. On ne peut donc savoir si la devise citée se fonde sur l'expression, ou l'expression provient de la devise. 5) **ou les bras de mes Archers leur faudront**... → comm. III.310 et I.23. 6) **le bout de la rue fait le coin**. Sur la carte, Villeneuve-aux-Gravois forme un triangle. Si l'action se passe dans Paris, la rue des Petits-Carreaux fait le coin en rencontrant l'enceinte de la ville au nord. Il y a également des rues dans le quartier qui se croisent sous des angles aigus. 7) **La lune commence à monstrer ses cornes**. Il peut s'agir soit d'un indice temporel: lever de la lune à la brunante, soit d'une enseigne en forme du croissant, peut-être de la même qui aurait donné son nom à la rue de la Lune, dans le quartier Saint-Denis.

---

10 TAUSIN *Dict. des devises*, II, p. 517.

III.416 **Boutteville aura sa revenge**. Allusion à l'affaire du comte de Montmorency-Bouteville exécuté pour un duel en 1627. → *Introduction* (datation).

ACTE III, SCENE 5

III.419 1) **Si ce n'eust esté de la crainte ...** En amoureux rejeté, Fierabras cherche l'explication de son échec en dehors de sa propre personne, ce qui lui servira d'excuse pour poursuivre ses tentatives. Un de nombreux traits réalistes de la *Comédie.* 2) **embrasser la cuisse** Étreindre la cuisse. Geste de soumission, comme celui de « baiser l'escarpe ». Le cuisinier de Henri IV se permettait de dire à celui-ci: « Embrassez-moi la cuisse ! » (peut-être, ne s'agissait-il que d'une cuisse de volaille). Chez Pechon de Ruby (p. 20), c'est un geste rituel d'obéissance des voleurs à l'égard du coesre.

III.427 **c'est ce grand escorcheur**... Il fait nuit, en plus sans lune (le Prévôt n'en vit qu'un croissant), comme la nuit précédente. Les valets ne peuvent juger des chanteurs que par le contenu de la sérénade.

III.433 **Heure indue** Couvre-feu.

III.435 **martin baston** Selon les *Ill. Prov. hist.* (ch. XXXIX), c'est le nom appliqué au martinet, grand marteau hydraulique utilisé aux forges. Les ressemblances phonétiques évidentes auraient pu produire des paires apophoniques *martel* (< lat. *marcus* < celt. *marculus*) / *martin* et (Jacques) *mart* / *Jacques-Marc* (cf. I.31), avec, pour conséquence, des métaphores onymiques pour désigner un marteau.

III.438 **Bien courir n'est pas un vice**... Ces quatre vers sont de Passerat (*Satyre Ménippée*) (selon Fournier 222a, n. 1).

III.441 **Ils y ont laissé de leurs plumes**. Les musiciens ont laissé sur place des pièces de leurs vêtements, peut-être même quelque instrument.

III.448 **n'est pas obligé par corps** « On dit, en termes de Palais, qu'un homme est obligé par corps et biens, pour dire, qu'il s'est soumis à tenir prison faute de payement. L'ordonnance de 1667 a abrogé les contraintes par corps après les quatre mois » (FUR). La présence de la rime *recors/corps* peut signifier que l'ensemble de l'expression était un cliché comique.

III.455 **il me semble que je l'ay veu**... L'archer aurait pu voir Alaigre jadis parmi des filous.

III.456 **couvrez ces macquereaux**... Action implicite. Les archers ont oté leurs chapeaux, et Alaigre leur dit de se couvrir, en les traitant indirectement de maquereaux – insulte mal dissimulée. (→ *Répert. phras.*)

III.459 **nous estions, il n'y a qu'un moment deguisez**... Les fugitifs ne sont donc plus en déguisement. On ne nous dit pas quand et comment ils se sont procuré les nouveaux vêtements.

III.464 **ils ont la mine de le serrer** L'explication du sens peut venir de Bruscambille, chez qui (Fant 293) le mot « sergent » est transformé en « serre-argent ».

ACTE III, SCENE 6

III.466 **Où sont-ils, ces Mirmidons**... *Cf.* « Où sont-ils ces parasites, ces mouches de cuisine ... » (BRUFant 66)

ACTE III, SCENE 7

III.467 **la mort aux dents** Bien enracinée, cette locution n'est probablement qu'une réminiscence d'une autre, *avoir le mors aux dents*.

III.471 **si je ne voy le chemin de sainct Jacques**... C'est-à-dire, la Voie lactée, qui aidait les pèlerins à s'orienter vers Saint-Jacques-de-Compostèle et que, bien sûr, on ne voit pas, quand le ciel est nuageux. À cette mention de la Voie lactée s'enchaînent d'autres réflexions de Philippin sur le pèlerinage (III.473).

III.473 **Rouge au soir** ... On notera une ressemblance avec le dicton espagnol « Noche tinta, blanco el dia », que C. Oudin traduit comme « la nuit rouge ou colorée, le jour blanc, c'est-à-dire clair ». L'ambiguïté n'est pas présente dans l'expression espagnole, qui signifie qu'on voit mieux le jour des choses obscurcies par la nuit, et ce sens semble être très loin de celui des joies du pèlerin français. En même temps, l'esp. *tinto* correspond au fr. *rouge* pour dénoter spécifiquement la couleur du vin. Le tout peut illustrer la mobilité et la souplesse sémantiques et formelles des expressions proverbiales.

III.476 **fichez-luy bien vostre colle** ... Selon Fournier (224a, n. 1), on trouve le mot *colle* « tromperie » dans *Belle dame sans mary* d'Alain Chartier.

III.477 **gosier adultéré** Jeu de mots avec *altéré*.

III.481 **faire le marmiton**... Philippin se panse la tête pour faire le blessé.

III.484 **Nostre Dame de recouvrance**... Appellation populaire de l'église de Notre-Dame-de-la-Bonne-Nouvelle, à Ville-Neuve-aux-Gravois, reconstruite en 1624-28.

III.485 **seine et entiere ... du ventre de sa mere**. Une rime.

III.486 **Ne pleurez point tant, vous l'aurez**. Extrait d'une comptine.

III.487 **Il sçait bien à quoy s'en tenir** ... Double sens: littéralement, Philippin «s'en tiendra» aux endroits de son corps qui lui font mal à cause des coups reçus; au figuré, il s'en est tenu au bon parti, il est resté fidèle à ses maîtres.

III.488 **en deux coups de jarnac**... → le chapitre *Langue*.

III.494 **Elle est revenue Denise** ... Une chanson.

III.497 **d'aussi belle taille que la perche d'un ramoneur**. Il n'y a rien d'étonnant: le rôle d'Alizon est joué par un homme.

III.503 1) ... **que si j'avois trouvé la pierre Philosophale**. Macée, avec une éloquence longtemps méconnue, parle maintenant comme son mari. Ces mots «savants» se trouvent en contraste avec l'emploi de *recouverte* au lieu de *recouvrée*. 2) **Le cœur me saute dans le ventre**. → comm. I.45, I.123, II.202, III.378.

III.504 **Il a tousjours esté aussi chanceux que le chien à Brusquet**. 1) On reproche à Fierabras de ne pas être chanceux. En effet, la chance était une composante essentielle de la personnalité, surtout dans certaines subcultures; ainsi, on croyait largement que, pour être un bon militaire ou marin, être chanceux était aussi, sinon plus indispensable que d'être courageux, intelligent ou bon tacticien. 2) *Brusquet* était le nom d'au moins un bouffon royal au XVIe siècle. Les aventures d'un Brusquet sont décrites par Brantôme dans *Les Grands capitaines*. Aucune de ces anecdotes n'implique un chien. Quant au *chien Brusquet, qui alla au bois manger le loup, et le loup le mangea* (Fournier 225a, n. 2), c'est une tout autre histoire. Si Alaigre s'y réfère, il a tort de dire «chien à Brusquet».

III.506 **Honneste homme, c'est donc en Latin**. *Honneste homme* se termine en /om/, ce qui permet à Alaigre de jouer sur la ressemblance avec la terminaison latine *-um*.

III.508 **les singes, qui serrent si fort leurs petits**... L'idée des singes étranglant leurs enfants par excès d'amour devait être bien répandue. Le recueil de *Devises Heroïques* de Claude Paradin (1557) se réfère à Pline comme source de cette notion.

III.510 **Commander aussi absolument que le Roy à son Sergent, et la Royne à son enfant**. Sentence étonnante pour une monarchie de plus en plus absolue qu'était la France sous Louis XIII. → *Introduction* (datation).

III.521 **Ce Gentilhomme-là est honneste homme**... Thesaurus parle du Prévôt.

III.536-538 **Je donne au diable si**... Un exemple assez rare pour l'époque, où le texte prévoit que deux personnages parlent simultanément: 536 et 538 sont les bouts d'une même phrase, et il faut que la réplique 537 soit prononcée à part et vite.

III.543 **Ceux-là sont-ils de vostre caballe?** Macée parle des archers.

III.547 **Voyez le beau macquereau que je tiens**. Encore un emploi péjoratif du mot *maquereau*. Il s'agit probablement d'un des archers qu'Alaigre tient par le bras. Quoi qu'il en soit, Macée n'en comprend pas mieux ce qu'on lui raconte. *Cf. Répert. phras.*

III.548 ***Post tenebras, lux***... Le bonheur opère des miracles, et on ne reconnaît plus Macée. Tout à l'heure, on l'a entendue mentionner la pierre philosophale, et maintenant elle parle latin.

III.551 Témoignage de la dynamique réaliste de l'action: en s'adressant à Alizon, Alaigre commence un nouvel épisode avant que Thesaurus n'ait terminé le précédent.

III.557 **Quand les canes vont aux champs**... → le comm. au Prologue. Cette fois-ci, la chanson-comptine est invoquée, parce que les personnages veulent décider qui passera le premier. Puisque personne ne veut passer avant l'autre, ils traversent le seuil deux par deux (III.558 **Ils vont deux à deux**...).

III.560 **Voilà le galland**... Alaigre parle de lui-même.

III.564 **bien fait pour tourner quatre broches** Image qui donne une idée de la taille d'Alaigre.

III.569 **ma grosse crevasse**... Un contraste avec *ma petite fressure* du docteur Thesaurus (III.486).

III.574 **chenault** Mot obscur. T715 propose la lecture «cheval», peu convaincante. Nous croyons que *chenault* signifie «chiot», par analogie avec *lionceau*, *lévreau* et semblables.

LE RÉPERTOIRE PHRASÉOLOGIQUE

Le Répertoire, sous sa forme présente, n'est pas un dictionnaire phraséologique global du premier XVIIe siècle. Sa destination est de faciliter la compréhension de la *Comédie de proverbes*, en expliquant les expressions idiomatiques qui s'y trouvent, et de présenter chaque expression comme élément d'un réseau de variantes et de dérivés diachroniques et synchroniques.

Afin de remplir les deux fonctions énoncées, le Répertoire est organisé de la façon suivante :

- les expressions sont présentées suivant l'ordre de leur apparition dans la pièce, sous le numéro de la réplique correspondante, l'argument étant désigné Arg, et le *Prologue*, d'un double zéro (00). Toutefois, au besoin, il est possible de repérer une expression par un mot clé à l'aide de l'*Index des mots clés*;
- si une expression se rencontre dans le texte plus d'une fois, les numéros de toutes les répliques respectives sont indiquées immédiatement après le numéro de la réplique courante. L'appareil explicatif n'accompagne que la première apparition d'une expression dans le *Répertoire*;
- le noyau explicatif se fonde sur un article correspondant des *Curiositez françoises*.

L'expression et son explication dans le Répertoire constituent un article se composant généralement de 5 parties :

1. le numéro de réplique dans CPR ;
2. l'expression vedette, composée en caractères **gras**. Elle est
   - citée au complet, lorsque sa forme se distingue sensiblement de celle fournie par Oudin, ou en cas d'absence de correspondance chez Oudin (classes d'affinité 0 à 2) ;

- citée partiellement en cas de ressemblance facilement perceptible avec la variante d'Oudin (classe 3);
- omise (classes 4 et 5).

Un losange noir (♦) marque les proverbes, sentences ou phrases proverbiales;

3. un chiffre encerclé, de 0 à 5, correspondant au numéro de la classe d'affinité entre CPR et CuF;

4. l'article (les articles) de CuF correspondant(s), cité(s) au complet, avec respect des conventions d'A. Oudin. La page de référence est indiquée à la fin de chaque entrée tirée de CuF. Les mots vedettes, débutant en majuscule chez Oudin, sont donnés ici en minuscule et soulignés. Une expression qui se trouve plus d'une fois dans CuF sous formes identiques, n'est citée ici qu'une fois. Soulignés sont les mots vedettes sous lesquels on la trouve dans CuF aux pages indiquées après les définitions;

5. les contre-références comprenant des attestations de la même expression ou de celles apparentées, antérieures à la CPR. Une contre-référence débute à la ligne et présente
   - l'auteur ou le titre abrégé de la source;
   - le texte de l'expression, lorsqu'il se distingue de la forme CPR ou CuF. Puisque la présentation de toutes les formes d'une expression n'est pas l'objectif de ce *Répertoire*, les formes alternatives d'une expression ne sont citées au complet que lorsqu'elles présentent une variation importante. Les mots ayant la même forme dans la contre-référence que dans l'expression examinée sont désignés par leur première lettre;
   - le mot clé souligné, si la source est un dictionnaire; ou
   - entre parenthèses, l'année ou le siècle de l'attestation, lorsque connus;
   - le numéro de page, d'entrée et tout autre indice permettant de repérer l'expression dans le document cité;
   - le sigle du document cité.

Pour les symboles et les sigles des contre-références, v. la liste des *Abréviations et conventions*;

6. renvoi à une autre section de la présente édition (*Commentaires* ou *Glossaire*), le cas échéant.

Le principe de base du *Répertoire* est d'expliquer le XVIIe siècle à l'aide du XVIIe siècle. Cela signifie que nous avons recours, avant toute autre source, à l'autorité des lexicographes et des auteurs du siècle en question : Oudin, Cotgrave, Richelet, Furetière et leur prédécesseur immédiat Nicot, ainsi que Sorel, Bruscambille et d'autres auteurs. En ce faisant, nous partons de la prémice que les grands lexicographes du XIXe et du XXe siècle, tels que Huguet et von Wartburg, font appel, généralement, aux mêmes autorités que nous en ce qui concerne le XVIIe siècle.

De plus, les dictionnaires de Godefroy, pour l'ancien français, de Huguet, pour le XVIe siècle, et de v. Wartburg étant des dictionnaires généraux de la langue, nous avons préféré nous adresser directement à des recueils spécialisés en phraséologismes et proverbes, soit à ceux de Morawski, pour l'ancien français, de Hassell, pour le moyen français, et de Le Roux de Lincy, pour toutes les périodes.

RÉPERTOIRE PHRASÉOLOGIQUE DE LA *COMÉDIE DE PROVERBES*

Arg ④★jouer d'un tour de son mestier *faire une supercherie* 543

00

00 ⑤de mesme farine *de mesme nature* 214
ER III.v.43 | | LRxB ii,68 (< CuF) | | → *Comm.*

00 **parlant par reverance** ⓪
Cf. BRUFant 201 ; 280 | | SorFr 173

00 ③il y sert comme d'un O en chiffre *il n'y sert de rien* 374 ④un zero *une chose de rien* 583
zero CTG

00 ④★il y a presché sept ans pour un Caresme *il a demeuré long temps*
I.42 *en ce lieu là.* vulg. 72 ④★j'y ay presché sept ans pour un Caresme *j'ay demeuré ou conversé long temps en ce lieu là.* vulg. 454
j'y ai presché sept ans p. C. « I know it well, or I am well knowne there » CTG

00 **moy qui enseigne Minerve** ⓪
I.38 sus Minervam ER I.i.40 | | LRxA i,185 (< RBL) | | → *Comm.*

00 **quare et per quam regulam** ⓪
per quem regulam BRUNi 62r | | per quam regulam HEst 616 → *Comm.*

00 ④★quand les canes vont aux champs les premieres vont devant
III.557 *c'est une raillerie vulgaire pour ne pas respondre à un qui nous repette* quand *avec importunité* 71
LRxB iv,154 (< ATF)

00 ④★cela est vuidé comme un peigne *cela est fait.* Iron. 405; 582
④★cela est vuidé *cela est fait* 581
faire peigne vuide CTG

00 ⑤★Aux autres ceux là sont cossez *vulg. i. continuons* 24. *Cf.* III.442 **aux autres**

00 **faisons partie nouvelle** ⓪

00 ⑤jouer sur nouveaux frais *faire apporter du vin apres le repas* 606

00 ⑤tout de bon *à bon escient* 545
I.29 tout à bon SorBE iv.611
II.279

00 ③♦à bon entendeur peu de paroles *qu'il ne faut pas user de beau-*
I.43 *coup de discours à un homme intelligent* 186
à b.e. il ne faut que demi mot | à b. e. ne faut que une parole HSL E47 | | à bon e. ne faut qu'une parole CTG | | LRxB xiv,226 (XVe, XVIe s.)

00 ③il vient comme si on l'avoit mandé *fort à propos* 324
II.163
II.187

00 ④★il a bien fait de venir *je ne le fusse pas aller querir* 563

00 **à propos de bottes, mes souliers sont percés** ③★à propos de
I.2 bottes *pour dire que l'on parle hors de propos. Le reste est,* combien l'aulne de fagots, vulg. 50 ③★à propos de bottes, combien l'aune de fagots *Voyez à* bottes 458
LRxB ii,xii,154 (< CuF)

00 ⑤★Couvrez vous bagottier *cela se dit à un niais qui tient son chapeau à sa main,* vulg. 26

00 ⑤♦★il est bien fol qui s'oublie *cela se dit en souhaittant du bien à autruy et en mesme temps à soy mesme* 384
folz est ki s'oblie (1325) HSL F151 | | oublier CTG | | LRxB v,237 (< XIIIe s.)

00 ⑤*il est aujourd'huy Saint Lambert, qui sort de sa place il la pert *cela se dit en se mettant à la place d'un qui se leve de dessus sa chaire.* vulg. 494
LRxB i,49 (< CuF)

00 **La conserve vaut mieux que le resiné** ⓪

00 **Qui ben esta non si move**. ⓪

00 **Quis tenet teneat possessio valet.** ⓪
qui tient si tiegne MRW2161

00 **Il vaut mieux tenir que querir** ②♦*il vaut mieux un tien que deux tu auras *une chose presente, que des promesses* 528

00 ④*au cas que Lucas n'ait qu'un œil sa femme espousera un borgne *c'est une raillerie vulgaire dont on se sert lors que quelqu'un entame un discours par ces mots,* au cas que 312
LRxB ix,51 (< CuF)

00 ⑤de nouvelle impression *moderne, fait depuis peu, comme,* gentil-homme de nouvelle impression: *fait depuis peu* 283
nouvellement imprimées BRUFant 13

00 ④*docteur ou gentil-homme de la derniere couvée *moderne, fait depuis peu de temps* 134 ③*il est de la derniere cuvée *moderne, fait depuis peu.* vulg. 145

00 ③*il a son ver coquin *il a son humeur fascheuse ou bigearre* 567

00 ①passé Docteur ou Licentié sous la cheminée *fait advocat sans estre examiné* 92

00 ③*chercher à tondre sur un œuf *vouloir une chose impossible* 539 ③il trouveroit à tondre sur un œuf *il trouveroit à reprendre sur toutes sortes de choses* 539
NC21a | | Chastellain: sur un œuf n'a que prendre ou que tondre (1470) HSL o21 | | LRxB iv,188 | | tondre sur un œuf CTG

00 ③chanter Magnificat à Matines *dire une impertinence; renverser l'ordre* 336 ⑤corriger Magnificat à Matines *vouloir reprendre sans raison ou sans sujet* 336 ④il veut corriger Magnificat à Matines *il veut reprendre mal à propos* 610 ③cela est à propos comme Magnificat à Matines *hors de propos* 611
LRxB i,33 (< RBL) | | Molinet: Qui respond a propos non plus que Magnificat à Matines (1503) HSL M1 | | chanter magnificat à matines CTG

00 ④river les clou(d)s à quelqu'un *le reprendre.* vulg. 107; *le traitter*
II.195 *avec rigueur.* Item, *battre* 483.
river un clou à (1489-91) HSL c227 | | river les / ses clous à. CTG

00 ④♦*il n'y en a point de plus empesché que celuy qui tient la queue de la poisle *que celuy qui gouverne ou manie un affaire* 464 ③*tenir la queue de la poisle *estre complice* 463
tenir la q. de la paelle | qui tient la paelle par la q. il la tourne là ou il veut | qui tient la paesle par la queue, il la tourne là ou il veut CTG | | MRW2160

00 **♦on est quitte à bon Marché quand on ne pert que les arres** *Cf.* ①*je ne croyois pas en sortir à si bon Marché *avec si peu de dépense, de danger, ou dommage* 330

00 **♦il a beau se taire de l'eschot qui rien n'en paye pour la bonne bouche** ⓪

00 **♦il est facile de reprendre, mais mal-aisé de faire mieux** ⓪

00 ③*nous sommes à deux *ou* à deux de jeu *nous sommes egaux; response que l'on fait à celuy qui nous taxe de quelque deffaut* 163
à deux de jeu RMN 12

00 ♦⑤*à bon chat bon rat *à un fascheux ou mauvais un autre qui luy peut resister.* vulg. 86
NC17b = | | à mau chat (rat) mau rat (chat) (1461) HSL c82 | | à bon rat bon chat CTG | | LRxB iv,156

00 ④*si vous me donnez des pois je vous donneray des feves *si vous me communiquez de vostre mal, je vous donneray du mien qui est la mesme chose.* vulg. 436
LRxB ii,83 (< CPR) | | si on nous donne des poix, donnons des febves BRUNi 208

00 ⑤*bouche cousue *silence, ne dites rien,* vulg. 51; *silence; ne dites mot.* vulg. 133 ③*chut motus la cane pond *taisez vous.* vulg. 103 ③*motus la canne pond *taisez vous.* vulg. 359 | | *Cf.* I.26
bouche cousue RMN 17, 124 | mais mot RMN 70

00 ③*il ressemble le perroquet de Maistre Guillaume, il n'en pense pas moins *encore qu'il se taise il ne laisse pas de considerer, ou penser plus loin.* vulg. 411
LRxB ix,41 (< CuF) | | → *Comm.*

00 **♦ il est temps de parler et temps de faire le tasset** ⓪

Eccl 3:7 | | ~ tens de teire MRW866 | | temps de parler et de taire (1335) HSL T28

00 ⑤*faire le tacet *se taire* 518

00 ⑤il ne faut rien garder sur le cœur *il faut tout dire librement.* Item, *il ne faut point conserver de haine* 246

00 ②en deux mots trente six paroles *par raillerie, faisons viste, disons promptement* 359

00 ⑤à coupe-cul *sans plus jouer* 129
deux mots à coupe-queue CTG

00 ⑤troc pour troc *changer sans rien donner de retour* 553

00 **sans bource deslier** ⓪

00 ④*faire comme Robin fit à la dance *faire du mieux que l'on peut* 484
LRxB x,77 (< CPR)

00 **♦Qui dit ce qu'il sçait, et donne ce qu'il a, n'est pas tenu à davantage.** ⓪
Cf. Chastellain: Qui fait ce qu'il peut, ne Dieu, ne homme, ne fortune ne peuvent demander plus riens (1464) HSL D23

00 ④estre tenu *obligé* 528

00 ⑤*si vous ne le voulez croire charbonnez-le *c'est une forte allusion de* croire *à* crayer. vulg. 83
= *sv.* croire; charbonner: «if you will not (chalk) beleeve him, bleach him» CTG | | → *Comm.*

00 ***Et experto crede roberto*:** ⓪
Cf. Deschamps: A l'omme expert creez (1382) HSL E97

00 **♦Il n'y a si bonne compagnie qu'en fin ne se separe.** ⓪
III.413

00 **Adieu, sans Adieu, amour sans regret.** ⓪

00 ***Valete, valete, atque iterum valete.*** ⓪
valete, valete, valete, et plaudite BRUFant 272; valete et plaudite BRUFant 283

I/1

I.1 ⑤♦Tant va la cruche à l'eau qu'enfin elle se brise *l'on continue tant une chose qu'à la fin on y est attrapé* 140
~pot~ NC22b | | Tant va le pot à l'eve qu'il brise (1315) HSL P240 | | LRxB ii,67 (XIIIe s.)

I.1 **D'autres ont battu …** ②battre les buissons quand les oiseaux sont pris *arriver trop tard* 34
②Battre le buisson sans prendre les oiseaux *poursuivre sans venir à bout de son dessein* 66
MRW2329 | | il a batu les buissons, un autre a pris les oiseaux NC17a | | Tel bat aucunefoiz les b. dont ung autre a les oisillons HSL B199 | | LRxB iv,188 (< RBL) | battre les b. sans prendre les o. BRUFant 263

I.1 ⑤à ce coup *maintenant, à cette fois* 127
RMN 54

I.1 ⑤ils sont pris, s'ils ne s'envolent *c'est une façon de parler, pour desapprouver ce qu'un autre dit.* vulg. 455
BRUFac 44

I.1 ②il est noire nuit *tout à fait obscure* 372

I.1 ⑤je ne sçay quoy *quelque chose d'inconnu, quelque chose d'agreable, de beau, de bon* 466
SorBE v.730 | | LRxB iii,113 (< CPR)

I.1 ③il croit avoir trouvé la pie au nid *il pense avoir rencontré quelque chose d'avantageux* 416
Cf. estre au nid de pie NC22b

I.2 ⑤entre chien et loup *au declin du jour, entre le jour et la nuit* 98 (1314-1340) HSL C158 | | chien CTG | | LRxB iv,180 (XVIe s.)

I.2 **il fait noir comme dans un four** ②faire noir *le temps estre obscur* 371

I.2 **À peine puis-je mettre un pied devant l'autre.** ⓪

I.2 **à propos de bottes** ⑤ → 00

I.2 **qui nous guette …, comme le chat fait la souris.** ⓪

I.3 **prenons …** ③tenir la fortune ou l'occasion par les cheveux *la tenir en son pouvoir* 96

I.3 **vostre nés icy …** ⓪

I.3 ④mettre la main à la serpe *à l'espée* 505
~ à la verge / au baston *s.v* . main CTG

I.3 ④il frappe comme un sourd *bien fort* 235 ④*frapper comme un sourd *frapper fort* 515
il … frape c. un s. RMN 52

I.3 ⑤*il dort comme un sabot *bien fort. Allusion au mot* dormir *qui se dit des sabots ou toupies quand on les fait tourner* 170 ⑤*il dort comme un sabot *fort* vulg 491

I.4 ④*cela s'en va sans dire *cela s'entend* 9; *il est de raison, il faut que cela se fasse*, vulg 166
LRxB xiv,256

I.5 **Ouvrez l'huis, ma mie, de par Dieu, et de par nostre Dame, si vous voulez estre nostre femme.** ④*ouvrez l'huis mon amy de par Dieu *c'est un discours que l'on fait dire aux espousées le soir de leurs nopces, apres les avoir enfermées hors de la chambre.* vulg. 275

I.7 ④*amy de delà l'eau *mauvais amy* 175 ③*gens de delà l'eau *dangereux, à qui l'on ne se doit pas fier,* vulg 175
gens de delà l'eau «simple fellowes, witlesse companions» CTG

I.8 **Je ne vous cognoy non plus que l'enfant qui est à naistre.** ⓪

I.9 ⑤*Nous sommes des amis de la fille vulg. *nous sommes de cognoissance, nous avons quelque pouvoir ou entrée en la maison* 11

I.10 ⑤*nostre pain est tendre *ou* nostre pain ne se gaste pas *retirez-vous, vous n'avez que faire de nous venir escorniffler. Le commencement dit,* Dieu vous soit en aide, vulg 387

I.11 ⑤*un gros souffleur de boudins *un homme qui est fort gros de ventre* 513

I.11 **Sus compagnons forçons la baricade.** ⓪ → *Comm.*

I/2

I.12 **on nous tient ...** ③*il est pris comme dans un bled *asseurement pris ou attrapé,* vulg 44 ③*il est pris comme dans un bled *il est attrapé* 455

I.12 ⑤*tailler de la beso(n)gne *donner beaucoup à faire; donner du travail ou de la peine.* metaph. 40; *donner beaucoup à faire à une personne: donner bien de la peine ou empeschement,* vulg. 519 ③de la besongne Taillée *beaucoup à faire, bien de la peine préparée* 519
tailler de la besongne CTG || besongne taillée CTG || BRU-Fant 173

I.12 **♦À tout perdre il n'y a qu'un coup perilleux.** ⓪
Gerson: A tout perdre est cop perilleux (1423) HSL C324

I.12 ⑤*roide comme la barre d'un huis *fort* vulg. 31; *fort ferme* 484
Cf. plus roide qu'un fust (1400) HSL F189

I.13 ⑤il faut mourir petit cochon il n'y a plus d'orge *il ne reste plus rien* 107

I.14 ④prendre garde *s'apercevoir.* Item, *songer à soy, avoir soin* 245 | |
II.146 *Cf.* I.28
II.204 prendre garde CTG
II.272
III.462

I.14 **♦Qui frapera du couteau, moura de la guesne.** ⓪
Cf. qui de glaive ferra, de glaive mourra (1423) HSL G37

I.14 **comme dans un bois** *Cf.* ①sommes nous dans un bois *cela se dit à un hoste qui fait payer trop chèrement ses viandes* 45

I.15 ④*Il ressemble les anguilles de Melun, il crie devant qu'on l'escorche *il se plaint devant que d'avoir souffert le dommage* vulg. 14
anguilles de Melun CTG | | LRxB ix,49 (< RBL)

I.17 ③*il n'est pas ladre *il sent bien quand on l'offense* vulg. 293
Cf. celuy est bien ladre, il ne sent point quand on luy pique la chair CTG

I.18 **On m'emleve comme un corps saint.** ⓪ → *Comm.*

I.19 ⑤*voilà ce que les rats n'ont pas mangé *quelque chose de nouveau* 469
LRxB iv,199 (< CuF)

I.19 ④attendre comme les moines font l'abbé *attendre les absents tousjours en mangeant* 351
LRxB i,35 (1665)

I.20 ⑤cela vaut fait *cela est presque fait* 561
RMN 53, 116 | | cela vaut fait, la chose vaut faite CTG

I.21 ③*nous mangerons du boudin la grosse beste est par terre *cela se dit vulgairement lors que quelqu'un est tombé, ou bien que celuy qui nuisoit est mort,* vulg. 53
LRxB xiii,190 (< CuF)

I.22 ⑤*ce serait dommage qu'il mourust le Vendredy *cela se dit d'une personne qui a le ventre gros. Nostre vulgaire adjouste,* il y auroit bien des trippes perdues 362

I.23 **Mais encore en faut-il faire quelque chose, ou rien.** ⓪

I.24 ⑤*faites-en des choux ou des pastez *disposez-en comme il vous plaira, faites-en ce que vous voudrez,* vulg. 103

I.24 ④il ne le faut garder non plus que la fausse monnoye *il est dangereux, il ne vaut rien* 352
LRxB xi,141 (< CuF)

I.25 ⑤*mener par un chemin où il n'y a point de pierres *traitter une personne avec rigueur* 91 ④je vous meneray par un chemin où il n'y a point de pierres *Voyez à* chemin 339
LRxA ii,206 (< CuF)

I.26 ③*il y a un menestrier enterré là dessous, il a fait sauter un beau lourdaut *cela se dit quand une personne tombe.* vulg. 339

I.26 ③faire danser une personne *la traitter avec rigueur* vulg. 147

I.26 ④viste comme le vent *promptement* 564
Cf. tost comme vent (1304-7) HSL v47

I.26 **♦Il vaut mieux une bonne fuitte qu'une mauvaise attente.** ⓪
MRW1245 | mieux vaut fouir que mal atendre (1315) | *Viel Testament*: mauvaise atente ne vault pas une bonne fuyte (1450) HSL F185

I.26 ④*tourner sa jaquette *changer de party ou de religion,* vulg. 545
tourner sa jaquette CTG

I.26 **Tu ressemble les escolliers …** ②*le chemin de l'escole *le plus long, vulg.* 91

I.26 ⑤estourdy comme un hanneton *fort estourdy* 265
haneton CTG | | LRxB iv,177 (< CuF)

I.26 ⑤chut *mot vulgaire pour faire taire* 103 → 00 *Cf.* **motus**, **bouche** …

I.27 ⑤*il est demain feste les marmousets sont aux fenestres *pour dire qu'il y a quantité de personnes qui regardent par la fenestre,* vulg. 220

I.28 ④prendre garde à sa vaisselle *avoir soin de ses affaires* 560. *Cf.* 1.14
qu'il prenne g. à sa vaisselle RMN 142

I.28 ⑤♦il n'y a sy petit buisson qui ne porte ombre *si petite personne qui ne puisse servir en quelque occasion* 66
buisson CTG

I/3

I.29 **On enleve …, comme un tresor**. ⓪

I.29 **c'est tout de bon** ⑤ → 00, II.270

I.29 ⑤Il crie comme un aveugle qui a perdu son baston *il crie bien fort* 589
LRxB v,209 (1665)

I.29 **Plus l'on va en avant, et pis c'est.** ⓪

I.29 **Il y a d'aussi meschantes gens dans ce monde, qu'en lieu où on puisse aller.** ⓪

I.29 ③une fille de mauvaise garde *difficile à garder* 244

I.29 ④♦*bon jour bon œuvre *cela se dit quand on fait une mauvaise action un jour de Feste remarquable,* vulg. 47

à ~ MRW10 | | aux bons jours faict on les bonnes œuvres (1483) HSL J30 | | LRxB iii,104 (XV) | | ~ et bonnes paroles CTG

I.29 ♦**Aux bonnes festes …** *Cf.* ①*la feste sera bonne *cela se dit quand quelqu'un de la compagnie casse un verre* 219

I.30 **saimon** ⓪
c'est - mon BRUFac 20v

I.30 **fille qui escoute …** ♦③femme qui escoute, et ville qui parlemente est à demy rendue *qu'une honneste femme ne doit point prester l'oreille aux discours des hommes* 193

I.30 **Ils enlevent … comme un corps mort.** ⓪

I.30 **Courez dessus …** ③*courir sus *se jetter sur une personne, attaquer* 131
courir sus à CTG

1.30 **frapez comme tous les diables!** ②en diable, tant que tous les diables *bien fort* 164

I.30 **je ressemble …** ③les commandemens de Monsieur de Bouillon, personne ne se remue *dont on ne se soucie gueres.* 111 ③*il ressemble Monsieur de Bouillon, quand il commande personne ne remue *il est mal obey,* vulg. 353
LRxB ix,29 (< CPR)

I.31 **Et eux fins** ④et luy fin *il a bien fait, il n'a pas esté sot* 226
I.97 et elle fine RMN 100

I.31 ④*un gros butor *grossier,* vulg. 67

I.31 ③*il y fait bien chaud *il y a bien du danger,* vulg. 88

I.31 ④*armé comme un jacquemard *armé de toutes pieces,* par ironie. 276
vêtu de fer c. un j. LRxB ix,44 (< 1832) → *Comm.*

I.31 ④*monté comme un saint Georges *qui a un bon cheval* 354
Perceforest: monté c.un S.G. (1314-40) HSL G34 | | (1532) Marot[1] | | LRxB i,47 (< CuF)

I.31 ⑤faire comme on fait à Paris *laisser pleuvoir* 393 ④*faire comme l'on fait à Paris *laisser pleuvoir* 212
LRxB vii,377 (< CuF)

I.31 **m'y aller faire frotter** ⑤*frotter *pour battre.* vulg. 239 ②*frottez vous y *si vous le faites vous verrez ce qu'il vous en adviendra* 239

---

1 *Épître au roi Pour avoir esté desrobé,* 29.

②*ne vous y frottez pas *ne le faites pas, n'y allez pas: ne l'entreprenez pas* 239

I.32 **Allez vous frotter ...** ④*frottez vostre nez au cul de ces gens là *ayez à faire avec eux, et vous verrez comme ils procederont envers vous.* Ironie, vulg. 239
Je ne me sçay a qui frotter (1483) HSL F181

I.32 **Que sçait-on ...** ③*vous ne sçavez qui vous pousse *le vulgaire dit cecy, lors qu'il voit quelqu'un se jouer avec une espée ou autre chose dangereuse* 449

I.33 **Tu te feras plustost bailler un coup de cuiller à la cuisine, qu'un coup d'espée à la guerre.** ⓪

I.34 ④se debattre ou disputer de la chape à l'Evesque *d'une chose qui n'est pas en estre ou en nostre pouvoir* 82
debatre de la ch. à l'Evesque CTG || LRxB i,28 (XVIe s.)

I.34 ④*faire hault le corps *s'en aller, fuir.* vulg. 268 ⑤*hault le corps jacquette de gris *va t'en, sauve toy.* vulg. 277

I.34 ④*il va du pied comme un chat maigre *il chemine fort bien.* vulg. 419 ④aller du pied *marcher* 419
aller du p. c. un ch. m. CTG

I.34 **comme s'ils avoient le feu au cul** ⓪

I.34 **♦À la presse vont les fous.** ⓪

I.34 **Fils de putain qui ira** ②*Fils de putain qui sera le dernier *nos enfans disent cecy en courant l'un devant l'autre* 225 | *Cf.* II.254

I.35 **♦Il vaut mieux estre seul, qu'en mauvaise compagnie.** ⓪

I.35 **♦Pour trop gratter il en cuit aux ongles** t②*trop gratter cuit, trop parler nuit *qu'il ne faut rien dire sans consideration* 257 =CuF (1335) HSL G53 || grater (=CuF) CTG || LRxB xiv,351 (XVIe s.)

I.35 **♦Qui garde sa femme et sa maison a assez d'affaires.** ⓪

I.35 ⑤cependant on s'estrangle *c'est une allusion à* se pendant, *pour respondre à un qui nous allegue ou repette ce mot de* cependant. vulg. 76

I.35 **Il est tard Jacquet, retirons nous tretous ensemble, chacun chez soy.** ⓪

I.35 **Bon jour, bon soir; c'est pour deux fois.** ⓪

I.35 ⑤*on crie demain des costerets *il est demain jour ouvrier.* vulg. 123 LRxB vii,378 (< CPR)

I/4

I.37 ③★c'est bien desbuté *par contrariété de sens: vous ne proposez pas bien, vous ne dites pas bien, vous ne rencontrez pas.* vulg. 153

I.37 ⑤♦la santé du corps *la chaleur des pieds* 497
LRxB v,275

I.37 **Un fol enseigne bien un sage.** ⓪
va bien un sos un sage conseillans (1360-70) | Chr. de Pisan: un fol avise un sage (1399) HSL F142

I.38 **C'est vouloir enseigner Minerve.** ⓪ → 00

I.38 **♦Parler à des ignorans, c'est semer des marguerites devant les pourceaux.** ⓪
Gerson: mettre pieres precieuses ... (1402) | bien pert les violettes qui devant cieus (?) les rue (1402) | on ne doit marguerites semer devant pourceaux (1500) HSL P134

I.38 **animal indecrotable** ⓪
SorFr 193, n. 137

I.39 **Pour du latin ...** ⑤j'en casse *je n'y entens rien. Nostre vulgaire alonge le quolibet et dit,* je n'entends rien au Latin, mais du Grec j'en casse. *C'est une allusion a grez.* vulg. 74-5 ④★casser du grez *faire peu de conte de quelqu'un.* vulg. 74; *Voyez à* casser 258

I.41 ⑤★du latin de cuisine *mauvais Latin. Le vulgaire adjouste,* il n'y a que les marmittons qui l'entendent, *d'autres disent,* les torchons 299
Latin de cuisine CTG | | LRxB xi,134 (XVIIIe s.)

I.42 **Je t'ay presché ...** ④ → 00

I.42 ⑤passer en oreilles d'asne *ne pas demeurer en la memoire* 382
oreille d'asne «dutie of a servant» CTG

I.43 ④il faut parler françois *il faut dire librement* 394

I.43 ③♦à bon entendeur peu de paroles *qu'il ne faut pas user de beaucoup de discours à un homme intelligent* 186 | | *Cf.* 00

I.43 **Clopin tu n'y sçaurois aller.** ⓪

I.44 ⑤♦★la pelle se mocque du fourgon *un vitieux ou mal fait se rit de l'autre.* vulg. 232; 406
la pale moque le furgon (1386) HSL P110 | | la paelle se m. du fourgon CTG | | LRxB xii,166 (< XVIIIe s.)

I.44 ③aller sur la hacquenée des cordeliers *marcher à pied* 264
madame des plantes, h. ordinaire des petits c. BRUFant 2 | LRxB i,8 (< CPR / CuF)

I.44 **que j'ay apporté ...** *Cf.* ①je le porte sur mes espaules *je souffre son incommodité, ou son deffaut avec peine : je peine pour son sujet* 196

I.44 ④si j'y retourne qu'on me fouette *je n'y retourneray pas tres-asseurément* 606

I.45 ③il y a bien dequoy *iron. voila un grand sujet de s'offenser : ou bien, Il y a beaucoup de sujet d'admiration* 152

I.45 ④faire en quinze jours quatorze lieues *n'avancer gueres* 465

I.45 ⑤c'est bien employé *l'on a bien fait de punir, ou battre cette personne*
II.215 *là*. Item, *elle meritoit bien d'estre traittée de la sorte* 179

I.45 ⑤*riche comme un Juif *fort riche* 481 ④il est riche comme un Juif *fort riche* 290

I.45 ③il soupe dés le matin de peur de chier au lit *il n'a gueres à manger* 514
BRUFant 86

I.45 **plus avare qu'un uzurier** ⓪

I.45 ③vouloir tirer de l'huile d'un mur *vouloir l'impossible* 275
tirer de l'huile d'un mur CTG

I.45 ④*Il semble qu'on luy arrache le cœur du ventre *d'un avare à qui on demande de l'argent* 17

I.45 ④il ne tient pas à luy *il a grande volonté* 526 ③il ne tient pas à moy
III.349 *je n'empesche pas* 526
il tient à luy que CTG

I.45 ③*il nous fait chier petites crottes *il ne nous donne gueres à manger* 139

I.45 ④il est Grec *il est bon ; il est sçavant ou habile*. Item, *il est yvre* 257
il est Grec « craftie, subtill » CTG

I.45 ⑤Un peu Arabe *d'humeur chiche, rude, cher en ses marchandises* 15
LRxB vi,282 (< CPR)

I.46 ⑤selon la jambe le bas *la despense selon le pouvoir*, vulg. 278
Greban : selon la jambe la chausse (1473) HSL J33 | | selon la jambe le coup / le pied / la saignée CTG | | selon la j. le caup MRW2244

I.46 ⑤selon le bras la saignée *la despense selon le bien, et le pouvoir* 60
il faut aller selon le bras la saignée RMN 50 | | NC17b | | LRxB v,212 (XVIe s.) | | MRW2246

I.46 **♦Qui bien gaigne et bien despend n'a que faire de bourse à mettre son argent.** ⓪

~ ne luy faut bourse ~ NC16a

I.46 ⑤♦petit mercier petit pannier *à un homme de basse condition, petite maison, petite dispense,* vulg. 340
NC20a | | A chaque m. son p. M122 | HSL M123 | | mercier CTG | | LRxB xi,140 (XIIIe s.)

I.46 ③★il n'y a point de trou qu'il n'y trouve une cheville *point de chose qu'on luy propose qu'il n'y fournisse d'excuse* 96 ②★mettre la cheville dans le trou *faire l'acte charnel,* vulg. 96
NC21b | | avoir à chaque trou une cheville CTG | | LRxB xi,149 (< CPR) | | à chaque trou une cheville CTG | | (1455) HSL C134, C135, C137

I.46 ③homme de grande ou petite vie *qui mange beaucoup ou peu* 571

I.46 ③faire vie qui dure *despenser peu, espargner* 572

I.46 ⑤manger son bled en verd ou en herbe *manger son bien ou revenu avant que de l'avoir receu* 43 ③manger son bled en herbe *despenser son revenu avant que de l'avoir receu, ou qu'il soit escheu* 269 ⑤★manger son bled en verd *son revenu avant que de l'avoir receu* 567
mengu s.blé e.h. (1485) | mengier les bleds vers (1502) HSL B109 | menjut sa vigne en verjus (1422) | manger te fault ta vigne en vert (1500) HSL V105 | | manger son bled en herbe CTG | | LRxB ii,59 (< RBL)

I.46 **ny son pain blanc …** ⑤manger son pain blanc le premier *faire bonne chose au commencement, et mauvaise à la fin, avoir du bien et puis de la peine.* vulg. 388 ③★faire comme les Enfans du Prestre, manger son pain blanc le premier *avoir du bien au commencement, et de la peine à la fin* 183
NC 18a | | j'ai mangé mon p.blanc le premier (1515) HSL P13 | | = *s.v.* manger CTG

I.46 **♦Qui va piane va sane, et qui va sane va lontane, et qui va lontane va bene.** ⓪
Cf. loing petit et petit va on bien, pieça il fut dit (1330-2) HSL P137

I.46 ③♦★petit à petit la pie fait son nid *que les choses se font en fin avec patience* 414

I.46 ⑤♦maille à maille se fait le haubergeon *les choses se font petit à petit avec patience* 314 ③★maille à maille on fait les haubergeons *les affaires se font petit à petit* 267
NC19b= | | 1360-70; m.à m. fait-on l. h. (1475) HSL M3 | | m.à m. on fait les h. CTG | | LRxB viii,4 (< RBL)

I.47 **Vous avez bien peur que terre vous faille, il ne vous en faut que six pieds.** ④il a peur que la terre luy faille *il craint sans sujet qu'il luy manque quelque chose* 530
LRxB ii,86 (< CuF) | | *Cf.* Yer voloit tout le mont conquerre. Hui n'a il que .vij. piet de terre (1325) HSL T32

I.47 **Si le ciel tomboit ...** ②★Les allouettes luy tomberont toutes rosties dans la bouche *par ironie, pour dire que quelqu'un n'aura pas tout ce qu'il se promet de bien au lieu où il s'achemine,* vulg. 10
si le nubs cheent, les aloes sont toutes prises MRW2243 | LRxB iii,97 (1774)

I.47 ⑤★une Chicheface *un avare.* vulg. 97
Chicheface (1386-9) HSL C145 | | chiche-face CTG

I.47 ⑤parler à un Suisse *à qui n'entend point de raison* 516 ⑤★il vaudroit autant parler à un Suisse *tout ce que vous dites ne sert de rien* 517
LRxB vi,298 (< CPR)

I.47 ③★autant vaudroit se donner de la teste contre un mur *tout ce que l'on fait ne sert de rien* 531 ③★se donner de le teste contre un mur *estre en une extréme colere ou desespoir* 531
Rompre l. t. c. le mur HSL T48 | | donner de la teste CTG

I.48 **♦On a beau prescher à qui n'a cure de bien faire.** ⓪

I.48 **Ferme comme un mur** ⓪
(1365-1388; 1490) HSL M245

I.48 ⑤cervelle bien timbrée *homme de jugement* 535 ③cerveau mal timbré *un fol* 535
cerveau mal timbré CTG
Il faudroit une cervelle mieux timbrée que la mienne BRUFac 1-11

I.48 ⑤★Comme dit l'autre *c'est une façon de parler du vulgaire, pour addi-*
III.471 *tion ou autorité à ce qu'il dit* 24

I.48 **Ce qui est fait est fait.** ⓪
Quod factum est, infectum fieri non potest ER II.iii.72 | | ce qui est fait n'est pas a fere MRW335 | | (1360) HSL F7

I.49 **Ne devriez-vous pas vous resjouir quand la barbe vous vient.** ⓪

I.49 **pour la bonne année** ④★Par la bonne année *en quantité.* vulg. 14

I.50 **Il sera vert, nostre vin ; nous n'en pourrons boire.** ⓪

I.50 ④la vigne de courtille, belle monstre et peu de rapport *bien de l'apparence et peu de bonté* 572 ⑤belle monstre et peu de rapport *beaucoup d'apparence et peu de proffit* 353
LRxB vii,341 (< CPR)

I.50 ⑤de bon matin et ★dés le fin matin *de tres-bonne heure.* vulg. 336
des le fin matin CTG

I.51 ④★se lever matin pour baiser le cul à Martin de peur qu'il n'y ait presse *c'est une raillerie que l'on dit à ceux qui parlent de se lever de bonne heure* 336

I.51 ④il y a presse *tout le monde recherche ou desire: tout le monde court à cela* 454
SorFr 269

I.51 ④estonné comme un fondeur de cloches *fort estonné* 202; *Voyez à* estonné 229
plus penaud qu'un f. d. c. SorFr 349 | | plus penault qu'un fondeur de c. RMN 125 | | estonné CTG | | LRxB i,7 (< RBL)

I.51 ④★on entendroit une souris trotter *le lieu est fort coy, il n'y a point du tout de bruit.* vulg. 515

I.52 **Quelqu'un de nos gens les mieux habillés.** ⓪

I.52 ⑤somne d'airain *la mort* 509

I.52 ⑤au royaume des taulpes *sous terre, enterré,* il est au Royaume des taulpes.*i. il est mort* 489 ⑤royaume des taulpes *Voyez à* Royaume 522
le royaulme d. t. CTG | | BRUFant 109

I.53 ④★combien sont-ils qui n'ont point mangé de soupe à midy *combien y-a t'il de personnes* 514

I.53 ⑤si vous estes seul attendez compagnie *cecy se dit à travers de la porte à un qui veut entrer dans un lieu avec importunité* 506

I.54 ④chausser ses lunettes *mettre ses lunettes sur son nez* 90 ④★chaussez bien vos lunettes *regardez attentivement et avec soing* 90
il y chaussa bien mal ses lunettes CTG | | LRxB xii,162 (< CuF)

I.56 **Vous vous levés bien matin de peur des crottes.** ⓪

I.57 **♦Qui a bon voisin a bon matin.** ⓪
Rom. de Fierabras (XIIIe s.) LRxA 906 | | (1314-40) v138 | *cf.* qui a mauvais v. est taillié ... d'avoir mauvais matin (1485-90) HSL v139

I.58 ③♦qui a le bruit de se lever matin, peut dormir tout son saoul *qui a bonne reputation, peut faire du mal* 65 ⑤til a beau se lever tard, qui a le bruit de se lever matin *Voyez à* Bruit 302

Qui a grâce de bien matin lever peut bien grant matinée dormir (XIIIe s.) HSL L37 | NC16, 20b | qui a bruit de se lever matin peut dormir jusques à disner CTG || LRxB xiv,306 (XVIe s.)

I.59 ♦**Se lever matin n'est pas heur, mais desjeuner est le plus seur.** ⓪

I/5

I.60 ④à quoy cela est-il bon *pourquoy faites-vous cela* 47

I.60 ①un moine bourry *une humeur mélancolique, un homme retiré, et de mauvaise conversation* 350
m. bourru LRxB i,37 | iii,113 (< CPR)

I.60 ④il va de nuict comme les loups garous *il ne paroist point de jour* 310
LRxB iii,113 (< CPR)

I.60 **On ne sçait comme vous avez la jambe faite.** ⓪

I.60 ④*il ne dort non plus qu'un jaloux *ou* qu'un lutin *il ne dort point* 170 ⑤un lutin *une personne qui va de nuit* 313
lutin CTG

I.61 ⑤*vostre chien mort-il encore *estes vous encore mauvais, ou en colere* 98

I.61 ⑤*vous estes bien rude à pauvres gens *vous nous repoussez ou chassez bien rudement.* vulg. 489

I.61 **Qui vous fait mal ...** ②il m'en fait bien mal *j'en suis fort fasché.* vulg. 321

I.61 ②une mine d'excommunié *une mine rude et fascheuse* 206
Tien moy pire qu'excommunié RMN 45

I.61 ④*il s'est levé le cul le premier, *ou bien*, il a veu son cul en se levant *cela se dit, lors qu'on void une personne ne mauvaise humeur* 143

I.61 ④*engroigné *qui gronde, qui est de mauvaise humeur.* vulg. 185
engroigné CTG

I.62 **j'avons la teste ...** ②la maladie des enfans de Paris, la teste plus grosse que le poing *point de mal.* Item, *badauderie* 323

I.63 **Je vois à vos yeux ...** ③*on connoist à ses yeux que sa teste n'est pas cuitte *qu'il a quelque fascherie, etc.* 532

I.63 **quelque diablerie** *Cf.* ①une diablerie *meschantes actions* 165

I.63 ⑤il vous fait beau voir *par contrariété de sens: vous avez mauvaise grace en ce que vous faites.* vulg. 36

I.63 **un pied chaussé et l'autre nud ⓪**
Deschamps: j'ay un pié deschaux, l'autre chaucié (1390) HSL P161

I.63 ⑤★un marouffle *un gros badin, un gros sot* 333

I.64 ④dormir la / sa grasse matinée *dormir tard, dormir jusques à prés de Midy* 170 / *tard, toute la matinée* 256
dormir la grasse m. CTG | | LRxB xiv,306 (XVIe s.) | | dormir CTG

I.64 ④★faire ses choux gras *tirer de l'utilité, tirer un grand prouffit d'une chose.* vulg. 103
Coquillart: en faire ses choux gras (1478) HSL C204 | | il en fait ses choux g. CTG

I.64 **Nostre fille ne grouille ny ne pipe. ⓪**

I.64 ⑤★les chats sont chaussez *il est grand jour, il est tard.* vulg. 86

I.64 ③♦qui respond paye *qu'il ne faut respondre ou promettre pour personne. Et par metaph. on se sert de cette phrase, lors qu'on est pressé de respondre à une demande, et que l'on n'en a pas la volonté* 478
Qui respond, il paye (1500) HSL R28 | | respondez si vous avez envie de payer BRUFant 228 | | LRxB xi,144 (1835)

I.65 ⑤sault de crapaut *par terre* 499

I.66 **Je m'en vais luy donner son bouillon. ⓪**

I/6

I.67 ④★il ne le vouloit pas nourrir *il avoit volonté de le tuer, il l'a tant battu qu'il en est presque mort.* vulg. 373

I.67 **Je ne sçay s'il en mourra, mais ils l'ont lardé plus menu que lievre en paste. ⓪**

I.67 ⑤★dru et menu *frequemment, & en quantité.* vulg. 173 ④dru comme mousches *en grande quantité* 173
Perceforest: dru c. m. (1314-40) HSL M217

I.68 ⑤tout est perdu *les choses sont en tres-mauvais estat* 409

I.68 ⑤il n'y a plus que le nid *la personne est eschappée: il n'y a plus rien à prendre* 371

I.68 ④★l'oiseau s'en est envolé *cet homme s'est sauvé, il est eschappé, il a fuy* 378
Ch.d'Orleans: les oiseaulx s'en sont vollez (1458) HSL O49

I.68 ④reduit au Bissac *en extreme necessité* 43

I.68 ④★venu à Nid de chien *ruiné* 371

I.68 **volez ruinez de fond en comble** ⓪

I.68 ⑤matras *v. materas* 337 ④Il va comme un materas desampenné *fort viste* 336
materas desempanné «light brain'd fellow» CTG

I.68 **sans regarder plus loing que son nez** ③il ne regarde pas plus loing que le bout de son nez *il ne considere rien, il n'a point de prevoyance* 307 | | *Cf.* II.177
il ne regarde plus loing que le b. de son n. CTG | ne ragarder plus l. que le b. de son nez CTG

I.68 ⑤★sans songer ny à cecy ny à cela *sans aucune consideration.* vulg. 509 | | *Cf.* II.195

I.69 ④les battus payent l'amende *celuy qui a tort veut avoir raison ; celuy qui doit veut qu'on luy donne* 35
le batu paye l'amende CTG

I.69 ⑤★ceux qui nous doivent nous demandent *ceux qui ont tort veulent avoir raison* 162
NC21b | | ceux qui nous doibvent nous demandent CTG

I.69 ③il est heureux comme un chien qui se noye *mal-heureux* 100; 608

I.69 **avoir estably ma seureté sur un sable mouvant** ⓪
Mt 7 : 26 | → *Comm.*

I.69 ⑤reduit au baston blanc *en necessité* 33

I.69 ③★aller au saffran *faire banqueroutte* 493 ③estre au saffran *ruiné* 493
aller au saffran CTG | | LRxB ii,85

I.69 ⑤le grand chemin de l'hospital *le moyen de s'appauvrir ou de se ruiner* 91 ③ aller à l'hospital *se ruiner* 274
chemin de l'h. SorBE vi.841

I.69 **Ils n'auront laissé que ce qu'ils n'auront peu emporter.** ⓪

I.69 ④★demeurer entre deux selles le cul à terre *sans aucune commodité, sans pouvoir reüssir, sans aucun secours, bien que l'on eust divers moyens de sortir d'affaire* 502
NC17a | | entre deux selles à terre (1380) | Deschamps : des deux celles le cul à terre (1390) | Chastellain : e. d. selles cul à terre (1466) HSL s60 | | il est demeuré entre deux selles à terre CTG | assis entre deux selles le c. à terre CTG | | MRW692

I.69 **plus sot que Dorie** ②★plus sot qu'un jeune chien *extremément sot* 511

I.69 **plus chanseux qu'un aveugle qui se rompt le col** ⓪

I.69 ④*il a perdu la plus belle rose de son chapeau *la personne qui luy estoit la plus necessaire* 487
LRxB xii,160 (1835)

I.69 ④*tourner le dos *abandonner* 170

I.69 **Moy qui avois feu et lieu** ③ il n'a ny feu ny lieu *il ne possede rien, il n'a point de biens* 304

I.69 ④*avoir pignon sur rue *une maison qui nous appartient en propre* 424
il a pignon sur rue CTG

I.69 ⑤belle comme le jour *fort belle* 288
Perceforest: plus belle que le beau j. *Ibid*. si belle comme ung beau j. (1314-1340) HSL J33

I.69 ⑤*il ne se mouche pas du pied *il n'est pas ignorant, il est habile homme*. vulg. 361
= moucher; pied CTG

I.69 ⑤baston de vieillesse *support: enfant qui sert de support à ses parens*
III.486 33

I.69 ⑤*tailler des croupieres *donner des coups d'espée par derriere* 140
⑤tailler des croupieres *ou* jartieres *Voyez à* croupiere. 519
Cf. sangler les croupières FUR

I.69 **il en eust mangé six cens avec un grain de sel**. ③*il te man-
II.204 geroit avec un grain de sel, *ou bien*, il en mangeroit deux comme toy *il est beaucoup plus fort que toy*. vulg. 326
NC19a || manger à un grain de sel CTG || ~LRxB xiii,202 (< CuF)

I.70 ⑤*sans compter les femmes et les petits enfans *c'est pour se mocquer de quelqu'un qui fait des hyperboles, ou rapporte un nombre de choses ou de personnes qui n'est pas croyable* 114

I.71 ③*avoir les dents bien longues *avoir faim*. vulg. 151 ④*avoir les dents bien longues, *ou bien* aussi longues qu'un gril *avoir grand faim* 308
chascun a lonc dent (1380-1387) HSL D33 | a.l.d. longues; ~ plus longues que ratteaux HSL D33 || dents longues. qui a les dents bien longues CTG | avoir les dents bien longues CTG || LRxB v,214

I.71 ⑤*il n'est pas si diable qu'il est noir *si mauvais que l'on croit, ou qu'il paroist*. vulg. 164

il n'est si diable qu'il est noir (1485-90) HSL D61 || diable CTG || LRxB i,12 (XVIe s.)

I.71 ⑤*jouer de l'espée à deux pieds ou à deux jambes *s'enfuir.* vulg. 197
se deffendirent d'une espée à deux piedz (1492) HSL E59 || jouer de l'e. à deux jambes CTG

I.71 ③*il a rapporté ses deux oreilles *il est revenu sain et sauf.* vulg. 382

I.71 **S'il eust veu sortir une goutte de sang, il eust esté plus pasle qu'un foireux.** ⓪

I.71 ④faire le Rodomont *faire le mauvais, menacer* 484
LRxB ix,62 (< CPR)

I.71 ③*c'est un homme et puis c'est tout *ce n'est pas un fort habile homme. On y adjouste vulgairement,* quand il a beu il n'a plus soif. 273

I.71 ④une pagnotte *un poltron.* vulg. 386
pagnote CTG

I.71 ④il a pensé faire *il a presque fait* 407

I.71 ⑤pisser de peur *avoir grand peur* 427

I.72 ③C'est un grand abbatteur de bois ou de quilles *cela se dit d'un qui se vante beaucoup et ne fait guere d'execution.* vulg. 1
grand abbateur de bois CTG

I.72 ④*la caillette le tient *il est sot.* vulg. 69
BRUFant 2

I.72 ④*faire le bon valet *apres avoir manqué en quelque chose, estre assidu au service, se rendre officieux outre l'ordinaire* 560
gardons d'y tomber nous mesmes en faisant les bons valets RMN 109

I.72 ⑤*à qui vendez vous vos coquilles *à qui vous adressez vous, à qui est aussi fin que vous pouvez estre: le reste est* à ceux qui reviennent de S.Jacques *ou* S.Michel. vulg. 119
1455 HSL C299 || à qui vendez vous vos coquilles? à ceux qui viennent de S.M. CTG || BRUFant 69 || LRxB vii,353 (< Cyrano)

I.73 **♦Faites du bien à un vilain, il vous crachera au poing.** ⓪

I.73 ④♦oignez vilain il vous poindra, poignez vilain il vous oindra *qu'il ne faut point flatter les païsans, mais plustost les traitter rudement* 571

(1380; 1485-90) HSL v109 || oignez vilain, il vous poindra CTG || LRxB x,105-6 (XIIIe s.)

I.73 ③♦★on luy pense graisser ses bottes, et on les luy brusle *on croit luy faire plaisir,et on le desoblige.* vulg. 50; *Voyez à* Bottes 255 ②★graisser les bottes *flatter.* vulg. 255
LRxB x,105 (1835)

I.74 ⑤tout plein *quantité* 431; *beaucoup* 545
tout plein d'autres choses CTG

I.74 ⑤★comme les Suisses portent la hallebarde *tout le contraire de ce que l'on croit, point du tout.* vulg. 265
LRxB vi,298 (CPR)

I.74 ⑤★par dessus l'espaule *tout le contraire de ce que l'on dit ou croit.* vulg. 196
par dessus l'espaule CTG

I.74 **♦Au besoin on cognoist les amis.** ⓪

I.74 ⑤la devise de Monsieur de Guise, chacun a son tour *chacun a son temps* 162 ⑤chacun a son tour *a son temps, l'un apres l'autre* 543
chascun a son tour CTG || LRxA ix, 482 || → *Comm.*

I.75 ③★qui fait la faute la boit *en porte la peine* 45
qui fait la folie si la boive MRW1939 || qui a fait la faulte, si la boive CTG

I.75 ④★mettre de l'eau dans son vin *se moderer, se reconnoistre: passer sa colere* 175
mettre de l'eau dedans leur vin CTG || qui fet folie, si la boive (1300-16) HSL F108

I.75 ①★ils ont fait un estrange sabat *un grand bruit.* vulg. 491

I.75 ⑤★il y a du micmac *de la malice, de la confusion.* vulg. 346

I.75 ⑤★de la poudre à grimper *quelque viande qui excite à luxure* 446

I.75 ④il a du cotton dans les oreilles *il fait le sourd, il ne veut pas ouir* 124

I.75 **♦Patience passe science.** ⓪
Moralité nouvelle (XVIe s.) LRxA 900

I.75 ⑤★chier des yeux *pleurer* 101

I.76 ⑤♦marchand qui perd ne peut rire *qui perd ou reçoit du dommage ne peut estre de bonne humeur* 328
marchand | rire CTG

I.76 **♦Qui perd son bien perd son sang, qui perd son bien et son sang perd doublement.** ⓪

I.77 **♦Les pleurs servent de recours aux femmes et aux petits enfans.** ⓪

I.77 ④⋆s'amuser à la moustarde *s'arrester à une chose de peu de consequence ; passer son temps inutilement* 363
amuser qn à la moustarde CTG

I.77 ③⋆un conteur de fagots *un grand discoureur.* vulg. 208

I.77 ④gaigner la guerite *fuir* 242 ; 261
prendre la garite CTG

I.77 ③⋆il en veut sçavoir le court et le long *toutes les dependances d'un affaire.* vulg. 132

I.77 ④faire perdre le goust du pain *tuer.* vulg. 253

I.77 ④⋆envoyer en paradis en poste *tuer* 443

I.78 **S'il est mort, Dieu luy donne bonne vie et longue.** ⓪
à qui Dieu doint b v. et l. BRUFant 208

I.79 ①⋆visage qui n'a point de nez *le derrière* 576

I.79 ④⋆bailler la fée *se mocquer, en donner à garder.* vulg. 216
III.481

I.80 ①envoyer au païs bas *boire, avaller* 389

I.80 ④un esgueulé *qui dit de salles paroles* 194

I.81 **Que vous en chaut qu'ils soient verds ou gris.** ⓪

I.81 ⑤♦⋆il vaut autant estre mordu d'un chien que d'une chienne *il vaut autant souffrir un dommage que l'autre.* vulg. 99

I.82 ⑤prendre Saint Pierre pour saint Paul *une personne pour l'autre, se mesprendre* 494
LRxB i,52 (< CuF)

I.82 ③⋆se mordre les doigts *ou* les poulces *estre fort en colere.* Item, *se repentir d'une chose* 356
mordre les doigts / mordre les poulces CTG

I.82 ④jouer un tour, jouer un mauvais tour, jouer d'un tour *faire une*
II.175 *mauvaise action à quelqu'un* 285

I.83 ④⋆il ressemble chienlit, il s'en doute *il croit que l'affaire est de la sorte.* vulg. 101

I.83 ⑤un amoureux transy *un amoureux froid ou sot* 549
III.422

I.83 ⑤une eschauffourée *une mauvaise action, une action pleine de tromperie* 191

I.83 ⑤un verd gallant *un drolle* 568

I.84 **Qui nous a fait cette escorne.** ⓪

I.84 ③★avoir mangé le lard *estre coupable* 297
cilz ci n'a pas mangié le lart (1390) | Vous me direz qui a mangié le l. (1395) HSL L17 || il a mangé le lard CTG || LRxB xiii,200 (< CPR)

I.85 ③★il m'en souvient aussi peu que de ma premiere chemise *il ne m'en souvient point.* vulg. 92 ④★il n'y songe non plus qu'à sa premiere chemise *il n'y pense plus.* 509
il m'en souvient autant que de ma premiere chemise CTG || LRxB xii,163 (< CuF)

I.85 ⑤il est bien loing s'il court tousjours *il y a long-temps qu'il est party.* Item, *il y a long-temps que cela est perdu, ou bien despensé* 307

I.86 ②fourrer ou mettre son nez par tout *se mesler de toutes sortes d'affaires, s'enquerir trop curieusement* 370

I.86 ⑤★meslez-vous de vostre quenouille *de se qui vous touche* 462

I.86 ⑤★allez voir là dedans si j'y suis *retirez vous d'icy.* vulg. 578

I.87 ⑤★je suis Marion, je garde la maison *je ne sors point du logis.* vulg. 332 ④garder la maison *demeurer dedans sans sortir* 245

I.87 ④il a chaussé sa teste *il est obstiné il est entré en volonté de faire avec opiniastreté une chose* 90 ④chausser sa teste *prendre une volonté obstinée, s'attacher à une chose obstinément* 531

I.87 **vous nous portez ...** ②porter de l'amour, de l'envie, de la jalousie, du respect, etc. *avoir* 443

I.87 **Baillez-moy de l'argent pour acheter de la fillasse.** ⓪

I.88 ⑤tu n'as que faire d'aller aux hales pour avoir des responses *Voyez à* raiponces 478 ③★nous ne manquons pas de raiponces *c'est une allusion à* responses, *pour dire que nos valets nous respondent insolemment et mal à propos; on y adjouste,* il ne faut point aller aux Hales 467

I.88 ②ne m'eschauffez pas les oreilles *ne me faschez pas, ne me mettez pas en colere* 191 || *Cf.* II.146

I.88 ⑤★dourder *battre.* vulg. 172

I.88 **Allons, appellez vos chiens.** ⓪

I.88 **qu'on emporte le nid** ②il n'y a plus que le nid *la personne est eschappée: il n'y a plus rien à prendre* 371

I.89 ④*il en engraisse *cela se dit, lors que l'on parle de donner des coups à quelqu'un, pour faire entendre qu'il ne s'en soucie gueres, qu'il y est accoustumé.* vulg. 185

I.90 ♦ **Il est bien temps de fermer ...** ③*fermer l'estable quand les vaches sont prises *remedier apres que le dommage est arrivé.* vulg. 199
MRW87 || qui ferme l'est. quand on luy a emblé son chev. (1314-40) HSL C127

I.90 ⑤*jetter le manche apres la coignée *perdre avec desespoir ce qui nous reste* 323
ruer le m. a. la c. (1314-40) | gecter le m.a.la cuignie (1386-9) HSL M76 || NC19a || jecter le m. apres la c. CTG

I.90 ⑤♦qui croit sa femme et son curé est en danger d'estre damné *il ne faut pas s'arrestes au conseil d'une femme.* vulg. 138

I.90 ♦**Quelquefois les fols et les enfans prophetizent.** ⓪

I.91 ⑤♦*chat eschaudé craint l'eau froide *qui a souffert un dommage craint d'y retomber.* vulg. 87; *Voyez à* Chat 191
eschaudé eave chaude craint (1315) HSL E9 || eschaudé, chat CTG || LRxB iv,155 (XIIIe s.) || MRW710

I.91 ♦**Ce n'est pas tout de prescher, il faut faire la queste.** ⓪

I.91 **Vous ne vous remuez non plus qu'une espousée qu'on attourne, ny qu'une poulle qui couve.** ⓪

I.92 ♦***Patientia vincit omnia.*** ⓪

I.92 ④♦Paris n'a pas esté fait en un jour *que les choses se doivent faire avec patience* 393
LRxB vii,380 (< CPR) || *Cf.* MRW2223: Romme ~

I.93 ④*il est de Lagny, il n'a pas haste *il est fort lent* 293
LRxB ix,46 (< CPR)

I.93 ⑤♦*battre le fer tandis qu'il est chaud *poursuivre un affaire pendant qu'il est temps* 217
~ cependant qu'il ~ NC16a | ~ quand il ~ NC20a || L'en doit batre le fer tant comme il est chault HSL F51 || LRxB ii,68 (XV, XVIe s.) || MRW 645

I.93 **suivre à la piste** ⓪

I.93 ③*prendre entre la haye et le bled *surprendre une personne à l'improviste* 269
s.v. bled CTG || LRxB ii,59 (XVIe s.)

I.94 ④sonner la retraitte *se retirer* 479; 510

I.94 ④tirer de longue *advancer son chemin* 308 ; *continuer; aller tousjours son chemin* 536

I.94 **apres avoir fait cette cavalcade** ⓪

I.94 ④se mettre à couvert *faire sa fortune* 134 ③il est à couvert *en pri-*
II.286 *son. Le reste est,* il ne pleuvera pas sur luy 134

I.94 ⑤un croc en jambe *une supercherie* 138
donner le croc em jambe à CTG

I.94 ⑤faire un procés verbal *par metaph. parler beaucoup* 567

I.94 ⑤aux despens de qui il appartiendra *au hazard ; celuy qui sera obligé de payer le payera* 159
BRUFant 2

I.94 ④*monstrer le bec jaune *ou* bejaune *convaincre une personne, luy faire paroistre son impertinence,* vulg. 37 | | *Cf.* II.173
Etre / Avoir le / Montrer le becjaune (1304) HSL B41 | | bejaune; bec jaune CTG | | LRxB ii,80 ; iv,146

I.94 **selon les us et coustumes en tel cas requis et accoustumez** ⓪

I.94 **ne rien faire à l'estourdy** ⓪

I.94 **qui nous puisse cuire** ②*il vous en cuira *vous en recevrez du dommage, vous vous en repentirez* 141
cela me cuict CTG

I.94 ④j'y brusleray tous mes livres *je feray tous mes efforts pour en venir à bout.* vulg. 65

I.94 ③j'y perds mon latin *je n'y trouve point de remede, je n'en puis venir à bout* 299
SorBE v.732

I.94 **Perdray tout mon credit** ⓪

I.94 **j'en auray la raison.** ⓪

I.95 **Je prie Dieu qu'il vous console, et vous donne à soupper une bonne saule.** ⓪

I.95 ⑤*tirer le diable par la queue *travailler fort pour gaigner sa vie* 164 ; *gaigner sa vie avec bien de la peine* 536
LRxB i,164 (< CuF)

I/7

I.96 ③*en donner d'une *en faire à croire.* vulg. 169 ③il m'en a baillé d'une, il en sçait de deux *il m'a fait un tour, il m'en a donné à garder* 577 | | *Cf.* I.104.

I.97 **Et moy fin** ④ → I.31

I.97 **ny tost ny tard** ⓪

I.97 **Je suis de ceux qui bien ayment et tard oublient.** ⓪
LRxA 902 (XIIIe s.) | | Machaut: qui bien aimme, a tart oublie (1341) HSL A63

I.97 **Je vous le jure par tous les Dieux ensemble, apres cela il n'y a plus rien.** ⓪

I.97 **seray plus fidelle que le bon chien n'est à son maistre.** ⓪

I.97 ③je l'aime comme mes petits boyaux *je l'aime extremement* 59
LRxB v,212 (< CPR)

I.97 ④conserver comme la prunelle de ses yeux *conseruer avec grand soin, tenir cher* 459
Joinville: nous gardons le nostre signour aussi c. la p. de nostre œil (1305-9) HSL P291 | *Perceforest*: qu'il le gardast comme son œil (1314-40) HSL O10

I.97 **Soyez-en aussi assurez comme il n'y a qu'un soleil au Ciel.** ⓪

I.97 **Si je me parjure jamais, je veux estre reduit en poudre tout presentement.** ⓪

I.98 **Il le faut croire ...** ④je n'en voudrois pas jurer *cela pourroit bien estre* 291

I.98 ④aussi vray qu'il neige boudin, qu'il pleut andouilles *[pour dire que l'on ne croit pas une chose]*. vulg. 581
Extis pluit ER III.iii.71 | | → *Comm.*

I.99 **Je vous crois comme un oracle.** ⓪

I.99 **plus traistre que Judas** ⓪

I.99 **je ne vous eusse pas tant donné de pied sur moy** ②avoir *ou* prendre pied sur quelqu'un *quelque pouvoir ou authorité.* Item, *s'advancer* 420

I.99 ⑤★une levée de bouclier *une entreprise sans effet ou consideration* 301
levée de bouclier CTG

I.99 ③★demeurer camus *demeurer estonné.* vulg. 71
rendre c. SorFr 161 | | il fut rendu bien camus CTG

I.100 ③★les cornes me sont venues à la teste *je suis demeuré fort estonné.* vulg. 122
Perceforest: eurent si grant merveille comme se cornes leur venissent (1314-40) HSL C311

I.101 **Vous estes plus sot que vous n'estes grand.** ⓪

I.101 **plus fol …** ③★plus sot qu'un jeune chien *extremément sot* 511

I.101 **si vous faites le compagnon** ②un compagnon *un drole, un rusé* 112

I.101 ④★donner de la hastille *par allusion. i. haster ou despescher une besogne et la faire mal.* 267

I.102 **Il faut qu'un serviteur ne se joue à son maistre non plus qu'au feu** ③il se joue à son maistre *il attaque un plus puissant ou plus fort que soy* 286
se jouer à = se mocquer CTG | | LRxB x,87 (XVIe s.)

I.102 ④★il ne sçait pas son pain manger *il est ignorant.* vulg. 388 ③★il sçait mieux que son pain manger *il a quelque experience* 388; *il a de l'experience* 500
il sçait plus que son pain manger CTG

I.102 ⑤★aller rondement en besogne *proceder avec franchise.* vulg. 486 ③★faire comme les tourneurs, aller tout rondement en besogne *estre franc.* vulg. 545

I.102 **♦Pour bien servir et loyal estre, de serviteur on devient Maistre.** ⓪
Cf. Froissart: Par bien servir son signeur acquiert on pourfit et honneur (1371-2) HSL s88

I.103 ④★il est fin comme une dague de plomb *grossier, lourdaut, niais.* vulg. 146; *lourdaut, grossier* 226
dagues de plomb en fourreaux d'argent BRUFac 1-11 | | → *Comm.*

I.103 ③★il se carre comme un pouil sur un tignon *il est superbe, il se desmarche, glorieusement.* vulg. 446
LRxB iv,198 (< CPR)

I.103 **Tu t'amuse à siffler, tu ne seras pas Prevost des Marchands.** ⓪

I.104 ⑤★vous n'aurez pas ma toile, vous avez trop de caquet *vous parlez trop* 537

I.104 **tu en as bien donné à nostre docteur** *Cf.* I.96 ①en Donner d'une

I.104 ④★donner d'une vessie par le nez *se mocquer, en faire à croire.* vulg. 569

I.105 **jouer au jeu de j'en tenons** ②★nous sommes logez chez Jean Tenons *c'est une allusion à* j'en, *que le vulgaire met pour* nous en tenons *.i. nous sommes pris ou attrapez.* vulg. 528

I.105 ④*il ne luy promet pas poires molles *il le menace grandement.* vulg. 436
son Canibale de frere ... ne vous promet pas poires moles RMN 43 | | il ne le menace point de poires molles CTG

I.105 ④*faire croire que vessies sont lanternes *donner des choses à entendre qui n'ont aucune apparence de verité* 569
NC18 | | de vessie vous font lanterne (1315) HSL v80 | | croire que vessies sont lanternes CTG | | LRxB iv,207 (XVIe s.); LRxB iii,113 (< RBL)

I.105 ⑤Mordiable *sorte de jurement* 357

I.105 **il n'y a plus de Philippin pour un double** ③*il n'y a point de Monsieur pour un double *il n'est pas besoin de l'appeller Monsieur.* vulg. 171

I.105 ④*je suis du guet *je suis attrapé ou trompé. Le reste est,* je feray demain de la porte. vulg. 262
estre du guet CTG

I.105 **mort non pas de ma vie!** ⓪

I.105 ④jouer bien son jeu *faire bien son devoir, faire bien ce que l'on a l'ordre de faire; dissimuler bien* 285 | | → *Comm.*: **la vessie pleine de sang ...**

I.105 ④*prendre Gaultier pour Garguille *un homme pour un autre* 248
LRxB ix,37 (< CPR)

I.105 **J'en aurois belle Verdasse.** ⓪

I.106 ③*Dites Febe c'est pour vous *cela se dit lors qu'on a donné un bon coup à quelqu'un; par similitude du soir des Rois que l'on dit* febe *en partageant le gasteau.* vulg. 216
LRxB ii,72 (< CuF)

I.107 **♦Qui bien fait bien trouve, et qui bien fera bien trouvera.** ⓪
MRW1843 | | Deschamps: qui fait bien, le trouve il (1385) | *Viel Testament*: qui bien fera le trouvera (1450) | | Charles d'Orléans: Qui bien fera, bien trouvera (1454) HSL B92

I.108 **Ou l'Escriture mentira.** ⓪

I.109 **♦Un bien-fait n'est jamais perdu.** ⓪
bien fait ne fut oncques perdu (1314-40) HSL B95

I.109 ⑤♦tout vient à poinct qui peut attendre *qui a de la patience vient à bout de toute chose* 435
~, qui scet attendre (1515) HSL v103

I.109 ⑤*il se mangeroit plustost les bras jusques au coude *il n'a garde de manquer, il prendra bien de la peine à ce qu'il fait pour en venir à bout* 325

I.109 **Quand on luy fait un plaisir grand comme la main.** ⓪

I.109 **... qu'il n'en rendist long comme le bras.** ⓪

I.110 ③comme si tous les notaires y avoient passé *la chose est tres-asseurée, et resolue* 373

I.110 ⑤Eau beniste de Cour *de belles paroles* 174
(1464) HSL E7 | | eau CTG | | BRUFant 141

I.111 ④*autant de frais que de salé Monsieur de beurre *c'est une façon de parler vulgaire pour desapprouver ou rebutter ce que dit un autre* 234
Autant de frais que de sallé RMN 21

I.111 ④ce que je vous promets n'est pas perdu *vous verrez à la fin si je vous le donneray, tant y a qu'il demeure entre mes mains* 458

I.112 ④*il se mettroit en quatre pour luy *il feroit tout son possible.* vulg. 462
LRxB xi,142 (< CPR)

I.112 **ferois de la fausse monnoye pour vous** ④il feroit de la fausse-monnoye pour luy *tout ce qu'il est possible* 215 ④faire de la fausse monnoye pour une personne *Voyez à* Fausse 352
une vieille fruitiere ... qui feroit de la f. m. pour moy RMN 14 | | SorFr95 | | LRxB xi,142 (< CPR)

I.112 ③vouloir prendre la Lune avec les dents *vouloir faire une chose impossible* 313
on prendroit plustost la Lune aux dents RMN 20 | | LRxB iii,108 (XVIe s.)

I.112 **Je ferois de necessité vertu pour vostre service.** ⓪
Perceforest: Je feray de n. v. (1314-40) HSL v79

I.112 **Je vous ayme mieux tous deux qu'une bergère ne fait un nid de tourterelle ...** ④*à cause de luy pour l'amour d'elle *que l'on prend un pretexte contraire au dessein.* vulg. 75 | | → *Comm.*

I.112 ⑤*un homme qui n'est pas de bois *un homme de valeur, d'effet, habile,* vulg. 46

I.112 **♦Rendre à Cesar ce qui est à Cesar** ⓪
Mt 22:21 | | (1376-9) HSL C27

I.112 ④faire conte, cas, estime, estat *estimer* 209

I.112 **d'une pomme pourie...** *Cf.* ①une pièce pourrie *une personne qui ne vaut rien ; une garce pleine de verole* 449

I.112 **un chien dans un jeu de quille** ⓪

I.113 ④*saugrenu *mal fait, sans raison, de mauvaise grace.* vulg. 498

I.113 **tu les enfilles comme crottes de chevres** *Cf.* ①il enfile beaucoup *il sa vante, ou parle beaucoup, le reste est* mais ce ne sont pas des perles. vulg. 183

I.113 ③*un petit bout de chandelle pour trouver ce qu'il veut dire *le vulgaire se sert de ce quolibet pour donner à entendre qu'une personne ne sçauroit treuver ce qu'elle a dessein de dire* 57

I.113 ④il n'a ny envers ny endroit *point de raison* 188

I.113 ⑤♦il vaut mieux se taire que de mal parler 519
Machaut: se vaut assez miex taire que dire folie et faire (1352) HSL T2 | | mieux v. se taire que mal parler CTG

I.113 **Tu es bien heureux d'estre fait, on n'en fait plus de si sot.** ⑤*il est bien heureux d'estre fait, on n'en fait plus de si sots *il est grandement badin, c'est un tres-grand sot* 511 ④*vous estes bienheureux d'estre fait, l*e reste dit*, on ne fait plus de si sots que vous *vous estes un malhabile* 212

I.114 **huistre en escaille** ⑤*une huistre *un sot* 275
les h. à l'escaille BRUFant 213

I.114 ⑤à bric et à brac *en quelque façon que ce soit.* vulg. 62

I.114 ♦⑤*à mocqueur la mocque *que celuy qui fait profession de se mocquer est sujet à souffrir la mocquerie* 350
Cf. Machaut: moquer les moqueurs (1342) | | Deschamps: a grant moqueur grande moqueresse (1390) HSL M179 M180; *aussi* M181

I.114 ⑤♦à bossu la bosse *mal-heur au meschant* 50
LRxB v,211 (< CuF)

I.114 **à tortu la torse** *Cf.* ①un tortu bossu *un homme contrefait.* vulg, 540

I.114 ⑤*un frelampier *un homme de rien Le mot est corrompu de* frere lampier, *Moine qui avoit anciennement la charge d'allumer les lampes.* vulg. 235

I.114 ⑤*rendre compte *rendre gorge, vomir.* vulg. 113; *vomir* 475

I.114 ④*Il a fait son cours à Asniere *il est ignorant. C'est une allusion du nom propre de lieu au mot d'*Asne. vulg. 20
LRxB vii,308 (< CPR)

I.114 ③laisser manger son pain *souffrir d'estre mal traitté, estre lasche* 388

I.114 ②faire des pieds de mousches *escrire mal.* vulg. 420

I.114 **ces beaux y Gregeois** ⓪

I.114 ④*il est sçavant jusqu'aux / jusques aux dents, il a mangé son
III.304 breviaire *il est ignorant.* vulg. 62 / *Voyez à* Breviaire 500
il est clerc jusques aux dents, il a mangé son breviaire CTG

I.114 ⑤*tu n'es qu'un sot tu seras marié au village *tu es un impertinent* 511

I.114 **Il n'y a que trois jours que tu es sorty de l'hospital, et tu veux faire des comparaisons avec les gueux.** ⓪

I.114 **Si tu estois aussi mordant que tu es reprenant, il n'y auroit crotes dans ces champs que tu n'allasse estestant.** ⓪

I.115 ④*un gros bouffetripe *un gros pançu : un grand mangeur.* vulg. 53

I.115 **Vous prenez bien du nort.** ⓪

I.115 ④*donner cincq et quatre, la moitié de dix-huit *donner deux soufflets ; le premier d'avant main, n'est que de quatre doigts, et le second de revers, tous les cinq frappent à la fois.* vulg. 104

I.116 ③*donner une raffle de cinq *un soufflet.* vulg. 467 | | *Cf.* II.261 SorBE iii.397

I.116 ⑤*abbreuvoir à mousches *une grande playe sur la teste où les mousches peuvent boire.* vulg. 3
le seul respect de sa sœur lui sauve un abreuvoir à mouches RMN 57 | | abbreuvoir CTG

I.116 ④*avoir du sang aux ongles *du courage* 496
= CuF : sang CTG

I.118 ⑤la paille entre-deux *d'accord* 386

I.118 ④la paix de la maison *l'acte venerien* 390

I.118 ⑤je n'aime pas le bruit si je ne le fay *cela se dit pour faire taire les autres, ou pour empescher qu'on ne nous querelle* 65

I.118 ④estre comme les deux doigts de la main *grands amis* 167
Cf. Les dois des mains ne sont pas tous unis (1504) HSL D114

I.118 ⑤*Jean Fichu l'aisné *un badin.* vulg. 222; 279
LRxB ix,36 (< CPR)

I.118 **Vous vous amusez à des coquesigrues et des balivernes.** ⓪

I.118 **Je veux que vous vous embrassiez comme freres.** ⓪

I.118 ③ils s'entendent comme larrons en foire *ils ont une grande intelligence entr'eux* 186; *il y a une grande intelligence entr'eux* 298

I.118 ⑤★camarades comme cochons *grandement familiers*. vulg. 70
LRxB iv,172 (1835)

I.119 **♦Il est bien-heureux qui est Maistre, il est valet quand il veut.** ⓪

I.120 ④★il a esté au grenier sans chandelle, il a apporté de la vesse pour du foin *il a vessi*. vulg. 258
LRxB xii,168 (< CPR)

I.121 ④★il a tué son pourceau, il se joue de la vescie *il vesse*. vulg. 448
LRxB iv,197 (< ATF x)

I.121 **grosse balourde** ⓪

I.121 **♦Qui veut vivre longuement il faut bailler à son cul vent.** ⓪

I.122 **♦Pour vivre honnestement, il ne faut vessir si puant.** ⓪

I.123 **Accordez vos flustes encore un coup.** ②★ils accordent bien leurs fleutes *ils ont de l'intelligence*. vulg. 227 ①★vous estes longtemps à accorder vos fleutes *longs à resoudre*. vulg. 227
accorderent leurs vieles ensemble (1465) HSL v102

I.123 ④★changer de notte / note *changer de discours*. vulg. 81; *Voyez à* changer 373
changer de note CTG

I.123 ④★il retourne tousjours à sa premiere chanson *à son premier discours, à sa premiere demande* 81

I.123 ④prester une charité *rendre un mauvais office* 84

I.123 ⑤mettre *ou* tenir sur le tapis *traitter ou parler d'un affaire. Discourir d'une personne* 521
mettre sur le tapis CTG

I.123 ④dire comme le renard des meures *Voyez à* meures 474 ③ainsi dit le renard des meures *pour donner à entendre que l'on feint de ne vouloir pas une chose que l'on ne peut obtenir* 346
c'est ainsi que regnard dist des meures (1504) HSL R19 | | LRxB iv,200 (XVIe s.)

I.123 ④faire courir le bruit *divulguer, publier* 65; *donner à entendre au monde* 131

I.123 **L'amour ne me trotoit plus dans le ventre.** ⓪

I.123 ④★il ne se soucie ny des raiz ny des tondus *il ne se soucie de rien*. vulg. 468

NC19a il ne craint ni les r. ni les t. | | il ne craint ny les rez ny les tondus CTG | | *Cf.* autant des rez que des tondus (1461) HSL R32

I.123 **serrer la bride** ②tenir en bride *tenir en son devoir* 63

I.124 **vostre absence faisoit parler de vous tout au travers des choux** ④*tout à travers des choux *sans considération.* vulg. 103 ④*à travers des choux *inconsiderément.* vulg. 549

I.124 ④*Rompre la teste *estourdir, importuner* 486

II.206 *Viel Testament*: ilz me rompent toute la tête (1450) HSL T47 | | rompre la teste à = CuF rompre, teste CTG | | avoir la teste rompue SorBE xii.800

I.124 ④s'esvanouir *pour,[sic] disparoir* 205

I.124 ④*il m'a planté là *il m'a laissé ou abandonné* : le vulgaire adjouste,
II.197 *pour reverdir.* 429
il le planta là pour reverdir CTG | il m'y planta pour reverdir CTG | | SorBE v.777 | | LRxB ii,82 (XVIe s.)

I.124 **On ne songeoit plus qu'à rire.** ⓪

I.124 ⑤un franc taupin *un païsan armé; un badin, un mal fait* 234
taulpin, franc taulpin CTG

I.124 **qui me suivoit comme un barbet ...** ⓪

I.124 **de laquelle on ne se doutoit non plus que si le Ciel eust deu tomber** ⓪

I.125 ④mettre aux pechez oubliez *oublier, negliger.* 405
III.411 BRUFant 237 | | LRxB i,39 (< CuF)

I.125 **On ne songeoit non plus à vous que si vous n'eussiez jamais esté né.** ⓪

I.125 **plus aise qu'un pourceau qui pisse dans du son** ②il est plus aise qu'un pourceau qui se gratte *fort content* 448. *Cf.* III.560. ravi comme un pourceau qui ~ SorFr 270 | | LRxB iv,147

I.125 **plié bagage ...** ④trousser *ou* plier bagage *s'enfuïr, s'en aller* 26
III.474

I.125 **estre despatrouillé de vous** ② *Cf.* III.341

I.125 ④*escarpiner *fuir, et courir viste.* vulg. 190

I.125 **robbe troussée de peur de crottes** ②nez troussé de peur de crottes *court ou camus* 556
avec ma robe ... troussée pour lors de peur de crottes BRUNi 57v

I.126 ⑤★saute crapaud voicy la pluye *cela se dit quand on voit sauter un lourdaut contre sa coustume*. vulg. 136
LRxB iv,174 (< CPR)

I.127 ♦⑤★qui rit le Vendredy pleure le Dimanche *proverbe du vulgaire* 483
tel rit au matin qui au soir pleure (1300-16) HSL R55

I.128 **♦Il rit assez qui rit le dernier.** ⓪

I.129 **il se gratte bien ...** ②
II.195
II.209

I.129 ⑤★il rit jaune comme farine *il fait mauvaise mine* 279; *il ne rit pas de bon cœur, il est fasché, il fait mauvaise mine* 483

I.129 ③★dire les patenostres du singe *claquer des dents, de colere ou autrement : gronder, grommeler.* vulg. 402
Gerson: la patenôtre du singe (1402) HSL P74 | | dire la patenostre du singe CTG | | LRxB iv,201 (XVIe s.)

I.129 **ce n'est pas pour son nez mon cul** ③★c'est pour vostre nez, *autrement*, ce n'est pas pour vostre nez *vous n'aurez pas ce que vous demandez* 370
ce n'est pas pour son nez LRxB v,268

I.129 ⑤★un malautru *mal fait, en mauvais estat*. vulg. 323
III.308

I.129 ⑤un pet à la main *un rien, une chose mal asseurée* 414

I.129 ④serrez la main et dites que vous ne tenez rien *vous n'aurez pas ce*
III.368 *que vous desirez* 505 ③vous ne tenez rien *vous n'aurez pas ce que vous pretendez* 527

I.129 ⑤il a beau faire *qu'il fasse tous ses efforts il ne viendra pas à bout de*
II.174 *son dessein* 36

I.129 ④★torchez vous en le bec; vulg. *vous n'aurez pas ce que vous souhaittez* 37 ⑤torcher le bec *ne donner rien aux autres* 539

I.130 ⑤un fallot *un plaisant* 214
tu ... es un plaisant falot RMN 11 | | falot CTG

I.130 ④★il luy passera bien loin des costes *il n'en mangera point* 400
que le reste de la Calebace leur passe loin des costes RMN 79

I.131 ⑤★coiffé *amoureux ; et yvre* 109
coiffé CTG

I.131 ⑤avalleur de charettes ferrées *un qui fait des Rodomontades et n'est pas trop mauvais*. vulg. 22

NC19a | | manger des charr. ferr. (1500) HSL C75 | | mangeur de charrettes ferrées CTG | | je mangerois de char. ferrées SorBE ix.397 | | LRxB x,70

I.131 ③*il est sot comme un panier percé *c'est un grand badin.* vulg. 391

I.131 ④effronté comme un page de Cour *fort effronté* 177; *grandement effronté* 386

I.131 ④fantasque comme une mulle *extravagant* 604
fantastique c. une vieille mule CTG | | fantastique c. la m. du pape LRxB i,38 (XVIe s.)

I.131 ⑤meschant comme un asne rouge *tres-meschant* 611
LRxA iv, 263-4

I.131 ③*faire la poule *estre poltron.* 447

I.131 ⑤menteur comme un arracheur de dents *grand et asseuré menteur* 17 ⑤il est menteur comme un arracheur de dents *grand menteur* 340
mentir c. un arr. de d-s CTG | | LRxA 890 (1598)

I.132 **Vous dites là bien des vers à sa louange.** ⓪

I.133 **telle quelle** ④*tel quel *pas trop bon: mediocre* 523 ③tellement quellement *pas trop bien, mediocrement* 524

I.133 **... comme un pruneau relavé** ⑤*delicat et blond comme un pruneau *grossier* 459

I.133 ③il a la bourse bien ferrée *pleine d'argent; il est riche* 218

I.133 ⑤sec comme un rebec *fort maigre* 470

I.133 ③*plat comme une punaise, *ou* comme le ventre d'une accouchée *fort plat* 431
plus plat qu'une pugnaise (1450) HSL P297 | | p.c. le v. d'une nouvelle accouchée BRUFant 56

I.134 **allez vous y fourrer** ⑤*allez vous y fourrer *ayez à faire à ces gens là, vous en recevrez du dommage* 233 ④*fourrez vous y *ayez affaire à ces gens là...* 233

I.135 ④*il est glorieux comme un pet *fort superbe.* vulg. 251 ④glorieux comme un pet *un superbe.* vulg. 413
LRxB v,272 (XV)

I.135 ③*il ne feroit pas un pet à moins de cinq sols *c'est un homme grandement ceremonieux.* vulg. 414

I.135 ⑤quand il rit les chiens se battent *il est de tres mauvaise humeur* 483

I.135 ⑤*rebiffé comme la poule à gros Jean *enfoncé dans ses habits; enflé de gloire.* vulg. 447
LRxB iv,195 (< CPR) | ix,48

I.135 **avoir un pied de veau** ②*faire le pied de veau, *mot vulgaire faire la reverence* 418
LRxB iv,205 (< CPR)

I.136 ④*on le tient au cul et aux chausses *il est pris de tous les costez.*
II.289 vulg. 144
III.317

I.136 ④*les oreilles me cornent *on parle de moy en quelque lieu.* vulg.
III.330 122
les o. vous cornoient elles point? (1456) o80 HSL | | = CuF corner CTG

I.136 ③*draper une personne *jouer, se mocquer, se mesdire* 172
draper CTG

I.136 **Laissons-le là pour tel qu'il est.** ⓪

I.137 ④*qu'il prenne des cartes, s'il n'est content *cela se dit d'un à qui on ne veut pas donner plus de satisfaction.* vulg. 73
LRxB x,72 (< CuF)

I.137 ④il est bon à jouer au breland, il a un ase dans son pourpoint *c'est une allusion d'un* as *aux cartes, à* aze *qui signifie un asne ou ignorant.* Allusion vulgaire 61
un az caché sous le p. SorFr 407 n.199

I.138 ⑥ce n'est pas tout *il y a encore à dire ou considerer* 546
III.346

I.138 **planté comme des eschallats** ⓪

I.138 ⑤faire Gille *s'enfuir.* vulg. 250
f. gille CTG | | LRxB i,47 (s.d.) | | → *Comm.*

I.138 **que nous n'ayons renmanché nos flustes** ⓪

I.138 **consommé nostre mariage** ⓪

I.138 **s'ils nous viennent chercher sur nostre paille** ②estre sur son pailler *chez soy* 387

I.138 ♦**un coq est bien fort ...** ②*estre sur son fumier *en sa maison, sur ses biens.* vulg. 240 ③♦un chien est bien fort sur son fumier *un chacun est hardy, et puissant en sa maison, sur ses biens.* vulg. 240
Ils nous sont venuz assaillir sur nostre fumier: monstrons deffense comme fait le chien. (1314-40) Chascun est fort sur son fumier

(1330-32) HSL F188 | | Chien sur son fumier est hardi CTG | | LRxB iv,166 (XVIe s.) | | MRW571

I.138 **♦Chacun est maistre en sa maison.** ⓪

I.139 ⑤*un croquant *un drolle, un compagnon ; il se prend en mauvaise part*
II.195 139
III.399 BRUFac 1-11

I.139 **bonnes mitaines ...** ②vous ne prendrez pas cela sans mitaines *sans quelque effort ou difficulté : il y faudra quelque adresse ou preparation* 349

I.139 **Il est fort mauvais ...** ③*il est meschant il a battu son petit frere *vulg. cela se dit d'un qui fait le mauvais, pour se mocquer de ses menaces* 35

I.139 ⑤courir apres son esteuf *poursuivre en vain ce que l'on pouvoit tenir en ses mains avec seureté* 201
NC18= | | Commynes (1489-91) HSL E78 | | =CuF esteuf CTG

I.139 ④vendre son cheval pour avoir de l'avoine *se deffaire du principal mal à propos pour avoir le moindre* 94

I.139 **s'il est botifié ...** ③il est botté pour coucher à la ville *pour se rire d'un homme qui est botté d'ordinaire, et ne voyage point* 50

I.139 ④*avoir la pulce à l'oreille *estre dans quelque apprehension ; avoir quelque affaire qui nous sollicite* 459
qui me met la puce en l'o. (1316) HSL P293 | | LRxB iv,198 (1835) | CPR v,272

I.139 **Je ne m'en leveray pas plus matin** ⓪

I.140 ⑤*la beste a raison *cela se respond à un badin qui veut avoir raison* 468; *ironie: vous parlez bien, vous dites bien* 592

I.140 *Cf.* ①se desgueniller *sortir de la gueuserie* 157

I.140 **il n'y fait pas si bon qu'à la cuisine** *Cf.* ①il y fait bon iron. *il y a du danger* 46 ②il n'y fait pas bon *idem* 46

I.140 ⑤♦quand le soleil est couché il y a bien des bestes à l'ombre *il y a bien des ignorants au monde* 508
LRxB iii,132 (< CuF) | BRUPr 55 → *Comm.*

I.141 **Soufflez, Menestrier, l'espousée vient.** ④soufflez menestriers l'Espousée passe *cecy se dit lors que quelqu'un se vante, ou dit quelque hyperbole* 339; *pour desapprouver ou se mocquer de ce qu'un autre dit; ou bien pour donner à entendre qu'un homme dit des hyperboles, et se vante hors de raison* 512
LRxB xi,139 (< CuF) | | → *Comm.*

II/1

II.142 ③*je vous plains bien, mais je ne sçay que vous donner *par ironie, je n'ay gueres de pouvoir, encore moins de volonté pour vous*. vulg. 428

II.142 **Si tu n'avois la caboche bien faite ...** ②avoir la teste mal faitte *avoir mal à la teste*. Item, *estre melancolique, de mauvaise humeur: estre un peu fol*. 213 ②il a la teste mal faite *il a mal à la teste*. Item, *il est fol* 532

II.142 **Tu serois dejà à Pampelune.** ②*envoyer à Pampelune *chasser une personne rudement, l'envoyer bien loing*. vulg. 390
Cf. Pathelin: plus de voye qu'il n'y a jusqu'à Pampelune (1465) HSL P24 | | LRxB IIt., 601

II.142 **revers de fortune** ⓪

II.142 **Tu as perdu le joyau plus precieux de ta maison sans l'avoir joué.** ⓪

II.142 ⑤tour de souplesse *tromperie* 514

II.142 ③*emprunter un pain sur la fournée *coucher avec une fille avant que de l'espouser* 233; *coucher avec une fille avant de l'avoir espousée* 388
prendre un pain sur la fournée CTG

II.142 **servir de goujat** ⓪

II.142 **un qui se sentiroit trop heureux de me torcher les bottes**
Cf. ①*je n'en voudrois pas torcher mes bottes *je ne l'estime en aucune façon*. vulg. 540

II.142 ♦**Quien se casa por amores malos dias y buenas noches.** ⓪
COud12 | COud24:217 → *Comm.*

II.142 ♦**Qui se marie par amourette a une bonne nuict, mais de mauvais jours.** ⓪

II.142 ④bailler la gabatine *se mocquer, tromper* 241

II.142 **Tu m'as ... fait un tour de femme** ②faire *ou* jouer d'un tour, et faire un mauvais tour *faire une supercherie* 543 | | *Cf.* I.82, II.175

II.142 ④promettre monts et merveilles *promettre de grandes choses* 354 *Cf.* ①*par monts et par vaux *en tous lieux, de tous costez* 354
mont(s) et merveilles(s) (vaux) HSL M172 | | ~ ou monts et vaux CTG | | mont CTG

II.142 ♦***Que de la mala muger te garda y de la buena no fiat nada.*** *Cf.* ①*il n'y a point de Fiat *il ne s'y faut pas fier*. vulg. 222

De la male ~ guarda ~ no fies nada COud12 | De la mala ~ guarda ~ COud24:75
Cf ! Gerson: Femme garder point ne se vault, bonne ne doit, male ne peut. (1403) HSL F31

II.142 ④faire breche à son honneur *manquer* 61

II.142 ④il est à la gueule du loup *en grand danger* 262

II.142 ④*triste comme un bonnet de nuit sans coiffe *de mauvaise grace, ou melancolique,* vulg. 49 ③*triste comme un bonnet sans coiffe *de mauvaise grace.* vulg. 553
triste CTG | | LRxB xiv,428

II.142 **plus cajois qu'une chatte qui trouve ses petits chats morts ⓪**

II.142 **plus dolent qu'une femme mal mariée ⓪**
Cf. Femme bonne qui a mauvais mary A souvent le cœur marry. LRxA v, 330 (XVIe s.)

II.142 **plus desolé que si tes parents estoient trespassez** *Cf.* ①*il semble qu'il ait mis tous ses parens en terre *il est extremement triste* 393

II.142 **Que la constance te serve d'escorte et de bouclier. ⓪**

II.142 **♦Dans la necessité les vrays amys se monstrent où ils sont. ⓪**
au besoing voit on son amy (1314) HSL A100

II.142 **ma langue, aussi bien esguisée que mon espée ...** *Cf.* ①avoir la langue affilée *estre grand discoureur* 296

II.142 ④*mettre à jambe bridaine *rompre une jambe: parce qu'il la faut brider ou lier.* Allusion vulg. 278

II.142 ③*hacher menu comme chair à pastez *mettre une personne en pieces, luy donner quantité de coups d'espée.* vulg. 78
dechiqueter plus menu que chair à pastez SorFr 349 | | LRxB x,93 (1835)

II.142 **De l'abondance du cœur la bouche parle. ⓪**
Machaut: de l'a. du cuer l. b. parole (1364) HSL B151

II.142 **♦À grands Seigneurs peu de paroles. ⓪**

II.142 **suis plus vaillant que mon espée** ③vaillant comme l'espée qu'il porte *fort vaillant 197*

II.142 ④veiller *par metaph. remarquer, prendre garde* 562

II.142 **♦Pour un amy l'autre veille. ⓪**

Froissart: amy p. amy veille (1378-1409) | Deschamps: amys pour autre v. (1390) HSL A91 | | LRxB xiv,341

II.143 ⑤Qui va <u>ladre</u> *ou* qui va ladre là *c'est une sotte allusion à* Qui va la 609

II.145 ⑤*<u>regiment</u> du port au foin *la trouppe de couppeurs de bourses* 472 bourgeois du Port au Foin RMN 113-114

II.145 ⑤*<u>regiment</u> de Pouilly *des pouils* 472

II.145 ⑤ce n'est pas grand <u>cas</u> *pas beaucoup de chose. Il s'applique par raillerie au membre viril* 595

II.145 ⑤*à l'autre <u>porte</u> on y donne des miches *adressez vous à quelque autre pour ce que vous pretendez* 440

II.145 ⑤<u>tout</u> beau *doucement* 545 → *Glossaire.*
II.147
III.537

II.145 **Ne rompez pas nostre porte, elle a cousté de l'argent.** ⓪

II.146 ⑤♦à tout <u>seigneur</u> tout honneur *qu'il faut honorer ceux qui le meritent* 502
LRxB x,98 (XIIIe s.) | | A tous seigneurs tous honneurs (1349) HSL s57 | | ~ tous <u>honneurs</u> CTG | | BRUFant 210

II.146 ②♦**Nicqueter, c'est trop niveler.** *Cf.* *naquetter *bransler la queue, claquer des dents.* Item, *prendre garde, rendre des services avec grande submssion*

II.146 ④♦*il n'y a point de pire <u>sourd</u> que celuy qui ne veut pas entendre *cecy se dit à un qui feint de ne nous pas ouir, ou comprendre ce que nous disons.* vulg. 515
il n'est si mavais sours que chuis ch'oër ne vœilt (1360-70) HSL s117 | | ~ <u>sourd</u> ~ ouïr CTG

II.146 **ne m'eschauffe pas la cervelle** ②ne m'<u>eschauffez</u> pas les oreilles *ne me faschez pas, ne me mettez pas en colere* 191 | | *Cf.* I.88

II.146 ④prendre <u>garde</u> → I.14 II.204 II.272 III.462

II.146 ④*vous vous en trouverez mauvais <u>marchand</u> *vous ne reüssirez pas en vostre dessein, vous en recevrez du desplaisir* 328

II.146 ④*envoyer à Mortaigne *par allusion de* Mort. i. *tuer* 357
LRxB vii,368 (< CPR)

II.146 ④envoyer à Quancalle *ou* quancane *chasser. Le reste dit,* pescher des huistres 461

II.147 **Vos fievres quartaines à trois blancs les deux.** ②*je voudrois que les <u>fièvres</u> quartaines m'en eussent fait autant *c'est une* *façon de souhaitter vulgaire lors que l'on entend parler de quelque grande richesse, ou que l'on void quelque chose qui agrée* 223

II.147 **Tout beau** ⑤ → II.145 III.537

II.147 **encor un coup de par Dieu ou de par le diable** ⓪
II.149

II.147 **Dieu nous soit en aide.** *Cf.* ①*nostre pain est tendre *Le commencement dit,* Dieu vous soit en aide 387

II.147 ⑤*il rompra tout si on ne le marie *cela se dit en riant d'un homme qui est en colere.* vulg. 486

II/2

II.148 **Dieu soit ceans, et moy dedans, et le Diable chez les Moines.** ⓪

II.149 **Fussiez-vous un cent.** ⓪

II.149 **Encore un coup en despit des envieux.** ⓪ *Cf.* II.147

II.149 ⑤bras dessus bras dessous *en se saluant, et s'embrassant avec affection* 60
bras d. et b. dessous CTG

II.149 ⑤quel bon vent vous meine *quel sujet* 564
quel vent vous boute (mène)? (1360) HSL v42 | | quel bon vent vous ameine ? RMN 37 | | SorBE ix.400

II.150 ③*souffler aux oreilles *flatter, provoquer, inciter, pousser une personne à faire quelque chose de mauvais* 512
souffler en l'oreille de CTG

II.151 ④on vous en garde dans un petit pot à part *celuy-cy sert pour refuser ce que l'on nous demande* 444
LRxB xiii,215 (< CuF)

II.152 ⑤armé de pied en cap *tout armé, armé de toutes pièces* 418
a. de pié en cap (1359) HSL A189

II.152 **[armé] jusques aux dents** ⓪
(1504) HSL A195

II.152 **leur donnera des aisles aux talons** *Cf.* ①chausser les ailes *haster, faire fuir* 7
Cf. Talaria induere ER I.ii.42

II.152 ③viste comme un trait d'arbaleste *fort vite* 548

II.152 ④*s'eschauffer dans / en son harnois *se mettre en colere* 191 / 266
il s'eschauffe en son harnas (1485-90) HSL H11 | | LRxB xiv,319 (XVIIIe s.)

II.152 **♦race ou megnie d'Archambault, plus il y en a moins elle vaut** ⑤race d'Archambault *Voyez à* Famille 467 ③*famille d'Archambault, plus il y a pis il vaut *meschantes gens* 214 | | *Cf.* III.564 **race**
la famille d' Archambaud plus y en a et pis vaut CTG

II.152 **bouffi de colere** *Cf.* ②*un gros bouffi *enflé de visage, ou bien gros de ventre et de corps.* vulg. 53

II.152 ④*il creve dans ses paneaux *il est en une extréme colere.* vulg. 390

II.152 ④gaigner les champs *s'enfuir* 79; *fuir* 242
gaigner les champs CTG

II.154 ⑤esboby *estonné.* vulg. 189

II.154 ④*il est entré sans dire ny qui a perdu ny qui a gaigné *inconsiderément, à l'estourdie.* vulg. 409

II.154 **ne me manquent non plus que l'eau à la riviere** ③cela ne manque non plus que l'eau en la riviere *cela est fort commun* 175 *Cf.* ①*jetter de l'eau dans la riviere *faire une chose sans necessité, employer mal une chose* 176

II.155 ⑤*il en est fourny comme de fil et d'aiguille *il n'en a point du tout, Et par contrarieté de sens, il en a en quantité* 233 ④Il est fourny de fil et d'aiguille *tousjours prest à travailler; il ne manque de rien.* vulgaire. 6 ④*fourny de fil et d'aiguille *preparé à tout.* vulg. 224
Je me suis pourveu De fil et d'esguille (1500) HSL F85 | | LRxB xii,151 (< CPR)

II.156 ④*il en fait comme des choux de son jardin *il en dispose à sa fantaisie.* vulg. 103

II.156 ④*employer le verd et le sec *toutes sortes de moyens ou inventions* 567
verd, sec CTG | | HEst 546, 576

II.156 ⑤*chien-braye *lasche; proprement, un chiard.* vulg. 100

II.156 **qui n'ont que du caquet** ⓪

II.156 **qui n'ont point de force qu'aux dents** ⓪

II.156 ③c'est là où git le *lievre voila le point de l'affaire* 305
Chastellain: vecy où git le lievre (1467-70) HSL L47 | | voilà où gist le lievre CTG

II.156 ③prendre d'estoc et de taille *de toutes sortes de façons* 201
d'estoc et de taille CTG

II.156 **de cul et de pointe** *Cf.* ②*jouer à cul contre poincte *faire l'action charnelle.* vulg. 435
1342 HSL C360

II.156 **de bec et de griffe** ⓪

II.156 ⑤♦à meschant, meschant et demy *à un meschant une personne qui le corrige, et luy rende la pareille* 341
RMN 116 | | («brave»; «trompeur») LRxB iv,153 (XV) | | *cf.* Ch.d'Orleans: a trompeur trompeur et demi (1458) HSL T89

II.157 **Vous ne sçauriez mieux dire si vous ne recommencez.** ⓪

II.157 ④il en parle comme un clerc d'armes *ignoramment* 105

II.157 **vessir de peur** ②pisser de peur *avoir grand peur* 427

II.157 ②*un dadais *un niais.* vulg. 146

II.157 ⑤*il n'est que d'avoir du courage, et se cacher sous le lit *c'est pour se mocquer d'un qui a paru lasche. Autrement le vulgaire s'en sert comme pour donner à entendre que l'on a bien fait d'entreprendre quelque chose.* 130

II.157 ♦**qui se fait brebis...** ③ → III.563 **si vous faites la beste ...**
NC13 | | qui se fait brebis le loup le mange CTG | |~ brebis ~ SorFr 156 | | LRxB iv,148 (< CPR / CuF) | qui se fait b., le l. le ravit LRxB iv,153 (XVIe s.) | | MRW2126 | | qui se fait brebis, le l. le mange HSL B181 | | brebis CTG

II.158 ④Chercheur de barbets *un qui cherche à desrober dans une maison, et feint de chercher un barbet esgaré* 30 ③un chercheur de midy *un impertinent.* Item, *un larron ; un querelleux* 347 ④*chercher midy à quatorze heures *chercher qui ne peut estre.* Item, *chercher du mal* 347
Cf. LRxB iii,111 (1789)

II.158 ⑤*sous la calotte du ciel *sous le ciel, sur la terre* 70
dessoubz la chappe du c. (1314-40) HSL C59

II.158 **Ils seront bien cachez si je ne les trouve.** ⓪

II.158 ③*faire tourner au bout *traitter avec rigueur.* vulg. 544
je luy apprendray à tourner au bout RMN 93

II.158 **à qui ils se jouent** ②*ne vous jouez pas à luy *ne l'attaquez pas, n'entreprenez rien contre luy. N'ayez rien à faire avec luy* 286 → *Cf.* II.294

II.158 ③*je sçay de quel bois il se chauffe *de quelle sorte il procede ; qu'elle est sa coustume ou nature,* vulg. 45
je cognois bien de quel bois il se chauffe CTG | LRxB ii,60 (XVIIIe s.)

II.158 **ils passeront par mes pattes** ③passer par les mains *avoir à faire à une personne* 399 ②*vous tomberez dans mes pattes *vous tomberez en mes mains, je vous corrigeray* 402

II.158 **Je leur feray sentir ce que pèse mon bras** ②il sçaura ce que ma main <u>pese</u> *je le battray bien.* vulg. 413

II.158 **On n'en entendra ny pleuvoir ny venter.** ⓪

II.158 **non plus que feu de paille** ②cela passe comme <u>feu</u> de paille *cela ne dure point.* vulg. 221

II.159 **une fraize dans la gueule d'une truye** ⓪

II.159 **Il y va de cul et de teste, comme une corneille qui abat des noix** ⑤*il y va de <u>cul</u> et de teste, comme une corneille qui abbat des noix *de toute la force.* vulg. 143
prests à donner de cul et de teste RMN 126 || LRxB v,213 (1835)

II.159 **O le grand casseur de raquette** ④*c'est un grand <u>casseur</u> de <u>raquettes</u>, *par ironie un homme qui fait peu de mal, ou d'effet, et beaucoup de bruit.* vulg. 75; *un homme qui se vante fort et ne fait gueres* 469

II.159 **grand rompeur d'huis ouverts!** ③enfonceur d'<u>huis</u> ouverts *par ironie, un homme de peu d'effet et de beaucoup de paroles* 275 ③<u>enfoncer</u> ou rompre une porte ouverte *coucher avec une nourrice, et croire qu'elle est pucelle.* 184
abatre ung huys ouvert (1440) HSL H77

II.159 ④c'est un grand <u>despuceleur</u> de nourrices *pour se mocquer d'un qui se vante d'estre grandement favorisé des Dames* 160

II.159 ⑤*Les <u>armes</u> de Caïn *les maschoires* 17 → *Comm.*

II.159 ⑤*un <u>plante</u>-bourde *un grand menteur.* vulg. 429

II.160 ⑤*<u>contes</u> de la Cigone *des fables ou niaiseries* 117

II.161 **Ce qu'il dit est vray comme je file.** *Cf.* ①aussi <u>vray</u> que je pesche *pour dire que l'on ne croit pas une chose.* vulg 581

II.161 **fils de pescheur, noble de ligne.** ②*<u>gentil-homme</u> de ligne, son pere estoit pescheur *roturier* 249 ②gentil-homme de <u>ligne</u> *Voyez à* Gentil-homme 305
Cf. LRxB x,91 (XVIe s.)

II.162 ③*<u>renoncer</u> à la triomphe, jetter du cœur sur le carreau *vomir* 476 ⑤<u>renoncer</u> à la <u>triomphe</u> *ne pouvoir pas fournir aux despenses.* Item, *ne pouvoir pas executer tout ce que l'on voudroit* 476; *Voyez à* renoncer 552

II.162 ③<u>jetter</u> du <u>cœur</u> *vomir* 109; 280 ③<u>jetter</u> du <u>cœur</u> sur le carreau *vomir* 109; 280

II.162 ④il vaut mieux en <u>terre</u> qu'en pré *il vaudroit mieux qu'il fust mieux que vivant* 530

II.162 **Ils ne font que traisner leur lien.** ④★traisner sa corde *ou* son lien *vivre de telle sorte qu'enfin on est puny* 548 ④traisner son lien *devoir estre chastié à la fin* 304 ③♦il n'est pas eschappé qui traisne son lien *pour dire qu'une personne est encore dans le danger* 610 ③traisner sa corde *attendre asseurément d'estre puny* 120
ce n'est que trainer son lien CTG

II.162 ④★se jetter sur la fripperie d'une personne *mesdire de quelqu'un.*
III.441 Item*, se jetter dessus, frapper, battre.* vulg. 237
SorFr 348

II.162 ③en un tourne main *en un instant* 543
dans un tourne-main CTG

II.163 ③il vaut son pesant d'or *il est excellent* 412
tu vaux ton pesant d'or RMN 14 | | *Perceforest*: pour son pesant d'or; *Ibid.* gentil cheval qui ton poix d'or vaulx (1314-40) HSL P136

II.163 **l'office d'un vray amy, de venir sans estre mandé** ⓪

II.163 **venir sans estre mandé** ① *Cf.* 00 ③, II.187

II.163 ③cela vient comme tabourin en danse *fort à propos* 518
LRxB x,103 / 555

II.163 ④faire une chose par procureur *l'envoyer faire par un autre* 457

II.163 ⑤★ablativo tout en un tas *confusément.* vulg. 3 ⑤tout en un tas *confusément, et tout ensemble* 522

II.163 **Ce ne sont des abeilles, on ne les assemble pas au son d'un chaudron.** ⓪

II.164 ③★il est bon cheval de trompette, il ne s'estonne pas pour le bruit *les paroles ne l'espouvantent ou ne l'esmeuvent pas* 93

II.164 ⑤♦tel menace qui a grand peur *cela se dit à un qui est poltron, et qui fait des menaces ou rodomontades* 415
MRW2363 | | LRxA 901 (XIII, *Rom. de Jaufre*) | | Tel menasse qui a grand peur RMN 142 | | tel menace qui a grant paour (1392) HSL M112 | | menacer CTG | | tel menace qui a peur COud24:221 → *Comm.*

II.164 ⑤★Maistre Gonin est mort le monde n'est pas grue *il n'y a plus de sots au monde, on ne se laisse plus tromper facilement* 260 ③il n'est pas grue *il n'est pas sot* 260 ⑤★Maistre Gonin est mort, etc. *Voyez à grue* 319 ⑤★un Maistre Gonin *un subtil, un finet* 319
le monde n'est plus grue RMN 34 | BRUFant 13 | LRxB ix,40 (< CPR)

II.165 ⑤devant qu'il soit trois fois les Rois *devant qu'il passe beaucoup de temps* 489
LRxB x,95 (XVIIIe s.)

II.165 ③faire o benigna *flatter, rendre des devoirs,* vulg. 39

II.166 ④*donner le Caresme bien haut *donner beaucoup à faire ou à penser, empescher fort une personne.* vulg. 72 ②le Caresme est hault cette année *bien avant dans la saison. Voyez le reste à* Caresme 267
LRxB iii,94

II.166 ⑤♦Le terme vaut l'argent *vous me remettez à un long temps,ou terme. Les meschants seruent dece mot, lors qu'on les menace du jugement de Dieu apres cette vie* 17; *Voyez à* argent 530
le terme vaut l'argent (1505) HSL T31 | | LRxB xi,113 (1835) | | CTG

II.166 ⑤il n'y aura plus en ce temps-là ny bestes ny gens *c'est pour dire que l'on nous remet à un grand temps* 592

II.167 ④le sang luy est monté au visage *il a rougy de colere ou de honte* 496

II.167 ⑤le sang me boult dans le corps *j'ay une extréme envie ou desir* 496

II.167 ⑤*mettre la griffe sur quelque chose *prendre, se saisir* 258
II.261

II.168 ④*je tuerois un mercier pour un peigne *je suis en une extreme colere* 341 ④*je tuerois un peigne pour un mercier *quolibet renversé, pour dire que l'on est fort en colere* 405
tuer un mercier p. un peigne CTG | | tueroient … un p. pour un m. BRUFant 236

II.168 ⑤fendeur de naseaux *un meschant, un coupejarets* 217
fendeur(s) de naseaux CTG

II.169 ***Ne fumetis Domine.*** ⓪

II.170 ⑤*la Lune est sur Bourbon *cette femme a ses mois. Quelques uns l'expliquent autrement: il est en colere* 313
Cf. mettre sus le beau bout (1460) | Chastellain: estoit mis sur le bon bout (1463) HSL B160 | | se mettre sur le bon bout SorBE vi.829

II.171 **La colere vous emporte du blanc au noir, et du noir au blanc.** ⓪

II.171 ⑤*vous estes trop chaud pour abbreuver *vous estes trop prompt, trop desireux, trop hasté, trop coleric.* vulg. 3; *Voyez à* abbreuver 88

II.171 ⑤*rentrer *ou* tomber de fievre en chaud mal *d'un petit danger en un plus grand* 223 de fievre en chaud mal CTG | | LRxB v,232 (< CuF)

II.171 **Aller au devant par derriere** ⓪

II.171 **Tout prendre de vollée** ②à la volée *inconsiderément* 579
à la volée CTG

II.171 ⑤jouer à quitte ou à double *Voyez à* double 285; *Voyez à* jouer 466 ⑤à quitte ou à double *tout ou rien* 171
joue l'en à q. ou à d. (1461-6) HSL J26 | | quite ou ... CTG

II.171 ⑤*hazarder le pacquet *hazarder quelque chose* 269; *hazarder une affaire*. vulg. 386

II.171 **tomber de caribde en scila** ⓪
Evitata Carybdi in Scyllam incidi ER I.v.4

II.171 ⑤*aller doucement en besogne *travailler lentement* 171

II.171 **Croyez-moy, et dites qu'une beste vous l'a dit.** ⓪

II.172 **Vostre conseil n'est point mauvais, il y en a de pires.** ⓪

II.172 ⑤prendre au trebuchet *attraper une personne* 550
SorFr126

II.172 ③faire comme les papillons se brusler à la chandelle. *Voyez à* brusler 392 ③*il s'est venu brusler à la chandelle *ils est venu se faire prendre prisonnier: ou bien,il s'est jetté dans le danger* 80 ②*il s'est bruslé à la chandelle *il s'est mis luy mesme dans le danger* 65
Froissart: comme le p. à la ch. (1325; 1365) HSL P29

II.172 **tendre des fillets** ⓪

II.172 **Ils se viendront prendre comme moineaux à la glue.** ⓪
A dur prend prent on au gluy les fins oiseaux (1502) HSL O47

II.172 ④*je vous traitteray en enfant de bonne maison *rudement, avec rigueur* 182
LRxB v,218

II.172 ④espoussetter *bien battre une personne* 199
SorBE ix.376

II.172 ④*estriller *pour battre une personne* 205
II.204 estriller CTG

II.172 **... estrilleray sur le ventre et par tout .** ②il luy en a donné sur le ventre et par tout *il l'a bien battu* 565
estriller un alloyau sur le ventre et partout BRUNi 74v

II.172 **dormir à la Françoise** ⓪

II.172 **veilleray à l'espagnole** *Cf.* II.142 **veiller**. *Cf.* ①payer à l'espagnolle *donner des coups au lieu d'argent, payer de rodomontades* 195
payer à l'espagnole CTG

II.173 ③*je dy d'or j'ay le bec jaune *response que l'on fait à qui nous veut faire repliquer, et nous demande ce que nous avons dit.* vulg. 166 ③il dit d'or il a le bec jaune *pour faire entendre que l'on dit avec bien de la facilité et sans consideration.* vulg. 166; *Voyez à* dire. Item, *il parle eloquemment* 380
vous dites d'or RMN 40 | | *Cf.* I.94

II/3

II.174 **plus heureux que sages** ⓪

II.174 **♦dans les plus grands perils l'on fait connoistre ce qu'on a dans le ventre** ②voyons ce qu'il a dans le ventre *ce qu'il sçait, ce qu'il peut.* Item, *ce qu'une chose contient, ce qu'il y a dans un vase* 566
chascun ne sçavoit mie ce qu'il avoit en son ventre (1358-61) HSL v55

II.174 **♦Il ne faut pas vendre sa bonne fortune** ⓪

II.174 **♦Jamais honteux n'eut belle amie** ⓪
couars n'ara ja belle amye (1350) HSL C319

II.174 **♦Qui ne s'aventure n'a ny cheval ny mulle.** ⓪
(1500) HSL A218 | | ~ n'a cheval ni mule COud24:219 → *Comm.*

II.174 ④♦les honteux le perdent *qu'il faut estre hardy pour obtenir quelque chose* 274

II.174 **pour rentrer de pique noire** ③*c'est bien rentré de picques vertes *ou* noires *pour dire qu'une personne parle hors de propos.* vulg. 426 ②rentrer de picques vertes *Voyez à* piques 476
c'est bien rentré de picques CTG | | c'est bien rentré de picques noires CTG

II.174 ④passer la plume par le bec *entretenir ou amuser d'esperance* 433
passer la plume par le bec RMN 156 | | passer la plume par le bec à CTG | | LRxB iv,142 (< CPR)

II.174 **il a beau maintenant (escouter)** ⑤ → II.129

II.174 ⑤escouter s'il pleut *perdre son temps* 193
Cf. ecouter les avoines lever RMN 102

II.175 ④jouer bien son roole *feindre bien ; s'acquitter bien de ce qu'on entreprend* 487

II.175 ④il a esté tout jeune et joyeux de le faire *il a esté bien heureux ou*
III.572 *bien aise, ce luy a esté une grande faveur.* vulg. 282

II.175 ④mes bonnes graces sont à la lessive pour vous *je n'en ay pour vous, je n'ay point de volonté de vous faire quelque grace.* vulg. 301 → *Glossaire s.v.* bonne-grace

II.175 ③elle est vouée à un autre saint *elle est promise à une autre personne, elle a de l'inclination pour un autre* 495; *promise à un autre.* vulg. 580

II.175 III.354 ⑤*un grand embaleur *un grand discoureur* 177

II.175 III.394 ④*lanterner une personne *la fascher, la tourmenter de discours, la divertir* 296
lanterner CTG

II.175 **j'estois à la gehenne** ②tenir une personne à la gehenne *en attente, en peine, en suspens* 248

II.175 ④*rompre les oreilles *estourdir, importuner* 486
rompre les oreilles à CTG

II.175 ⑤tenir en abboy *amuser une personne* 585
LRxB x,69 (< CPR)

II.175 ⑤tenir le bec en l'eau *tenir une personne dans l'attente, amuser* 37 (1456) HSL B39 | | tenir CTG | | LRxB x,69 (< CPR)

II.175 II.294 **Il masche bien ... son frein** ③ronger son frein *avoir patience ou plustost estre dans l'impatience* 487
Perceforest: Passelion ... rongeoit son frain (1314-40) HSL F173 | | LRxB xiv,414 (XVIe s.)

II.175 ④tirer païs *fuir, advancer* 536 ④gaigner *et* tirer païs *Voyez à* gaigner 389 ②gaigner païs *fuir* 241
tire pays seulement RMN 55 | | tirer païs CTG

II.175 **qu'il ne nous joue quelque tour** ④ → I.82 *Cf.* II.142

II.176 ④il a monté sur l'ours *il n'a point de peur* 354; *il n'est pas homme qui s'espouvente facilement* 384
j'ay monté sur l'Ours et les mets au pis faire RMN 127

II.177 **Il n'oseroit me regarder entre deux yeux**. ⓪ *Cf.* III.375

II.177 ⑤*un Richard sans peur *un homme hardy* 481

II.177 **Je ne crains ny loup ny lievre s'ils ne vollent.** ⓪

II.177 **habile homme après Godard** ⑤un habile homme *sçavant, expert* 263 ③vous estes un habile homme *par ironie: un maladroit, un impertinent* 263

II.177 **... nous avons envoyé pourmener pour avoir des chausses.** ⓪

II.177 **ny vent ny nouvelles** ②je n'en ay ny vent ny voix *aucune nouvelle* 564

II.177 ⑤*siffler la linotte *ou* la rostie *boire, yvroigner* 507

II.177 ⑤*il ne songe pas plus loin que son nez *il n'a point de prevoyance ou de consideration.* vulg. 509 ③*il ne voit pas plus loin que son nez *il n'a point de prevoyance.* vulg. 370 | | *Cf.* I.68

II.178 ⑤*la gueule me gaigne *ou* rabaste *j'ay grand faim* 262

II.178 ⑤*il semble à mon ventre que le Diable ait emporté mes dents *il y a long-temps que je n'ay mangé* 566
LRxB v,214 (< CPR)

II.179 ④estre sur son ventre *parler de manger, estre gourmand* 566

II.180 **Je suis sur mes deux pieds comme une oye.** ⓪

II.180 ④mascher à vuide *n'avoir rien dedans la bouche, n'avoir rien à manger* 335; *ne rien manger* 581

II.180 **Il n'est pas feste au Palais** ③*il est feste au palais *par allusion du* palais *de la bouche, il faut jeusner* 220; *il est jeusne* 390
LRxB i,29 (< CuF) | | *Cf.* festes au Palais CTG

II.181 **avoir un morceau au bec** ②*il a tousjours le morceau au bec *il mange sans cesse.* vulg. 355

II.182 ⑤*porter le fardeau d'Esope *le pain, et la viande* 214

II.183 ⑤*provision de gueule *des viandes* 458

II.183 ⑤♦*beati garnitis vaut mieux que beati quorum *vulgairement, pour dire qu'il se faut garnir ou faire provision de bonne heure pour sa seureté* 35

II.183 ④il a des grenouilles dans le ventre *le ventre luy bruit; ou bien il est altéré* 258

II.183 ⑤*mes boyaux crient vengeance *j'ay grand faim.* vulg. 59

II.184 ⑤*battre la semelle *marcher à pied,* vulg. 34; *aller à pied* 502

II.185 ④passer maistre *manger tout pendant que l'on est absent* 399

II.185 ⑤♦pour un moine on ne laisse pas de faire un abbé *pour une personne qui est absente on ne laisse pas de faire un affaire* 351
LRxB i,37 (1786) | | MRW1486

II.186 ⑤♦*quand on parle du loup on en voit la queue *la personne paroist au mesme temps que l'on parle d'elle.* vulg. 310
qui parle du l. en void NC22b | | Qui parle du l., il en voit la q. (1456) HSL L99 | | loup, queue CTG | | LRxB iv,182 (< CuF) | | MRW1900

II.187 **le voilà comme si on l'avoit mandé** ③ → 00 **il vient** ...; II.163.

II.187 **Il vient de loin, il est bien eschauffé, il luy faut une chemise blanche.** ⓪

II.188 ④*j'ay bon courage, mais les jambes me faillent *je n'ay gueres de force, et ne manque pas de volonté.* vulg. 130; *j'ay bonne volonté et peu de pouvoir.* vulg, 277
Cf. LRxB xiv,321 (XV)

II.189 **Souflez-luy au cul, l'haleine luy faut.** ⓪

II.189 **Parlez haut visage.** ⓪
II.249
III.333

II.189 ⑤*que dit-on de la guerre le charbon sera-t'il cher? *c'est une façon de demander des nouvelles en raillant* 83
LRxB x,82 (< CuF)

II.190 ④*il ne sera pas si mauvais qu'il a promis à son capitaine *il ne fera pas tout le mal dont il nous menace* 337

II.190 ③*il ne fera que de l'eau toute claire *il n'advancera rien, il ne produira rien, il n'aidera de rien.* vulg. 175
LRxB ii,66

II.191 ④caler la voile *par Metaph. s'accommoder au temps: parler doucement: s'appaiser* 70; *parler doucement.* Item, *s'appaiser* 578
caller le (*sic*) voille (1477) HSL v137 | | caler les voiles CTG

II.191 **... de quel costé vous avez pris vos brisées.** ⓪ *Cf. III.458.*

II.191 ⑤une trousse *un mauvais tour* 555
II.287 jouer une trousse CTG

II.191 **Ils ont mis leur procedure au croc** ③pendre au croc *cesser, desister* 138 ②pendre un procez au croc *ne plaider plus* 457

II.191 **en attendant de faire haro sur ...** ③crier haro sur une personne *par translation de la coustume de Normandie: la crier, faire des huées* 266
crier harol CTG | | LRxA x, 504 | → *Comm.*

II.192 **Vous faites le sot.** ⓪
Nugas agere ER I.iv.91

II.192 ⑤*je vous bailleray ce que vous ne mangerez pas *un soufflet ou coup de poing.* vulg. 326
LRxB xiii,202 (< CuF)

II.193 **affamé comme un loup** ⓪

II.194 **affamé comme un chasseur qui n'a rien pris** ⑤affamé comme un chasseur *qui a grand faim* 5

II.194 **Philippin estendra nos bribes sur l'herbe** ②*amasser ses
II.227 bribes, mettre ses bribes ensemble *manger de compagnie* 62

II.194 ⑤un mangeur de petits enfans *par ironie, un qui fait le mauvais* 327
ce mauvais garçon de frere qui fait peur aux petits Enfants RMN 51

II.195 ⑤je vous en responds *je vous en asseure* 478
III.546

II.195 ④il a eu belle rescapée *il a evité un danger* 477 | | *Cf.* III.487

II.195 **estre gratté depuis le *Miserere* jusques à *vitulos*** ③*il en a eu depuis Miserere jusques à vitulos *il a esté bien fouetté, ou bien battu.* vulg. 349
tu auras miserere jusques a vitulos CTG

II.195 **ce croquant de capitaine** ⑤ → I.139 III.399

II.195 **capitaine à grands ressorts** ②fol à grand ressort *entierement fol* 479
un bon cheval et cinquante mille pistoles à g. r. BRUFant 185

II.195 ④Il tient sa gravité comme un asne qu'on estrille *il est superbe, par ironie d'un lourdaut qui fait le grave* 19; *il a fort mauvaise façon* 607

II.195 **comme un Espagnol à qui on donne le chiquin** *Cf.* ①marcher à l'espagnolle *gravement* 195

II.195 ④*aller son grand chemin *n'avoir point d'artifice, estre franc* 91

II.195 **sans songer ny à Pierre ny à Gautier** ②*il n'y a ny Gautier ny Garguille *personne* 248 | | *Cf.* I.68
Cf. (ni) Gautier (ni) Guillaume (1369-77) HSL G18

II.195 ⑤plus malicieux qu'un vieux singe *tres-malicieux* 507
CNN: pas moins luxurieux que ung vieil singe est malicieux (1456-67) HSL s95

II.195 ⑤donner du nez en terre *tomber.* Item, *tomber en necessité, se ruiner* 169; *tomber; se ruiner: tomber en necessité* 369
~ à terre NC23b

II.195 ④*il me regarde de travers comme un chien qui emporte un os *il me voit de mauvais œil* 472

II.195 ④*avoir le nez cassé *estre en mauvais estat* 369

II.195 **aussi-tost relevé qu'un bilboquet** ⓪

II.195 ⑤*ry Jean on te frit des œufs *pour se mocquer d'un niais qui rit mal à propos.* vulg. 483

II.195 **Il me faisoit la moue.** ⓪

II.195 **gros bec** ⓪

II.195 **chien de filoux** ①un filou *un pippeur ou voleur* 225

II.195 **preneur de tabac** ⓪

II.195 ③passer chemin *advancer* 399

II.195 ④il se quarre comme un pourceau de trois blancs *il fait le Seigneur, il se desmarche superbement* 461
LRxB iv,197 (< ATF.x)

II.195 ④*je suis sur le pavé du Roy *en lieu public d'où l'on ne me peut faire sortir* 403

II.195 **qui me voulois fondre en raison comme une pierre au soleil** ③il se fond en raison comme beurre au soleil *il veut apporter des raisons et n'en a point. Allusion vulgaire à* fonder 41 ③se fondre en raison comme beurre au soleil *Voyez à* beurre 229
LRxB xiii,186 (< CuF)

II.195 **je luy ay dit tout ceci, tout cela, par-ci par-là** ③*il m'a dit par cy par là *il m'a parlé confusément et sans suitte.* vulg. 392

II.195 ⑤*bredi breda *confusément.* vulg. 61 ③*tara bara, bredi breda *mots pour denoter une confusion.* vulg. 521

II.195 **♦Il ne devoit faire à autruy que ce qu'il vouloit qu'on luy fist.** ⓪
Machaut: l'en ne doit faire chose a autrui qu'on ne vosist que l'en feist a lui (1340) HSL F4 | | MRW724

II.195 ⑤Grimaud le pere au diable *sorte d'injure* 258
LRxB ix,40 (< CPR)

II.195 **il m'a menacé de me gratter où il ne me demangeroit pas** ② → I.129; II.209

II.195 ⑤*donner mornifle *un soufflet.* vulg. 356
Cf. bailler mornifle sur les levres du roy CTG

II.195 ⑤à la ronde *tout autour* 486

II.195 **Il nettoiroit ma cuisine.** ⓪

II.195 ④il n'aura pas à faire à maupiteux *il trouvera personne qui le traittera comme il faut* 337
LRxB ix,55 (< CPR)

II.195 **Je luy ay bien rivé son clou**. ④ → 00.

II.195 **Quand il pence son cheval, ils sont deux bestes ensemble.** ⓪

II.195 ⑤*bien et beau *de bonne sorte,* vulg. 42

II.195 **il n'estoit qu'un gros veau** ②*faire le veau *le sot, le badin* 561
LRxB iv,206 (< XVIe s.)

II.195 **j'estois à un visage** ⑤*un visage *une certaine personne* 576
III.407 visage CTG | | SorBE vi.826
III.488

II.195 **... qui n'estoit pas de paille** ③un homme de paille *de peu de*
III.466 *consideration* 273 ③*homme de paille *par mespris : de peu de consideration* 386
SorFr 209

II.195 **Il luy faisoit bien la nique.** ⓪
faire la nique SorFr 261

II.195 **luy gardoit quelque chose de bon** ③je te le garde bonne *j'ay dessein de me bien venger* 246
il la luy garda bonne CTG

II.195 ④prendre querelle *commencer une querelle* 451

II.195 ⑤*faire petter le boudin *donner de bons coups.* vulg. 415

II.195 ④*donner une prebende en l'abbaye de Vatan *par allusion de* Vatan *à* va-t'en, *chasser une personne, la renvoyer* 450

II.195 **plus ... qu'il ne passe de gouttes d'eau sous un moulin**
①*il passera bien de l'eau dessous le pont *il s'escoulera bien de temps avant que cela arrive* 176 ①cela fait venir l'eau au moulin *cela apporte du proffit* 176

II.195 **plus ... qu'il n'y a de pommes en Normandie** ⓪
SorFr 270

II.196 **Ce qu'il dit et rien c'est tout un** ③c'est tout un *c'est la mesme chose.* Item, *il n'importe* 546
Perceforest: ce luy estoit tout ung (1314-40) ∪2 HSL

II.196 ④se mettre en peine d'une chose *y avoir du soin* 345
mettre en p. SorFr 66

II.196 ④poursuivre sa poincte *continuer son dessein* 435
il poursuivra la pointe de ses amours RMN 24 | de n'avoir poursuivy sa pointe dans le logis RMN 57 | | poursuivre sa poincte CTG

II.197 **je le plantay là** ④ → I.124

II.197 **m'en suis venu le grand galop** ②*s'en aller au grand galop *empirer, dissiper ses biens : approcher de sa mort* 244 ②au galop *viste* 244

II.197 ⑤la gueule enfarinée *avec un grand desir; avec une grande envie d'attrapper quelque chose* 183 ④il est venu la gueule enfarinée *avec un grand desir d'attrapper quelque chose* 262 ②*enfariné *yvre* 183; 602
LRxB xiv,309 (XVIIIe s.)

II.198 ⑤*voila Monsieur venu trempez luy sa soupe *à un impatient qui veut estre servy dés qu'il est entré* 514

II.198 ⑤servez Godard, sa femme est en couche *c'est une façon de parler vulgaire pour refuser quelque chose à un impertinent qui se veut faire servir en Maistre, ou bien un impatient* 251 ⑤servez Godard, etc. *Voyez à* Godard 505
LRxB ix,39 (< CPR)

II.198 ⑤*la marmitte est renversée *il n'y a plus rien à manger, il n'y a plus d'argent pour faire la despense de la maison* 332

II.198 ⑤*il n'y a ne fric ne frac *rien du tout* 236
on ne trouve chez luy ny froc, ny fric CTG

II.198 ④*ce n'est pas pour vous que le four chauffe *on ne prepare pas pour vous, ne pretendez rien* 232
ce n'est pas pour luy que le four chauffe CTG

II.199 **ce n'est ni de ton pain, ni de ta chair** *Cf.* ①*il a plus de chair que de pain *il est plus fourny de membre que d'argent* 77

II.199 ④faire l'empesché *se mesler impretinemment de ce qui ne nous regarde point.* Item, *feindre de travailler beaucoup* 178 ④*il est empesché comme une poule à trois poulcins *il s'empesche de peu de chose, il a peu d'affaires.* vulg. 447
faire l'empesché CTG

II.199 **tu es un grand jazeur, tu n'as que de la bave** ②*il a bien de la bave *il parle beaucoup.* vulg. 35

II.199 ⑤en un tour de main *ou* tourne main *en un instant* 542
dans un tourne-main CTG

II.199 **tu t'y prends d'une belle degaine!** ⑤*tu t'y prens d'une belle desguaine *tu fais cela de mauvaise grace, d'une estrange façon.* vulg. 156 ③*cela est fait d'une belle desguaine *de mauvaise grace.* 601

II.200 ④il est nourry de brouet d'andouille vulg. *pour dire qu'un homme a de l'experience; le reste est,* il sçait tout 64

II.200 **je voudrois bien voir de ton eau ...** ③quand verra-t'on de vostre eau *de vos effets, ou de votre science* 175
il vouloit juger de nostre eau dans un coquemar de cuir bouilly BRUFant 173

II.200 ④cuisinier de Hedin qui empoisonna le diable *sale et mauvais cuisinier* 141
LRxB vii,353 (< CuF)

II.200 **tu entens la cuisine comme à faire un coffre ...** ④*il
III.307 entend cela comme à faire un coffre *il n'est pas fort adroit à cela.* vulg. 109

II.200 ④*il entend cela comme à ramer des choux *il est mal adroit, il est ignorant en cela.* vulg. 468

II.201 ③*faire porter du bois, *ou bien*, donner du bois pour porter à la cuisine *donner des coups de baston].* vulg. 45

II.202 ④*avoir la teste prés du bonnet *estre coleric* 530
(avoir) la teste près du bonnet CTG

II.202 ④*prendre la chevre *se mettre en colere.* vulg. 96
BRUFant235 | | HEst136

II.202 ④*il est bon garçon, il a la jambe jusqu'au talon *raillerie vulgaire, pour dire qu'une personne n'est pas trop bonne* 277

II.202 **[tu as] les bras jusques au coude** ①*mettre le bras jusqu'au coude *s'enfoncer bien avant en un affaire* 125

II.202 ④*il est de bonne amitié, il a le visage long *cela se dit d'un chien qui a le museau fort long.* vulg. 576

II.203 ⑤*un chien hargneux *un querelleux* 97 ⑤*chien hargneux a tousjours les oreilles deschirées *un homme querelleux est battu pour l'ordinaire* 266
LRxB iv,165 (XVIe s.)

II.204 ④ils ont tousjours maille à départir *ils sont tousjours en dispute* 315

II.204 **Philipin prends garde** ④ → I.14; II.146 II.204 II.272 III.462

II.204 **estriller** ④ → II.172

II.204 **il en mangeroit deux comme toy** ③ → I.69

II.205 **S'il y avoit songé, ...** ③*s'il le faisoit il ne mangeroit jamais de pain *il luy cousteroit la vie, on le tueroit* 326 ③*il ne mangera plus de pain *il est mort* 326
LRxB xiii,202

II.206 **♦Pour se cognoistre il faut qu'ils mangent un minot de sel ensemble.** ⓪
Cf. ER II.i.14 | | → *Comm.*

II.206 **ne nous rompez plus la teste** ④ → I.124

II.206 ④la teste luy fait bien mal *il a de grands ressentiments, de grandes passions* 532

II.207 **si vous estes malade, prenez …** ③si vous avez mal à la teste prenez du vin *cela se dit en riant à une personne qui se plaint* 575

II.207 ⑤♦mal de teste veut repaistre *qu'il faut manger pour guerir le mal de teste* 321

II.209 **Vous les gratez bien où il leur demange.** ④★il me gratte où il me demange *il touche justement au point que je souhaitte, il parle comme je le desire.* vulg. 257 | | *Cf.* I.129, II.195.
chatouiller au lieu où il leur démangeoit SorFr 193 | | il la gratte où elle se démange RMN 104 | | LRxB v,213 (< CPR | XVIe s.)

II.210 ⑤Sisez vous sont sept *allusion de* six et vous *à* sisez, *vulgaire, au lieu de dire,* seez ou asseez vous 507-8

II.211 ④un bon goulu *un bon compagnon* 252

II.211 ⑤★flacquons nous là *mettons nous là.* vulg. 227

II.211 ④★dauber des maschoires *manger avidement.* vulg. 147

II.213 ***De quatre choses Dieu nous garde …*** ⓪
LRxA xv, 711 (XVIe s.)

II.214 ⑤le diable s'en pende *on se sert de ces mots, lors qu'on a regret à quelque chose, ou que quelque mal est arrivé* 165

II.215 **C'est bien employé** ⑤ → I.45

II.215 **… tu as mordu du veau** *Cf.* ①★faire le veau *le sot, le badin* 561

II.216 **Tu joue desja des balligouinsses comme un singe qui desmembre des escrevisses.** ⓪

II.216 ⑤★avalleur de pois gris *grand mangeur* 22 ⑤un avalleur de pois gris *un grand mangeur, un gourmand* 437
avalleurs de pois gris CTG | | LRxB x,70 (< CPR)

II.216 **Tu n'oublie pas les quatre doigts et le pousse.** ⓪

II.216 **estropiat des machoires** ⓪

II.217 ⑤♦les mains sont faites devant les cousteaux *on se sert de ces mots, en prenant de la viande ou du sel avec les doigts, pour excuser son incivilité* 317
SorBE v.793

II.217 **Je ne suis pas un enfant, je ne me repais pas d'une fraize.** ⓪

II.217 **bonnes sont les vertes, bonnes sont les mures** *Cf.* ①entre-
220 deux vertes une meure *confusément, une chose bonne parmy de mauvaises* 568
cf. Ch.d'Orleans: entre deux meurez une verte (1458); Coquillart: entre deux vertes une meure (1478) HSL v76

II.221 ④*manger dans son sac *manger seul, en son particulier.* vulg. 493 ③manger son pain en son sac *manger seul comme un gourmand* 388 ③manger son avoine en son sac *manger seul sans en faire part à personne* 22; *manger seul.* 589
m-r de l'avoine en son s. NC22b | | manger son pain en s. sac CTG

II.221 ⑤grand'gueule *gourmand; avare; insatiable* 608

II.221 ④*avoir le gosier pavé *manger fort chaud, et manger beaucoup.* vulg. 252 ④un gosier pavé *Voyez à* gosier 403

II.222 ④fourrer *ou* mettre son nez par tout *se mesler de toutes sortes d'affaires, s'enquerir trop curieusement* 370
mettre le nez partout CTG

II.222 ③*niais de Soulogne qui s'abuse à son proffit *un homme ruse [sic] qui fait tout à son advantage* 371 ③fol de Souloigne qui s'abuse à son proffit *un rusé* 228 ④s'abuser à son proffit *faire ses affaires avec subtilité* 586
LRxB vii,397 (< CPR | CuF)

II.222 **Je ne te trouve point tant sot** ③*il n'est pas trop sot *il a raison de desirer ou vouloir ce qu'il me demande, il ne choisit pas mal* 511

II.222 **tu aime mieux deux œufs …** ③ *il est desgousté en fruitage, il aime mieux deux œufs qu'une prune *c'est un grand mangeur* 156

II.223 ⑤un dessalé *un rusé, un finet.* vulg. 160
dessallé CTG

II.223 ⑤◆*qui choisit et prend le pire, est maudit de l'Evangile *qu'il faut choisir avec prudence et promptement* 102
LRxB i,25 (XVIe s.) | | qui ch. et p. l. p. est un vray herectique BRUFant 292

II.224 ⑤laissons l'Yvroignerie, et parlons de boire *beuvons, resjouissons nous* 583

II.224 ④hausser le gobelet *boire* 226

II.224 **Nous ne boirons jamais si jeunes.** ⓪

II.224 **c'est trop filer sans mouiller** ⑤*c'est trop filé sans mouiller *trop mangé sans boire.* vulg. 224 ③◆*il n'y pas de moyen de filer si on ne mouille *de manger sans boire.* vulg. 224

II.225 **Du temps du roi Guillemot on ne parloit que de boire …** ⑤du temps du roy Guillemot *anciennement, lors que le monde estoit simple* 524
LRxB x,93

II.226 ④estre traitté à la fourche *fort mal traitté, de peu de viandes et bien mauvaises* 232 ④traitter à la fourche *Voyez à* fourche 549

II.226 ④imaginez vous d'estre à la guerre *c'est pour s'excuser de la mauvaise chere que l'on fait à ses hostes, et les exhorter à prendre patience* 261

II.227 **◆Une pomme mangée avec contentement vaut mieux qu'une perdrix dans le tourment.** ⓪

II.227 **◆il n'est festin que de gueux** *Cf.* ②til n'est chere que d'avaricieux *les avares font de grandes despenses lors qu'ils se mettent en humeur de traitter quelqu'un* 93

II.227 **quand toutes les bribes sont ramassées** ① → II.194

II.228 **Il ne fut jamais si bon temps que quand le feu roy Guillot vivoit: on mettoit les pots sur la table, on ne servoit point au bufet** *Cf.* ①du temps du roy Guillemot *anciennement, lors que le monde estoit simple. vulg.* 524
LRxB ix,41 (< CPR)

II.229 **◆A l'occasion on prend ce qui vient à l'hameçon.** ⓪

II.229 **tout cecy ne m'est point à rebours** ③*cela luy est bien à rebours *cela le fasche.* vulg. 470

II.231 ⑤◆les premiers morceaux nuisent aux derniers *quand on a bien mangé on ne sçauroit plus rien manger* 355

II.232 ④vous prenez de la peine tout plein *par allusion ou equivoque, emplissez le verre* 545

II.233 ④*hausser le temps *boire* 268; 525
= CuF hausser CTG

II.234 **Cela passe doux comme laict.** ③*il l'a avallé doux comme laict *il a eu patience.* vulg. 172
d.c.l. (1361) HSL L50

II.234 ④il est fils de tonnelier il a une belle avalloire *la bouche grande.* vulg. 539 ⑤fils de tonnelier. *Voyez à* Tonnelier 605
LRxB v,208 | xii,186 (< CPR)

II.234 **Ce vin-là seroit-il pas bon à faire des custodes?** ③*ce vin est bon à faire des rideaux, il est verd et rouge *c'est une allusion à* verd, *qui signifie aspre.* 481 | | → *Glossaire*

II.234 ⑤vin à deux oreilles *fort mauvais. L'on secoue les deux oreilles pour dire qu'une chose est fort mauvaise* 381

II.234 ⑤du vin de Bretigny qui fait danser les chevres *du vin fort verd* 574
LRxB vii,326 (< CPR) | | *Cf.* je sçay faire d. les ch. BRUFant 201

II.235 ⑤⋆il est parent d'un roulier d'Orleans nommé Ginguet *ce vin est fort petit, et mauvais* 393 ⑤⋆du ginguet *petit vin verd, et fort mauvais* 250
LRxB ix,39 (< CPR) | ix,42 (< CuF)

II.235 ⑤♦⋆à six et à sept tout passe par un fosset *le tavernier n'a qu'une sorte de vin, et le fait payer diversement.* vulg. 231

II.236 **♦il fait bon estre bon ouvrier, on met toutes pieces en œuvre** ④♦⋆il est bon ouvrier, il met toutes sortes de pieces en ouvre [sic] *Voyez à* Besogne 384 ④mettre toutes sortes de pieces en œuvres *Voyez à* besogne 376 ③⋆mettre toutes sortes de pieces en besogne *se servir de toutes choses indifferemment : comme de bonnes, de mauvaises, de jeunes femmes, de vieilles, de belles, de laides, etc.* 40 ③mettre toutes pierres en œuvre *se servir de tout* 423 *Cf.* ①⋆un bon ouvrier *un bon compagnon* 384
mettre toutes pierres [sic !] en œuvre CTG

II.237 ④⋆il s'en est donné au cœur joye *il en a mangé tout son saoul.* vulg. 108

II.238 **ils ont la mine de ...** ②il a la mine d'estre bon *apparence* 348

II.238 **ils ont la mine de ne manger pas tout leur bien, ils en boiront une bonne partie** ③nous ne mangerons pas tout *nous en boirons une partie* 326

II.239 **je me porte mieux que tantost** ③⋆il se porte bien *il est bien saoul ou yvre* 440

II.239 **carrelure de glabe** ②⋆une carreleure de ventre *un bon repas.* vulg. 73 ②quarreleure *Voyez* carreleure 461
c. de ventre BRUFant 2, carlure d. v. BRUFant 295

II.240 ⑤⋆comme un os dans la gueule d'un chien *à propos.* vulg. 383

II.240 ④⋆il ressemble les procureurs, il releve mangerie *il recommence de manger apres le repas.* vulg. 457 ⑤⋆relever mangerie *recommencer à manger* 327 ; 473

II.240 **si tu meurs à la table ...** ③si vous crevez à la table je mourray à vos pieds *je ne vous abandonneray point quand il sera question de manger* 518

II.240 ④boire à tire larigot *beaucoup* 298 ; *boire beaucoup. Voicy l'etimologie de ce mot ; les soldats beuvans par derision à la santé d'Alaric, apres luy avoir tranché la teste et l'avoir mise au bout d'une pique, proferoient ces paroles* à ti Alaric Got*; Et depuis par corruption,* à tirelarigot 535
boire à tire-larigaud. CTG | | LRxB xiii,187 (< RBL)

II.241 **il vaut autant se despouiller …** ④*il vaut autant se despouiller icy qu'à la taverne *le vulgaire au cabaret use de ces paroles lorsqu'il est en train de faire bonne chere* 160 ③*autant vaut *presque, quasi*. vulg. 561
RMN 120

II.243 **O qu'il est gravissant!** ⓪ → *Comm.*

II.243 ⑤il chante comme une sereine du pré aux Clercs *il crie comme une grenouille* 504
LRxB vii,386 (< CPR)

II.243-4 **Masse … - [Taupe]** ⑤masse à qui dit *c'est une translation du jeu de la chance, dont on se sert en beuvant* 336 | | → *Glossaire*

II.244 **Taupe …** ⑤tope tope, *par Metaph: je tien le coup que vous me portez à la santé d'un tel* 539

II.244 **je vaux mieux escu que je ne valois maille** ④il vaut mieux
III.514 escu qu'il ne valoit maille *il est beaucoup plus beau, meilleur, ou mieux fait qu'auparavant* 194

II.245 **je suis roy de Poitiers, il ne faut plus que me couronner d'une chaufferette** ⑤roy de Poitiers *une dignité ou grandeur qui ne dure gueres* 489
LRxB vii,384 (< CPR)

II.245 **♦il ne nous faut plus que des choux, si nous avions de la graisse** ②♦*ce n'est pas tout que des choux, il y faut de la graisse *ce n'est pas assez d'avoir commencé, il faut achever. Ce n'est pas tout d'avoir une partie d'une chose, il en faut posséder le reste*. vulg. 102

II.246 ④*n'oubliez pas la confrairie des pourceaux, *d'autres disent*, le luminaire: *on se sert de ces mots lors que quelqu'un rotte*. vulg. 116
LRxB iv,197 (< ATF.x)

II.247 ⑤*un estron pour le questeur *cela se dit d'une personne qui rotte* 462

II.247 ④il est plein comme un œuf *tout plein, fort remply* 376
p.c.u.o. (1386) HSL o19 | | LRxB xiii,204 (< CuF) | iv,188

II.247 ④se saouler *s'enyvrer* 497

II.247 ③*il a plus grands yeux que grand' pance *il y a plus de viande sur la table qu'il n'en sçauroit manger, et toutefois il croit de n'en avoir pas assez*. vulg. 375
les yeux plus grands que la panse - *s.v.* œil CTG

II.248 ④*boire tanquam sponsus *boire beaucoup* 520

II.248 ④*j'en ay jusqu'au goulet *je suis fort saoul, je suis plein jusques au gosier* 252

II.248 **◆Que sert-il de boire si on ne s'en sent.** ⓪ LRxA xiv,619 (pour néant boit qui ne s'en sent RBL,G,x)

II.248 **nous voilà en bon estat** *Cf.* ②estre en bon estat *s'estre confessé et reconcilié avec Dieu* 200

II.248 **nous avons bien beu et bien mangé, pandu …** ④*nous avons bien disné, pendu soit-il qui l'a gaigné *c'est une allusion de* gaigner *qui signifie aussi meriter* 243 ⑤pendu soit-il qui l'a gaigné. *Voyez l'allusion à* gaigner 407

II.249 **Parlez haut** ⓪ | | → II.189 III.333

II.249 ③soldat de Brichanteaux *gourmand et poltron. On y adjouste,* qui mange toute nuit 508
LRxB vii,327 (< CuF)

II.250 ④il fait comme les bons chevaux, il s'eschauffe en mangeant *il ne se refroidit point à table* 95
bonne beste s'eschauffe en mangeant CTG | | LRxB iv,162 (< CuF)

II.251 ⑤*je commence d'avoir de la poudre dans les yeux *je m'endors* 446

II.251 ⑤le petit bon homme me prend *le sommeil* 273

II.252 ⑤mettre bas *deposer, poser bas* 346

II.253 ④*il est aisé à nourrir *il est saoul.* vulg. 373

II.253 **quand je suis saoul, je ne demande qu'à dormir** ④il est saoul *yvre* 497

II.253 **un saut que j'aime bien à faire …** ③le sault perilleux *estre pendu.* Item, *par raillerie, de la table au lict* 499

II.254 **Fils de putain à qui tiendra** ②*fils de putain qui sera le dernier *nos enfans disent cecy en courant l'un devant l'autre* 225 | *Cf.* I.34

II.255 ④ma journée est payée *je ne veux point me haster ou travailler* 289

II.256 ④*espingle d'enfer qui tient comme tous les diables *une chose fort attachée* 198 ②en diable et demy; comme trente mille diables *bien fort* 164 → I.30

II.257 **Cela fut joué à Loche**. *Cf.* ①*il a tousjours quelque fer qui loche *il a tousjours quelque mal.* vulg. 217; *Voyez à* fer 306

II.257 ④*il entend le trantran *il n'est pas ignorant, il est fin ou habile.* vulg. 549 | | → II.294 **trantran**

II.257 **mal adroit comme Cueillart** ⓪

II.257 ④*faire un trou à la nuit *s'en aller sans dire à Dieu, ou sans payer* 554
ma ... sœur aura fait un trou à la nuit RMN 90 || NC24b || trou, nuict CTG || SorFr 103 || LRxB xi,149 (< CPR)

II.257 ④*emporter le chat *s'en aller sans payer, ou sans prendre congé*. vulg. 86
LRxB xiv,149 (< CPR)

II.257 ♦⑤il faut prendre le temps comme il vient *avoir patience, s'accommoder à tout* 525
preng le temps ainsi qu'il venra (1335) HSL T24 || LRxB iii,133

II.258 **Cela vous plaist à dire, masque** ③*les compliments de la place Maubert *des discours du vulgaire, v.g.* cela vous plaist à dire, *et d'autres semblables*. vulg. 113

II.258 ④*jouer à cligne mussette *se cacher.* vulg. 106
à cline musette RBL 20

II.259 **un joly appeau de coqu** ⓪

II.259 **Je n'aurois non plus pityé d'elle qu'un Advocat d'un escu.** ⓪

II.260 **Ne jouons point au pet-en-gueule.** ⓪
pet en gueule RBL 20 || jeux de Petengueule BRUFant 201 | jouant à petangueulle BRUFant 263

II/4

II.261 **n'entens-je pas à pincer sans rire?** ⑤*pincer sans rire *offenser couvertement* 425 ②*pincer en riant *offenser et faire semblant du contraire* 425
pincer sans rire CTG || BRUFant 174; BRUNi 67r || LRxB xii,178 (XVIIe s.)

II.261 **faire rafle en trois coups** ⑤*faire raffle *prendre tout* 467 ③*faire une raffle de cinq *prendre avec les cinq doigts* 467
faire une raffle CTG || SorBE iii.397 || *Cf.* I.116

II.261 ④il n'y va que d'une fesse *il y procede laschement, ou mal volontiers* 218
n'y aller que d'une fesse CTG

II.261 **vous craignez la touche** ④*il craint la touche *il a peur d'estre battu* 540 ③*Il est de bas or, il craint la touche *il a peur d'estre battu, il est poltron* 32; *il a peur d'estre battu* 380
SorFr 353

II.261 **premier que d'avoir mis la griffe** ③ → II.167

II.261 ⑤★craindre la harpe *avoir peur d'estre pris* 266

II.261 **Nous avons attrimé au passeligourt.** ⓪
(1596) Pech 14 | | → *Gloss.*

II.261 ⑤★une grivelée *une friponnerie* 259

II.261 **il faut enbier le pelé** ⓪
III.309 enbiâmes le pelé juste la targue (1596) Pech 15 → *Gloss.*

II.261 ⑤gaigner le haut / hault *fuir* 241 ; *s'enfuir* 267
III.440 rouer de coups de baston s'il ne gaigne le haut RMN 6 | | BRU-Fant 224 | | gaigner le h. CTG

II.261 **mettre ses quilles à son col** ②★jetter ou prend[r]e ses jambes à son col *se mettre en chemin, s'en aller, d'autres disent* pendre, etc. 277 | | → II.267 **trousser ses quilles**
(1627) quille BLES | | → ***Glos.***

II.262 **Par manenda** ⓪
SorFr 286

II.262 ⑤★les chiens courans du boureau *les Archers et sergens.* vulg. 97
en proye à ces chiens courans de Bourreau RMN 141

II.262 **brimart** ⓪
(1596) Pech 43 | | → *Glossaire.*

II.262 ④★chasser les mouches de dessus les espaules *donner le fouet.* vulg. 360

II.262 **les marques de la ville** ②porter la marque de la ville *estre marqué sur l'espaule d'une fleur de lys, etc.* 333

II.262 ④faire la procession par tous les carrefours *avoir le fouet par les mains du bourreau* 457

II.262 ④avoir le vent en pouppe *avoir la fortune favorable* 564
vent en pouppe; avoir vent en pouppe CTG

II.263 **Saincte Migorce!** ⑤Sainte Migorge *interjection d'admiration* 495

II.263 ④il est né coiffé *il est heureux* 109; 367
il est né tout coiffé | né tout coiffé CTG

II.263 **il ne faut plus que des allouettes ...** ③★Les allouettes luy tombent toutes rosties dans la bouche *par ironie, pour dire que quelqu'un n'aura pas tout ce qu'il se promet de bien au lieu où il s'achemine.* vulg. 10
il pense que les alouettes luy tomberont en la b. toutes rosties CTG | | LRxB iv,139 (< CuF)

II.263 ④jouer à la ronfle *ronfler en dormant* 285 ; 486
= CuF ronfle CTG | | RBL G, 20

II.263 **vollant** ⓪
(1596) Pech 47

II.263 **ont quitté leurs volans avec leurs habits** ③laisser ses habits *se despouiller* 294 ③quitter le manteau *le mettre bas, l'oster de dessus ses espaules* 466

II.263 ⑤*la semaine des trois Jeudis, trois jours apres jamais *jamais.* vulg. 502 ⑤la sepmaine des trois Jeudis *jamais* 609
LRxB iii,130 (1774)

II.264 **Que chacun fasse comme moy, le plus grand fol commance le premier.** ⓪

II.264 **georget** ⓪
(1596) Pech 44

II.267 ⑤se mirer *se plaire à soy mesme* 349 ⑤se mirer dans ses plumes *s'admirer soy mesme* 433
se mirer CTG

II.267 ④escamper *fuir* 190
s'escamper CTG

II.267 ④perdre le clocher de veue *s'esloigner fort d'un lieu* 106 ③perdre de veue *estre si esloigné que l'on ne puisse voir* 408

II.267 **trousser ses quilles** ④*trousser les /ses quilles *s'en aller* 464 / *s'enfuir* 555 | | *Cf.* II.261
Ch.d'Orleans: troussés voz sacs et voz q. (1455) HSL Q11 | | trousser leurs quilles CTG

II.267 ④*il est pris de gallico *inopinément, attrapé sans y penser* 244
gallico. prendre au ~; ou de ~ CTG

II.267 ④un pauvre diable *un homme necessiteux ou mal-heureux.* Item, *de qui l'on doit avoir compassion* 163
LRxB i,11

II.267 ④donner *ou* faire la saulse à quelqu'un *le tancer, le reprendre ; le punir* 498
LRxB xiii,216 (< CuF)

II.267 **Ils n'auroient pas si bon marché de nous** ③*il en a eu bon marché *il l'a emporte avec facilité, ou bien, il a receu peu de dommage ou de perte* 330
bon marché, et grand marché CTG

II.267 ④nud comme la main *tout nud* 374

II.268 ♦⑤qui trop embrasse mal estreint *qui entreprend trop ne reussit pas.* vulg. 178
NC20b | | q. t. e. peu (mal) e. (1340) HSL E23 | | trop embrasser, et peu estraigner CTG | | ~ pou estraint MRW2175

II.268 **La trop grande convoitise romp le sacq.** ⓪
Cf. Qui tut conveite tot perd LRxA 893 (XIIe s.)

II.269 **Maudit soit le dernier** *Cf.* ①fils de putain qui sera le dernier *nos enfans disent cecy en courant l'un devant l'autre* 225 | *Cf.* I.34, II.254

II.269 **sauvons-nous** ④*se sauver *fuir. On y adjouste,* par les marests
II.291 500

II/4a

II.270 **un grand petit homme rousseau, qui avoit la barbe noire, qui portoit son espaule sur son baston, et estoit assis sur une grosse pierre de bois.** ⓪
BRUFant 149

II.270 ④adjouster foy *croire* 4

II.270 ♦**Les songes sont mensonges.** ⓪
Cf. Machaut: on ne doit pas croire les songes (1364) HSL S106

II.270 **Debout les vaches vont au champs.** ⓪ | | → *Comm.*

II.271 ⑤je t'engeolle peigne de bouis *je me mocque de ce que vous me dites.* vulg. 184 | | → *Gloss.* engeoler; bouis.

II.271 ⑤tu me desroberas un soufflet *je te donneray sur la joue* 512

II.272 ④*il ne vaut pas le desbrider *il ne vaut rien du tout.* vulg. 153

II.272 **prends garde à toy** ④ → I.14; II.146 II.204 III.462

II.272 ♦**Telle vie, telle fin.** ⓪
tel vye tel fin (1335) v96 | *cf.* de bonne vie bonne fin (1371-2) v91 | de mauvaise vie mauvaise fin (1371-2) v92 | Deschamps: la male vie a male fin se tent (1390) v94 HSL

II.273 **tu serois bien sur le rebord d'un estang, tu remontrerois bien le menu peuple** ③*il seroit bon sur le bord d'un estang, pour prescher le menu peuple *il est grand jaseur, grand parleur* 200

II.273 ⑤le menu peuple *le vulgaire, le commun peuple.* Item, *les petits poissons d'un estang, par* Metaph. 340
peuple CTG

II.273 **Voilà un homme bien diligent pour en parler, il se leve tous les jours à huict heures, jour ou non.** ⓪

II.275 ⑤*il est l'heure que les fils de putain vont à l'escolle pren ton sac et t'y en va *nos enfans respondent cecy en raillant à qui demande quelle heure il est.* vulg. 271

II.275 ④*je vous serviray le jour de vos nopces *je vous rendray quelque autre service en contr'eschange* 505

II.277 ④*vous avez la berlue *vous ne voyez pas clair, vous vous abusez,* vulg. 40

II.277 ④*il a esté au trespassement d'un chat *il a la veue trouble; il a trop beu, ou bien il ne voit pas bien clair.* vulg. 551

II.278 ④changer son cheval borgne à un aveugle *faire un mauvais change, d'une mauvaise chose à une pire,* vulg, 49; 95

II.279 **que diable est ce-cy?** ③que diable fais-tu ? que diable veux-tu ? *qui sert d'interrogation estant en colere* 164

II.279 **des frippes propres à jouer une farce** ③jouer une comedie *representer* 285

II.279 ⑤*riolé piolé comme la chandelle des Rois *de diverses couleurs* 482

II.279 **à quel jeu jouons-nous?** ⑤à quel jeu jouons nous *que faisons nous icy* 281 ④à quel jeu jouez vous *de quelle façon procedez vous, à quoy pensez vous* 281

II.279 **tout de bon** ⑤ → 00, I.29

II.279 **bahutter** ⓪ → *Glossaire*

II.280 ⑤*grippe chenille *pren, attrappe* 259

II.280 ③cela me couppe la gorge *cela me ruine* 252

II.283 ④*Vous vous mocquez de la barbouillée *vous ne devez pas faire ce que vous faites, vous avez tort de proceder de la sorte,* vulg. 31; 350

II.284 ④prendre pour duppe *tromper; et prendre pour un niais* 173

II.284 **il y a de l'ordure au bout du baston** ③il y a de la merde au baston *il y a quelque deffaut, quelque mauvaise intelligence, ou action.* 341 ②*il y a de l'ordure à sa fleute *il y a quelque deffaut en luy, il n'a pas sa conscience nette.* vulg. 227; *il y a quelque manquement en son fait.* vulg. 381

II.284 ④jetter le chat aux jambes *accuser une personne faussement, luy imposer la faute d'un autre.* vulg. 87
LRxB iv,158 (XVIIIe s.)

II.284 **... ont fait la picoree** ⓪ → *Glossaire*

II.284 ④*se couvrir d'un sac mouillé *prendre une mauvaise excuse.* vulg. 492
NC18 = | | LRxB v,274 (< NC) | xii,180

II.285 ⑤porter *ou* payer la folle enchere *le dommage* 180 ⑤payer *ou* porter la folle enchere *porter la peine ou le dommage* 229
la pauvre fille et moy en porterions la folle enchere RMN 27 | | SorFr 348 | | il en payera la folle enchère CTG

II.286 ⑤n'attendons pas la pluye *sortons de bonne heure du danger* 433

II.286 **mettons-nous à couvert** ④ → I.94

II.287 ♦⑤à quelque chose le mal heur est bon *quelquefois le mal nous cause du bien* 323
Perceforest: a aucune chose est malheureté bonne (1314) HSL M70 | | à qqch malheur est bon CTG

II.287 ③*cela vient comme Mars en Caresme *fort à propos.* vulg. 334
ferme, comme Mars en Quaresme (XIV) HSL M92 | | Vous venez comme Mars en Caresme RMN 123 | | LRxB iii,95 (1821)

II.287 **qui nous ont joué cette trousse** ③ → II.191

II.287 ⑤donner une cassade *jouer d'un tour, faire une niche, en faire à croire, persuader une chose qui n'est pas* 74
SorBE xii.824

II.287 **croire que des nuées sont des poesles d'airin** ⓪
Villon: des nues une peau de veau (1461) HSL N44

II.287 **jouer cette fourbe** ②jouer une personne *se mocquer d'elle, la gausser* 284

II.287 ③gager sa teste *c'est la gageure d'un fol* 241

II.287 ④venir à bout *vaincre, surmonter, reüssir* 57 ②il y laissera la teste ou il en viendra à bout *il mourra ou il reüssira en cét affaire* 531
venir à bout de CTG | | Sor 54; 288

II.287 **faire comme au jeu de l'abbé, qu'à me suivre** ②jouer à l'abbé *c'est une sorte de jeu où il faut imiter celuy qui passe devant les autres en tout ce qu'il fait* 2

II.287 ⑤matois *meschant, rusé* 337

II.287 **je ne vous mets d'accord avec le docteur comme le bois de quoy on fait les vielles** ②*ils accordent bien leurs vielles *ils ont de l'intelligence* 572 ②*je suis du bois dont on fait les vielles, de tous bons accords *je m'accorde à faire tout ce que l'on veut,* vulg. 45

Cf. accorderent leurs vieles ensemble (1465) HSL v102 | | ils accordent tres bien leurs vielles ensemble CTG

II.288 **Ce garçon-là a de l'esprit ...** ④*il a couché au cimetiere il a de l'esprit *c'est un quolibet du vulgaire, pour dire qu'une personne est habile ou spirituelle* 104

II.289 **on me tient au cul et aux chausses** ④ → I.136 III.317

II.290 ⑤*le cul me fait lappe lappe *j'ay grand peur.* vulg. 296

II.291 **despechons de nous sauver** ④se despescher *se haster* 159 | → II.269

II.292 ⑤*les despeschez sont pendus *notre vulgaire respond de la sorte à qui le presse de faire quelque chose, et luy dit* despeschez 159
afin d'en depecher le monde RMN 93

II.293 **... on me boucheroit le cul d'une charretée de foin** ②*on luy boucheroit le derriere d'un grain de millet *il a grand'peur,* vulg. 52

II/5

II.294 **de qui la valeur fait fendre les pierres** *Cf.* ①*ce vin fait fendre les pierres *il est excellent* 217 ①il gele à pierre fendre *bien fort* 422

II.294 ④*il est au bout de son rolet / rollet *il ne sçait plus ce qu'il doit dire, ou faire.* vulg. 57 / *il ne sçait plus que dire, ou que respondre.* vulg. 485
au b.d.s.rôle (1511) HSL R66

II.294 **aussi chanceux que Cogne-festu ...** ③*il ressemble Coigne-festu, il se tue, et ne fait rien *il travaille beaucoup en vain* 110
LRxB ix,33 (< CPR)

II.294 **les montaignes qui n'enfantent que des souris.** ⓪
Parturiant montes, nascetur ridiculus mus. ER I.ix.15

II.294 ④tout le monde en est abbreuvé *le sçait* 2

II.294 ④un avorton *un petit homme* 24

II.294 **... ayent eventé la mine que je voulois faire jouer** ②esventer un affaire *la descouvrir* 205 ③la mine est esventée *la malice ou l'invention est descouverte* 348 ②faire jouer le canon *le tirer* 285

II.294 ④*faire fuir comme trepillards *chasser, donner la chasse* 551

II.294 **[fuir] comme un Regnard devant un Lyon** ⓪

Cf. se mirent en fuite comme les moutons devant les loups (1473-1501) HSL M239

II.294 ⑤★un pas de clerc *une faute* 106; *une grande faulte* 397
SorBE vi.900

II.294 ③★il s'est caché dans un trou de souris *en un lieu fort escarté* 554
LRxB iv,203 (XVIe s.)

II.294 ⑤★c'est pour m'achever de peindre *c'est un nouveau mal ou dommage que je souffre; c'est pour achever de me ruiner* 405

II.294 ⑤★par monts et par vaux *en tous lieux, de tous costez* 354
SorBE xiii.66

II.294 ④attrapper *tromper* 21

II.294 ⑤★cela m'est hoc *cela m'est asseuré. Celuy-cy est tiré du jeu de hoc aux cartes* 271

II.294 **leur feray croquer le marmouset** ④★faire craquer le marmouset *frapper, battre*. vulg. 332

II.294 ⑤à qui vous joue tu *incongruité vulgaire par raillerie, pour dire, à qui vous adressez vous, à qui pensez vous avoir à faire* 286 | | *Cf.* II.158.

II.294 **Quelque sot mangeroit son frein** ③. → II.175

II.294 **en chair et en os** ⑤★en chair et en os *present en personne*. vulg. 78
LRxB i,43 (< CPR)

II.294 **en chair et en os comme saint Amadou** ⓪

II.294 **... sans vin boire ny sans beste vendre.** ③★vous ne vous en irez pas sans beste vendre *vous ne partirez pas du lieu sans payer quelque chose; sans recevoir quelque dommage. Ou bien sans boire et manger,* vulg. 41
ne pas s'en aller sans bête vendre (1340) HSL B61

II.294 ⑤le trantran *le nœud de l'affaire*. vulg. 549 | | *Cf.* II.257

III/1

III.295 **paré / brave comme un bourreau qui est de feste** ②★brave comme un bourreau qui fait ses Pasques, *bien vestu* 61 ①estre de feste *convié à une resjouissance publique* 220

III.295 ④★gens du Bourg l'Abbé, qui ne demandent qu'amour et simplesse *quolibet des plus vulgaires, pour dire que ce sont des personnes fort bonnes et simples* 249 vous ne demandez qu'a. et s. BRUFant 274 | | SorFr 353 | | LRxB vii,722 (< CPR)

III.295 ④*carabin de la comete *filou, voleur* 72

III.295 ④*un esveillé *un gaillard, un rusé* 205
=CuF esveillé CTG

III.295 ④*il cherche chape cheute *il cherche à attraper quelque chose*. vulg. 82
cercher chappe cheute CTG | | pour y trouver chape chûte RMN 7 | | SorFr 76 | | LRxB xii,159 (< CuF)

III.295 ④payer en monnoye de singe, en gambades *payer mal, s'en aller sans payer.* vulg. 352
SorFr 162 n18 | | monnoye de singe; payer en gambade CTG | | LRxB iv,202 (< CuF)

III.295 ④*ficheuse *une garce*. vulg. 222

III.295 ④*elle ressemble aux balances d'un boucher, qui pesent toutes sortes de viandes *elle est garce des plus communes* 27

III.295 ④*il est troussé comme une poire de chiot *il est assez mal ajusté ou mal fait*. vulg. 436

III.295 ⑤*escornifleur de potence *un meschant, un pendart* 192

III.295 ③*il est vestu comme un moulin à vent *vestu de toisle*. vulg. 361

III.295 ④*bourgeoise d'Aubervilliers, les joues luy passent le nez *il a les joues fort enflées, il est fort gras*. vulg. 55
LRxB vii,709 (< CPR)

III.296 **tu ressembles mieux à un parement de gibet qu'à un quarteron de pommes** ③il luy ressemble mieux qu'à un quarteron de pommes *Voyez à* ressembler 461 ③*il luy ressemble mieux qu'à un moulin à vent, *ou* à quarteron de pommes *raillerie pour dire qu'une personne n'est pas fort ressemblante*. vulg. 478 | | → *Comm.*

III.296 ⑤l'habit ne fait pas le moine *on ne doit pas juger d'un homme par son habit* 264
NC20a= | | Moine n'est pas fet por l'abit (1315) HSL H1 | | ~ moine CTG

III.296 ⑤c'est queu si queu mi, te rogamus audi nos *la chose est semblable ou egale*. vulg. 462

III.297 **Voicy le bout du jugement: les bestes parlent latin** ③la fin du monde approche, les bestes parlent latin *cela se dit, lors qu'un ignorant prononce du latin mal à propos* 226; *Voyez à* jugement 610

③le jugement approche, les bestes parlent latin *cecy se dit lors que l'on entend un ignorant prononcer quelques mots latins.* vulg. 290

III.299 **Alaigre a plus d'esprit qu'un Gerfault.** ⓪

III.299 **Nous ne demeurerons pas sur crouppe d'or.** ⓪

III.300 **ce n'est pas tout que des choux, il faut sçavoir son rollet** ③♦*ce n'est pas tout que des choux, il y faut de la graisse *ce n'est pas assez d'avoir commencé, il faut achever. Ce n'est pas tout d'avoir une partie d'une chose, il en faut posseder le reste.* vulg. 102 *Cf.*②*il est au bout de son rollet *il ne sçait plus que dire, ou que respondre.* vulg. 485
LRxB ii,63 || j'estois au bout de mon rolle (1511) HSL R66

III.300 **trou de bougie** ④*le trou de Baugis *rien du tout.* vulg. 555

III.301 ④il seroit bon à vendre vache foireuse *il est subtil, il parle ou persuade bien* 560

III.301 **j'ay caquet bon bec, la poulle à ma tante** ⑤*bon bec *qui parle beaucoup,* vulg. 37 ⑤*cacquet bon bec la poule à ma tante *une cajolleuse.* vulg. 69 ⑤*la poulle à ma tante *une cajolleuse.* vulg. 447
voila en bonne foy un franc bec RMN 86 || avoir bon bec CTG | LRxB ix,31 (< CPR)

III.302 **Diras-tu bien ce que j'ay mis dans la truche.** ⓪

III.302 **Sçais-tu bien river le bis.** ⓪
1596 Pech 43, 46. → *Gloss.*

III.302 **Rousquailler bigorgne** ⓪
rouscailler bigorne «jargonner» (1628); je lui jaspine en bigorne (XVIII s.) Esn 58-9

III.303 **Jaspin, je rive, fremy comme pere et mere.** ⓪
1596 Mon compagnon riva fermis Pech 16

III.303 **casser les hannes** ⓪ → *Gloss. s.v.* hane

III.303 ⑤*un Maistre Gonin *un subtil, un finet* 319
Maistre Gonin CTG

III.304 **sçavant jusques aux dents: il a mangé son breviaire** ⑤ → I.114

III.305 ④il entend cela son pere en vendoit *par ironie, il n'est pas trop habile* 563

III.306 ♦④*il faut hurler avec les loups *il se faut accommoder aux personnes avec lesquelles on se rencontre* 276 ♦⑤avec les loups il faut heurler

s'accommoder selon le lieu où l'on est, et selon les personnes qu'on frequente 310
Deschamps (1385) HSL L103 | | hurler avec les loups CTG | | LRxB iv,181 | | MRW1917

III.306 ④*dire sa rastellée *dire son mot, sa sentence, son opinion, entrer en un discours.* vulg. 469
Chastellain: Je vous en dy ma ratelée (1431) HSL R10 | | BRUFant 173

III.306 **ne s'en point mesler** ③se mesler d'une chose *en faire profession* 342 ③se mesler d'un affaire *s'y entremettre* 342

III.306 **à tort ou à travers** ③à tors et à travers *sans consideration, sans respect* 540

III.306 ⑤*à bis ou à blanc *en quelque façon que ce soit, à quelque prix que ce soit.* vulg. 43

III.306 ③il n'y entend que le haut / hault allemand / alleman *il est ignorant en cet affaire* 186 / *il n'y entend rien du tout* 268 ③je n'y entends que le haut alleman *je n'y entends rien* 587
il n'en entend que le h. Alleman CTG | | BRUFant 145 | | LRxB vii,280 (< CPR)

III.307 **ces bricolles de discours** ②donner une bricolle *en faire à croire; abuser de paroles* 62 | | → *Gloss.*

III.307 **Je diray seulement ce qui me viendra à la bouche** ⓪
Il dit tout ce qui luy vient à la bouche NC16b | | *Cf.* Quidquid in linguam venerit ER I.v.73

III.307 **ils entendent cela comme à faire un vieux coffre** ④ → II.200

III.308 **Morgoine!** ⑤*morgoine *c'est une façon de jurement pour ne pas blasphemer le nom de Dieu.* vulg. 356

III.308 **entraver sur le gourd** ⓪ → *Gloss.*

III.308 **il ne m'en faut que monstrer** ④il ne luy en faut que monstrer *il devore, il dissipe; il mange fort viste* 354

III.308 ⑤il me tarde *je suis dans l'impatience* 521
tarder CTG

III.308 ⑤une migoufflée *une quantité; mot fait à plaisir* 347

III.308 **ce malautru de capitaine** ⑤ → I.129.

III.308 **fera tousjours flouquiere** ⓪ → *Comm.*

III.308 **et puis c'est tout (une)** ⓪

III.308 **tourner vers la vergne** ⓪ → *Gloss.*

III.308 ⑤*les pieds me fourmillent *me demangent* 232

III.308 **que je n'y sois tout chaussé et tout vestu** ⓪

III.309 **embier le pelé juste la targue** ⓪ → II.261 | | → *Gloss.*

III.310 **Philippin a gagné mon esprit** ②gaigner le cœur d'une personne *s'acquerir l'affection* 242

III.310 ④prendre à cœur, *ou bien* avoir à cœur une chose *s'y attacher avec affection. Item, s'offenser* 108

III.310 **[Il] s'en acquitte mieux que de planter des choux.** ⓪

III.310 **S'il estoit appris, il seroit vray.** ⓪

III.310 ⑤avec du pain et du vin il fera quelque chose *par ironie, il n'a pas l'adresse de gagner sa vie* 387
LRxB xiii,207 (< CuF)

III.311 ⑤*il a les genouils gros il proffitera *c'est une raillerie pour dire qu'une personne est grossière, et qu'elle pourra proffiter si le hazard le donne.* vulg. 249

III.312 **laissez-vous-y choir.** ⑤vous y estes *vous entendez l'affaire* 204 ⑤vous y estes, laissez vous choir *par ironie, vous ne sçavez pas bien la chose* 204; *vous entendez l'affaire.* vulg. 582

III.312 ④frapper au but *rencontrer; entendre un affaire; deviner* 67

III.312 **Et là, là** ⑤la la *or sus.* Item, *cela est bien. Et apres avoir frappé on dit aussi* la, *comme pour faire entendre que l'on a executé son dessein* 293

III.312 **laissez faire George, il est homme d'aage** ④*laissez faire à George il est homme d'aage *ne doutez point, ne vous mettez point en peine, nous viendrons bien à bout de nos desseins* 250 ③*laissez faire à Jacques, il est homme d'aage *laissez moy faire, ne doutez point que je ne fasse bien.* vulg. 211
~ George ~ LRxA viii, 471

III.313 **Quand j'ay quelque chose en la teste, je ne l'ay pas au cul** ④quand il a quelque chose à la teste, il ne l'a pas au cul *il est obstiné* 600 ③*avoir quelque chose à la teste *s'obstiner en une chose, la croire absolument: avoir en fantaisie ou volonté* 530

III.313 ④*il se demeine comme un procureur qui se meurt *il se remue, il se tourmente fort* 457

III.314 **Tu ne peux mal faire; tu es le plus gentil de tous tes freres.** ⓪

III.314 ⑤*suy moy Jacquet, je te feray du bien *c'est une façon de parler vulgaire pour dire que l'on nous suive* 277

III.315 ④jouer bien son personnage *feindre bien, s'acquitter bien de sa charge* 411

III.315 ④trouver à tondre *à reprendre, à redire* 539 | *Cf.* 00: **tondre sur un œuf**

III.316 ⑤*L'ambassade de Biaronne, trois cens chevaux, et une mule *quatre personnes à pied. Il y a une allusion de* cens *à* sans, *trois sans chevaux et une femme.* vulg. 11
LRxB vii,319 (< CuF)| (< CPR) || ambassade de Viarron, deux chevaux et une mule FUR

III.317 **qu'on ne nous grippe point au cul et aux chausses** ③ → I.136 II.289.

III.317 **Je quitterois la partie quand je la devrois perdre.** ⓪
Cf. Perceforest: Bon fait laisser le jeu tandis qu'il est beau (1314-40) HSL J11

III.317 **se carrer comme soldats qui regardent leur Capitaine** ⓪

III 318 ④*il va l'amble comme une truye qui court aux vignes *il trotte, il chemine de mauvaise grace* 557

III.319 **ce n'est rien du tien** ④ce n'est rien du vostre *vous n'avez que faire de vous en mesler, cela ne vous touche pas, ce n'est pas vostre bien que je despense* 603

III.319 **tu rencontres comme un chien qui a le nez cassé** ③*il rencontre comme un chien qui se casse le nez *il fait de mauvaises rencontres en paroles.* vulg. 475
LRxB iv,168 (< CuF)

III.319 **Cela ne me cuit ny ne me gelle.** ⓪

III.320 **où logerons-nous?** *Cf.* ①*où sommes nous logez *où en sommes nous, en quel lieu nous rencontrons nous, de quelle façon nous traitte-t'on* 307

III.321 **sur mon dos, il n'y a personne** ⓪

III.322 **ceux de nostre estoffe** ③de mesme estoffe *de mesme nature* 201
Cf. ①personnage d'estoffe *ou* de grande estoffe *de consideration. de grande condition* 201
qqs autres de pareille estoffe SorFr250

III.322 **il s'y faut aller planter** ②*se planter au milieu du chemin , etc. se poser, se tenir droit 430

III.322 **Nous y ferons aussi bonne chere qu'à la noce.** ⓪

III.323 ④*jetter la plume au vent *consulter d'une chose pour prendre resolution* 432

Villon: j'ay mis le plumail au vent (1461) HSL P204 | | jecter CTG | | LRxB iii,136 | iv,192 (1835) | | COud24:83 | | → *Comm.*

III.324 **du costé de l'autre costé** ⓪

III.325 **Si on vouloit prendre un diable à la pipée** ③*prendre une personne à la pippée *par allusion .i. tromper, attraper une personne* 425
bonne pipée devant ce docteur RMN 15 | quelque sorcier juré qui prenne des pucelages à la pipée RMN 126 | | prise des oiseaux à la pipée CTG

III.325 **On n'auroit qu'à mettre Philipin sur une branche de noyer.** ⓪

III/2

III.326 **j'ay remué le ciel et la terre** *Cf.* ①remuer toute pierre *se servir de tous moyens, employer toutes ses forces* 423; *faire tous ses efforts, employer toutes sortes de moyens* 474

III.326 ④Fureter *par metaph., chercher de tous costez, se fourrer par tout* 240
fureter dans les rues RMN 7

III.326 **descouvrir leur cache** ③*il a trouvé la cache *il a bien entendu l'affaire. Et par ironie tout le contraire: il a mal deviné.* vulg. 68

III.326 **par de là le bout du monde** ②*logé au bout du monde *bien loing.* vulg. 57

III.326 **s'adresser à moy** ③Il s'est addressé à moy *il a eu recours à moy, ou bien, il m'a attaqué* 4

III.327 **Il s'y faut prendre d'un autre biais** ③de ce biais là *de cette façon là* 42 ②prendre une affaire de bon biais *comme il faut* 42

III.327 **Il y faut mettre ses cinq sens de nature** ③*il y faut employer ses cinq sens de nature *faire tous ses efforts* 503
j'y mettray tous mes cinq sens CTG

III.327 **Je vendray jusques à ma derniere chemise.** ⓪

III.328 **Si je les puis tenir, je les secoueray bien** ③*je ne les tiendray gueres, mais je les secoueray bien *je les traitteray rudement* 501

III.328 **aller par toutes sortes de chemins** ⓪

III.329 **Au diable zot** ⑤*au diable zoc *cecy se dit, lors qu'on n'approuve pas la proposition ou le discours d'un autre* 165

III.329 **Croyez-moy vous serez sauvé.** ⓪
Mc 16:16 Celui qui croira et sera baptisé sera sauvé

III.329 ⑤autant pour le brodeur *raillerie pour ne pas approuver ce que l'on dit*. vulg. 64
autant pour le bordeur CTG | | LRxB xii,155 (< RBL)

III.329 ⑤*s'il n'est vray la bourde est belle *cela se dit lors qu'on nous raconte quelque chose que nous ne voulons pas croire*. vulg. 54 ⑤*S'il n'est vray la bourde est belle, et le menteur n'est pas loin *pour dire que l'on ne croit pas une chose*. vulg. 581

III.330 **Je vous le donne pour le prix que je l'ay eu.** ⓪

III.330 **les oreilles me cornent** ⑤ → I.136

III.331 **venez voir les dadées** ②*je ne vous veux pas souffrir toutes vos dadées *vos actions d'enfant, vos sottises*. vulg. 146
souffrir à un enfant toutes ses dadées CTG

III/3

III.332 ④un tabarin *un bouffon* 518

III.333 **parlez haut** ⓪ → II.189 II.249

III.333 **ma mye de bon cœur** ⓪

III.334 **donnez-moy donc la pièce blanche** ④donner la piece *donner de l'argent pour recompense* 417 ③monnoye blanche *d'argent* 43

III.335 ⑤*tres volontiers dit Panurge *je le veux bien, j'en suis content* 580 | | → *Comm.*

III.336 ④*du tintouin *de la fantaisie, de la fascherie*. vulg. 535
il a beaucoup de tintouins en la teste «His thoughts are verie much busied» CTG | → *Gloss.*

III.336 ④la Maladie *la contagion* 322

III.336 ⑤avoir esté à la porte de paradis *bien prés de mourir* 392

III.336 **vous en reviendrez** ②j'en suis revenu *je n'ay que faire d'aller en ce lieu là, je n'y trouverois pas ce que je desire* 480

III.337 ④entendre le pair et la preze *estre habile, estre subtil ou rusé* 389

III.338 **la Perronnelle, que les gend'armes ont enlevée** ③chanter la Peronnelle *dire des sottises, niaiser* 411
chanter la p. BRUFant 216

III.339 **qu'elle fait bien la chatemite!** *Cf.* ①miste *joly, gay, adroit* 349
chattemite CTG | BRUFant 121 | LRxB iv,158 (< CPR) | | *cf.* faire la chatte blottie (1385) HSL C102 | faire la ch. moillée (1456-67) HSL C103

III.340 ⑤★tarare pompon *c'est un mot qui sert à denoter que l'on ne se soucie de rien, que l'on se mocque des advertissements d'autruy* 521

III.340 ④★devin de Mont-martre, qui devine les festes quand elles sont venues *un qui fait le devin, et ne l'est pas* 162 ④il devine les festes quand elles sont venues *il dit les choses apres qu'elles sont arrivées* 220
il d. les f.q. elles sont venues LRxB i,28 | vii, 366

III.340 ④pousser son cheval *metaph : poursuivre son dessein, continuer* 449
pousse hardiment ta beste à cela près RMN 26

III.341 **saine et entiere** ⓪
III.485
III.487

III.341 ④se despatouiller des mains *mot vulgaire : se delivrer, se retirer des mains d'un autre* 158 | | *Cf.* I.125

III.341 **Ce bon gentil-homme l'a si bien plantée, qu'elle reviendra bien tost.** ③★s'il est bien planté il reviendra *il retournera icy. C'est une allusion au double sens de* revenir 430
LRxB ii,82 (< CuF)

III.342 ⑤le goust de la noix *le fonds de l'affaire* 253
en cela est/gist le goust de la noix CTG

III.343 ⑤le ventre à la suisse *gros ventre* 517

III.343 ⑤il est meilleur que le bon pain *par ironie : il n'est pas trop bon* 387
LRxB xiii,210 (< CuF)[2]

III.344 **Je donne au diable.** *Cf.* III.536-537.

III.344 **Je donne au diable si vous n'estes devins : vos peres estoient yvres quand ils vous firent.** ⓪

III.345 ⑤★il se quarre comme un savetier qui n'a qu'une forme *il est glorieux et sans sujet.* vulg. 498

III.346 ⑤passer le pas *mourir* 397 ⑤faire passer le pas *tuer. Item, coucher avec une femme* 397
passer | pas CTG

III.346 ⑤tout à point *bien à propos* 434
venir tout à poinct CTG | | SorBE vi.913

III.346 **ce n'est pas tout** ⑤ → I.138

III.346 ⑤★cul par dessus teste *renversé* 143
(1498) HSL c359 | | cul sur teste CTG

---

2 Citation incorrecte chez LRx.

III.346 **qui l'a sauvée par les marais** ③*se sauver par les marests *fuir.*vulg. 331 ③*se sauver *fuir. On y adjouste*, par les marests 500. *Cf. II.269.*
il s'est sauvé par les marests CTG | je me suis s. p. l. m. BRU-Fant 284

III.346 ④il luy veut mal de mort *il le hait extremement* 321 ④il me veut mal de mort *il est mon grand ennemy* 580

III.346 **si cruel qu'un tygre** *Cf.* ①jaloux comme un tigre *extremement jaloux* 535

III.346 **Vous y aurez profit et honneur.** ⓪
Cf. Froissart: Par bien servir son signeur acquiert on pourfit et honneur (1371-2) HSL s88 || → *Comm.*

III.347 **Foin de l'honneur** *Cf.* ②foin de vous *sorte d'imprecation* 228

III.347 **ma fille en est gastée** *Cf.* ②l'enfant gasté *celuy que la mere caresse le plus* 182 ②enfant gasté *Voyez à* enfant 247

III.347 **Si jamais je la tiens, elle ne m'eschappera pas** ②je le tiendray quelque jour *je l'attraperay, je le traitteray comme il faut* 528

III.347 **Ton absence me donne la mort au cœur.** ⓪

III.348 **je ne vous promets pas des neiges d'antan** ②vous parlez des neiges d'antan *d'une chose de peu de consequence ou peu considerable* 14
Villon: mais où sont les neiges d'antan (1461) HSL N16

III.349 **Il ne tiendra qu'à vous de la revoir** ② → I.45

III.349 **aussi asseurée que si elle estoit dans vostre manche** ②*tenir dans sa manche *avoir une chose pour asseurée* 323
je la tiens dans ma manche RMN 20

III.350 ④faire tuer le veau gras *faire bonne chere pour se resjouir d'un bon succés* 562
Lc 15:23, 27, 30 || LRxB iv,205 (< CPR) | → *Comm.*

III.351 **par mesme chemin** ②tout d'un chemin *tout d'un mesme temps; en continuant* 91

III.351 **par où il m'en prendra** ②*il v ous en prendra de mesme *il vous arrivera la mesme chose* 452

III.351 **Ne me celle que ce que tu ne sçais pas.** ⓪
Cf. La jenglerie des femmes ne puet celer fors ce qu'elle ne scet (1340) | Femme ... ne peut celer que ce qu'elle ne scet mie. (1475) HSL F32

III.352 **Aveignez donc la croix** ⑤*la croix *de l'argent.* vulg. 139

III.352 ④un qui n'a point de blanc en l'œil *le Diable,* vulg. 43
je donnerois volontiers vos amours à celui qui n'a point de blanc en l'œil RMN 66 | | Blanc en œil. Il n'a point de blanc en l'œil CTG

III.353 ⑤*desloger sans trompette *s'en aller sans rien dire* 157; *fuir bien viste* 553

III.353 ④*battre dos et ventre *bien fort, et de tous costez* 170
SorFr 288

III.354 **Quel emballeur!** ③ → II.175

III.354 **il est bouffi de vengeance comme un haran soret.** ②*maigre comme un harenc soret *extrememnt maigre et sec* 266
plus sec qu'un haren soret BRUNi 205

III.355 **♦tout ce qui reluit ...** ④♦tout ce qui luit n'est pas or *toutes les choses qui paroissent ne sont pas tousjours bonnes. L'apparence trompe souvent* 312
MRW1371 | | LRxA 900 (XIIIs.) | | NC20b = CPR | | or n'est pas quanque luist (1315) HSL o71

III.356 **ce metail porte medecine.** ③cela porte medecine *sert de beaucoup, est excellent, est advantageux* 338 ③♦argent comptant porte medecine *l'argent peut tout* 16
argent contant porte m. CTG

III.357 ④*il n'a qu'à pescher *il en a quand il veut: il n'a qu'à prendre* 412

III.357 ④*ce n'est pas le fient de ses canes *il ne s'estime ou prise pas beaucoup.* vulg. 223

III.358 **il n'a que faire d'en jurer** ④Je n'ay que faire *je n'ay pas besoin* 209 ⑤il n'a que faire d'en jurer *on le croit facilement. Item, par contrarieté de sens, on ne le croit pas* 291
je n'ay que faire à luy CTG | je n'en ay que faire CTG

III.359 ⑤dix escus et luy ne passerent jamais par une porte *il n'a jamais possedé la valeur de chiffres* 439
- ... ta désobéissance te couste un habit de dix pistoles. - Vous et elles ne passastes jamais par une porte. RMN 64

III.360 **vous estes fils ..., mais l'enfant ...** ③il est fils de bon pere, et de bonne mere mais il ne vaut gueres *il est meschant* 225

III.360 **Vous ne mentez jamais si vous ne parlez.** ⓪

III.360 **vous avez la conscience estroite comme ...** ③*il a la conscience large comme la manche d'un Cordelier *mauvaise.* vulg. 117; *Voyez à* conscience. 324

III.360 **Vous ne mangeriez pas le diable que vous n'en donnassiez les cornes.** ⓪

III.360 **Vous n'avez qu'un vice, c'est que vous estes trop vaillant** ③*il ressemble le Gascon, il n'a qu'un vice il est trop vaillant, *c'est pour dire qu'un homme n'est pas des plus courageux* 247

III.360 ④donner un hausse-col en greve *pendre* 268
LRxB vii,351 (< CPR)

III.360 ④tous ceux que vous avez tuez se portent fort bien *vous n'avez jamais tué personne* 558

III.360 **On vous battra plus pour rien qu'un autre pour de l'argent.** ⓪

III.360 ④*faire Vide aquam, l'eau beniste de Pasques *s'en aller, sortir d'un lieu. C'est une sotte allusion à* vuider, *qui signifie sortir. Le vulgaire prononce,* videacan 571

III.360 **plus fort que Samson** ⓪
Fort comme Sanson. (1330) HSL S34

III.361 ⑤*en tiens tu petit bonnet *es tu touché, es tu attrappé.* vulg. 527

III.362 ④*barrez là *ne passez pas outre* 32

III.362 **rayez cela de sur vos papiers** ④rayez cela de dessus vos papiers *ne croyez pas, ne vous imaginez pas cela* 470
otez cela de vos papiers RMN 91 | | r. cela de vostre compte SorBE x.472

III.362 ⑤*en tapinois *secrettement, coyement, avec subtilité.* vulg. 520
en Tapinois.CTG

III.362 ④*faire la peur toute entiere *une peur qui est suivie du mal* 415

III.362 ⑤*c'est une autre paire de manches *une chose bien differente.* vulg. 324
c'est un autre paire de manches CTG

III.362 ⑤*je m'en rapporte au parchemin qui est plus fort que le papier *je me remets à ce qui est la vérité de l'affaire.* vulg. 392

III.363 ⑤fort et ferme *de tout son pouvoir* 230

III.363 **Vous perdez vostre huile et vostre temps.** ⓪
Cf. Plaute: Oleum et operam perdidi ER I.iv.62

III.363 ④amoureux comme un chardon *point du tout* 12

III.363 ④il a bon pied et bon œil *il est sain, il prend bien garde à son fait* 418
LRxA 896 (XV) | | chacun a bon pied et bon œil BRUNi 73

III.363 ⑤♦*qui plus n'en sçait plus n'en dit *je n'ai rien à dire davantage* 500

III.364 **Si ce que tu ne me viens de dire n'est vray, le nez te puisse choir.** ⓪

III.364 **Je t'en remercie comme de quelque chose de meilleur.** ⓪

III.364 ③*Il faut changer de batterie *de propos, de discours, de coustume, de dessein* 33

III.364 **Elle ne vous revient point mal.** ③cela me revient bien *m'agrée* 480
cela me revient bien CTG

III.365 **Je l'ay faite et forgée.** ⓪

III.366 **s'elles ne se ressemblent comme un Moine à un fagot** ⓪

III.366 **Elle a baisé le meusnier, car elle est blanche comme farine.** ⓪

III.366 **C'est une bohemienne de Gonesse** *Cf.* ①bourgeois et bourgeoise de Gonesse, qui a les yeux bordez d'escarlatte *c'est un surnom de raillerie parmy le vulgaire* 55
LRxB vii,350 (< CPR / CuF)

III.367 ④*il en est jaloux comme un coquin de sa besace *fort jaloux, il l'aime fort.* vulg. 277
il n'y a belître si jaloux de sa besace RMN 100

III.368 **Vous ne tenez rien** ⑤vous ne tenez rien *vous n'aurez pas ce que vous pretendez* 527 | | *Cf.* I.129.

III.368 ⑤*vous estes bien loing de vostre compte *fort esloigné de ce que*
III.479 *vous vous promettez ou imaginez* 114
SorBE v.768, i.112 | | SorFr 73; 168 | | LRxB xi,123

III.368 **ce n'est pas chaussure à vostre pied.** ②*il a trouvé chausseure à son pied *il a rencontré qui luy peut resister.* vulg. 90
NC21b | | *CNN*: doubtant qu'il ne soit pas bien solier a son pié (1456-67) HSL s112 | | ils ont rencontré chaussure à leur pied CTG | | LRxB xii,162 (< CuF)

III.369 ⑤*vous pouvez manger vostre potage à l'huile, il n'y a point de chair pour vous *vous n'aurez pas ce que vous desirez, vous n'espouserez pas cette personne là.* vulg. 445

III.370 **je ne la mangeray pas.** ③entrez il ne vous mangera pas *il n'est pas si mauvais ou si fort en colere que vous le croyez* 326

III.371 **On ne mange pas de si grosses bestes.** ⓪

III.374 ④faire bonne mine *demeurer ferme: dissimuler son deffaut, excuser par des apparences. On y adjouste,* et mauvais jeu 348
NC18 | | faire bonne mine, et mauv. j. CTG

III.374 **S'il bransle, je le tue.** *Cf.* ②bransler *faire l'acte charnel* 594

III.375 **que je vous voye entre deux yeux** ⓪ *Cf.* II.177
Cf. Viel Testament: Entre deu oy (1450) HSL D53

III.375 **Vous ressemblez toute crachée.** ②*c'est le pere tout craché *il ressemble entierement à son pere : Et ainsi des autres.* vulg. 135
Pathelin: tout craché (1465) HSL C334 | | c'est luy tout craché CTG

III.375 ④donner dans les yeux *ou* dans la veue *donner de l'amour ou du desir* 169 ④donner dans la veue *donner du desir, ou de l'amour* 570 elle vous a donc bien donné dans la veue RMN43

III.375 ④*elle est plus droite qu'un jonc *de taille fort droitte* 284
Chr. de Pisan : droit comme jon (1400-03) HSL J24

III.375 **plus gentille qu'une poupée** ②une poupée *une femme fort mignarde* 447

III.376 ④clorre la bouche *faire taire* 106

III.376 **je n'eus jamais tache de beauté** ③*il n'a aucune tache de bonté, *etc. il n'est nullement bon : Et ainsi des autres choses* 518

III.377 **♦Une fille sans un amy est un Prin-temps sans roze.** ⓪

III.378 ⑤*vostre cœur est dans le ventre d'un veau *nos filles du vulgaire respondent ainsi à un homme qui les appelle* mon Cœur 108 | | → *Comm.*

III.378 **je suis une sainte qui ne vous guariray jamais de rien** ③*un saint qui ne guerit de rien *un homme sans pouvoir* 495 ②*il ne guerit de rien *il a peu de pouvoir* 261 ②*cela ne guerit de rien *ne sert de rien* 261
LRxB i,42 (< CuF)

III.378 ⑤*addressez ailleurs vos offrandes *addressez vous à une autre personne : response des filles à ceux qu'elles refusent en amour.* vulg. 377

III.379 ④*baiser à la pincette *tenir le menton en baisant* 425

III.380 **vous estes fils de boulanger ...** ③*fils de boulanger qui aime la baisure *qui aime à baiser* 225

III.381 **Tu n'obligeras pas un ingrat.** ⓪

III.382 ④*se goberger *se resjouir.* vulg. 251

III.383 **Courage, courage, nos gens recullent.** ⓪

III.384 **Vous n'avez pas lavé vostre becq.** ⓪

III.384 **♦Baizer qui au cœur ne touche, ne fait rien qu'afadir la bouche.** ⓪

III.385 ④heureux comme le poisson dans l'eau *fort à son aise* 437 HSL P226 | | LRxB iv,193

III.386 ♦**Il faut cognoistre avant que d'aimer.** ⓪ i. f. c. a. que amer (1440) HSL C272

III.386 ♦**À beau demandeur, beau refuseur.** ⓪ Gerson: A bon demandeur bon escondisseur (XIV-XV) HSL D24

III.387 **Tu m'es gracieuse comme une poignee d'ortie.** ⓪

III.388 **Je m'estonne, comme vous estes si gras, que vous avez tant d'affaires!** ③*je m'estonne comme vous estes si gras, vous prenez trop de foin *cela si dit à une personne trop curieuse.* vulg. 255

III.388 **Ce n'est que du foing ...** ④ce n'est que du foin, les bestes s'y amusent *nos filles respondent cecy à qui leur demande ce qu'elles ont sous le linge qui leur cache la gorge* 228
il y a du foin, il n'y a que les bestes qui s'y amusent CTG | | LRxB ii,73 (< CuF) | | → *Comm.*

III.390 **estes-vous fol de vous faire tenir à quatre?** ④*il se fait tenir à quatre *il fait du mauvais.* vulg. 462; *Voyez à* Quatre. Item, *se faire prier avec bien de l'instance.* 528

III.391 ④troubler la feste *interrompre la resjouissance* 220; *fascher une compagnie qui se resjouit* 555

III.392 ④*il est boucher, il aime à taster la chair *d'un qui touche volontiers la gorge des filles ou des femmes,* vulg. 52 ③*fils de boucher, qui aime à taster la chair *qui touche volontiers les femmes* 225
LRxB xi,119 (< CPR)

III.392 **Vostre amye n'est pas si noire.** ⓪

III.392 ⑤vous estes un gentil perroquet *un plaisant badin* 411 ⑤un perroquet *un homme qui ne sçait ce qu'il dit* 411

III.393 ④tenir à honneur, à blasme, etc. *reputer* 526

III.393 **plus esclatante que la pierre en l'or** ⓪

III.394♦**À laver la teste d'un asne on y perd son temps et sa peine.** ③♦à laver la teste d'un asne, on ne / n'y perd que la lexive *on perd son temps à reprendre un homme sans raison* 20 / *Voyez à* Asne 299; *Voyez à* Asne 533
c'est bien lessive perdue d'en laver la teste à ung âne (1485) HSL A141 | | LRxB iv,140 (XVIe s.) | | à l. la t. d'un asne on ne p. que le temps et la lessive CTG | | COud24:270 → *Comm.*

III.394 ⑤♦★on ne sçauroit faire boire un asne s'il n'a soif *cela se dit d'un qui ne veut pas faire comme les autres : ou qui refuse de manger ou de boire* 19
on ne fait boire à l'asne quand il ne veut CTG

III.394 **Vous grattez la bastille avecque les ongles.** ⓪

III.394 **Vous escrivez sur l'eau.** ⓪
ER I.iv.56

III.394 **ne me lenternez pas** ④ → II.175. *Cf.* ②★lanterner autour du pot *niaiser* 296

III.395 **plus farouche que n'est la biche au bois** ⓪

III.395 **tes persecutions me mettent à l'extremité** ②il se trouve en une grande extremité *en une grande necessité, en un grand danger* 206

III.395 **Je ne sçay plus de quel costé me tourner.** ⓪

III.395 **♦Le beau parler n'escorche pas la langue** ⑤le beau parler n'escorche pas la langue *qu'il est bon de parler avec douceur* 393
③★les belles paroles n'escorchent pas la langue *qu'il faut parler auec courtoisie plustost qu'avec arrogance* 192 ; *Voyez à* parler 395
douce parole n'escorche langue CTG | | beau parler n'escorche langue CTG | | LRxB iv,175 | xiv,245 (1835) | | beau parler ne freint teste MRW226

III.395 **♦Qui ne dit mot consent.** ⓪

III.396 **♦A sotte demande, il ne faut point de responce.** ⓪
a folle ~ LRxA xv,652 (XVIe s.)

III.397 **je te mettray à la raison** ③renger à la raison *venir à bout d'une personne ; rabattre la colere ou l'orgueil* 468
anger à raison | mettre à raison CTG

III.398 ⑤★adieu panier / pannier vendanges sont faites *pour dire qu'une chose est perdue.* vulg. 391 ; *Voyez à* pannier. 562
adieu paniers vendanges sont faites CTG | | LRxB ii,87 (XVIIIe s.)

III.399 **Baisez mon cul, la paix est faite** ⓪

III.399 ④tirer ses chausses *s'enfuir. Item, mourir.* vulg. 89 ; *fuir* 536
chausse CTG

III.399 **seigneur Croquant** ⑤ → I.139 II.195

III.400 **gueux de l'ostiere** ⓪

III.400 **Bandés vos voiles!** ⓪

III.400 **vuidés d'icy** ②vuider *et* vuider le païs *fuir, sortir* 582

III.401 ④se mettre en colère *se fascher* 345

III.403 **♦À vaillant homme courte espee.** ⓪

III.403 **prend à la botte glissee** ⓪ → *Gloss.*

III.404 ④*faire Jacques desloges *s'enfuir. C'est par allusion de* desloger. vulg. 276
LRxB ix,44

III.404 **♦il vaut mieux estre plus poltron et vivre davantage** ③♦il vaut mieux estre poltron et vivre plus long-temps *il ne se faut pas hazarder facilement* 438

III.405 ⑤busquer fortune *chercher son advantage* 67
brusque la fortune RMN 10 | | busquer f. CTG

III.406 **À la première veue chose nouvelle** ⓪

III.407 ⑤*destallons le marché se passe *fuyons*. vulg. 161

III.407 **Serviteur** ③*serviteur tres-humble *je ne veux point de cela, je ne veux point avoir affaire à vous, retirez vous* 506
s.t.h. à cette maison là SorBE vi.827

III.407 **visage** ⑤ → II.195 III.488.

III.409 ④*il ne vaut pas un clou à soufflet *il ne vaut rien du tout*. vulg. 106
je n'en donneroye pas un clou à soufflet CTG

III.409 **Qui ne le croira ne sera pas danné** ⓪
La Sale: Qui ne le croit ne sera ja dampné (1451) HSL D9 | | *Cf.* qui ne croira pas sera condamné Mc 16:16 | qui ne croit pas est déjà jugé Jn 3:18

III.410 ⑤*il ne faut de rien jurer *la chose peut arriver avec le temps par hazard*. 291

III.410 **ressembler Testu, estre incredule** *Cf.* ①testu *obstiné, opiniastre* 534

III.410 **♦En peu d'heure Dieu labeure.** ⓪
LRxA 894 (XIIe s.) | | en po d'eure D. l. (1315) HSL D87 | | COud24:104 → *Comm.*

III.411 ④Ce n'est pas une article de foy *ce n'est pas une chose que l'on doive croire* 18
art. de foy BRUFant 3 | | LRxB i,29 (< CPR)

III.411 **je ne mettray pas aux pechez oubliez** ④ → I.125

III.411 **je les ay bien mis en ma caboche** *Cf.* ②mettre en teste *à la fantaisie* 531 ①se mettre à la teste *s'imaginer* 531

III.411 **ils ne sont pas tombez à terre** ④*cela n'est pas tombé à terre *on a bien remarqué ce qu'il a dit*. vulg. 538

III.411 ⑤vienne qui plante *arrive qu'il pourra*. vulg. 430
RMN 100

III.411 **resolu comme Bartole** ⓪
Coquillart (1478) HSL B17 | | BRUFant 100, 255

III.412 **C'est à faire à des niaix** ⑤*c'est à faire des niais *il faudroit estre niais pour faire cela* 210; *je ne feray pas ce que vous desirez ; je ne suis pas si fol ; vous ne attraperez pas*. vulg. 371

III.412 **ils sont devins comme des vaches: ils devinent tout ce qu'ils voyent** *Cf.* ①il est sorcier comme une vache, il a les ongles noirs *il n'y a point d'enchantement à son fait, il est naïf*. vulg. 510 ①sorcier comme une vache *voyez à* Sorcier 559
LRxB xi,127 (< CPR)

III.413 ⑤*j'aime mieux le croire que d'y aller voir *c'est pour dire que l'on ne croit pas entierement ce qu'un autre dit*. vulg. 138
LRxB xiv,279 (< CPR) | | on est contraint de croire à faute d'y aller voir BRUNi 66v

III.413 **♦Il n'y a si bonne compagnie qu'elle ne se separe.** ⓪ → 00

III.413 **Adieu scias.** ⓪ → *Comm.*

III.414 **♦Contre fortune il faut avoir bon cœur.** ⓪

III.414 **♦Une livre de melancolie n'acquitte pas pour une onse de debtes.** ⓪

III.414 ♦⑤Pour un perdu deux recouverts *nous ne manquerons pas de personnes semblables à vous* 409
pour une perdue, deux recouvrer (1460) HSL P122 | | ~ retrouvez NC11

III.414 ♦⑤un clou chasse l'autre *une passion chasse l'autre* 106
clavum clavo pellere ER I.ii.4 | | un clou sert à pousser l'a. CTG

III.414 **la perte ... ne me touche plus tant au cœur** *Cf.* ①l'affaire me touche *m'importe* 540

III.414 **♦changement de corbillon fait appetit d'oublie** ③♦*changement de corbillon fait appetit de pain benit *le changement plaist, et principalement de femmes* 120

III.414 **Je me veux esbauldir avec cette petite barbouillée** *Cf.* ①barbouiller *pour embarbouiller* 31 ①*barbouillé comme un pot à febves *fort gasté ou barbouillé*, vulg. 31

III.414 ⑤j'aimerois mieux qu'elle fust tombée dans mon lit que la gresle *pour dire qu'une femme est belle* 538

III.414 **je la trouverois plus facilement qu'une puce** ②je la trouverois mieux dans un lict qu'une Pulce *c'est pour donner à entendre qu'une femme est grasse et de belle taille* 460; *Voyez à* Pulce 556
LRxB iv,198 (< CPR)

III.414 ⑤faire banqueroute à l'honneur *faire de mauvaises et lasches actions, ne se soucier point de son honneur* 28

III.414 **baiser la contrescarpe** ⓪ → *Comm.*

III/4

III.415 **je trotte à beau pied sans lance** ③aller à beaux pieds sans lance *cheminer, marcher à pied* 421
a pié sanz lance (1315) HSL P152 || LRxB v,272 (1835)

III.415 ④un esgrillard *un esveillé, un bon compagnon.* vulg. 194

III.415 **coupeurs de bource** ③hardy comme un coupeur de bourse *effronté* 129

III.415 **qui sont venus sans mander** ③ → II.163; *cf.* 00, II.187

III.415 **s'en retourner sans dire adieu** ⓪

III.415 **ou je ne pourray** ⓪

III.415 ⑤*faire manger des poires d'angoisse *donner de la peine à une personne* 436 ④poire d'angoisse *certain fer en forme de poire qui sert à mettre dans la bouche, pour empescher de parler ou crier.* Item, *une sorte de mauvaises poires.* 436 *Cf.* ②faire manger des poires d'estranguillon *par allusion.i. estrangler* 436 ①*poires d'estranguillon *une corde à pendre un homme.* vulg. 203
LRxB ii,82 || poire d'a. «a choake-peare; or, a wilde soure peare» CTG || → *Comm.*

III.415 ⑤♦il vaut mieux tendre la main que le col *Voyez à* Allonger 525 ③♦Il vaut mieux allonger le bras que le col *il est mieux de demander l'aumosne que d'estre pendu* 10 ②*allonger le col *estre pendu* 10 ②*allonger le bras ou la main *demander l'aumosne* 10

III.415 **ils sçauront en peu de temps qu'en vaut l'aulne** ④*Il sçait combien en vaut l'aune *il l'a esprouvé.* vulg. 23
NC21b || aulne CTG || LRxB xi,114 (< CPR)

III.415 **Où ces gueux-là ont mis les pattes, ils n'ont laissé que frire** ③*ils ne laissent rien où ils mettent la patte *où ils mettent la main ils emportent tout* 402

III.415 **ils n'ont laissé que frire** ③*il n'y a que frire *rien du tout*. vulg. 237
il n'y a plus que frire (1500) HSL F176

III.415 ④mettre au net *copier une escriture*. Item, *oster ou gaigner tout l'argent d'une personne* 368
m. au net CTG

III.415 **un pauvre prestre, qui n'avoit pas grand argent caché** ④*c'est un pauvre prestre *un homme qui n'a gueres d'adresse, d'esprit, ou de courage. Item, il est pauvre, le reste dit.* Il n'a point d'argent caché. vulg. 455

III.415 ④*escamoter *desrober. Les joueurs de gobelets appellent escamoter faire paser une balle comme inuisible* 190

III.415 **Ils font merveilles avec leurs pieds de derriere, et chef d'œuvre de leurs mains.** ⓪

III.415 ⑤*le partage de Montgommery *tout d'un costé, et rien de l'autre.* vulg. 396
~ de Cormery LRxB vii,340 (XVIIe s.) | ~ de Montgommery viii,17 (1738)

III.415 **des marchands à tout prendre** ④marchand à tout prendre *qui prend tout pour soy* 451
marchant à tout prendre RMN 104

III.415 **qui n'oublient jamais leurs mains** ⓪

III.415 **Je les mettray à telle lexive ...** ⓪

III.415 **Si j'y faux, croix de paille!** ⑤*croix de paille *le vulgaire se sert de ce mot pour exprimer, que s'il arrive quelque chose à son desavantage, il sçaura comme s'en venger* 139

III.415 ④*faire une capriole en l'air *estre pendu*. vulg. 72
il fera qq jour une cabriolle entre deux airs BRUFant 259

III.415 **pour les surprendre ..., comme renards à la taniere** *Cf.* ①*sortir de sa taniere *s'enfuir de son lieu. Sortir de sa demeure* 520
LRxB iv,200 (< CPR)

III.415 **aller plumer l'oison** *Cf.* ①un oison *une personne simple et mal adroite* 378 ②*plumer un homme *luy prendre tout, luy gaigner tout son argent* 433 ②plumer l'oye du marché *idem* 433

III.416 **Bo[u]tteville aura sa revenge** ④il a bien eu sa revenche *il a esté vengé* 479
avoir sa r. SorFr 266 n.199

III.416 **nos gentilshommes à la courte-espée** ④*gentil-homme de la courte espée *un coupeur de bourses* 250

III.417 ④*je vous traitteray en chien courtaut *je vous traitteray rigoureusement: je vous battray bien.* vulg. 100 ③battre en chien courtaud *battre bien* 133
battus ... en chiens courtauts RMN 58 | | fouetter qn en chien courtaut CTG

III.417 **s'il en arrive faute, prenez-vous-en à moy** ④prenez vous en à luy *accusez-le de cela* 452

III/5

III.419 **♦Les amoureux ont tousjours un œil aux champs ...** ④*avoir un œil aux champs et l'autre à la ville *prendre garde à deux choses à la fois* 79; *prendre garde à deux choses en un mesme temps* 375
avoir ung o. au bois et l'autre vers la ville (1485) HSL O8 | | il a un œil au bois (ou aux champs) et l'autre à la ville CTG | | LRxB v,270 (< CPR)

III.419 ④il ne sçait plus sur quel pied danser *il est fort estonné, il ne sçait que devenir* 419
Cf. n'y sçay de quel p. saillir (1459) HSL P159 | | il ne sçait sur quel pied danser CTG

III.419 ④il ne sçait à quel saint se vouer *il ne sçait ce qu'il doit faire* 495
savoir (à) q.s. clamer (se v.) (1405) HSL S13

III.419 ④*ne sçavoir [de] quel bois faire fleche *n'avoir aucun refuge ou remede; ne sçavoir que devenir* 45 ④il ne sçait de quel bois faire fleche *Voyez à* Bois 227
il me couvient f-re de tel bois que j'ay flesche (1485-90) HSL F95 | | il ne sçait plus de quel bois faire flesches CTG

III.419 **mes soupirs sortent plus viste qu'un cliquet de moulin** ③la langue luy va comme le cliquet d'un moulin *il parle fort viste et beaucoup* 106

III.419 **les responces dont elle m'a traitté** ④traitter *pour festiner ou nourrir* 549 ④traicter *Voyez à* Traitter 546

III.419 ④il ne sçait à quel saulse manger ce poisson *il ne sçait de quelle façon souffrir cet affaire* 498
LRxB xiii,216 (< CuF)

III.419 ④coupper l'herbe sous le pied *prevenir une personne pour empescher qu'elle ne reüssisse en son dessein; oster le moyen d'obtenir une chose* 270 couper l'herbe sous les pieds à CTG | | LRxB ii,76 (1615)

III.419 ③que l'on m'embrasse la cuisse *cela se dit lors qu'on a rendu quelque bon service, ou que l'on apporte de bonnes nouvelles à une personne* 178
LRxB v,212 (< CPR) | | → *Comm.*

III.419 ⑤*moitié figues moitié raisins *à demy en colère, sans trop tesmoigner son alteration* 223
(1445) HSL F83 | | moitié CTG | | LRxB ii,73 (XIII-XVI?)

III.419 **que de bon[d] que de vollee** ④autant de bond que de volée *inconsiderément* 49. *Cf.* ②perdre la volée pour le bond *perdre une occasion en s'amusant* 579
NC23a | | tant de b. que de v. (1492) HSL B138 | | *s.v.* volée CTG

III.419 ⑤ribon ribaine *bien ou mal, volontiers ou non* 481
ribon ribaine CTG

III.419 **c'est icy où il faut triompher** *Cf.* ①il triomphe *il fait des merveilles* 552

III.421 **Frere Dominicle, vien voir la musicle, aupres de nostre bouticle.** ⓪

III.422 **amoureux transi** ⑤ → I.83

III.422 **cœur qui soupire, n'a pas ce qu'il desire.** ⓪

III.423 **Sa gloire ne court point de risque.** ⓪

III.423 **il a donné quinze et bisque** ④il luy donneroit quinze et bisque *il est beaucoup plus habile que luy* 465 ②il y a à dire quinze *ou* quinze et bisque *il y a beacoup de difference* 465

III.424 ⑤sonnez comme il escoute *par raillerie renversée : escoutez* 510

III.424 **musique de Saint-Innocent, la plus grand pitié du monde** ④musique enragée, *ou bien*, musique de saint Innocent *Musique discordante, ou fort mauvaise* 365
LRxB i,47-8 (XVIIe s.)

III.425 **♦Qui ne sçait son mestier ferme sa boutique** ③♦*qui ne sçait son mestier l'apprenne *cela se dit à un qui veut faire une chose, et n'en peut venir à bout.* vulg. 344 *Cf.* ②*il faut fermer la boutique *abandonner une chose, ne pas continuer. Item, il n'y a plus rien de reste.* vulg. 58
ui ne sçait son mestier l'aprenne RMN 77 | | qui ne sçait l'art serre la boutique CTG | | LRxB xi,141 (< CuF)

III.425 **les femmes n'ayment pas tant les voix que les instrumens** ②l'instrument *le membre viril* 283

III.427 **c'est à Florinde qu'on addresse l'esteuf** ②renvoyer l'esteuf *contredire, reietter une proposition* 201

III.428 ⑤★un vendeur d'espinars sauvages *un badin* 198

III.428 **nous l'avons bien mangé tous tant que nous sommes; il ne nous revient point au cœur** ④★je l'ay bien mangé il ne me revient point *allusion au double sens de revenir: il ne m'agrée nullement.* vulg. 327; *Voyez à* manger 480 ③revenir sur le cœur *donner du degoust.* Metaph. *donner de la fascherie* 480

III.428 ⑤il n'a que faire d'apprestes, les œufs sont trop durs pour luy *il n'a que faire de pretendre et de se preparer à une chose* 15

III.429 ④faire la rencherie *s'estimer beaucoup* 475
cette vieille Lourpidon qui fait tant la r. RMN 52 | | il fait du rencheri CTG

III.430 ⑤★tarabuster *mot vulgaire, tourmenter* 521
tabuter CTG

III.430 **ame qui vive ne peut pretendre** *Cf.* ①il n'y a ame vivante *personne* 11

III.432 **à vostre dam** ⓪
à son dam BRUFant 72

III.433 **ne croupissez pas là davantage** ③★croupir en un lieu *y demeurer longtemps* 140

III.433 **vous retirez** ④se retirer *quitter son vice* 479

III.434 **que je ne te donne un si beau revire-marion que la terre t'en donnera un autre** ⑤★un revire-Marion *un soufflet* 480

III.435 ♦⑤à beau jeu beau retour *bien attaqué, bien deffendu: à la pareille* 281; *Voyez à* jeu 479
à beau jeu beau retour RMN 142 | | NC22b | | retour CTG | | LRxB x,84 (< Brantôme)

III.435 **traittons ces drosles là de martin baston** *Cf.* ②Martin baston y cheminera *vous aurez des bastonnades* 334
les rudes attaques de Martin baston BRUNi 81 | | LRxB ix,54 (1656) | | → *Comm.*

III.435 **seront ... de requestes** ⓪ → *Gloss.*

III.436 ④★la chair luy demange *il a envie d'estre battu. Item, il sent les aiguillons de luxure.* vulg. 78; *il a des ressentimens de luxure* 150

III.437 **Il faut gratter leur coine** *Cf.* ①★frotter sa couaine *faire l'acte charnel.* vulg. 124. *Cf. III.569.*

III.438 **♦L'ignorance fait les hardis.** ⓪

III.438 **♦la consideration fait les craintifs.** ⓪

III.438 **♦Un bon coureur n'est jamais pris.** ⓪

III.439 ④★arpenter *fuir viste et à grands pas* 17

III.439 **crotesque desordre** ⓪

III.440 **ils gaignent le haut** ④ → II.261

III.440 **plus viste qu'un lievre de Beausse** ⓪

III.441 ⑤★museau de chien *c'est une allusion impertinente à* Musicien 365

III.441 **nous avons bien revisité leur fripperie.** ① *Cf.* II.162

III.441 **Ils n'en ont pas tiré leurs brayes nettes.** ③★sortir d'un affaire ses brayes nettes *sans dommage.* vulg. 61 ③en sortir ses brayes nettes. *Voyez à* Brayes 368

III.441 ④★il y a laissé des plumes *il y a fait beaucoup de despenses* 433
ils y laisseront des p. BRUFant 209, 255

III.442 **Ce n'estoit pas là pour ma dent creuse.** ④★il n'y en a pas pour sa dent creuse *cela ne suffit pas pour le rassasier.* vulg. 151
LRxB v,214 (<CuF)

III.442 **aux autres, ceux-là sont pris** ⑤★aux autres ceux là sont pris *continuons* 456

III.443 ④frapper en maistre *heurter ou battre bien fort à une porte* 235

III.445 **♦Amis sont bons, mais qu'ils apportent.** ⓪

III.445 **Venez, l'on vous veut marier.** ⓪

III.446 ⑤★juste et carré comme une fleute *cela n'est pas justement comme vous le dites, ou comme vous pretendez* 292

III.446 **salade de Gascon** ③★salade de Gascogne *une corde* 495
s. de Gascongne BRUFant 199 | LRxB vii,349 (< CuF)

III.447 ⑤★le diable est aux vaches *il y a du malheur ou dommage, l'affaire ne va pas bien* 164
le diable sera bien aux vaches CTG

III.447 ⑤★ils ont le nez fait comme des sergens *ce sont des Sergens* 369

III.448 **On t'en pond, sergent, toy et ton recors.** ⑤★on t'en pond sergent *tu n'auras pas ce que tu pretends.* vulg. 438
Cf. sergent et son records SorFr 113

III.448 **Mon maistre n'est pas obligé par corps.** ⓪

III.449 **♦En bien faisant on ne craint personne.** ⓪

III.449 ④faire un faux bond *un manquement, ou un mauvais tour* 48 ⑤faux-bond *Voyez à* bond 215
faire un faux bond | faux | elle a fait un faux-bond CTG

III.449 **en qui je ne songeois non plus qu'à m'aller noyer.** ④*je n'y songe non plus qu'à me noyer *je n'y ay point de dessein* 509

III.450 ⑤roy de la feve *une dignité ou grandeur qui ne dure gueres* 488
LRxB ii,73 | ix,93 (XVIe s.) | | Gerson: c'est une royaulté de la feve (1403) HSL R90 | | estre roys d. l. f. BRUFant 295

III.451 ⑤*la douce chose accollez ce poteau *nos femmes du commun peuple se servent de ce mot, lors que quelque badin les cajolle* 172

III.452 **On vous croit *ad patres*** ③aller ad patres *mourir.* vulg. 402

III.453 **sain et sauf** ⓪

III.453 ④je suis à vous à vendre et à despendre *entierement* 563
Cf. LRxB xi,150 (< 1835)

III.454 ⑤*hé suis-je ton pere *façon de parler du vulgaire, pour relever un qui ne nous porte point de respect, ou bien pour le menacer* 410

III.454 **vous ay-je vendu des pois qui ne cuisent pas?** ③*vous ai-je vendu des pois qui cuisent mal *cecy se dit à une personne qui nous regarde de travers.* vulg. 437
LRxB ii,83

III.454 **Vous me regardez de costé.** ⓪

III.455 ⑤je l'ay veû aux prunelles *je l'ay veû autrefois par hazard* 459

III.456 ⑤maquereaux *certaines marques aux jambes qui viennent de s'approcher trop prés du feu* 328 ②couvrez le panier que le macquereau ne s'esvente *raillerie pour dire à un homme qu'il se couvre ou mette son chapeaau* 391 ③esventer un affaire *la descouvrir* 205
maquereaux | esventer CTG (= CuF)

III.458 **j'ay quitté leur brisée** ②suivre les brisées d'un autre *imiter. Item, poursuivre un mesme affaire* 63. *Cf.* II.191.

III.458 ⑤*memoire de lievre *courte:* elle se perd en courant 305; *courte. Le vulgaire adjouste,* qui se perd en courant 338
il a memoire de lapin, lievre CTG | | m. de connil, qui s. p. en c. BRUFant 235

III.459 **Nous avions pris la peau du regnard.** ⓪

III.459 ④tours de passe-passe je*ux de mains*; *par metaph. Larcins* 542
passe-passée CTG

III.459 **venir, comme champignons, ...** ④il est venu ou creu comme les champignons, en une nuit *il a fait sa fortune en un moment, il s'est fait riche en peu de temps* 79

III.459 **mal-gré luy et mal-gré ses dents** ⓪
maugré leur denz (1304-07) HSL D36

III.460 **Nous vous en conterons de huict et de treize.** ⓪

III.461 **une sœur qui est venue de la grace de Dieu** ④il est venu de la grace de Dieu *sans l'avoir achepté, sans sçavoir d'où il vient* 254

III.462 **prendre garde à la grandeur** ⑤ → I.14; II.146 II.204 II.272

III.462 ⑤♦*mauvaise herbe croist tousjours *cela se dit d'une personne qui devient fort grande et qui n'est pas trop bonne de nature.* vulg. 270 male herbe croist MRW1164 | | *Viel Testament*: mauvaise herbe croist voulentiers (1450) H24 HSL | | croistre; herbe CTG | | LRxB ii,77 (XV, XVIe s.)

III.462 **elle n'est point tant deschirée** ④*elle n'est pas trop deschirée *elle est passablement belle.* vulg. 154

III.462 ⑤*du tripotage *un meslange de viandes ou breuvage* 552
tripotage CTG

III.463 ⑤*rire à gorge desployée *rire fort, esclatter de rire* 159; *rire fort* 482
Cf. il chanta à gorge d. SorFr 271

III.464 ④*un escogriffe *un escornifleur, un frippon.* vulg. 192
escogriffe CTG

III.464 **regardons plustost à leurs mains qu'à leurs pieds** ③*il faut plustost prendre garde à ses mains qu'à ses pieds *il desrobe volontiers* 317

III.465 ④un hardy preneur *un larron* 265
BRUFant 291

III/6

III.466 ⑤*destaller *fuir.* vulg. 161

III.466 ④se donner la peine, la patience, le loisir *prendre* 169

III.466 ③estre hors de game *hors de mesure, hors de raison* 244

III.466 ③voir de mauvais œil *haïr* 375

III.466 ⑤servir de fleau *tourmenter* 227

III.466 ⑤♦un homme de paille vaut une femme d'or *pour dire que les femmes ne sont pas de grande valeur au regard des hommes* 273 | | → II.195 **homme de paille**
LRxB vi,246 (XVIe s.)

III/7

III.467 **♦Charité bien ordonnée commence par soy-mesme.** ⓪
1386-89 | «bien ordonnée» *depuis Chr. de Pisan* (1413) HSL C68

III.467 ⑤*gay comme Perrot *gaillard* 248 ④*il est gay comme Perrot *fort gaillard, fort resjouy.* vulg. 411
LRxB ix,60 (< CuF)

III.467 ⑤la chance est tournée *les affaires vont autrement* 79
Cf. Il n'est chance qui ne retourne LRxA 743

III.467 **aussi triste que si vous eussiez eu la mort aux dents** ④avoir la mort entre les dents *estre fort malade, estre prés de mourir* 612
ayant la mort entre les dents BRUNi 222

III.467 ④faire la guerre à quelqu'un *le gausser, le tourmenter* 261

III.468 **il l'a si bien enfilée** *Cf.* ②enfiler une femme *faire l'acte venerien* 183

III.468 ⑤*il a trouvé son balot *son fait, ce qui l'accommode* 28

III.469 **♦Il arrive à un jour, ce qui n'arrive pas en cent.** ⓪
Froissart: ce avient en une heure ou en ung jour qui point n'avient en cent (1390) J34 HSL || ②'avient en un jour que n'avient en cent ans MRW315

III.469 ⑤♦*jeunesse que tu es forte à passer *que les jeunes gens ont de peine à se bien comporter* 282

III.470 **♦Chacque chose a sa saison, et chacque saison apporte quelque chose nouvelle.** ⓪
Eccl. 3:1 || *Perceforest*: toute chose doibt attendre sa saison (1314-40) | Machaut: chascune chose a sa saison (1346) HSL C198

III.470 **♦aujourd'huy evesque et demain meusnier** ③*devenir d'evesque meusnier *tomber d'une condition relevée en une basse* 206

III.470 **c'est le monde! ...** ⑤♦*ainsi va le monde quand l'un descend l'autre monte *les uns font leur fortune sur la ruine des autres; les uns s'advancent, les autres dechéent.* vulg. 352
Quant l'ung descend, tantost l'autre s'eslieve (1461-65) HSL D43 | einsi va le monde (1315); ~ li un lieve, l'autre afonde (1315) HSL M163 || MRW 626

III.470 **♦Le bon-heur suit le mal-heur.** ⓪

III.470 **♦Chaque chose fuit son contraire, et cherche son semblable.** ⓪
Perceforest: L'ung semblable quiert l'autre (1314-1340) HSL P34

III.470 **♦Apres la guerre, la paix.** ⓪
apres la guerre on voit venir la pes (1390); Gerson: apres grant guerre, grant paix (1407) HSL G59 || Aprés grant guerre grant paix MRW 110

III.470 ⑤sans coup ferir *sans se battre* 128

III.470 **♦Apres la pluie vient le beau-temps.** ⓪
Apres tempeste beau temps (1386-9) HSL T22 | *Cf.* après biau temps longue pluie (1361) HSL P200

III.471 **Comme dit l'autre** ⑤ → I.48

III.471 **♦ciel pommelé et femme fardée ne sont pas de longue durée** ③♦temps pommelé et femme fardée n'ont point de durée *le Ciel plein de petits nuages se couvre facilement, et le fard gaste le visage d'une femme* 438
LRxB iii,97 (< CPR) | LRxB iii,133 (1786)

III.471 **je ne m'y fie non plus qu'à un larron ma bource** ③bailler au plus larron la bourse *donner à garder un chose à celuy qui est le plus dangereux* 298

III.472 **Tu as un grand esprit, tu cognois bien un double.** ⓪

III.473 ⑤♦rouge au soir et blanc au matin, c'est la journée du pelerin *le commun applique ce proverbe au temps, ⋆je croy qu'il est mieux de l'entendre du vin* 488
le rouge soir et blanc matin font resjouïr le pelerin CTG || SorBE i.86 || LRxB iii,111 (XV, XVIe s.)
→ *Comm.*

III.474 **tu t'y connois comme une truye en fine espice et pourceau en poivre** ③⋆il ne s'y entend non plus qu'une truye en espices *il est ignorant en cela* 557
truie ne scet que vault espice (1461) HSL T96 || entendre autant en qch comme fait truye en espices CTG || LRxB xiii,213 (< CPR)

III.474 **tu ferois mieux les plats nets ...** ③⋆Dieu a fait les planettes et nous faisons les planets *allusion à* plats nets *.i. nous vuidons les plats.* vulg. 429

III.474 **troussons vistement bagage** ④trousser bagage *s'enfuir* 555 || → aussi I.125

III.475 ⑤de ce pas *tout maintenant* 397

III.475 **Il ne vous cognoist non plus que le grand Sophy de Perse.** ⓪

III.475 **la baye que nous luy voulons donner** ⑤donner la baye *se mocquer* 591

III.475 **Qui m'aime me suive.** ⓪
qui m'aimera si me sive (1304-7) | Qui tant m'ayme si me suyve (1314-40) A67 HSL

III.476 **fichez-luy bien vostre colle** ④*donner ou ficher la colle *persuader, cajoller, en faire à croire,* mot de jargon 111 | | → *Comm.*

III.476 ③la colle est franche *la menterie est bonne ou persuasive* 111

III.476 ④*tourner de la truye au foin *parler hors de propos.* vulg. 557
tourner les truyes au foing CTG

III.476 ②boire un bon coup *un grand verre de vin, etc.* 127

III.477 **tu as tousjours le gosier adulteré** *Cf.* ①*avoir le gosier pavé *manger fort chaud, et manger beaucoup.* vulg. 252

III.477 **si tu estois prescheur ...** ③si tu estois prescheur tu ne prescherois que de boire *tu parle ordinairement d'yvroigner* 453 ④prescher sur la vendange *discourir long temps avec verre à la main* 453; *Voyez à* prescher 562

III.478 **lieu où il faut entendre sentence** *Cf.* ①il a dit sa sentence *pour se mocquer d'un homme qui veut dire son aduis d'une chose* 503

III.478 ④il tremble comme la feuille *il est extremement espouventé* 222
Chascune tremble comme fueille (1300-16) HSL F75

III.479 ⑤*il ne faut jamais trembler qu'on ne voye sa teste à ses pieds *il ne faut point avoir peur sans sujet* 550

III.479 **à vostre compte, vous estes bien loin de là** ③ → III.368 | ②à ce compte là *par ce moyen là, à ce que je voy, selon cela* 114

III.480 **asseurez comme meurtriers** ⓪

III.480 ⑤*se laisser prendre par le bec *se laisser surprendre en ses paroles,* vulg. 37
~LRxB iv,146 (< CuF)

III.481 ⑤*debagouler *mot vulgaire: dire tout ce que l'on sçait* 148
debagouler, desbagouler CTG | | SorFr 195

III.481 **faire le marmiton** ③*faire le marmiteux *faire le pauvre, le miserable* 332
marmiteux CTG

III.481 **bien agencer l'emplastre** ②mettre un emplastre dessus *cacher le deffaut d'une chose* 179 ②*mettre un emplastre à un habit *une piece.* vulg. 179

III.481 **pour bailler mieux la fée** ⑤ → *I.79.*

III.482 **Voilà une belle maison s'il y avoit des pots à moineaux!** ⓪

III.482 ⑤visage de bois *la porte fermée* 576
visage de bois faict à CTG | | SorBE iv.599 | | LRxB v,278 (< CPR)

III.482 **On ouvre la porte à Calpin le jeune.** ⓪

III.484 **je m'en vais me recommander à Nostre-Dame de Recouvrance** *Cf.* ①*je suis nostre Dame de belle Recouvrance *tous ceux qui ont besoin de quelque chose ont recours à moy.* vulg. 471.

III.485 **saine et entiere** ⓪ → III.341 III.487

III.486 **mon baston de vieillesse** ⑤ → I.69

III.486 ⑤*ma petite fressure *mot de mignardise : ma mignonne, mon cœur.* vulg. 236
je vous jure belle fresure BRUFant 282

III.486 **Ne pleurez point tant, vous l'aurez.** ⓪ → *Comm.*

III.486 ④trousser en male *emporter* 555 ②*il est troussé en male *mort* 323 ; *il est mort* 556
sans cela il estoit troussé en male CTG | | troussé en malle BRUNi 205

III.487 **vous devez sçavoir gré** ②je vous sçay bon gré *par ironie : je suis offensé de ce que vous avez fait* 257

III.487 **sain et entier** ⓪ → III.341 III.485

III.487 ④tomber comme la pluye *viste, promptement, en quantité* 433

III.487 **... a echappé belle** ④*l'eschapper belle *esviter un danger.* vul. 190 ③*il l'a eschappé belle *il a esté en un extreme danger.* vulg. 39 | | *Cf.* II.195 **belle rescapée**

III.487 **il sçait bien à quoy s'en tenir** ⓪

III.487 ⑤un chinfreneau *un coup ou blessure sur la teste* 597
chinfreneau CTG

III.488 **Sont des meschans, ils ont couppé la main à nostre cochon.** ⓪

III.488 **ce visage-là** ⑤ → II.195 III.407

III.488 **Ils m'eussent couppé bras et jambes, et m'eussent envoyé aux galleres.** ⓪

III.488 **en deux coups de jarnac** ③un jarnac *un coutelas ou espée large* 278
LRxB ix,45 (XVIe s.)

III.489 ④avoir le vent d'une chose *en ouir parler* 564
avoir le vent de CTG

III.489 ④*rembarrer une personne *la repousser en paroles.* vulg. 474
rembarrer CTG

III.490 ⑤*fouillez moy plustost *sotte façon de parler vulguaire, pour dire qu'on ignore une chose* 231

III.490 **il en demeura moins d'une douzaine sur le carreau** ②jetter sur les carreaux *tuer* 73

III.490 ④percer à jour comme un crible *donner quantité de coups d'espée* 288 ④*percer comme un crible *donner plusieurs coups d'espée à travers du corps* 137

III.491 ④prendre langue *s'informer, s'enquerir* 295; *s'enquerir, s'informer* 450
en prenant langue des voisins nous leur ferons lacher prise RMN 93 | afin de prendre langue de mes gens avec vous RMN 139 || langue CTG

III.491 **Ils couroient comme des levriers.** ⓪

III.492 ④*tourner le dos *abandonner* 170; *fuir* 544

III.492 ④*monstrer les talons et jouer des talons *fuir* 520

III.492 ④*s'escrimer bien d'une chose *s'en bien servir; la sçavoir manier, la bien entendre* 193
qui ne combat que de talons RMN 57

III.492 ⑤je jettay mon bonnet per dessus les moulins *le vulgaire se sert de ce quolibet lors qu'il ne sçait plus comme finir un recit* 49
je jettay … SorFr 265

III.494 ⑤*elle est revenue Denise *c'est pour dire qu'une fille ou femme qui s'en estoit allée furtivement est de retour.* vulg. 150

III.495 **Parlons bas: Chose nous ecoute** ⑤*chose, ou bien, chose qui n'a point de nom *un badin*. Item, *un inconnu*. vulg. 102
parlons bas, chose nous escoute BRUFac 12v

III.496 **j'ay mis en arrière** ③laisser en arriere *negliger, ne parler ou ne traitter pas d'une chose* 294

III.496 **la dent que j'avois** ③il luy porte une dent *il a de la haine ou mauvaise volonté*. vulg. 151
Perceforest: avoient la dent sur luy (1314-40) HSL D31

III.497 **Je te baise les pieds, les mains sont trop communes.** ⓪

III.497 ④*il a les yeux riants comme une truye bruslée *le regard ou la veue fort mauvaise*. vulg. 557

III.497 ⑤d'aussi belle taille que la perche d'un ramonneur *une femme fort grande et de mauvaise grace* 408

III.497 ④ferrer la mule *qui se dit des valets et servantes: prendre quelque chose sur tout ce que l'on achepte pour le Maistre* 218; *Voyez à* Ferrer 365
ferrer la mule CTG || BRUFant 3 || SorFr 176

III.497 ⑤il t'aime il te rit tortu *raillerie* vulg. 540

III.498 ⑤hableur *grand parleur* 264 ②habler *parler beaucoup. Le mot vient de* hablar *Espagnol* 264

III.498 **je ne suis pas viande pour ton oiseau** ③★ce n'est pas viande pour vos oiseaux *ce n'est pas pour vous cela, cela ne vous est pas propre.* vulg. 570

III.499 **donneur de canart à moitié** ③★vendre ou donner un canard à moitié *mentir, en donner à garder, en faire à croire.* vulg. 71
vendeur de canards à moitié CTG

III.499 **qui nous promettoit tant de chasteaux ...** ③bastir des chasteaux en Espagne *fantastiquer* 85
LRxA 892 (XIII s., *Rom. de la Rose*) | | (1314) HSL C100 | | NC18b | | faire des chasteaux en Espaigne CTG | | bastir des ch. en E. BRUFant 295

III.500 **♦L'homme propose et Dieu dispose.** ⓪
se li homme mal propose, Diex se comme il veut le dispose (1315) HSL H41

III.501 **Que tu fasse bien, les lievres prendront les chiens.** ⓪

III.502 ⑤★malitorne *de mauvaise grace, personne mal faite.* vulg. 323

III.502 ⑤laisser le monde comme il est *n'avoir point de curiosité des affaires d'autruy* 351 ; *ne changez pas le plat de son lieu, ne le tournez pas* 351

III.503 **Je ne faisois que traisner ma vie.** ⓪

III.503 ⑤★il me semble que je vole *j'ay un extreme contentement* 580

III.503 **je m'espanouis la ratte** ④★s'espanouir la ratte *rire tout son saoul* 195 ; 469

III.503 **que je t'embrasse à mon gogo** ②★estre à gogo *estre à son aise.* vulg. 251

III.504 ⑤les bandes grises *des pouils* 590
Capitaine des bandes grises BRUFac 45

III.504 ⑤★chanceux *s'entend en deux façons, heureux, et mal-heureux.* vulg. 79
chanceux CTG

III.504 **aussi chanceux que le chien à Brusquet** ③★heureux comme le chien de Brusquet qui alla au bois, et le loup le mangea *mal fortuné.* vulg. 98
LRxB ix,30 (< CPR)

III.505 **pipeur** *Cf.* ①Pipper *tromper au jeu* 425

III.505 ⑤★les enfans en vont à la moustarde *l'affaire est connue de tout le monde* 364 les petiz enfans ... en allant au vin ou à la moutarde (1405; 1414) HSL M232 | | NC17b | | moustarde CTG | | SorF 428 n302

III.505 ③prendre pour un honneste homme, etc. *estimer* 451

III.506 ⑤*grenier à coups de poing *une personne qui ne se soucie pas d'estre battue.* vulg. 257
grenier CTG | | LRxB xii,168 (< CPR)

III.506 ⑤*un morfondu *un homme incommodé de biens* 356 | | → *Glos.*

III.507 ⑤*seigneur / monsieur de nul lieu à faute de place *un qui ne possede rien du tout.* vulg. 502 / *un homme de rien.* vulg. 353
LRxB x,100 (< CuF)

III.507 **faute de place** ⑤faute *ou* à faute de *pour manquer de, etc.* 215

III.507 ④gentil-homme de la Beausse, qui se tient au lit pendant qu'on refait ses chausses *pauvre gentil-homme. On dit autrement,* qui vent ses chiens pour avoir du pain 245
LRxB vii,314

III.508 **ne faites pas comme les singes, qui serrent si fort leurs petits ...** ④*faire comme les singes *imiter tout ce que l'on voit.* Item, *gaster les enfans à force de les caresser* 507 | | → *Comm.*

III.508 ⑤à tout jamais *pour tousjours* 545

III.509 **Je ne merite pas la moindre partie de l'honneur que je reçois de vous.** ⓪

III.509 **Ce que j'ay fait n'a esté que par devoir.** ⓪

III.509 **Je vous prie de croire que c'est la moindre chose que je voudrois faire pour vostre service.** ⓪

III.510 **Vous nous obligez si fort à faire estime de vous, que ...**⓪

III.510 **Commander aussi absolument que le Roy à son Sergent, et la Royne à son enfant.** ⓪

III.511 **Il a les jambes de festu, et le cul de verre, il rompra tout s'il se remue.** ⓪

III.512 **Vous voyez des gens qui se repentent de vous avoir fait passer tant de mauvaises nuicts.** ⓪

III.512 **♦Il vaut mieux se repentir tard que jamais.** ⑤♦il vaut mieux tard que jamais *il est mieux de se reconnoistre tard que point du tout.* Item, *obtenir une chose tard que de ne l'avoir point* 521
Cf. il vaulroit mieulz tart que jamais (1378) HSL T13

III.512 **Nous l'amenderons de façon ou d'autre.** ⓪

III.513 **♦Rien ne s'acquiert sans peine.** ⓪

III.513 **♦Les moindres choses meritent le travail qu'on y employe.** ⓪

III.513 **… que j'estime par sur les montaignes** ⓪

III.513 ⑤au peril de ma vie *façon de parler pour affirmer une chose* 411

III.514 **il vaut mieux escu que l'autre maille** ③ → II.244

III.515 **Nous vous prions de l'accepter d'aussi bon cœur que quelque chose de meilleur.** ⓪

III.515 **C'est peu à vôtre égart, nous n'en doutons pas.** ⓪

III.516 **Nous vous donnons ce que nous avons en amy, sans aucune condition que celle que vous voudrez.** ⓪

III.517 **J'accepte cecy et cela, et tout ce qu'il vous plaira.** ⓪

III.517 ④donner la carte blanche *s'offrir à disputer avec quelqu'un.* Item, *donner le choix de faire ou non une chose* 43; *presenter le combat, ou se presenter pour faire ou disputer contre un autre* 73
donner ~ CTG | | LRxB x,72 (1835)

III.518 **Vous estes un brave homme de recevoir ce compromis sans barguigner.** ⓪

III.518 ⑤un compromis *une fille accordée ou fiancée, partagez le mot en deux* 113

III.518 **Pour les autres petites bagatelles, nous ne nous battrons pas ensemble.** ⓪

III.519 **grande comme un jour sans pain** ③long comme un jour sans pain *fort long, fort lent* 288
LRxB iii,104 (< CuF)

III.520 **Tu caquette tousjours comme un chardonneret.** ⓪

III.521 **♦On cognoist par les fleurs l'excellence du fruict.** ⓪

III.522 ⑤★il est du bois dont on les fait *cela se respond à un qui demande si un autre est Gentil homme,* etc. vulg. 45
Cf. il est du bois dont on le fait «he hath nothing but what is put into him» CTG | | LRxB ii,60

III.523 **Pourquoy ne le seroit-il pas? le cousin germain du pere de son grand-pere avoit envie de l'estre.** ⓪

III.524 **Il est meschant, je ne voudrois ma foy pas qu'il m'eust rompu une jambe.** ⓪

III.524 ⑤★il a la fesse tondue *il est bon drolle* 219
la fesse tondue CTG

III.524 ④donner en garde *donner à garder une chose* 245

III.524 ⑤★c'est un masle il a la gorge noire *c'est un bon compagnon* 335

III.525 **tenir en suspens** ⓪

III.525 ④★il ne me sçauroit estre plus proche, s'il n'est mon pere *il est fort proche de moy* 457

III.526 **Je suis vostre serviteur, quand vous ne le voudriez pas.** ⓪

III.527 **Vous nous tiendrez pour excusez.** ⓪

III.527 **♦Nul ne naist apris et instruit.** ⓪

III.528 ⑤tous chats sont gris de nuit *toutes les femmes sont belles à l'obscurité* 87

III.529 **Je suis ce que je suis, mais je vous conjure de croire que je suis autant vostre serviteur qu'un pareil à moy.** ⓪

III.530 **♦Une soudaine joye tue aussi-tost qu'une grande douleur.** ⓪

III.530 **Rendez-luy le devoir.** ⓪

III.530 **♦Il faut honorer la vertu par tout où on la trouve.** ⓪

III.531-2 ⑤★à la bonne heure nous prit la pluye *nous avons heureusement eschappé une incommodité.* Item, *nous sommes venus à temps.* vulg. 270; *Voyez à* Heure. 433
à la bonne heure RMN 153 | | LRxB iii,100 (< CuF | XVIIe s.)

III.533 ⑤♦★il fait bon vivre et ne rien sçavoir on apprend tousjours quelque chose *c'est quand on nous enseigne ou monstre quelque chose dont nous n'avons jamais ouy parler auparavant. D'autres disent,* il fait bon estre jeune, etc. 500

III.533 ④pardonnez luy il ne sçait ce qu'il fait *il est simple,il est sot, il est innocent* 393
Lc 23:34

III.534 **♦Où il n'y a point de faute, il n'y a point de pardon.** ⓪

III.535 **♦Nous ne sommes pas maistres de nos premiers mouvemens.** ⓪

III.536-7 – **Je donne au diable si... – Je retiens la teste ...** ⑤★j'en retiens la teste pour faire un pot à pisser *cela se dit lors qu'un homme se donne au diable.* vulg. 533

III.537 **Toubeau** ⑤ → **Tout beau** II.145 II.147

III.538 **♦On donne rien à si bon marché que les compliments.** ⓪

III.539 **Retire-toy de là, ta jument rue** ③retirez vous de là ma jument rue *ne m'approchez pas de si près, ostez vous d'auprès de moy*

290 ②*ostez vous d'icy ma beste *ou* mon cheval rue *qui se dit à un importun : esloignez vous de moy.* vulg. 490

III.539 **Si le Diable te venoit querir, j'aurois peur qu'il ne prist le cul pour les chausses.** ⓪

III.540 **Cela ne vaut pas le disputer.** ⓪

III.541 ④*Il en dit bien d'autres dont il ne prend point d'argent *il dit assez de semblables choses sans difficulté et par coustume.* vulg. 16
LRxB xi,112 (< CuF)

III.542 **Ils payent souvent le monde de cette monnoye-là.** ⓪

III.542 **ils ressemblent les arbalestiers …** ④*Il ressemble les arbalestes de Coignac, il est de dure desserre *il ne paye pas volontiers, il ne lasche pas l'argent avec facilité.* vulg. 16
LRxB vii,338 (< CPR / CuF)

III.542 **comme les compagnons bahutiers, ils font plus de bruit que de besogne** ③*faire comme les bahuttiers *faire bien du bruit et peu de besogne.* vulg. 26 | | → *Gloss.* **bahutier**

III.543 **Ceux-là sont-ils de vostre caballe?** ⓪

III.545 **Leurs camarades sont au moulin, la corde au col et les fers aux pieds** ④*vos camarades sont au moulin *vous estes un asne. C'est la response d'un homme qui s'offense de ce qu'un moindre fait comparaison avec luy, et l'appelle camarade* 70

III.545 ④les comparaisons sont odieuses *qu'il ne faut pas qu'une personne de basse extraction fasse comparaison avec un Grand* 375
c~s sont hayneuses / odieuses (1315) HSL c263

III.545 ⑤*vous avez bon foye *vous avez tort, vous avez mauvaise grace de parler ou proceder de la sorte. Et par ironie, vous avez bon temps, vous estes bien plaisant* 234

III.545 ④*vous ne serez pas de nostre plat bougre *vous ne mangerez pas avec nous ; c'est une allusion à* plabougre, *qui est une injure du vulgaire* 431

III.546 **signez-vous, vous voyez le mauvais** ③*signez vous, vous voyez le Meschant *vous avez un mauvais compagnon devant vous. L'allusion est au mot de* Meschant *qui signifie le Diable parmy le vulgaire* 507

III.546 **et si je vous responds que …** ④ → II.195

III.546 **ils seront de la nopce des plus avant et des moins prisez** ②*il est des plus avant *des plus favorisez, des premiers* 22

III.546 ④il paye bien quand il paye content *il n'est pas trop bon payeur* 404

III.546 **ils gaignent par tout** *Cf.* ①*vous ne gaignerez rien à luy *vous en recevrez du mal ou du dommage* 243

III.546 **ils portent de la corde de pendu** ④*il a de la corde de pendu *cela se dit d'un qui gaigne ordinairement au jeu.* vulg. 120

III.546 ⑤*la boiste aux cailloux vulg. *la prison* 46

III.547 **les deux fils de Michaut Croupiere** ⓪

III.547 **fils de Michaut Croupiere qui est maistre ès arts, tailleur de pourpoints à vaches** ④*tailleurs de pourpoints à vaches *badins, ignorants.* vulg. 449 ③*il est fils de maistre *il a herité sa science de son pere, et par consequent plus habile qu'un autre en son art* 225

III.547 ⑤*aussi vray que je pesche *pour dire que l'on ne croit pas une chose. On y adjouste en prenant le bras d'un autre,* voyez le beau macquereau que je tiens 413; *pour dire que l'on ne croit pas une chose.* vulg. 581

III.548 **Nous sommes presque aussi sçavans que nous estions** ③nous sommes aussi sçavans qu'auparavant *vous nous donnez mal à entendre ce que nous voulons sçavoir* 500
s'en retourner aussi sçavans comme ils y estoient allez BRUNi 66r

III.548 **Mais ce n'est pas fait.** ⓪

III.548 **Allons mettre tout par l'escuelle** ②*tout y va par escuelle *on y despense largement* 194
Les François gectent tout par escuelles (1386-89) HSL E19

III.548 **marquer ce jourd'huy d'une pierre blanche** ⓪

III.548 **♦Nul ne sçait le futur.** ⓪

III.548 **♦*Post tenebras, lux. Post nebula Phœbus.*** ⓪

III.548 **♦Dieu fait tout pour le mieux.** ⓪

III.548 **Je vous prie de la benisson, et du disner non.** ⓪

III.549 ⑤*remuer le pot aux crottes *dancer, remuer les fesses.* vulg. 444

III.550 ⑤cela s'en va comme le vin du valet *cela s'entend, il faut que cela soit.* vulg. 575
Cf. vin des valets CTG

III.550 **aussi aise qu'à la noce** ⓪

III.551 **tu as gagné ton procès** ④il a gaigné son procés / procez *il est venu à bout de son dessein, il est satisfait* 242 / *il est satisfait, il a eu ce qu'il desiroit* 457

III.551 ⑤*la danse du loup *l'action charnelle. vulg. le reste est,* la queue entre les jambes 146
danse du l. la q. entre les j. CTG | | danser la queue entre les jambes [parlant des loups] BRUFac 25 | | LRxB iv,183 (1656)

III.552 **Faisons bonbance.** ⓪

III.553 **Faisons gogaille, le diable est mort.** ⓪

III.554 **mon mary vous montre le chemin** ④monstrer le chemin aux autres *estre le premier à faire une chose, servir d'exemples* 91

III.555 **Ils ne feront pas cette sottise-là; vous la ferez s'il vous plaist** ③je ne feray pas cette sottise là, ce sera vous s'il vous plaist *c'est un compliment de niais, en priant un autre de passer devant* 511

III.556 ⑤treves de compliments, treves de ceremonies, etc. *n'en faisons point* 551

III.557 ④*Il a sept ans passez *il n'est plus en aage d'innocence, il sçait qu'il fait mal, il n'est pas excusable. Les parens en colere se servent aussi de cette façon de parler, pour dire qu'un enfant pourchasse sa vie* 12
qant elle ot sept ans passé (1376-9) HSL A135

III.557 **Quand les canes vont aux champs** ... ④ → 00

III.558 ⑤deux à deux comme freres mineurs *toujours accompagnez* 162; *tousjours deux de compagnie.* vulg. 236
LRxB i,29 (< CuF)

III.559 **Florinde ressemble à l'epousée de Massi: elle passeroit sur quatre œufs sans qu'elle en cassast demy douzaine** ③espousée de Massis, qui a les yeux de plastre *une qui fait la belle ou la delicatte.* vulg. 198 ③elle passeroit sur des œufs sans les casser *elle marche fort legerement* 376 ①*il est fait comme quatre œufs *mal fait, de mauvaise grace.* vulg. 376
LRxB iv,188 | xiii,204 (< CuF)

III.560 **Remue-toy, tu n'as rien de rompu.** ⓪

III.560 **♦Un mary sans un amy ce n'est rien fait qu'à demy.** ⓪

III.560 ④*les cochons de son aage ne sont plus bons à rostir *elle est vieille* 107 ③elle n'est plus bonne à rostir *elle est vieille* 487

III.560 **plus aise qu'un pourceau en l'auge** ③il est plus aise qu'un pourceau qui se gratte *fort content* 448. *Cf.* I.125.
c'est un porc à l'auge CTG | | LRxB iv,197 (< ATF.x)

III.561 ⑤deux loups apres une brebis *deux hommes qui pretendent une mesme chose* 310

III.562 **tu n'as garde de la perdre, tu ne la tiens pas.** ③*vous n'avez garde de le perdre, vous ne l'avez pas trouvé *vous n'entendez pas l'affaire, vous n'avez pas treuvé le poinct.* vulg. 409 ④il n'a garde de faire *il ne fera pas* 245

III.562 **tu n'as pas le liard pour te faire tondre, et tu te veux marier** ④il n'a pas le liard pour se faire tondre *il est sans argent* 303

III.563 **Taisez-vous, gros caffard** ③un caffard *un gros hippocrite* 69

III.563 **♦Si vous faites la beste, le loup vous mangera!** ③tqui se fait beste le loup le mange *qu'il ne faut pas tout souffrir avec lascheté* 40; *Voyez à* Beste 310 | | *Cf.* II.157.

III.564 **Race que tu es!** ⑤race *canaille, meschantes personnes* 467 | | *Cf.* II.152.
LRxB ix,24

III.564 **au courage qui me tient** ②*si je croyois mon courage *si je me laissois emporter à ma colère ou passion* 130

III.564 **Tu es un homme bien fait pour tourner quatre broches** ④*c'est un homme bien fait pour tourner quatre broches *le vulgaire use de ce mot par un grand mespris* 64 ③il est bien vuidé pour tourner quatre broches *il est mal fait, ou de mauvaise grace* 582

III.564 **basty comme quatre œufs et un morceau de fromage** ③*il est fait comme quatre œufs *mal fait, de mauvaise grace.* vulg. 376
LRxB xiii,204 (< CuF)

III.564 **tu n'as garde d'enfondrer, tu es bien arrivé** ③*tu n'as garde d'enfoncer tu es bien arrivé *par ironie et par allusion du verbe river, tu n'as pas trouvé ce que tu cherchois* 18

III.565 **La pucelle à Jean Guerin** ⑤*à Jean Guerin *cecy se dit de toutes sortes de choses mal faittes ou de mauvaise grace; v.g.* la fille à Jean Guerin, *et ainsi des autres.* vulg. 279 ⑤pucelle de Marolle ou pucelle à Jean Guerin *une fille qui n'est pas Vierge* 459
LRxB ix,41 (< CuF) | | pucelle de Marolle CTG

III.565 **je ne voudrois cacher ma bource entre tes jambes: on y fouille trop souvent** ③*elle ressemble à ma bourse, elle s'est laissé fouiller, etc. *cecy se dit d'une fille qui s'est laissé emplir le ventre.* vulg. 56

III.566 **♦L'envie ne mourra jamais, mais les envieux mourront.** ⓪
Cf. Machaut: Envie si ne puet morir (1342) | Envie si ne mourra ja (1359) HSL E56 | | envie ne morra ja MRW704

III.567 ⑤la grande amitié quand un pourceau baise une truye *le vulgaire se sert de ce quolibet voyant un gros valet baiser une servante, ou bien un homme baiser une laideron* 12
LRxB iv,197 (< CuF)

III.567 **Pousse! pousse! Quentin, c'est vin vieux** ⑤pousse Quentin *continue, advance, fay.* 614
LRxB xiii,224 (< CPR)

III.567 **Tu feras comme les savetiers, tu travailleras en vieille besogne** ③*estre savetier, travailler en vieux cuir *coucher avec une vieille.* vulg. 497

III.567 **... on fera un trou à vos chausses** ③*quand fera-t'on un trou à vos chausses *quand voulez vous que nous beuvions ensemble, que nous nous resjouissions* 554

III.568 ④*Dieu vous conduise et le tonnerre, vous n'irez pas sans tabourin *c'est pour dire adieu à une personne que l'on souhaitte loin* 539

III.569 ⑤*une crevasse *une femme.* vulg. 137 ③*la crevasse *la nature de la femme.* 137

III.569 **Tu sçais bien ce que je te suis ? Rien, si tu ne veux** ①il ne m'est de rien *il ne m'est pas allié ou parent* 203

III.569 **je frotteray ma coine contre ton lard** ④*frotter sa couaine *faire l'acte charnel.* vulg. 124 ③*frotter son lard *faire l'acte venerien* 297 *Cf.* III.437.
frotter à qn son lard | frotter leur lard ensemble CTG

III.569 **je te couvriray de la peau d'un Chrestien** ③*la peau d'un chrestien est bonne pour eschauffer l'estomac d'une fille, *ou bien* il la faut couvrir de la peau d'un chrestien *il la faut faire coucher avec un homme pour la guerir* 404

III.570 ④*il n'est pas trop desgousté *il a raison de demander ce qui est beau et bon. Cela se dit d'un homme qui fait l'amour à une belle fille, ou qui desire quelque chose qui merite* 156

III.570 ④l'eau m'en vient à la bouche *le desir m'en vient* 175
f-re venir l'e. à la b. (1456) HSL E11 | | venir l'eau à la bouche | Cela luy fit venir l'eau à la bouche CTG

III.570 **Il faut que messire Jean y passe** ⑤il faut que le prestre *ou* Messire Jean y passe *il faut premierement estre mariez ou espousez* 400 ③*il faut que le prestre y passe *il faut estre mariez ou espousez auparavant* 455

III.570 ⑤*tout son saoul *en quantité; bien fort; fort et ferme* 497
SorFr 67

III.570 **Je vois bien que tu es bien amoureux, car tu es bien chatouilleux** ③homme chatouilleux *qui s'offense legerement* 87

III.571 **Tu as bon dos, tu es bonne à marier** ④*il est bon à marier *il sçait faire du feu et couper du pain* 332 ③*il a bon dos, il portera bien tout *il est riche, il pourra faire la despense.* vulg. 170 ①*elle est bonne à marier *les marqueurs se servent de ce quolibet pour dire qu'une chasse est bien grande* 332
LRxB v,215 (< CuF)

III.571 ⑤*couper du pain au chanteau *avoir du pouvoir en un lieu.* vulg. 81

III.572 **il te faut donner un peigne, tu t'en veux mesler** ⑤*tu t'en veux mesler, il te faut donner un peigne *raillerie pour un impertinent qui se mesle d'un affaire qui ne le touche pas* 405 ④se mesler d'une chose *en faire profession* 342 ④se mesler d'un affaire *s'y entremettre* 342
se mesler de CTG

III.572 **Tu as les genoux chauts, tu veux jazer.** ③*il a les pieds chauds, il veut jaser *il est à son aise, il a envie de discourir.* vulg. vulg. 418

III.572 **je te trouve tout jeune et joyeux** ④ → II.175

III.572 **tu as encore ton premier beguin** ④*il a encore son premier beguin *il est jeune sans experience, innocent ou simple,* vulg. 38
me croit il remettre au beguin? RMN 15

III.572 **qui te tordroit le nez il en sortiroit encore du laict** ④*si on luy tordoit le nez, il en sortiroit du laict *il est jeune, et sans experience.* vulg. 370; *Voyez à* Nez 540
LRxB v,269 | xiii,200 (< CPR)

III.572 **tu ressemble les grands chiens, ... les murailles** ④*il ressemble les grands chiens, il veut pisser contre la muraille *il veut faire comme les grands, il veut faire comparaison avec ceux qui sont plus que luy* . vulg. 98
LRxB iv,168 (< CuF) | LRxB iv,171 (< CPR)

III.573 **Suis-je pas aussi dru que père et mère?** ④estre dru *eslevé, creu en aage.* Item, *gaillard* 173
LRxB v,272 (< CPR)

III.573 **♦Les plus sots le font le mieux.** ⓪

III.574 **tu as les dents plus longues que la barbe** ③*avoir les dents bien longues *avoir faim.* vulg. 151 ③*avoir les dents bien longues, *ou bien,* aussi longues qu'un gril *avoir grand faim.* vulg. 308
LRxB v,210 (< CPR)

III.574 ⑤tu viens de Vaugirard ta gibeciere sent le lard 561

III.574 **[tu es] d'un estrange pays, car tu as de la barbe aux yeux.** ⓪

III.575 ④★elle est belle à la chandelle *c'est une raillerie vulgaire pour dire qu'une femme n'est pas trop belle : le reste est,* mais le jour gaste tout 39

III.575 ⑤à la chandelle *à la lumière de la chandelle* 79
à la chandelle CTG

III.575 **nous en sommes bien serrez pour nostre argent** ④★bien serré *bien fort.* vulg. 505

III.575 ④★c'est pour vous que l'on fait la feste *que l'on prepare.* Item, par ironie, *vous n'avez que faire de rien pretendre à cela* 220

III.576 ♦***Finis coronat opus.*** ⓪
Cf. la fin couronne ou advillist l'euvre (1461-6) HSL F89

III.576 ♦**La fin couronne les taupes.** ⓪

III.576 ⑤tirez le rideau la farce est jouée *l'affaire est finie, la personne est morte* 481
tirer le rideau CTG

III.576 ④trouver bon *sembler bon, s'accorder, consentir* 556
trouver CTG

III.576 ④★si vous ne le trouvez bon faites y une saulse *si vous n'estes content ayez patience, ou cherchez le moyen de vous contenter* 498
LRxB xiii,216 (< CuF)

III.576 ②★il n'est bon ny à rostir ny à bouillir *il n'est propre à rien.* vulg. 487

III.576 ⑤★couchez vous aupres *si vous ne voulez de cela, cherchez ailleurs qui vous contente, ou ayez patience.* vulg. 124

III.576 ⑤★les valets de la feste vous remercissont *nous ne voulons pas cela.* vulg. 560
Cf. valets de la feste « A kind of Morrisdauncers, attired like fooles and having as ours, their legs gartered with bells » CTG

III.576 ③★bon soir mon pere et ma mere, les derniers couvrent le feu *bon soir, à Dieu, je me recommande*: raillerie vulg. 508

GLOSSAIRE

admiration *f* étonnement

assassiner *vt* «Tuer en trahison, et de dessein formé» – *Ri.I.45b.*

atourner *vt* «Vieux mot qui signifioit autrefois, Orner et parer une Dame. Il est hors d'usage dans le serieux» – *FUR.*

attrimer *m* *arg..* 1. prendre; 2. dévaliser – *Pech 14.*

aviser *vt* «Ce mot pour signifier *découvrir* ou *apercevoir*, est bas et peu en usage»; **s'~** «Penser, songer, se mettre une chose dans l'esprit» – *Ri.I.54b.*

bagottier *m* (< **bagues** «effets personnels, meubles») «Déménageur de 'bagues', meubles (1633), avec le proverbe: 'Couvrez-vous bagotiers, la sueur vous est bonne'» – *Es28b.*

bahutier *m* «Ouvrier qui vend et fait de toutes sortes de bahus, valises, malles, cantines, le tout couvert de cuir de veau, de vache, de roussi, de porc et de toutes sortes de cuir à la reserve du chagrin» – *Ri.I.59b.*

«Ouvrier qui fait des bahuts et coffres. On dit proverbialement, qu'un homme fait comme les *Bahutiers*, qu'il fait plus de bruit que de besogne, lors qu'il parle beaucoup, et qu'il travaille peu, car en effet les Bahutiers après avoir cogné un clou, donnent plusieurs coups de marteau inutiles avant que d'en cogner un autre» – *FUR.* *Cf.* III.542.

balligouinsses *pl* (**badigouinces**) lèvres, babines; **badigoines** «The great and hanging lips» – *CTG.*

bandoul(l)ier *f* «Sorte de fripon, de gueux et de vagabond» – *Ri.I.62b.* «Bandit, brigand. Borel, dans son dictionnaire au mot Bandouillers, dit que c'étoient des voleurs du pays de Foix et des Pyrénées, ainsi nommés parce qu'ils alloient en par bande. En 1502, c'étoient des troupes au service de France. … On en faisoit la levée dans les Pyrénées, selon M. de Thou. Nous avions encore de ces troupes dans nos armées en 1566 (*Mém. de Monluc*, I, p. 69, 71)» – *LaCur.II.387b.*

barbet *m* «Chien qui va à l'eau, et dont le poil est frisé. On appelle aussi ce chien *Canart*, et sa femelle, *Canne*». – *Ri.I.64b.* «Chien à gros poil et frisé qu'on dresse à la chasse des canards. On tond les barbets, et de leur poil on fait des chapeaux. On dit proverbialement d'un homme qui en suit toûjours un autre, qu'il le suit comme un barbet; et on dit d'un homme fort crotté, qu'il est crotté comme un barbet, parce que la crotte s'attache aisément au long poil des *barbets*» – *FUR.*

bataille *f* «Armée prête à combattre. Troupes rangées en état de combat» – *Ri.I.68a.* **En ~** «Marcher en bataille, c'est, Marcher en bataillons et escadrons dans le même ordre que si on avoit à donner bataille, quand le terrain le permet; ce qu'on fait toujours quand on est prés des ennemis» – *FUR.*

batterie *f* «La manière de battre le tambour suivant les occasions, ou pour la marche, ou pour l'assemblée, ou pour la charge, etc.» – *FUR.*

béatilles *f pl* «Petites viandes délicates dont on compose des pastes, des tourtes, des potages, des ragousts, comme ris de veau, palais de bœuf, crestes de coq, truffes, artichaux, pistaches, etc. On dit proverbialement et populairement, *Beati garniti vaut mieux que beati quorum*, pour enseigner qu'il faut tâcher d'avoir toûjours la main garnie* quand on a à contester quelque chose» – *FUR.*

berlue *f* (= **berlus**) «Eblouissement de la veuë par une trop grande lumiere, qui fait voir long temps aprés les objets d'une autre couleur qu'ils ne sont» – *FUR.* «Eclairs brillans qui paroissent devant les yeux, et naissent des vapeurs qui s'élévent des parties basses, ou du petillement d'un sang échaudé» – *Ri.I.74b.*

besace *f* (= **besasse**) «Bissac, longue piece de toile cousuë en forme de sac, qui est ouverte par le milieu, qu'on porte sur une épaule» – *FUR.*

bigorne *adv* (= **bigorgne**) de travers, louchement. **Rouscailler ~** «jargonner» – *Es58b.*

bilboquet *m* «Figurine lestée de plomb de sorte qu'elle se trouve toujours debout» – *RobHist* I-220b.

bis *m* *arg.* vagin – *Pech 43, 46.*

bonnes graces *f pl* «sorte de rideau». – *HG.IV.353b.* «The uppermost flappe of the down-hanging taile of a french hood; (whence belike our *Boongrace*)» – *CTG.*

bouis *m* «Fouet, et peine de fouet» – *Es80b*. Si l'on se fie à cette signification, *peigne de bouis* peut être un calembour sur *peine de bouis*. La phrase «je t'enjolle peigne de bouis» peut se lire comme «je t'engeole peine de bouis», qui est une menace. Ce sens est pourtant très loin de la version CuF. => **engeoler**.

bourrache *f* ivre < *esp.* borracho. Si ce mot a cette signification dans la *Comédie*, cela veut dire qu'il était connu 300 ans avant son attestation dans le jargon militaire en 1905 par Esnault.

bréland *m*, (= **berland**) «Le premier de ces mots est le meilleur. Sorte de jeu de cartes qu'on joüë à 2, à 3, à 4, ou à 5; donnant 3 cartes à chacun après en avoir oté les petites jusques aux sept inclusivement. Terme qui emporte quelque sorte de mépris pour dire maison où l'on joue souvent» – *Ri.II.93b*.

bricole *f* 1) «Excuse frivole». – *Ri.I.94a*. «Une tromperie qu'on fait à quelqu'un quand on agit avec luy par des voyes obliques et indirectes. A signifié chez les Anciens, une machine à jetter des pierres. Du Cange». – *FUR*. 2) Ricochet – *Ac.I.129b*.

brimart *m* *arg. gueux* bourreau – *Pech 43*.

caillette *f* «Se dit figurément d'un homme sans cœur et sans vigueur, qui n'est capable d'aucun travail, d'aucune entreprise» – *FUR*.

caliner, se s'échauffer? < câliner «faire des éclairs de chaleur» – *Moisy 104a*.

carabin *m* «Chevau-leger armé d'une petite arme à feu qui tire avec un roüet. On appelle figurément un Carabin, celuy qui entre en quelque compagnie sans s'y arrester longtemps, qui ne fait que tirer son coup et s'en va» – *FUR*. «Les c. étoient des cavaliers du temps de Henri Quatriéme et de Louis Tréziéme, qui portoient une cuirasse échancrée à l'épaule afin de mieux coucher en joüe» – *Ri.I. Remarques*.

cavalcade *f* «Une promenade ou un petit voyage que font des gens a cheval dans quelques lieux peu éloignez» – *FUR*.

chanteau *m* «1. *géom.* segment de cercle. 2. entameure d'un pain domestique, ou un gros quartier qu'on en retranche. S'applique aussi au pain bénit» – *FUR*.

chattemite *f* «Qui affecte une contenance douce, humble et flatteuse pour tromper quelqu'un, pour attraper quelque chose» – *Ac.I.176a*.

chien-lict *m* «A shiteabed; a shitten fellow, beastlie companion, filthie scoundrell, stinking iacke, scurvie mate» – *CTG*.

chinfreneau *m* «Coup qu'on reçoit à la teste, soit en se heurtant par hasard contre quelque corps, soit en se battant contre un ennemi. Ce mot est populaire, et vient apparemment de chamfrain par corruption» – *FUR.*.

cochonnée *f* «La quantité de cochons qu'une truye a eus d'une portée. On a vû des truyes qui ont eu jusqu'à 37 cochons d'une *cochonnée*» – *FUR*.

cogne-festu *m* «C'est un nom qu'on donne à celuy qui se donne beaucoup de peine inutile. *Il ressemble à cogne-festu*, il se tue, et n'avance rien» – *FUR*.

conserve *f* «Confiture seche qui se fait avec du sucre de plusieurs pastes, ou fruits, ou fleurs, etc., pour les rendre plus agréables au goust. Les Medecins sous le nom de *conserves* comprennent toutes sortes de confitures de fleurs, de fruits, semences, racines, écorces et feuilles, soitr liquides, soit seches, faites avec du sucre ou du miel, pour conserver longuement la vertu des simples» – *FUR*.

custode *f* «Rideau» – *HG.II.690*. «Saint Ciboire où l'on garde les hosties consacrées, qui est couvert d'un pavilllon. Quelquefois on le garde dans un tabernacle. Mais dans les Eglises catholiques on le suspend au dessus du maître autel. «On appelle en Latin *custodia*. Rideaux qui sont dans quelques Eglises à costé du grand autel, et qui y servent d'ornements; et même on appelle quelquefois ainsi les rideaux des lits des particuliers» – *FUR*.

dam *m* dommage. *À son dam* «à ses dépens» – *FUR*.

débagouler *vt* «Dire sans suite et hors de propos» – *Ri.I.210a*. «Vomir, degueuler. Ce mot n'est en usage que parmi le peuple, où on le dit plus souvent au figuré, et il signifie alors, Dire indiscrètement tout ce qu'on sait» – *FUR*.

dépendre *vt* «Ce mot pour dire *dépenser* est hors d'usage» – *Ri.I.230b*.

desconvenue *f* (deconvenue) *vieux* «malheur, mauvaise aventure» – *FUR*.

desempenné *a, p. p.* dépourvu de plumes. «Unfeathered, whose feathers are pulled off». – *CTG*. < **penne** «plume».

dessalé *a* «Fin, rusé, qui ne se laisse pas tromper, qui affine les autres» – *FUR*.

eboby *a* (**esbaubi**) «Estonné, surpris d'admiration. Il est vieux» – *Ac.I.381a*.

égueulé *a* (**esgoulé**) « Cruche *esgueulée.* Casser le goulot d'une bouteille, d'un pot, d'une cruche. On dit aussi qu'un hoimme s'est *esgueulé* à force de crier, quand il a crié si fort qu'il ne peut plus parler » – *FUR.* < **s'égueuler** « crier si fort qu'on se fasse mal à la gorge » – *Ri.I.271a.*

embler *vt* « Vieux mot hors d'usage, qui signifie *prendre et voler subtilement*» – *Ri.I.274b.*

embrasser *vt* « Environner, serrer de ses bras » – *FUR.*

employé *p.p.* « On dit proverbialement, *C'est bien employé*, parlant de celuy à qui il est arrivé par sa faute ou par son imprudence quelque malheur ou chastiment qu'il meritoit » – *FUR.*

enbier *vt dans l'expr. enbier le pelé juste la targue* « enfiler le chemin de la ville » – *Pech 15.* => **pelé**, **targue**

enfondrer *vt* (**effondrer**) « Briser, avec effort et violence » – *FUR.*

engeoler *vt* « to incage, or to ingaole, to put in a cage, to lay in gaole » – *CTG. Syn.* **emprisonner**.

enjoller *vt* « surprendre, attirer, engager par des paroles flatteuses » – *Ac.I.370b.* = **enjauler** *CTG.*

enterver *vt* (**entraver**) « comprendre ». ~ *le gourd* « s'y connaître en tromperie » – *Pech 13, 44.*

eschauffourée *f* « Emportement de colere, Mouvement subit » – *Ac.I.384a.*

escorne *m* « Vieux mot qui signifioit autrefois *affront*, *perte*, ou *dommage* en ses biens, en son honneur. Ce mot vient de l'Italien *scorno*, qui a été fait de *specno*. (Ménage) Ou plustost il vient de l'Alleman *schern* qui signifie *illusio* (sic), *moquerie*» – *FUR.*

escogrif(f)e *m* « A Luske, a great Slouch, Cluster fist, foule Clutch. *Orleannois*» – *CTG.* « *Vieux et populaire,* se dit par injure des gens de grande taille, mal bastis et de mauvaise mine » – *FUR.*

falot *m* « Lanterne au bout d'un bâton, ou d'un manche de bois » – *Ri.I.323a.*

fausset *m* « Petite cheville pointue qui sert à boucher le petit trou d'un muid qu'on a fait avec un foret. On tire du vin au fausset, avant d'y mettre la fontaine » – *FUR.*

fermis *adv* (**fremy**) « ferme, beaucoup, vigoureusement « – *Pech 44.*

fierabras *m* « Terme populaire, qui se dit d'un fanfaron qui fait le brave et le furieux, qui se veut faire craindre par ses menaces. Ce mot vient de Guillaume Fierabrach, c'est à dire, Bras de fer, qui estoit frere de Robert Guiscard qui conquit la Sicile, et estoit fort vaillant homme» – *FUR*.

friperie *f* «Lieu à Paris où l'on vend de toutes sortes d'habits fort vieux, ou neufs, où l'on vend des lits et tous les meubles d'une chambre» – *Ri.I.354b*. «*Se jeter sur la ~ de qn* «le bien battre» – *Ac.I.494b*.

garnir «En termes du Palais, signifie, Donner assurance, payer par provision. Il faut *garnir* la main du Roy, quand on plaide contre luy. Le Roy plaide toûjours main garnie» – *FUR*.

georget *m* «pourpoint» – *Pech 44*.

gerfau(l)t *m* «Oiseau de proye et de leurre qui sert à volerie. Le g. est l'oiseau qui a le plus de force après l'aigle» – *FUR*.

goberger, se «Terme bas et populaire, qui signifie, se resjouïr, se mocquer». – *FUR*. «Mot bas, et burlesque: se choier, se réjouïr à son aise» – *Ri.I.375b*.

grivelée *f* «Profit injuste et secret qu'on fait dans un employ, et ce qu'on appelle en parlant de valets, des ferremules» – *FUR*. => *Répertoire phraséol.*, III.497. < **griveler** «Friponner, faire de petits profits secrets et illicites en quelque employ» – *FUR*.

hane *f* (**hanne**) bourse – *E358*; **casser la ~** couper la bourse.

haneton *m* «Une sorte d'insecte volant qui paroit au mois de Mai sur les arbres, qui vit de feuilles, d'herbes, qui est couvert de deux grandes ailes jaunes, qui a le cou, la tête et le dessous du ventre noir, avec six grans piez et deux cornes qui sont houppées au bout et une petite queuë noire et pointue». – *Ri.I.394a*. «les enfants l'attachent au bout d'un fil pour le faire voler en rond» – *FUR*.

hastille *f* tranche, partie du porc fraîchement abattu

incontinent *adv* «Aussi-tôt» – *Ri.I.425a*

ladre *a* «lépreux» (< *lat. lazarus*). «Malade d'une maladie qu'on apelle *ladrerie*. Ladrerie: maladie de ladre, qui a sa source dans le foie». – *Ri.I.449b*

mander «Faire venir avec quelque sorte d'autorité, apeller avec quelque sorte de commandement» – *Ri.II.13a*.

maquereau *m* 1. «*au plur.* sont des taches de la peau qui viennent particulierement aux jambes et aux cuisses pour s'estre chaussé de trop prés. Ils sont ainsi nommés, par ce qu'ils imitent les taches du maquereau». – *FUR-II*. «Petis cercles rouges qui viennent aux jambes lorsqu'on les a trop chauffées». – *Ri.II.15b*. 2. «On appelle proverbialement un *maquereau*, un poisson d'Avril. On dit aussi de celuy qui ne paye point son escot, sa part de quelque despense commune, qu'il est franc comme un *maquereau*». – *FUR* => ***Commentaires.***

marcadan *m* (marcadant, mercadent *m*) «A poore merchant, paltrie tradesman; one that deales but for small, or sleight ware». – *CTG.* «Terme de mépris, qui signifie un Marchand de legeres merceries, ou Marchand ruiné. Il est pris de l'Italien *un povero mercadente*» – *FUR*

marmouset *m* «Sorte de petite figure grotesque et mal-faite qui a quelque air d'homme ou de femme. Figure ridicule et mal-faite. Sorte de figure haute d'un pié, qui a l'air d'une personne, qui est de bois, et qui est à chaque bout du bateau de la grand'Chambre du Palais de Paris. *Style simple, comique, burlesque, ou satirique* Laid, sot et mal-fait». – *Ri.II.19b.* **Marmoset** *m* «Figure d'homme mal peinte, mal faite, les apprentifs Peintres font des *marmousets* sur toutes les murailles blanches qu'ils rencontrent. On dit d'un mauvais curieux qui n'a que de meschants tableaux ou de vilains bustes, qu'il n'a que des *marmousets* dans son Cabinet.... On le dit aussi d'un homme mal basty. Le peuple dit aussi proverbialement, quand il voit des gens à la fenestre, il sera demain Feste, les *marmousets* sont aux fenestres. Ménage derive ce mot du Bas-Breton *marmous*, qui signifie un *singe*. Cependant ce mot signifioit autrefois le mignon d'un Prince ou d'un Seigneur, comme on voit dans Froissart». – *FUR*.. «The cocke of a cesterne, or a fountaine, made like a womans dug; any Anticke image, from whose teets water trilleth; any Puppet, or Anticke; any such foolish, or odde representation; also, the Minion, fauorite, or flatterer of a Prince; as in Marmoset». – *CTG.* Also, a lewd flatterer, or vicious fellow; especially the base flatterer of a Prince, who to feed his masters humor, applauds, and imitates, his foolest vices» – *CTG.*

maroufle *m* «Terme injurieux qu'on donne aux gens gros de corps, et grossiers d'esprit» – *FUR.*

masle *m* «On dit proverbialement, qu'un homme est un laid *masle*, un vilain *masle*, pour dire, qu'il est mal-fait et difforme, qu'il a la gorge noire, que c'est un franc *masle*, pour dire qu'il est vigoureux, paillard» – *FUR.*

masse *interj* «Avec un accent long sur la première syllabe, est un terme du jeu de dez qui signifie la somme qu'on veut joüer à chaque coup. *Masse dix pistoles*, pour dire, *je veux joûer dix pistoles*, et celui qui tient le dé respond, *tope*, quand il veut tenir. On le dit aussi en desbauche, quand on porte des santez, *Masse à qui dit*? Et celuy qui accepte la santé, respond, *tope*. Ce mot vient de l'espagnol *mas*, qui a esté fait du Latin *magis*, etsignifie *davantage*. (Menage)» – *FUR*.

matras *m* «Sorte de trait qui se decoche avec une arbaleste, et n'a point de fer au bout, mais une grosse teste qui ne perce pas, mais qui blesse. Ces matras ne sont plus en usage» – *Ac.II.34b*.

morfondu *a* «that hath taken, or caught colde» – *CTG*.

naqueter *v* solliciter, mendier => ***Répert. phraséol.***, I.146.

nique *f* «Mouvement de tête pour marquer le mépris qu'on fait d'une personne». – *Ri.II.70a*. «Il n'est en usage que dans cette phrase, *Faire la nique*, qui veut dire, *Se moquer de quelqu'un, de quelque chose, comme n'en ayant que faire, comme ne s'en souciant point*» – *Ac.II.122a*.

niqueter, nicqueter => naqueter

niveler «(l'e médial ne se fait pas sentir) perdre son temps à des riens. Le mot, en ce sens, est dans Cotgrave» – *Moisy 447b*.

niveter[1] «To be idle, or lazie; also, to fidge, or be fidling here and there to no manner of purpose» – *CTG*.

passe-ligour *m* *dans la loc.* **attrimer au ~** dérober

pelé *m* *arg.* «chemin» – *Pech 46*.

picorée *f* butin; maraude, pillage

quille *f* jambe – *Bles.*[2]

rebec *m* «instrument de musique qui est hors d'usage, et qui n'avoit que trois cordes.... Le mot de *rebec* se dit encore en riant, et il se prend alors pour luth, ou autre pareil instrument à cordes» – *Ri.II.266b*.

recors *m* «Aide de Sergent, celuy qui l'assiste lors qu'il va faire quelque exploit, ouexecution, qui luy sert de tesmoin, et qui luy preste main forte» – *FUR*.

recru *p.p.* «Lâs, lassé, fatigue (sic), harassé....en ce sens semble un peu vieux à quelques personnes. Cependant, on le trouve dans les bons Auteurs, et on croit qu'à leur exemple on s'en peut servir quelquefois dans un stile grave et un peu soutenu» – *Ri.II.274a*.

---

1 Probablement, variante de *niveler* ou erreur de Cotgrave.

2 *Dictionnaire Blesquin*, dans: DOTOLI «Scrivere per il popolo...», p. 384.

rencontrer *vt* « Trouver, faire rencontre de quelque chose de bon, ou de mauvais. *Au figuré, intr.* Deviner, rëüssir dans ses conjectures. Rëüssir » – *Ri.II.295a.*

réponce *f* (**raiponce**) « Sorte de petite racine qu'on mange le carême en salade » – *Ri.II.302a.*

requeste, être de ~ « On dit d'une chose qui est fort recherchée, qu'*Elle est de requeste, cette marchandise est de requeste*» – *Ac.II.356b.*

résiné *m* « Vin doux où l'on jette des quartiers de poire qu'on fait cuire jusques à consistence. Grapes de raisins qu'on fait cuire avec du vin doux jusques à une certaine consistence et dont les petites gens mengent au lieu de confitures » – *Ri.II.306a.*

riote *f* querelle

river *vt* « foutre » – *Pech 43, 46.*

roulier *m* « Voiturier par terre qui transporte les marchandises de ville en ville, de Province en Province. Presque tout le vin de l'Orleannois se transporte par des Rouliers. Les Rouliers prennent tant par livre pour le transport d'un ballot » – *FUR.*

rouscailler *vi* (**rousquailler**) dans *rouscailler bigor(g)ne* « jargonner » (1628) ; *je lui jaspine en bigorne* (XVIIIe s.) – *Esn 58.*

saimon *interj* (**semon, semond, c'est mon**) Oui. « MON – particule affirmative » – *HG.V.309.* En fait, il s'agit plutôt d'une locution, assez répandue au XVe et XVIe siècle, que les usagers avaient de la difficulté à analyser, en l'écrivant, les uns, *c'est mon*, d'autres, *sais-mon.* La dernière orthographe renvoie au verbe *savoir*, et le savant auteur du grave *Traité du ris* (vers 1579), Laurent Joubert, l'emploie bien à l'infinitif : « Savoir-mon, si quelqu'un an se doulant peut rire. Savoir-mon, si le seul homme pleure, comme luy seul peut rire.... Savoir-mon, si quelqu'un peut mourir de rire » (ch. XVI).

soup(p)e « Trenche de pain coupé fort délié pour faire le potage et sur quoi on met le bouillon du pot tout chaud » – *Ri.II.393b.*

targue *f arg.* ville – *Pech 47.*

tintouin *m* A ringing, singing, or tingling in the head, about the eares ; also, great care, anxietie, or trouble of spirit – *CTG.*

tollir *vt* « To remove, take away ; disannull, abrogate, cancell, abolish, make void » – *CTG.* Vieux mot qui signifioit autrefois *oster, enleuer* de force. Il est tout à fait hors d'usage » – *FUR. Ce mot n'est répertorié ni par Ri. ni par Ac.*

tout-beau *adv* (**toubeau**) «On se sert de ce mot pour prier ou commander qu'on arrête». – *Ri.II.463a.* «*interj.* Doucement, modestement» – *FUR.* «Arrêtez-vous, taisez-vous» – *FUR. Cf. Répert. phraséol.*, II.145.

trépillard *a* «qui s'agite» – *LaCur.X.91a.*

triomphe *f* atout. «C'est la carte qu'on retourne aprés avoir donné à chacun des joueurs les cartes qu'il leur fault. On appelle aussi *triomphe* les cartes qui sont de la même peinture que celle qu'on a retournee la dernière. *Avoir la ~, Jetter de la ~, Renoncer à la ~*» – *Ri.II.490a.* «Lorsqu'on joue à la triomphe, qui est aussi un jeu de cartes, l'as pille, et celui qui renonce en jouant perd la partie» – *Ri.II.164a. Cf. allem.* Trumpf, *angl.* trump.

tripotage *m* «Ce mot ne peut entrer dans la conversation que plaisantant et dans le stile le plus bas. Il signifie sorte de commerce blâmable, sorte de désordre». – *Ri.II.491a.*

trottain *m* (**trot(t)in** *m*) «Pied» – *Bles. Cf.* «Mot bas et injurieux pour dire *un laquais*» – *Ri.II.494b.* «Petit laquais qui ne sert qu'à faire des messages. Les grands laquais tiennent à injure, quand on les appelle *trotins*» – *FUR.* «Terme bas et populaire qui se dit par mespris d'un petit laquais» – *Ac.II.601b.*

vercoquin *m* (= *erroné* **vert coquin)** «1. Petit ver qui ronge le bourgeon de la vigne. 2. Une petite fureur qui saisit quelquefois l'esprit des hommes, et qui les rend capricieux, acariastres, testus, et incapables de raison.... On derive ce mot du précédent, parce que le peuple croit qu'il y a un ver dans la teste des gens agitez de cette passion». – *FUR.* «Caprice, fantaisie. Le mot est vieux et burlesque, et il ne trouve sa place que dans les ouvrages comiques tels que sont les satires, les comédies, les épigrammes, et la prose burlesque» – *Ri.II.517ab.*

vergne *f* *arg.* ville – *Pech 47.*

vesse *f* I. «Vent puant qui sort du fondement de l'homme. Vent qui sort du ventre du cheval». II. «Sorte de légume noire (sic) et ronde (sic) qu'on donne à manger aux pigeons» – *Ri.II.523b.*

volant *m* *arg.* manteau – *Pech 47.*

PIÈCES DE MONNAIE

blanc «ancienne monnoye qui valoit cinq deniers» – *FUR.*

chiquin (= **chequin, sequin** < *it.* **zecchino**) «ancienne monnaie d'or de Venise» – *HU.II.241a ; GRob.VIII.717a.*

double « petite monnoye de cuivre valant deux deniers. Il sert à exaggerer la pauvreté » – *FUR.*

douzain « monnoye de cuivre avec quelque alliage d'argent vallant un sou, ou douze deniers tournois » – *FUR.*

escu « pièce de monnoye. L'escu de France vaut d'ordinaire soixante sous. Il passe pour trois livres : c'est ce qu'on appelle escu blanc » – *FUR.*

liart, **liard** « Monnoye qui vaut trois deniers, faite de la même matiere que les sous. Elle a cours encore dans le Lyonnois et dans le Dauphiné » – *FUR.*

sol (= **sou**) « pièce de menue monnoye valant 12 deniers tournois. Les sous parisi ou sous marquez, ou tapez, valent quinze deniers. Une livre vaut vingt sous, un escu soixante sous. On prononçoit autrefois sol » – *FUR.*

INDEX DES MOTS CLÉS

L'orthographe des mots clés est ramenée à la norme moderne, sauf les mots vieillis ou argotiques pour lesquels, en les marquant d'un astérisque (*), nous conservons l'orthographe archaïque. Les nombres renvoient aux répliques de la pièce, l'*italique* marquant celles où le mot clé renvoie uniquement à la *Comédie*, les caractères **gras**, celles où le mot est présent uniquement dans la variante correspondante des *Curiositez françoises*.

INDEX ONOMASTIQUE DE LA *COMÉDIE DE PROVERBES*

ANTHROPONYMES

TOPONYMES

UNIVERSITY LIBRARY NOTTINGHAM

ETHNONYMES

TABLE DES MATIÈRES

Mise en pages:
Atelier Perrin – CH-2014 Bôle

Impression:
Imprimerie Paillart
F-80103 Abbeville

Décembre 2002